T3-BNL-730

Du même auteur chez le même éditeur

LES SCIENCES HUMAINES ET LA PENSÉE OCCIDENTALE

I. DE L'HISTOIRE DES SCIENCES À L'HISTOIRE DE LA PENSÉE, 1966.
II. LES ORIGINES DES SCIENCES HUMAINES, 1967.
III. LA RÉVOLUTION GALILÉENNE, 2 vol., 1969.
IV. LES PRINCIPES DE LA PENSÉE AU SIÈCLE DES LUMIÈRES, 1971.
V. DIEU, LA NATURE, L'HOMME AU SIÈCLE DES LUMIÈRES, 1972.
VI. L'AVÈNEMENT DES SCIENCES HUMAINES AU SIÈCLE DES LUMIÈRES, 1973.
VII. NAISSANCE DE LA CONSCIENCE ROMANTIQUE AU SIÈCLE DES LUMIÈRES, 1976.
VIII. LA CONSCIENCE RÉVOLUTIONNAIRE : LES IDÉOLOGUES, 1978.
IX. FONDEMENTS DU SAVOIR ROMANTIQUE, 1982.
X. DU NÉANT À DIEU DANS LE SAVOIR ROMANTIQUE, 1983.
XI. L'HOMME ROMANTIQUE, 1984.

En préparation :

XII. LE SAVOIR ROMANTIQUE DE LA NATURE.
XIII. LES SCIENCES HUMAINES DANS LE SAVOIR ROMANTIQUE.

L'HOMME ROMANTIQUE

BIBLIOTHÈQUE SCIENTIFIQUE

GEORGES GUSDORF

LES SCIENCES HUMAINES
ET LA PENSÉE OCCIDENTALE
XI

L'HOMME ROMANTIQUE

Ouvrage publié avec le concours du
Centre National des Lettres

PAYOT, PARIS
106, Boulevard Saint-Germain

1984

SOMMAIRE

PREMIÈRE PARTIE : VALEURS, ÉTATS D'ÂME

CHAPITRE PREMIER : LES ANTÉCÉDENTS

Le Moi romantique, centre et enjeu de l'existence. Les étapes du Moi dans la culture d'Occident depuis la culture antique. Renaissance, Réformation, Classicisme ontologico-cartésien. Usure des absolus et dépérissement de l'ontologie. Dissolution du sujet : Locke. La statue de Condillac. Hume : une anthropologie de l'impersonnalité ; « Je n'existe pas » 17

L'âge des Lumières tente de réduire l'homme à la raison. Vers l'universalité dans l'uniformité. Axiomatisation de l'espace mental. Diminution capitale de l'individualité. Neutralisation du langage. Le citoyen du monde. L'humanité n'est qu'un univers du discours. L'ordre galiléen, espace de sécurité ; négation de la mort 21

CHAPITRE II : L'IDENTITÉ ROMANTIQUE

Le Moi romantique du XVIIIe siècle : de Shaftesbury au *Sturm und Drang*. Sensibilité contre sensorialité. L'inversion des priorités. Fr. Schlegel : un contrepoids spirituel à la Révolution. Le Moi, point médian de la culture. L'ordre neurobiologique dans l'homme conditionne l'ordre du monde. Présence de la rose et langage des fleurs. Le sujet sans substance des Lumières et sa pathologie 26

Le Moi de Rousseau comme présence. Le Je transcendantal de Kant, sujet sans substance, degré zéro de la vie personnelle. Biran : qu'est-ce que le moi ? Conversion de Biran. Présence réelle de la substance. Un Colomb métaphysicien pour explorer l'espace du dedans. Ligne de rupture avec les Lumières. L'identité du Moi est un secret 30

Maurice de Guérin contre Locke. Le point origine de la personnalité, donation ontologique. Le sentiment de l'existence. « Cénesthésie ». Les confins de l'esprit et du corps. Réhabilitation de l'ordre émotionnel et affectif. Le Moi comme fondement et point d'appui. De la psychologie à l'ontologie 34

Schelling : l'ouverture de la conscience sur la surréalité de l'être. Du je transcendantal au moi ontologique par l'intuition intellectuelle. L'anonymat de Descartes. Novalis : misère de la psychologie. Vers la matrice du sens 38

CHAPITRE III : INTERMITTENCES ET CONTRADICTIONS

Le moi restauré revendique le champ total de la présence au monde. La vertu d'originalité et de différence. Richter : « Je suis un moi. » Jacobi : une durée sans fin, infinité et finitude. La réalité humaine transcende l'intelligibilité 42

Incarnation dans l'histoire et incarnation dans la nature. Conscience comme émergence, espace des confins. Pas de critère unique de la vérité. Révélation de l'infini dans le fini ; vérité comme éclatement et signe de contradiction opposée au classicisme de l'harmonie 45

Perfection dans la finitude opposée à contradiction et démesure. Les objecteurs de conscience à W. Meister. Le vœu de non parvenir. Les romantiques vieillissent mal. Plutôt mourir jeune ou s'absenter dans la folie. Le signe de l'échec. Pour une échelle graduée des romantiques. La vie et l'œuvre. Les Professeurs 48

Typologie du moi romantique. Frédéric Schlegel, génie irrégulier et protéiforme. Tensions et contradictions. Une logique non aristotélicienne. Dandysme et pureté, satanisme et sainteté. La dénégation comme essence de la liberté. Phosphorescence et polarités. Clemens Brentano, Tieck 52

Une eschatologie de la personnalité. Le mythe remédie à la non-transparence de la conscience. Expériences aux limites et désordre de la composition artistique ; mélange des genres, rhapsodies ; le roman. *Märchen*. Incohérence, inconsistance esthétique, psychologique, sociale. Paradis, chaos, jeu. Le stade esthétique selon Kierkegaard et l'homme du divertissement. Don Juan et le Juif errant. Le cœur à rien. Fascination du religieux 55

CHAPITRE IV : QUÊTE DU CENTRE ET ANTHROPOLOGIE NÉGATIVE

F. Schlegel : « est artiste celui qui a son centre en soi-même. » Foyer des significations. Thème mystique du Centre chez Boehme. Médiateur. Excentricité et quête du centre dans la *Lucinde*. Fusion des centres, l'amour ; participation 62

La quête du centre comme second mouvement, nostalgie de plénitude. L'instant, l'infini. Recentrement ontologique du moi et du monde. Le centre et la sphère en réciprocité d'être. Consubstantialité du moi et du non-moi. L'individu comme lieu d'irradiation du monde ; le principe romantique d'individuation 66

Une anthropologie négative corrélative de la théologie négative. Le Moi inidentifiable. Principe de raison insuffisante. Néant positif (*Ungrund*) au fondement de la personnalité. Faux procès du romantisme comme nihilisme. Le *Gesamtkunstwerk* ou la plénitude du sens. Projet du chef-d'œuvre absolu. La confrontation avec l'infini est une initiation 70

CHAPITRE V : PENSÉE DE LA VIE ET PENTE DE LA RÊVERIE

L'univers rationaliste exposé *more geometrico*. La pensée romantique veut être un savoir vivant de la vie. Fr. Schlegel. Remonter en deçà de la dissociation du moi et du non-moi. La révolution non galiléenne et la priorité de la biologie. Bichat et le primat de la physiologie. Evolution créatrice 76

Illimitation de la conscience. La pente de la rêverie. Les vacances de l'esprit. Libération de l'authenticité refoulée. Régression aux origines. Amiel. Désimplication de la conscience rêveuse. Guérin : retour aux origines vitales. Mais le moi conserve son identité ; coalescence avec l'univers, non pas dissolution. Amiel : le milieu de la conscience est inconscient. Le pôle négatif 80

Hugo sur le promontoire du songe. Expériences aux limites. Amiel : Dépouillement et plénitude. Contre la dissociation de l'humanité et de la vérité. La vérité romantique consubstantielle à l'expérience. La rêverie libère l'*homo humanus*. La conscience romantique en état d'apesanteur. Epiphanie de la surréalité du monde. Coalescence de la conscience et du monde. La vérité fait corps avec la réalité 83

CHAPITRE VI : GEMÜT, STIMMUNG, HARMONIES

Gemüt intraduisible en français et peut-être en allemand. Origines mystiques : Eckhart, Boehme. Priorité du *Gemüt* sur l'entendement. Le « cœur » pascalien, lieu ontologique des valeurs dans l'homme. *Animus* et *anima*. Une lettre du Père Enfantin. Primauté de l'amour 88

La vérité se dit aussi au féminin. Michelet : les deux sexes de l'esprit. Fr. Schlegel : l'instinct de la grandeur morale. Schleiermacher : noyau existentiel de la présence au monde. Divination du sens humain. Novalis : le *Gemüt* dans l'architectonique de la perception. Le monde est *Gemüt* 91

Stimmung : l'accord dans une acoustique de l'âme (Novalis). Modulations de la vie émotive. Rapports, correspondance, harmonies ont une signification cosmologique. Nombres et proportions dans la musique du réel. Ontologie du sentiment et modes de l'être personnel. Harmonie comme grâce. L'homme impose sa loi au paysage. Consonance et dissonance entre dedans et dehors 96

L'homme est le maître du sens. Sensibilité. Senancour et l'au-delà de la sensation. La météorologie transférée du dehors au dedans ; le journal. La morale sensitive selon Rousseau. Biran et le sentiment de l'existence. Osmose entre dedans et dehors : Biran, Guérin 100

Gemüt selon Novalis. Affinités de l'homme et de la nature selon Madame de Staël. Le lieu de l'enracinement de l'anthropo-cosmo-théologie romantique. *Henri d'Ofterdingen*. La création du monde selon l'ordre poétique. Idéalisme magique 104

La recherche de l'intégrité perdue. *Stimmung* comme sens universel : polarité, magnétisme dans la science romantique. *Seraphita :* l'univers des similitudes. Matière et esprit : l'unité des rapports. L'initiation et le retour à l'harmonie. Egarements de la raison. Pascal : les trois ordres 108

Max Scheler : les a priori émotionnels. L'axiologie et l'expérience spirituelle des valeurs. La littérature de la sensibilité et ses sous-produits. Mystères de la simplicité et du merveilleux. Authenticité du sentiment. La femme médiatrice de la transcendance 112

Occultation rationaliste des valeurs. Le domaine intérieur selon Hemsterhuis : l' « organe », centre des valeurs. Saint-Martin : l'homme de désir. *Gemüt* et inversion des priorités chez Novalis 117

La sympathie selon Scheler ; perception du monde comme organisme universel. La visée cosmologique unit sens intime et sens externe. Le foyer ontologique de l'existence ; une raison vitale. L'Encyclopédie de Novalis, plénitude du savoir. Libération du sens ; voyance. Sensibilité cosmique de la voyante de Prevorst. Voyance, poésie, science. Novalis, Baader, affiliation cosmique de l'être humain 121

CHAPITRE VII : SURABONDANCE DU SENS

Pas assez de réalité pour la plénitude du sens. Non-coïncidence de l'espace du dedans et de l'espace du dehors. Le malentendu. Le romantique est un émigré à l'intérieur. La perte du sens est surabondance du sens. De Lamennais à George Sand. Manque de foi ou excès de foi 127

La rose de Condillac, la jonquille d'Oberman, la pervenche de Rousseau, la Fleur bleue de Novalis. Géométrisme morbide et aliénation vitale de l'intellectualisme. Monet et la gare Saint-Lazare 129

Poésie, état second ou premier. Nerval chez les fous : Aurélia. Le *Märchen* selon Novalis ; idéalisme magique, transmutation lyrique de l'univers, mode d'appréhension du réel, musique de l'imaginaire du sens captif. Le naturel et le merveilleux. Le *Märchen* est l'art poétique du Romantisme. La *Loge invisible* ; miracle ; légende dorée 132

« La fantastique » selon Novalis ; imagination créatrice. Pluralité des mondes intérieurs. Le rêve devient monde. Les avenues du fantastique noir débouchent vers l'enfer. E. T. A. Hoffmann, l'ange du bizarre. L'écriture comme exorcisme. Magnétisme de la poésie 137

Un exotisme à l'intérieur du monde. Charles Nodier sur le fantastique, force de libération. L'aveuglement rationnel désenchante l'univers. Le renouveau mythique dans la conscience européenne 142

Rêve, cauchemar. La clef des songes romantiques. Le romantisme est une tentative pour sauver le sens. Heine surnaturaliste. Victor Hugo : *Contemplation suprême ;* surnaturalisme : « La nature trop loin. » Présence spatiale de la divinité. Intelligibilité de rupture ou rupture de l'intelligibilité 146

DEUXIÈME PARTIE : L'ÊTRE INCARNÉ

CHAPITRE PREMIER : SITUATION DE L'HOMME DANS LA NATURE : ANTHROPOCOSMOMORPHISME

Le romantisme, monisme psychobiologique, rompt avec la tradition qui confère à l'homme une position centrale, exorbitante du droit commun de la nature. L'idéalisme propose une vérité désincarnée, celle du sourd-muet-aveugle. La conscience présuppose l'incarnation. Principe de raison insuffisante. L'amour. L'homme est nature de part en part ; il ne domine pas le sens qui le traverse 153

Vérité en première personne : Michelet : mon livre m'a créé ; la France est une personne. Nietzsche : l'histoire est la conscience cosmique. Histoire naturelle intérieure de la terre (Steffens). *Totalorganismus* du Cosmos ; l'être humain est un organe de cet organisme. L'histoire doit devenir nature. Sacralisation de la création évolutive. Non pas progrès, mais épanouissement graduel 156

Carus : manifestations de l'*Urkraft,* force vitale infinie. Communauté des significations de l'univers. Novalis : notre corps est un membre du monde. Ritter : la Terre existe en fonction de l'homme. Oken : le monde a pris forme dans l'homme. Baader : l'homme répétiteur de la divinité ; une mystique de l'incarnation. Réconcilier science et religion. Découvrir la parole de Dieu incarnée dans l'univers 159

Oken : l'homme est Dieu en forme charnelle. L'homme en tête de la procession numérique des êtres. Physiologie cosmique de l'homme. Steffens : l'homme est l'accomplissement du sens de la création. Anthroposophie reliée à une théosophie. Charité cosmique. Vie et métamosphose de la Terre dans l'anthropologie géologique, procession des vivants 162

La conscience humaine, sommation du savoir en expansion cosmique. Histoire naturelle et histoire surnaturelle selon Steffens ; une dynamique eschatologique. Création selon la Genèse et devenir cosmique. Fechner : la Terre mère vivante. Vie spirituelle des plantes. Diversité des âmes dans l'unité de la Création 167

Le romantisme est une lutte pour le sens. Odyssées de l'âme dans la nature : Schubert, Carus. La conscience n'est pas homologue à l'âme. Conscience et inconscient. L'âme peut n'être pas consciente. Loi biogénétique du spirituel. L'âme du monde 170

L'histoire naturelle est un cantique des degrés. Communauté des vivants.

Une mythologie de la nature et de l'homme. Transfiguration de l'histoire naturelle en histoire sainte ; un nouveau symbolisme chrétien. Théocratie de la science ; le Christ cosmique 173

Un nouveau lieu métaphysique. Les sciences de la nature sont des sciences sans la nature. L'approche mythique du savoir. La physique des corps ne s'applique pas aux âmes. La présence spirituelle de l'homme déborde sa présence matérielle. Il faut combler le vide épistémologique béant. Hugo : le surnaturel n'existe pas ; la science n'a pas de limite. Le pire des anthropomorphismes est celui qui s'ignore 176

CHAPITRE II : MORT — RÊVE — SURVIVANCE

La mort comme dénouement du lien entre organisme et conscience. La mort romantique se rapproche de la vie. Une mort positive. Les grands cimetières sous la lune. Michelet contre l'école de la mort. La mort comme seuil. Suicides romantiques 181

La transition entre la vie et la mort a lieu dans les deux sens. Les intermittences de la conscience pendant la vie. Mourir, dormir. Naissance et mort dans le métabolisme de la création. Oken : relativisation de la mort dans le *Weltorganismus ;* mutations, dissolutions, recompositions. La doctrine du *Circulus* selon Pierre Leroux et Victor Hugo. La création évolutive comme palingénésie 184

Mort et survivance : le travail du deuil. La mort de l'autre m'arrive à moi. Novalis et la mort de Sophie ; l'expérience de la mort, du *Journal* aux *Hymnes à la nuit.* Célébration de la mort comme accomplissement, initiation. L'artiste d'immortalité et l'idéalisme magique 188

Fascination de la nuit. La nuit fait le plein des significations ; nocturnes romantiques. Jean-Paul : la vision du Christ mort. Nuit de l'absence du sens et nuit de la présence. Lumière solaire ; irradiation lunaire 192

Défense et illustration du rêve. Le rêve entre la veille et la totale nuit. Retour à l'organisme total (Ritter). On ne revient pas du rêve profond. Confins du sommeil, entre la vie et la mort. La vraie vie est absente. Jour nocturne et nuit diurne 195

Schelling et la mort de Caroline. Conversion de l'absence en présence. Les âges du monde. La mort individuelle résorbée dans la liturgie cosmique. Immortalité personnelle ou impersonnelle. Nerval, commentateur de Goethe, et la question de la survivance. Le rêve, seconde vie. Aurélia, dérive onirique, odyssée initiatique 198

Victor Hugo et la mort de Léopoldine. Conversion au spiritisme et vocation prophétique. Destinée des âmes et légende du genre humain. La Bouche d'Ombre : tout est plein d'âmes. Satan sera sauvé 202

Michelet et la mort de Madame Dumesnil ; une embryologie générale en progression vers le haut. Biologie et histoire. Hymne à la vie. Auguste Comte et Clotilde. Du *Cours* au *Système de politique positive.* Clotilde sur les autels 206

Chez les philosophes de la nature, l'évolution créatrice développe une dynamique ascensionnelle des formes vivantes. Vers le surhomme de l'avenir. Spiritualisme génétique de Schubert. L'existence à venir au cœur de la présente. La forme humaine nouveau départ dans la création 208

La contre-offensive des anges depuis Swedenborg. Angélologie et anthropologie. La mort, réintégration à la vie tellurique. Schubert intègre l'anthropologie à la cosmologie ascensionnelle. L'univers expose le mystère de Dieu. Carus : parcours de la conscience entre le fini et l'infini de l'inconscient divin 210

L'eschatologie de la conscience selon Fechner et sa doctrine de la survivance. La mort est une maladie de passage, conduisant à la pleine conscience dans l'au-delà. Croissance de la vie dans l'humanité vers le triomphe du bien. Les anges planétaires. Le spiritisme, communication entre les mondes. Esprits et visions 214

CHAPITRE III : L'ANDROGYNE

Privilège de la conscience claire dans la tradition philosophique. Pour les romantiques, la rationalité est un îlot dans l'immensité du réel. La conscience est marginale par rapport à l'inconscient. La vérité incommensurable avec le discours de raison. Fragment, communication indirecte 220

Le savoir mythique, justification du rapport au monde, chiffre des profondeurs. Révélation du sens de la vie. L'androgyne, homme-femme dissocié à l'origine. L'insuffisance d'être, nostalgie et désir. Réhabilitation de l'amour 222

Le romantisme prend au sérieux amour et sexualité. Schopenhauer : métaphysique de l'amour sexuel. Masculin et féminin reliés à la polarité cosmique. Schubert : célébration du désir. L'attraction des complémentaires, moteur de la vie 225

L'androgyne : le couple est l'unité humaine. Platon et la Genèse. Les commentaires du *Zohar*. Tradition de la Cabale au romantisme, par Reuchlin, Paracelse, Boehme. Premier et second Adam, Eve et Sophia. Les deux chutes. Noces mystiques et sexualité humaine. Baader cabaliste 227

Mâle et femelle dans la création cosmique. Eckartshausen : terra virginea. Görres : l'hermaphrodisme sommet de la vie organique. J. W. Ritter et l'alchimie. La différentiation sexuelle s'applique au Cosmos entier. Balzac : Seraphitus-Seraphita 232

Le paradigme de l'androgyne chez Jean Reynaud et dans le saint-simonisme ; le Dieu père et mère. Le féminisme romantique présuppose une ontologie sexuée. Guillaume Postel et le Messie femelle. L'archétype mythique de l'androgyne source d'intelligibilité. Ombre et lumière dans la vérité comme mystère. L'être n'est pas transparent à la conscience 234

CHAPITRE IV : GANGLIONNAIRE ET CÉRÉBRO-SPINAL

La conscience est une composante du phénomène humain total. Présence au monde n'est pas image du monde. Perception extérieure et régulations internes. Le sens intime. Fechner : les plantes ont une conscience, en l'absence de système nerveux ; elles présentent une unité fonctionnelle. Degrés de conscience 238

Conscience, vie et coordination des fonctions. Retombées végétatives de la conscience. Sympathique, parasympathique, système ganglionnaire. Primat du ganglionnaire selon Schubert. Le système romantique, terroir neurobiologique opposé à la prédominance du système cérébro-spinal au XVIIIe siècle 240

La cénesthésie de Reil. Biran entre l'introversion et l'extraversion. Coalescence du sens. L'aliénation baconienne, fuite en avant dans l'espace du dehors. La conscience romantique ne se laisse pas réduire à la raison. Retour du refoulé. Opposition polaire des deux systèmes nerveux. La femme ganglionnaire 243

Opposition et compatibilité anthropologique des systèmes dans la genèse des espèces et des individus. Ontogenèse et phylogenèse. Le domaine végétatif englobe l'inconscient, le sommeil, les instincts. La prédominance cérébro-spinale n'est pas la règle, mais l'exception. Vers l'anthropologie contemporaine 246

Microcosme et macrocosme : lumière et pesanteur (Schelling) en rapport avec la polarité des sexes. Magnétisme animal et magnétisme cosmique. Sensibilité tellurique. Loi du jour et passion de la nuit. Volontaire et involontaire. La conscience intellectuelle est un couronnement 248

Les deux pôles culturels : ordre émotif et ordre discursif ; espace vital et univers du discours. L'ordre ganglionnaire est la dimension de l'incarnation. Carus : les fonctions organiques et la Psyché. Rythmes organiques et pulsations cosmiques. Restaurer la sensibilité cosmique 250

Burdach : le couple magnétique androgyne. Hufeland : la sympathie comme sens d'intégration cosmique et communautaire, lien du Tout. L'aliénation intellectualiste, consécration de la Chute. Schubert : célébration de l'intelligibilité nocturne. L'harmonie originaire et sa disjonction ... 252
Les Idéologues hostiles à la fascination de l'obscur : D. de Tracy 255

CHAPITRE V : LA MÉDECINE ROMANTIQUE

Méconnaissance de la médecine romantique germanique. Une médecine de la totalité ; l'organisme au lieu du système. Le champ unitaire de l'intelligibilité selon Michelet. Le corps et l'esprit non dissociables 257
Philosophes et médecins ; une anthropologie médicale intégrée au Cosmos. Hahnemann et l'homéopathie. La médecine est une théorie et une pratique de l'incarnation. Science de synthèse et synthèse de sciences 260
La Faculté de médecine dans l'Université. France-Allemagne. De Kant à Schelling. La science de l'organisme, foyer du savoir global. Schelling contre Kant. Une science générale de la nature organique 262
L'*organisme* de Stahl et l'*irritabilité* de Haller. *Sthénie* et *asthénie* selon John Brown. Novalis disciple de Brown. Physiologie mathématique. La critique de Brown 264
Schelling critique de Brown, promoteur d'une « médecine supérieure » a priori. Sensibilité et irritabilité. Les influences à l'œuvre dans l'organisme du monde. Pour une réforme des études médicales. Prototype *(Urbild)* de l'organisme 267
L'œuvre de Burdach : panspiritualisme de l'organisme universel et physiologie du microcosme. Ringseis contre le matérialisme des Lumières. Médecine et révélation ; l'organisme comme corps mystique. La science exacte doit céder le pas à la divination. Thérapeutique médicale et cure d'âme. L'organisme n'est pas un espace galiléen. Santé édénique et dégradation cosmique. Unité menacée 271
Kieser : *System des Tellurismus ;* polarité du cérébral et du végétatif. Médecine romantique de la personne. Dignité ontologique de la maladie comme initiation. Pas de maladie strictement organique. Respect de la forme humaine 276
Médecine supérieure de l'avenir selon Novalis. Médecin-magicien. Santé et salut, maladie et péché. Maîtrise du corps : l'homme doit être son propre médecin. Maladie, échappement au contrôle. Thaumaturgie : médecin et malade ne font qu'un. Mort comme initiation et guérison 278
Positivité de la mort comme alliance avec la nature. Justinus Kerner. Inconscient et magnétisme. Mesmer. Avènement de la psychothérapie. Rôle de « l'imagination » et de la foi. Baader : le médecin et le prêtre. Guérison et cure. Maladie et péché. La santé est la transparence du corps à l'âme 282
Ritter : la santé parfaite serait la mort. La santé comme valeur, risque ou régression. Le processus morbide comme organisme parasite. Lutte avec l'ange comme épreuve de vérité, initiation. Autothérapie. Le malade fait sa maladie et sa guérison. L'obstacle peut être un tremplin 287
De la pathologie à la « grande santé ». Sublimation de la maladie. Claudel : les invités à l'attention. Nietzsche : par la maladie vers la raison ... 290
Anthropologie et sociologie pathologiques. Une médecine des significations. La maladie en première personne et en troisième. La maladie comme expérience métaphysique. Le contexte social et culturel de la phtisie ou de la folie. L'époque comme genre de vie et genre de mort 292
Défi pathologique et adaptation vitale. Modèles romantiques de la maladie. Style romantique de la maladie, de l'amour ou de l'argent. La signification n'est pas le beurre sur la tartine. Science positive et mythologie de la maladie. Il y a toujours des guérisseurs. La mort de Byron, science et mythe 295
La médecine de la personne souligne le fait primordial de l'incarnation.

Le malade fait sa maladie. Exemple du magnétisme animal. Mesmer. Le fluide magnétique et la dualité matière-esprit. Influences cosmiques et parapsychologie 298

Le romantisme a ouvert les portes de l'inconscient. Carus : la réalité humaine entre le supra-conscient et l'infra-conscient. Le règne de l'involontaire. Conflits, psychosomatique. Parasitisme, dissociations. L'aliénation mentale n'est pas un non-sens. Avènement de la psycho-pathologie. Le malade mental comme sujet 300

Pas de romantisme médical en France. Le médecin de campagne selon Balzac. Funérailles de Broussais. Le cas Koreff. Napoléon contre la médecine scientifique. Les oracles de la médecine moderne vus par Balzac. Traces de romantisme médical chez les Saint-Simoniens et les Fouriéristes. Ravaisson et la médecine 303

TROISIÈME PARTIE : HOMO ROMANTICUS

CHAPITRE I : VÉRITÉ EN CONDITION HUMAINE

La *Krisis* de Husserl (1935) et la révolution non galiléenne. Le Romantisme ou la fin des illusions. Tour Eiffel, tour de Babel. Faillite des Lumières, faillite du progrès. L'homme romantique et le mauvais côté de l'histoire. L'homme des Lumières connaît le sens de la marche ; il laisse faire l'histoire 311

L'homme romantique, en rupture de conformité, demande l'impossible. Une anthropologie réactionnelle. Personne déplacée dans le monde révolutionnaire ou dans la civilisation industrielle de masse. A la recherche d'un nouveau contrat d'établissement. Contact perdu avec l'âme du monde. Pas de bonheur en gros 314

Principe de la raison insuffisante. Non transparence de la conscience. Sauver le sens de la vie personnelle. Le romantique sait qu'il meurt. La liberté c'est de se centrer sur soi-même. Le paradis de Dame Tartine et les romantismes dévoyés. Jouissance et métaphysique 318

La condition humaine ou la non intégralité de la vérité. La vérité ne fait pas cercle autour du sujet pensant. Excentricité du sens. Habitant des confins de l'Etre. Le sens au-delà des grilles, conscience ouverte. Une vérité au féminin ; destinée et cœur. L'accusation d'irrationalisme relativisée. Pensée négative n'est pas nihilisme 322

Nietzsche, Dostoïevski et l'absence du sens. Oubli et restauration de l'Etre. Le danseur de corde sur l'*Ungrund*. Mais pas d'isolement radical. Je, Tu, Nous au sein d'une intelligibilité organiciste, fondement d'un intelligibilité existentielle. Josué contre le Cybernanthrope, une thérapeutique de choc 326

La vérité de l'homme n'est pas la vérité de Dieu. La force de gravitation spirituelle cloue au sol le vivant humain au sein de la maternelle totalité du monde. La condition humaine est le point d'engendrement de la vérité. Goethe : l'homme est le plus important des appareils de mesure ; bien des choses sont vraies qui ne se laissent pas compter 329

Le principe d'analogie. Herder : toute vérité se réfère à l'analogie humaine. Novalis : le monde de l'homme est maintenu par l'homme. Saint-Martin : expliquer les choses par l'homme. Toutes sciences sont sciences de l'homme. Nouvel humanisme 332

CHAPITRE II : IMAGINATION — MAGIE

Le romantisme, reconquête de la liberté. Redécouverte de l'imagination créatrice. Tradition de l'imagination-magie : Paracelse, Boehme. Incarnation des puissances plastiques de l'âme. Confins du songe. Keats : sainte vérité de l'imagination. Le rêve d'Adam. Les visions de Blake ; le monde de l'éternité. Coleridge, néoplatonisme et *Naturphilosophie* 335

Bildungskraft et *Einbildungskraft, Phantasie,* Baader. *Imaginatio, Procreatio, Generatio, Visio.* Un monisme de l'incarnation dans le sillage de l'évolution créatrice. Jean-Paul : la magie naturelle de l'imagination suscite un art poétique ; l'imagination batteuse d'or 340

L'univers imaginaire de Gérard de Nerval ; éloge de la folie ; ce qu'on invente est vrai. Priorité du songe selon Hugo. Baudelaire : le gouvernement de l'imagination dans la dynamique spirituelle. *Kosmetische Kraft* (Jean-Paul). Maurice de Guérin : l'imagination correspond à la puissance motrice de la vie personnelle dans son établissement cosmique ; systole et diastole. Le sens de la terre 343

Novalis contre les cloisonnements de la psychologie ; l'imagination, sens merveilleux ; la nature pétrifiée par enchantement. La physique est la doctrine de l'imagination ; alchimie du sens. André Breton : l'image est ce qui tend à devenir réel. Surréalisme et romantisme 347

L'idéalisme magique, selon Novalis, dérivé de l'idéalisme premier de Dieu. Manipulation des significations, transmutations. Toute expérience est magie. Merveilleux et fantastique. Le *Märchen,* anthropologie et cosmologie. Vision et prophétie, présence au monde. Notre histoire sainte est un *Märchen.* La *fantastique.* Rêves nocturnes et rêves éveillés dans le romantisme 350

Reconquête du sens. Frédéric Schlegel : la nouvelle religion doit être magie ; mais le créateur humain demeure créateur au sein d'un espace de présence. L'existence humaine en transition dans le sillage d'une philosophie de la vie 355

Schelling : la philosophie de l'identité, esprit et nature. L'*Urphänomen* de la vie associe conscient et inconscient. Frédéric Schlegel : le Cours de 1828. Philosophie de la vie et philosophie divine, science de la science. L'arbre de vie contre la tentation physicaliste. Présupposé commun du romantisme 357

L'approche romantique de la vie a le privilège de l'humilité. Une pensée en condition humaine. Dilthey : *Kulturphilosoph* et philosophe de la vie. Elucidation de l'expérience vécue, *Erlebnis,* l'idée de *Weltanschauung.* La tradition de la philosophie de la vie, des phénoménologues à Bergson 363

L'homme romantique n'est pas mort 366

PREMIÈRE PARTIE

VALEURS, ÉTATS D'ÂME

CHAPITRE PREMIER

LES ANTÉCÉDENTS

L'âge romantique, au point de vue psychologique, moral, esthétique et religieux, est le temps de la première personne, le temps du *je*, qui peut être couplé avec le *tu*, et qui, associé à d'autres *je*, peut constituer un *nous*, dont la revendication donne à l'espace social et politique des colorations nouvelles. L'expérience humaine s'organise autour de cette préoccupation dont dépendent le bonheur ou le malheur, la santé ou la maladie de celui qui se donne pour tâche majeure la prise en charge de sa vie personnelle, foyer des significations et des valeurs naturelles et surnaturelles.

Le *je*, le *moi*, la première personne, ne sont pas absents des âges antérieurs de la culture. La littérature, la philosophie ont pour lieu d'origine et pour aboutissement la conscience de soi. La vie intellectuelle et spirituelle, la recherche esthétique présupposent une élucidation des rapports de l'homme avec l'univers dans lequel il se trouve englobé. L'enjeu est la recherche d'un équilibre vital, cautionnant la pensée et l'action de l'individu. Mais l'homme hésite à se situer au point origine ; conscient de son insuffisance, il se contente d'une place secondaire, laissant à la divinité la région centrale d'où rayonne la gloire de l'Etre.

L'anthropologie culturelle tend à déterminer l'emplacement reconnu à l'être humain au sein de la réalité globale. Dans la mentalité archaïque, le primitif n'a pas conscience d'être doté d'une existence indépendante au sein de la communauté ; sa vie, sa mort ne lui appartiennent pas en propre ; il bénéficie d'une participation au clan ou à la tribu, sans s'opposer aux autres, dans le confinement d'une solitude dont la possibilité ne figure pas parmi les dimensions spirituelles du domaine préhistorique. Le développement des civilisations antiques jusqu'à l'épanouissement du classicisme hellénistique jalonne une odyssée de la conscience de soi, décisive pour l'avenir de la culture occidentale. L'art, la littérature, la philosophie des Grecs et des Romains perpétuent une image de l'homme idéal, modèle pour la formation de la personnalité à travers les siècles, de Plutarque à Winckelmann et à Goethe. Cette éducation de l'homme européen, de Platon et saint Augustin jusqu'à

Erasme et Montaigne, procède à une estimation de l'être humain, en fonction des réaménagements du sens de la vérité. Toute variation dans la conception de Dieu et dans l'ordre du monde a pour corollaire une nouvelle figure de l'homme ; sa présence dans l'univers, la place qu'il y occupe et la fonction qu'il exerce changent de signification.

Dans l'anthropologie médiévale, dominée par la scolastique chrétienne, la synthèse dogmatique des théologiens articule l'échelle des êtres selon le dynamisme ascensionnel de la grâce ; la créature procède de la volonté toute-puissante du Créateur ; elle s'ordonne dans le temps en fonction de l'éternité divine, qu'elle est appelée à rejoindre au prix d'une ascèse de renoncement à la volonté propre et d'union à Dieu. L'humanisme renaissant, fort de son ressourcement dans les œuvres antiques, refuse l'aliénation théologique ; à l'école du classicisme hellénique, il réhabilite l'être humain, dont l'éminente dignité fait non pas le rival, mais l'émule de Dieu, un dieu du second rang à l'image de Dieu ; *homo alter Deus, homo secundus Deus,* créateur de l'univers de la civilisation esthétique et technique. Le déterminisme de la prédestination théologique laisse place à l'initiative de l'être humain, capable de prendre en charge la responsabilité d'aménager le monde et de se modeler lui-même, selon l'exigence de ses propres aspirations.

La Réformation, dans ses intentions premières, exprimait le désir d'autonomie de l'homme religieux, soucieux de se libérer du carcan des autorités hiérarchiques et des constructions conceptuelles de la scolastique ; l'individu affirme son désir d'un contact direct avec le Dieu de la Révélation ; dans l'expérience même de sa démesure, il découvrira le sens de la grâce. La réaction romaine du Concile de Trente durcit les positions affrontées ; on peut en faire dériver les écoles nouvelles du baroque européen et du classicisme français de Versailles. La transcendance reprend ses droits ; elle refoule les sollicitations dangereuses de l'humanisme ; la religion catholique masque son raidissement dogmatique sous les couleurs tendres et les formes précieuses d'un décor d'opéra. Refusant ces mignardises, l'école de Versailles, suivant la voie ouverte par la métaphysique de Descartes, construit un nouvel univers solidement garanti par une armature ontologique. Les réquisitions de la doctrine chrétienne font alliance avec la transcendance rationaliste. Sous le patronage du Grand Roi qui trône à Versailles se constitue l'harmonieuse alliance de la dogmatique religieuse avec la dogmatique politique, esthétique et philosophique. Bossuet, prophète de la nouvelle foi, la défendra contre les menaces qui s'annoncent. Le *Traité de la Connaissance de Dieu et de soi-même* propose la figure de l'individualité catholico-cartésienne, soumise à la loi de Dieu et à celle de la raison, ce qui la soustrait aux tentations sataniques du libre examen. L'homme de Bossuet se soumet aux commandements de l'Eglise, exactement comme il obéit aux ordres du Roi et aux normes de la Raison. Il est pleinement conscient d'incarner l'universalité humaine, autre catholicité, selon la formule de Vincent de Lérins : *quod ubique, quod semper, quod ab omnibus.* Le classicisme de Versailles se pare des prestiges du consentement universel, *sicut erat in principio et nunc et semper et in saecula saeculorum.*

Mais cet homme inamovible, ancré dans une transcendance définie une fois pour toutes, n'est que la fiction d'une époque privilégiée où quelques individualités de génie, soumises aux pressions les plus formidables, s'avèrent capables de s'en faire un tremplin. La lassitude vient, et l'usure des absolus politique, religieux et esthétique ; déjà Bossuet, dans ses derniers temps, dénonce avec angoisse la montée des périls, l'apparition d'une nouvelle espèce humaine, qui résiste à ses excommunications. Le XVIIIe siècle européen est caractérisé par le dépérissement de l'ontologie, par l'euthanasie de la théologie, selon la formule de Leslie Stephen. L'homme des Lumières a perdu cette assurance transcendante, cette consistance substantielle qui donnait son assiette au type humain de l'âge précédent. « Nous n'avons aucune idée d'une substance » [1], prononce David Hume, ruinant l'immense effort de la métaphysique classique, édifiée par Descartes, Spinoza et Leibniz. Avant lui déjà, Locke, dans son *Essai philosophique concernant l'entendement humain* (1690), avait renversé les fondements de toute ontologie grâce à une critique sagace de l'innéité des principes de la connaissance. L'homme qui vient au monde n'apporte pas avec lui une dotation d'idées fondamentales à partir desquelles se déduirait, avec l'aide de l'expérience, la totalité du savoir. Il ne suffit pas, pour découvrir son identité, de s'enfermer dans une chambre bien chauffée, et de passer son esprit en revue, tel qu'il a été constitué de tout temps à jamais sur un modèle uniformément applicable aux individus pris un par un.

L'esprit humain, comparé par Locke à une page blanche, se définit comme le lieu d'inscription et de recoupement d'informations venues du dehors. Naguère point d'ancrage par la vertu d'un accès direct à la divinité, la conscience n'est plus qu'un répertoire de données à partir desquelles se constitue un ordre précaire calqué sur l'assemblage des réalités extérieures. L'homme subit la loi des choses sans trouver en lui-même un principe de justification assuré ; l'identité personnelle se réduit à un coefficient d'appropriation affectant les diverses sensations. Le nouveau modèle de l'individualité se trouve esquissé dans la parabole fameuse, due à Condillac, de la statue s'éveillant à la vie au parfum d'une rose. A partir de ce degré zéro de la connaissance se construira dans l'esprit récepteur l'édifice entier du savoir, exposé dans cette *Encyclopédie* dont l'auteur du *Traité des Sensations* est le maître à penser. L'empirisme sensationniste donne la préséance aux apports du monde extérieur sur le sens interne et sur l'activité autonome de l'esprit. La présence au monde, dictée par l'évidence des faits, possède un droit de priorité sur la présence à soi-même. La vérité fait mouvement du dehors au dedans ; elle inscrit sur la surface réfléchissante de la conscience les alignements des séries causales, prototypes de l'intelligibilité ; l'enchaînement des phénomènes, convenablement analysé, modèle l'ordre des pensées ; on dira plus tard que la conscience est le « miroir » ou le « reflet » de la réalité.

L'individu n'est plus dès lors qu'un sujet d'inhérence pour une vérité qui ne lui appartient pas, point d'application, parmi les autres, d'un

(1) David HUME, *Traité de la nature humaine*, trad. M. DAVID, Alcan, 1912, p. 285.

univers du discours commun à tout le monde. De là une anthropologie de l'im-personnalité ou de la dé-personnalisation. Le désétablissement ontologique de la réalité humaine dépouille le sujet du discours de son statut privilégié. Privée de consistance et de cohérence, la conscience qu'il peut avoir de sa permanence n'est qu'une impression confuse, contredite par des évidences opposées. Locke avait souligné la fragilité de l'identité personnelle. Hume, qui ambitionne d'être le Newton de l'espace du dedans, radicalise la critique. Sa géographie mentale organise le territoire de la conscience selon les lois de l'association des idées, transposition, à l'usage interne, du système newtonien de l'*attraction* entre les phénomènes physiques. L'attraction, selon Newton, n'est qu'un mot, un *flatus vocis*, qui ne doit pas dissimuler notre ignorance de la nature intrinsèque et du pourquoi de l'ordre des choses. De même, le sujet, le substrat de l'association des idées, nous demeure inconnu, simple désignation qui ne met en cause aucune essence.

« Quand je pénètre le plus intimement dans ce que j'appelle moi-même, je tombe sur quelque perception particulière, ou quelque autre, de chaleur ou de froid, de lumière ou d'obscurité, d'amour ou de haine, de douleur ou de plaisir. Je ne puis jamais, à aucun moment, me saisir *moi-même* sans perception, et jamais je ne puis observer autre chose que la perception. Quand, pendant un certain temps, mes perceptions sont supprimées, comme il arrive par l'effet d'un profond sommeil, aussi longtemps je suis sans conscience de *moi-même*, et l'on peut dire à bon droit que je n'existe pas » ([2]). La vie personnelle d'un individu se connaît elle-même comme une suite, parfois continue, parfois discontinue, d'accidents sans sujet, dont la succession obéit à des normes dégagées après coup de l'observation des faits mentaux. Délestée de son assise ontologique, l'individualité s'apparaît à elle-même comme problématique ; elle doit chercher dans l'ordre des choses les principes de sa propre intelligibilité ; le domaine intime ne lui propose que confusion et illusion. Les réalités extérieures, étudiées selon les normes de la philosophie expérimentale, fournissent les principes d'une hygiène où l'on trouvera remède à l'ennui, aux inquiétudes sans fondement de celui qui se laisse tenter par les mirages de la subjectivité. La nouvelle conscience de soi met en œuvre le courage de l'esprit, résolu à exorciser les fantômes, à cultiver le jardin des certitudes modestes, oubliés les horizons chimériques des utopies métaphysiciennes et leurs vaines consolations.

Descartes, théologien de la vigilance rationnelle, soutenait que l'âme pense toujours, en état d'éveil même chez l'enfant encore à naître, dans le ventre de sa mère. Hume se reconnaît incapable de donner au mot âme un sens précis ; les récurrences du sommeil suspendent la conscience de soi, et réduisent l'existence personnelle à une ligne en pointillé, jalonnée d'interruptions quotidiennes. Le moi se trouve réduit à une réalité évanouissante, logée dans les intermittences du sommeil et de la veille. Fontenelle, quasi-centenaire, converse avec une dame presque aussi âgée

([2]) HUME, *Traité de la nature humaine*, livre I, 4e partie, section 6, trad. M. DAVID, Alcan, 1912, p. 305.

que lui. « Le bon Dieu nous a oubliés », dit la dame. Fontenelle se contente de répondre : « Chut ! ». Le sage Locke, le bon David Hume, le souriant Fontenelle, Condillac, d'Alembert, Condorcet, mais aussi Lessing et Kant, Mendelssohn, Christian Wolf, Nicolai, mènent le bon combat pour le triomphe des Lumières, mais le plus souvent avec une modération nuancée d'ironie, ou encore avec une discrétion facilitée par le voile de l'anonymat. « Je voudrais bien être le confesseur de la vérité, note Montesquieu ; non pas le martyr » ([3]). Il ne serait pas juste de ne voir dans ce propos que la profession de foi égoïste d'un homme soucieux avant tout de sa sécurité. Le martyr, dans l'exaspération de son sacrifice, fausse le sens de la vérité qu'il affirme. La vérité universelle est incompatible avec l'exaspération du discours et la violence de la pensée. Un proverbe arabe confirme que l'encre des savants est plus précieuse que le sang des martyrs. L'homme des Lumières, qui réprouve les croisades engendrées par le fanatisme de la chrétienté, n'admet pas qu'il puisse exister des guerres saintes ; la sainteté d'une cause, quelle qu'elle soit, est déshonorée par le recours à la force.

Si l'on en croit Locke et Fontenelle, Lessing et Montesquieu, Voltaire et Kant, le but lointain de l'éducation personnelle et collective serait de réduire à la raison la personne, et l'humanité tout entière. La matrice de toute vérité est un présupposé de totalité, dont l'ambition serait de soumettre à l'obéissance d'une norme unitaire l'ensemble des pensées, des comportements et des phénomènes. D'où la fascination exercée par la synthèse newtonienne, que la plupart des théoriciens rêvent d'imiter dans leur domaine particulier ; encyclopédie, cosmopolitisme, science de la nature ou science de l'homme, psychologie, histoire, législations et constitutions, autant d'entreprises visant à l'universalité dans l'uniformité. L'envergure mentale est atteinte grâce à un nivellement qui raccourcit les distances, supprime les différences entre les individus, les peuples, les périodes de l'histoire, livrés à la juridiction d'un système unitaire. La totalité des individus, des phénomènes et des événements doit être rassemblée dans le plus petit espace possible, par exemple dans le microcosme de l'*Encyclopédie*, lequel n'est lui-même qu'une étape sur le chemin qui, de réduction en réduction, mènerait jusqu'à la découverte suprême de l'équation de l'univers. « L'univers, affirme d'Alembert, pour qui saurait l'embrasser d'un seul point de vue, ne serait, s'il est permis de le dire, qu'un fait unique et une grande vérité » ([4]).

Nivellement général : la réalité se propose au regard de l'esprit en projection planimétrique, les êtres et les choses rangés, *partes extra partes*, selon un ordonnancement euclidien. La priorité reconnue au dehors sur le dedans, à l'extériorité sur l'intimité, justifie le caractère spatial de l'intelligibilité dominante. Les faits physiques et mentaux obéissent aux principes qui président à l'alignement des corpuscules matériels dans

([3]) MONTESQUIEU, *Mes Pensées*, 88 ; *Œuvres*, Bibliothèque de la Pléiade, t. I, p. 997.

([4]) D'ALEMBERT, *Discours préliminaire de l'Encyclopédie*, 1751, I ; Gonthier, 1965, p. 41.

l'univers newtonien ; la notion métaphysique de *cause* est remplacée par la notion mathématique de *relation*. Une fois réalisée l'axiomatisation de l'espace mental, l'esprit humain disposera d'un immense terrain de parcours unifié, par rapport auquel il se trouvera juge et partie, arbitre et opérateur ; le savoir technique autorisera une pratique réformatrice aux possibilités quasi illimitées. L'espérance baconienne, qui appelait l'homme à devenir maître et possesseur de la nature en l'organisant à son profit, est le mot d'ordre du siècle éclairé. L'esprit humain, découverte la loi du développement, contribuera à hâter l'avènement prévisible de l'avenir. L'âge des Lumières envisage l'instauration d'une ère cosmopolitique de paix universelle et de justice, où les hommes pourront jouir ensemble des fruits de la civilisation.

Le triomphalisme de l'intellect cautionne cette mentalité euphorique et optimiste qui se reconnaîtra dans la première révolution de France, la révolution réformiste de 1789-1791. Mais le triomphe des Lumières n'est atteint qu'au prix de cette diminution capitale de l'individualité, dont la théorie a été formulée par Locke, Hume et Condillac. Tout obstacle à l'exigence newtonienne de l'universalité, toute marque de discordance doivent être considérés comme un empêchement à l'avènement de la vérité universelle ; la singularité est un péché contre l'esprit. L'homme des Lumières accepte l'amortissement de son existence propre, dissoute dans les circuits de l'intelligibilité globale. Son moi n'existe, selon Locke et Condillac, que par réverbération de l'environnement, en sorte que, moins sûr de soi que des choses et de leur ordre, il en vient à douter de soi-même. S'il ferme les yeux, il s'évanouit ; il se prouve sa propre existence en agissant pour construire un univers à la ressemblance de l'intellect. Mais si chaque homme vient au monde comme un écho de l'environnement, comme la réalité matérielle est la même pour tous, il s'ensuit que les individus sont, pour l'essentiel, identiques les uns aux autres, et substituables, ce qui permettra de parler des droits de l'homme en général. Les seules différences auraient leur origine dans la diversité spatio-temporelle des emplacements où les diverses consciences se sont éveillées à la réalité, mais ces coefficients extrinsèques ne sauraient entraîner que des différences subalternes.

Tout ce qui, dans la culture du XVIIIe siècle, tend à mettre en honneur l'individualité, à lui donner valeur et validité, ne peut être mis au compte de l'homme des Lumières. Les drames vécus par Clarisse et Paméla, par Manon Lescaut et son chevalier servant, par Julie et par Werther se situent dans un autre secteur du siècle. L'homme des Lumières ne meurt pas d'amour, car les ravages de la passion lui sont étrangers ; il ne se suicide pas, parce que le suicide atteste une exaltation pathologique de l'individualité. Plaisirs et peines, s'ils ne sont pas rejetés en bloc, s'inscrivent dans une comptabilité en partie double, régie par un calcul utilitaire ; au bout du compte, on acceptera pour norme le plus grand bonheur du plus grand nombre ; une modération tempérée de raison triomphe de tous les égarements.

Le primat de l'universalité sur la singularité réduit chaque sujet à représenter l'affleurement d'une pensée universelle, qui ne fait pas acception de personnes. Significatif, le goût du siècle pour la grammaire générale, ou grammaire philosophique, souvent liée avec le thème de la langue universelle, elle-même coordonnée avec le souci de l'unité cosmopolitique de l'humanité. Le sujet humain s'identifie avec le sujet grammatical de l'univers du discours, dont on s'efforce de mettre en lumière la priorité. Le structuralisme contemporain a remis à la mode la linguistique des Lumières, dans la mesure même où il s'imagine avoir découvert la non-existence de la première personne. Lorsqu'ils enseignaient l'impersonnalité du discours et prétendaient qu'il ne fallait pas dire « je parle », mais « on parle » ou « ça parle », les structuralistes reprenaient à leur compte le radicalisme intellectualiste du XVIIIe siècle. Si le langage n'est qu'un vaste système, constitué par des mécanismes rationnellement organisés dont l'autorité s'impose à tous les membres des communautés linguistiques entre lesquelles se partage l'humanité, le sujet parlant n'est que l'utilisateur occasionnel d'une parole qui ne lui appartient pas en propre. Le discours humain dans son unité universelle expose le soliloque de la communauté cosmopolitique, émettrice et réceptrice de tout ce qui se dit dans l'univers. L'existence personnelle, la croyance à l'originalité du propos ou du style, ne sont que des illusions engendrées par la méconnaissance de la situation réelle, qui ne saurait être définie à l'échelle d'une individualité quelle qu'elle soit.

La neutralisation de la parole et de l'écriture va de pair avec l'atténuation de l'originalité personnelle. Le rôle joué par le français comme langue internationale au XVIIIe siècle est un élément caractéristique de l'anthropologie des Lumières. La langue française prévaut par ses qualités de transparence aux réquisitions de l'intellect ; elle se prête aux disciplines de l'analyse, sans renoncer aux prestiges de cette élégance sèche propre aux grands maîtres, Montesquieu et Voltaire. Le discours de Rivarol *Sur l'Universalité de la langue française*, en réponse à une question proposée par l'Académie, de langue française, de Berlin, insiste à juste titre sur les vertus qui confèrent à cet idiome une validité internationale. Le privilège de l'universalité revient de droit à une forme d'expression qui se prête à une exactitude quasi mathématique, tout en se refusant les charmes douteux du lyrisme et de la poésie, indignes d'un siècle éclairé.

Ainsi se dégage le type idéal de l'*homo europaeus* francophone éclairé, qui peut être aussi bien le familier de Sans Souci que l'académicien de Berlin, le grand commis de la cour de Vienne, l'abbé italien ou l'*afrancesado* de Madrid, ou encore l'homme de lettres « philosophe » de Paris, honorant de sa présence les cafés et les salons à la mode. Cette variété de l'espèce humaine s'efforce de gommer autant que possible les aspérités de la personnalité afin de mieux s'introduire, avec le consentement de tous, dans les circuits de la communication. Le citoyen du monde ne cultive pas sa différence ; il excelle à briller à demi-mot, pratiquant l'art de la litote, du sous-entendu, selon les préceptes de cette raison souriante mise en œuvre par Fontenelle, l'un des inventeurs de ce style. Sous les apparences d'un scepticisme de bon ton, cet homme dissimule une confiance résolue en la validité de l'intellect humain ;

militant pour la bonne cause du progrès des Lumières, nouvelliste, écrivain ou fonctionnaire. Mais, dans le service de cette cause, il hésite à se mettre en avant, à parler à la première personne. Comme si la raison, de par son universalité, devait être apte à se défendre elle-même. Ce serait lui rendre un mauvais service que de se dévouer pour elle, puisqu'on lui conférerait par là une marque de subjectivité non compatible avec son caractère spécifique.

Institutions significatives, le salon et l'académie, espaces clos voués à la pratique de la conversation et de l'argumentation. La grammaire va de pair avec la rhétorique pour régler les procédures de la communication au sein du sujet collectif ; le moi de chacun n'existe qu'en relation avec celui des autres, le jeu consistant à mettre au point un discours communautaire dont chacun pourrait prendre sa part. Les individus interviennent comme supports occasionnels pour la parole commune ; le sujet se dissout dans la réalité indivise du langage, en l'absence de toute épaisseur, de toute identité propre. Hume, niant la substance, réduisait la vie mentale à une association entre les idées ; l'association grammaticale et rhétorique entre les mots propose un phénoménisme d'un ordre différent, mais analogue dans sa structure. D'ailleurs, les « idées » évoquées par Hume ne sont présentes à l'esprit que sous les espèces des mots qui les désignent ou les qualifient ; la psychologie se réduit en fin de compte à la linguistique, ainsi que l'a prétendu le structuralisme. Une pensée analytique réduisant le moi au sujet grammatical, et ne parvenant pas à le saisir avec des mots, conclut à son irréalité, comme si la formulation coïncidait avec la réalité elle-même. La négation du sujet personnel transforme l'humanité en un immense univers du discours, où les individus n'interviennent que pour témoigner de l'absence de l'être. Celui qui croit prendre la parole, fût-ce pour énoncer sa singularité, se trouve en réalité pris par elle ; son propos n'est jamais que la réaffirmation de la rhétorique régnante. Le discours institué lui inspire les mots, les tournures, la rhétorique de la collectivité impersonnelle qui s'énonce à travers lui ([2]).

Il existe au XVIIIe siècle d'autres variétés humaines, l'homme du sentiment, l'illuminé, le piétiste, etc. Lorsque Diderot prononce : « Nous autres, nous sommes tous enfants de la passion » ([3]), il atteste qu'il n'est pas identifiable à l'homme des Lumières dans la lignée de Fontenelle à Destutt de Tracy, qui regroupe Montesquieu, Voltaire et Condillac, Turgot, d'Alembert, Condorcet et leurs émules. Diderot, génie à plusieurs faces, penseur éclairé à certains égards, est aussi un romantique de plein exercice. Chez Rousseau également, le génie transcende les catégories et les étiquettes ; il est incaractérisable. Diderot, Rousseau se portent aux extrêmes de leur personnalité ; l'homme des Lumières situe sa vigilance en un point moyen à partir duquel s'exerce sa

([2]) Cette thèse paradoxale a été soutenue par Michel BEAUJOUR dans son livre *Miroirs d'encre* (Seuil, 1980) : l'autoportrait serait le summum de l'impersonnalité. Le Moi qui cherche à se ressaisir procède à son anéantissement.

([3]) DIDEROT, *Correspondance*, éd. G. ROTH, t. IV, 1951.

lucidité, prompte à signaler les égarements du sentiment et de la passion, du mythe et de la foi.

L'homme des Lumières résiste aux sollicitations radicales de l'amour et de la mort. Sans se refuser aux voluptés modérées, il fait figure de célibataire endurci et la modération calculée de son régime de vie lui permet en général de prolonger ses jours jusqu'à un âge avancé. Dès lors, les approches de la mort ne parviennent pas à troubler sa quiétude ; le moment venu, il s'éteint, à la limite d'une procédure d'anéantissement. Fontenelle, centenaire, sur son lit de mort, adresse à son médecin cette dernière parole : « Je ne sens autre chose qu'une certaine difficulté d'être... » ; d'atténuation en atténuation, l'existence se réduit à rien. Kant, reprenant une formule d'Epictète, note que la mort n'existe pas : tant que je suis là, elle est absente ; et quand elle est là, je n'y suis plus. L'ordre galiléen de l'intellectualisme propose un espace de sécurité au sein duquel l'esprit se sent à l'abri des menaces du mal et de la guerre, des récurrences de la maladie et de la mort. La vigilance de l'entendement fait place nette, débroussaillant les parcours de la pensée de tous les résidus irrationnels qui l'encombrent. Le « sage » Locke, le « bon » David, refoulés les fantômes de l'obscurantisme, maîtrisent les avenues d'un domaine restreint, délimité, mais clair, dont le périmètre sera, une dernière fois, balisé par la critique kantienne de la raison pure.

CHAPITRE II

L'IDENTITÉ ROMANTIQUE

L'identité romantique se pose en s'opposant, au nom d'une objection de conscience fortement affirmée dès le milieu du XVIIIe siècle. Le renouvellement de la conscience occidentale a été décrit dans *Naissance de la conscience romantique au siècle des Lumières* (Payot, 1976). La mutation des vérités et des valeurs se prononce déjà dans les *Characteristics* de Shaftesbury (1711) ; le pupille de Locke prend le contrepied des enseignements de son maître ; son influence inspirera bon nombre des grands esprits du siècle. Le piétisme et le quiétisme, l'illuminisme, dans l'ordre religieux, la poésie et le roman anglais, l'œuvre de l'abbé Prévost, puis le *Sturm und Drang* germanique, dans l'ordre littéraire, jalonnent ce parcours qui débouche sur la *Julie* et les *Confessions* de Rousseau. La mise en honneur du sens intime oppose une fin de non-recevoir à l'empirisme triomphant ; la doctrine des sensations, la sensorialité, ne parvient pas à étouffer les sollicitations de la sensibilité. La formule « siècle des Lumières » ne désigne pas le siècle entier, mais un sous-ensemble de cet ensemble ; la seconde voix bientôt dominera la première, et la réduira à une fonction de protestation, ou d'accompagnement en sourdine.

A partir de son explosion germanique dans les dernières années du siècle — le point de repère pouvant être fourni par la publication de l'*Athenaeum* des frères Schlegel (1798-1800) —, le mouvement romantique pourrait être défini par la mise en honneur du moi. La tradition chrétienne du moi haïssable selon les exigences de l'humilité, et l'universalisme des Lumières, refoulaient ou neutralisaient la première personne qui, par un renversement des valeurs, devient le point d'ancrage de toute vérité. L'inversion des priorités ne concerne pas l'individu seulement ; l'âge des Lumières atténue l'existence de Dieu en même temps que l'existence de l'homme. Le dépérissement de la théologie est corrélatif d'un dépérissement de l'anthropologie, attesté dans les pâles couleurs de l'homme selon Locke, Condillac et Destutt de Tracy. Toute vérité se trouvant soumise au prototype de la légalité et de l'objectivité scientifiques, le déisme propose le moindre degré de l'existence de Dieu. Le Dieu de d'Alembert et de Condorcet, le Dieu des déistes anglais ou des Néologues luthériens libéraux en Allemagne n'est guère qu'une entité linguistique vidée de substance, dépouillée de l'identité réelle. L'âge des Lumières pourrait bien être le siècle de l'euthanasie de la divinité, associée à l'euthanasie de l'individualité.

Lorsque Kant nie la réalité de la mort pour la raison que, aussi longtemps que je suis là, elle n'y est pas, il ne prend pas garde que si la mort n'existe pas, la vie n'existe pas non plus. La relation entre la vie et la mort n'est pas un simple rapport d'exclusion réciproque. La pensée de la mort ne cesse d'habiter l'homme vivant ; la pensée de la vie ne peut acquérir la plénitude de sa signification que par le souci de la mort qui la hante. Si l'être humain était immortel, ou a-mortel, selon le vœu de l'âge des Lumières, le sens de l'existence s'en trouverait transformé, et sans doute appauvri. Les philanthropes humanitaires, les francs-maçons, les organisateurs réformistes et cosmopolitiques du XVIIIe siècle, dans leurs entreprises pour réaménager le domaine humain selon l'exigence de la raison, refoulaient l'expérience de la mort jusqu'aux limites de leur espace mental ; ils réorganisaient l'humanité en faisant comme si la mort n'existait pas, ou comme si sa problématique se réduisait à celle de l'hygiène des cimetières. Or la mort, la finitude de la vie, est un problème humain, posé à chaque individu dans des termes qui lui sont propres, en sorte qu'il ne peut exister dans ce domaine de solution générale, sinon dans la comptabilité des pompes funèbres.

Pour les théoriciens de l'âge des Lumières, ainsi que les grands commis de l'Etat, les administrateurs et fonctionnaires qui, à travers l'Europe, s'inspiraient de leurs principes, la solution des problèmes humains se trouve dans le monde extérieur. Si la pensée de l'homme, selon l'enseignement de Locke et de Condillac, se contente de refléter l'ordre des choses, l'aménagement rationnel de l'environnement humain permettra de réduire la réalité humaine aux normes d'un entendement inspiré par la seule bonne volonté. Ce remodelage procédant du dehors au dedans suscitera l'homme nouveau, selon les voies et moyens d'une pédagogie totalitaire, dont on retrouve les linéaments dans les Traités d'Helvétius, de d'Holbach, de Condorcet, de Bentham et dans l'œuvre réformatrice des législateurs révolutionnaires. L'intention des Lumières est orientée vers la formation en série de citoyens coulés dans le même moule, ce qui conduirait à une dépersonnalisation générale. Les romantiques prennent acte de l'échec de cette utopie ; on ne peut pas façonner en masse des hommes réduits à la réalité du grain de sable dans un tas. Le Leviathan révolutionnaire s'est dévoré lui-même dans les paroxysmes de la Terreur, sinistre désaveu de tant de professions de foi humanitaires.

Vérité humaine et vérité sociale ne peuvent être instituées exclusivement dans l'espace du dehors ; ceux qui prétendent aménager en raison raisonnante le territoire de la pensée agissent en apprentis sorciers, générateurs de catastrophes. Conclusion du jeune Frédéric Schlegel, face au gâchis présent : « Rien n'est plus un besoin de l'époque qu'un contrepoids spirituel à la Révolution et au despotisme qu'elle exerce sur les esprits en entassant les suprêmes intérêts mondiaux. Où devons-nous chercher et trouver ce contrepoids ? La réponse n'est pas difficile : c'est incontestablement en nous ; et qui a saisi là le centre de l'humanité aura trouvé là aussi, précisément, le point médian de la culture moderne et l'harmonie de toutes les sciences et de tous les arts, jusqu'ici séparés et en conflit » ([1]). Ce propos intrépide, rejetant les déterminismes de l'histoire, confie à l'individu le rôle du géant de la mythologie, appelé à équilibrer l'ordre du monde. Initiative titanesque : à la révolution sur la place publique doit faire échec une résolution du for intérieur. L'individualité n'est plus ce cercle dont la circonférence est partout et le centre nulle part ; elle devient le « point médian » de la culture ; au lieu de subir passivement la loi de l'ordre physique et moral institué par les aménageurs du territoire de l'humanité, elle est reconnue comme le point origine d'une vérité dont elle assume l'initiative et les responsabilités. Contre les dangers de dispersion et de déchirement suscités par les convulsions de l'espace social, Frédéric Schlegel affirme que le salut de chacun dépend de chacun ; l'homme est la tâche de l'homme.

L'avènement du romantisme marque la fin d'une période de démission et d'absence du moi, réduit à un point d'application pour une vérité préfabriquée qui venait le parasiter, sans plus de raisons pour se percher ici plutôt que là. La statue de Condillac illustre cette néantisation du moi ; point origine où la conscience vient au monde, et ensemble degré zéro de la connaissance, figuré par la première information venue du dehors à l'être humain. Le moi apparaît, et s'apparaît à lui-même, comme suspendu en porte à faux dans un vide total de significations ; sur la page blanche s'inscrit le premier message venu de l'environnement. Cette supposition d'un commencement radical, où une conscience adulte s'annoncerait dans un état de réceptivité passive ne résiste pas à l'examen. Si le premier Adam a été créé par Dieu à l'âge d'homme, et déjà mûr pour le mariage, les êtres de sa lignée se sont formés dans le sein maternel, avant de poursuivre leur maturation une fois venus au monde. La possibilité même de la connaissance sensible présuppose une complexe élaboration neurobiologique, au cours de laquelle se constituent les appareils sensoriels spécialisés, qui peu à peu coordonnent leur fonctionnement. L'ouïe, la vue, le tact, l'odorat doivent apprendre à combiner les données venues du dehors, de manière à constituer le cadre général du monde sensible, dont la présence permet à l'individu de se situer au sein de la réalité. Avant l'ordre du monde, il faut que se soit constitué l'ordre dans l'homme, selon la structure neurologique présidant à la coordination des données sensorielles, répartissant les sensations selon les dimensions du haut et du bas, de la droite et de la gauche, du proche et du lointain, etc. La conscience de la statue ne peut pas être assimilée à un vide préalable, prêt à s'offrir au premier venu ; la statue ne s'identifie pas à la première impression ; elle la met en place au sein d'une articulation cosmologique préétablie, cautionnant la présence au monde de l'individu.

([1]) Frédéric SCHLEGEL, *Ideen*, fragments § 41 ; *Athenaeum*, II, 1, 1800, dans LACOUE-LABARTHE et NANCY, *L'absolu littéraire*, Seuil, 1978, pp. 209-210.

Les impressions des sens, odeurs, couleurs et formes ne sont pas seules à assurer notre présence au monde. Un malade mental, souffrant de troubles graves de la personnalité, à qui on apporte un bouquet de roses, se plaint : « Vous vous figurez que vous m'offrez des fleurs ; mais moi je ne vois que des feuilles et des pétales, des branches, des épines... » La présence de la rose ne se réduit pas à un assemblage d'informations sensorielles ; la fleur, dans le monde humain, énonce un message de sympathie ; choisie pour sa beauté, pour sa qualité esthétique, elle prend valeur de symbole ; elle assure une fonction de communication d'un être à un autre être. Le monde de notre vie n'est pas seulement un assemblage d'objets matériels ; un ensemble de valeurs, à tout instant, confèrent à la vie sa coloration, ses tonalités positives ou négatives, sa chaleur ou sa tristesse, liées avec les expériences de la vie antérieure. Le souvenir du passé, les espérances du futur, la nostalgie et l'imagination composent la trame sentimentale des moments de l'existence ; les impressions du moment se profilent sur l'arrière-plan des humeurs, peine ou joie, exaltation ou dépression. La neutralité absolue, l'état dans lequel nos perceptions, réduites à leur matérialité littérale, ne seraient que ce qu'elles sont, représente un cas limite, à peu près inconcevable ; ou alors il coïnciderait avec l'expérience du malade mental qui, au lieu de la fleur, ne voit que des feuilles et des pétales.

Selon Condillac, l'odeur d'une rose assure le premier contact entre sa statue et le monde. Une telle option n'est pas innocente ; le philosophe s'est laissé tenter par la charge symbolique de la fleur, destinée à parfumer l'éveil d'une conscience. Grâce à cette expérience gratifiante, la statue est censée s'identifier à l'odeur de la rose. Cette odeur représente une valeur, emblème de la vie, un sens d'humanité qui doit échapper au Robinson métaphysique du *Traité des Sensations,* lequel, faute de connaissances antérieures, ignore le langage des fleurs. Le romantisme a pratiqué cette symbolique, illustrée par la fleur bleue d'*Heinrich von Ofterdingen*, par la pervenche de Rousseau et la jonquille d'Oberman. La rose de Condillac, réduite à ses caractéristiques physico-chimiques, combinaison des données sensorielles, ne saurait assumer cette dignité de condensateur des significations ; tout au plus peut-on la considérer comme l'une des espèces botaniques inscrites au palmarès de la classification. Pour celui qui la découvre la première fois, la rose n'est pas dotée de son identité culturelle, riche d'historicité personnelle et collective ; le spectre de la rose, s'il enchante les poètes, perd sa saveur dans la philosophie analytique et sensationniste.

La fleur romantique, signe d'humanité et non signal extrinsèque, rend à l'homme ce qu'il lui a donné ; elle l'interpelle du dedans bien plus que du dehors, en vertu de l'inversion des priorités, caractéristique de la nouvelle culture. Le moi sujet grammatical des Lumières était un emplacement vide où se répétaient en écho les informations venues du dehors, nœud d'interconnexion pour les éléments interchangeables d'un univers du discours, qui peuvent se rassembler ici tout aussi bien que là. Ce sujet sans substance, habité par son propre néant, ne peut échapper à une mauvaise conscience rémanente, suscitée par l'horreur de son propre vide. Le retour du refoulé engendre la pathologie particulière de l'homme des Lumières ; pour ne pas sombrer dans sa propre absence, le penseur, l'écrivain se lancent dans une fuite en avant dont ils sont, sans toujours s'en rendre compte, eux-mêmes le dernier enjeu. La hantise de leur propre inanité engendre un ennui qui cherche son remède introuvable dans un ordonnancement du monde susceptible de valoir comme édification de soi. Le mal de vivre, chez l'homme des Lumières, ne saurait trouver de consolation ; l'excès de la clarté intellectuelle éteint les couleurs, les demi-teintes, les ombres, nuances et saveurs qui confèrent à la vie la richesse intrinsèque de sa présence. Rousseau, s'il se plaît à herboriser sur les chemins de Savoie, de Suisse et d'Ile de France, c'est qu'il trouve dans cette pratique botanique une voie d'accès au paysage. La recherche et l'étude des plantes fournit un support à la libre rêverie, en même temps qu'un refuge contre les mauvaises fréquentations d'une humanité urbaine et civilisée, à l'égard de laquelle l'auteur du *Discours sur les sciences et les arts* n'éprouve guère de sympathie.

Le moi de Rousseau n'est pas une page blanche, ni cet emplacement vide dans la boîte crânienne de la statue de Condillac. Le moi de Rousseau n'est pas le siège d'une absence prête à accueillir n'importe quoi, mais le lieu d'une présence dont l'immense fresque des *Confessions* ne parviendra pas à faire le tour, alors que la biographie de la statue tient en quelques lignes. La parabole de la statue, autobiographie de tout le monde, n'est la biographie de personne ; les *Confessions* évoquent le plus irremplaçable des êtres. Le romantisme redécouvre avec enchantement ce que la critique empiriste avait rejeté, le sens de l'innéité de l'être personnel, et ensemble les dimensions de la révélation et de la grâce, qui ouvrent les horizons de l'infini.

Kant circonscrit dans sa philosophie critique le territoire des Lumières, tout en préparant dans sa philosophie pratique la réouverture des passages vers la transcendance de la chose en soi. Il avait élaboré la doctrine du Je transcendantal, support de la connaissance théorique dans la limite du paradigme physico-mathématique. Le sujet du savoir, centre des jugements valides, est un principe abstrait, dépourvu de réalité empirique. Norme sans substrat, il coordonne l'activité du jugement dans les strictes limites de validité de l'entendement. Le Je transcendantal n'a rien à voir avec l'identité de qui que ce soit ; il se situe en dehors de la géographie et de l'histoire. « Par ce " moi ", par cet " il " ou par cette chose qui pense, on ne se représente rien de plus qu'un sujet transcendantal des pensées = X, et ce n'est que par les pensées qui sont ses prédicats que nous connaissons le sujet, dont nous ne pouvons jamais avoir, séparément, le moindre concept... » ([2]).

Kant, réalisant une démarche inverse de celle de Locke et de Hume, transfère la philosophie de l'empirisme à l'idéalisme ; mais la critique transcendantale, si elle restitue à la statue de Condillac des mécanismes destinés à meubler sa boîte crânienne, lui attribuant un droit d'initiative

([2]) KANT, *Critique de la raison pure,* 1781, Livre II, ch. 1 : *Des paralogismes de la raison pure,* trad. TREMESAYGUES et PACAUD, Alcan, 1905, p. 324.

a priori, ne lui redonne pas pour autant figure humaine. Comme l'attraction de Newton, le Je transcendantal est un X, une entité linguistique à propos de laquelle il n'y a rien d'autre à déclarer. Le fondement de notre présence au monde, l'instance suprême à laquelle se réfèrent nos jugements et nos actions, ne possède que le minimum exigible de réalité, une existence par défaut qui coïncide avec le comble de l'impersonnalité. Ce degré zéro de la vie personnelle se justifie par le rejet hors de la sphère rationnelle de ce qui concerne le domaine du corps en tant que réalité biologique, et de ce qui met en cause l'ordre de l'affectivité et du sentiment, considérés comme « pathologiques », en ce qu'ils font obstacle au libre exercice de la conscience transcendantale. Dans ces conditions, chacun d'entre nous est doté de la même identité signalétique *a priori*, en tant que citoyen à part entière de la république cosmopolitique de partout et de nulle part.

Empirisme et idéalisme se trouvent dans la même incapacité de donner sens à la réalité immédiate, liée à notre existence quotidienne. La pensée dissout dans l'anonymat la plus constante des évidences ; Descartes, déjà, ne parvenait à être assuré de sa propre réalité que grâce à la caution, laborieusement obtenue, de la divinité ; et l'existence des autres lui paraissait moins assurée encore que la sienne. Regardant de sa fenêtre les passants déambuler dans la rue, il se demande si ce ne sont pas des mannequins revêtus de chapeaux et de manteaux ; seule le tire de sa perplexité l'assurance que Dieu ne saurait se livrer à d'aussi mauvaises plaisanteries au détriment de ses créatures. Ce genre d'acrobatie intellectuelle atteste la singulière attitude des philosophes devant la réalité ; capables de dénaturer la nature au nom de la raison, ils éprouvent ensuite les plus grandes difficultés à restaurer l'humanité dans la jouissance des saveurs et senteurs de la vie. L'aliénation métaphysique une fois établie, le jeu consiste à retrouver à grand-peine l'usage de ce dont on était doté dès le départ.

Penseur romantique français, Maine de Biran, formé à l'idéologie condillacienne et revenu par un long cheminement à un réalisme spiritualiste, note dans son journal, à la date du 25 novembre 1817, qu'il a passé la soirée avec l'abbé Morellet. « Conversation psychologique. Mon vieux ami m'a demandé brusquement : *qu'est-ce que le moi ?* Je n'ai pu répondre. Il faut se placer dans le point de vue intime de la conscience et, ayant alors présente cette unité qui *juge* de tous les phénomènes en restant invariable, on aperçoit ce moi, on ne demande plus *ce qu'il est* » ([3]). Question et réponse donnent à penser. Morellet est l'un des rares « philosophes » à avoir survécu à la tourmente révolutionnaire ; le jeune Biran a été le disciple de Destutt de Tracy, avant de prendre ses distances, à la faveur d'une évolution qui le conduira au bercail du catholicisme, dans l'atmosphère d'une eschatologie retrouvée. Né en 1727, Morellet, qui mourra en 1819, est âgé de 90 ans, et son interrogation prouve qu'il ne s'estime pas satisfait par l'évanouissement

([3]) Maine DE BIRAN, *Journal*, p. p. Henri GOUHIER, Neuchâtel, éditions de la Baconnière, t. II, 1955, p. 95.

du moi tel que le professaient Locke, Hume et Condillac ; un doute lui reste, qu'il demande à son ami de dissiper.

Biran qui, à l'époque, compte une cinquantaine d'années avoue son embarras : « je n'ai pu répondre ». Mais l'incapacité de fournir une réponse n'énonce pas une réponse négative, à la manière de Hume. En lieu et place d'une définition, Biran propose une procédure de pensée, qui consiste à « se placer dans le point de vue intime de la conscience ». La vie personnelle se cherche dans un mouvement de repli ; le sujet doit se déprendre des perceptions et idées qui l'occupent d'ordinaire, grâce à un mouvement de conversion. Le philosophe de Bergerac est coutumier de cette inversion des priorités, qui restitue à l'espace du dedans une attention détournée de la réalité physique. « Je suis toujours bien plus occupé de ce qui arrive en moi que de ce qui se fait hors de moi ; ces événements intérieurs, bien plus souvent malheureux qu'heureux, décident de notre sort dans la vie ; ils font toute la valeur de notre existence... » ([4]). L'homme des Lumières dénoncerait ici une complaisance à soi-même, obstacle au cheminement empirique d'une vérité procédant du dehors au-dedans.

L'intimité biranienne de la conscience n'est pas un emplacement vide, mais le lieu d'une présence, celle d'une « unité qui *juge* de tous les phénomènes en restant invariable ». L'individu apparaît doté d'une identité substantielle ; là où Hume ne percevait que des enchaînements de phénomènes sans substrat, liés par les principes de l'association, Biran découvre une instance supérieure et invariable. Comme il l'avait écrit peu auparavant : « j'ai toujours présent l'absolu de mon être *durable*, autrement je ne pourrais juger des variations de mon être *phénoménique* » ([5]). La transcendance est retrouvée, et la substance de l'être personnel, non pas sur le mode de la définition conceptuelle, mais comme une expérience de vie, une donnée immédiate de l'existence : « on aperçoit ce moi, on ne demande plus *ce qu'il est* ». L'univers du discours analytique n'est pas la norme de référence ; l'être en sa présence réelle transcende le langage ; la métaphysique est ensemble une métalinguistique ; elle dément les prétentions d'une grammaire générale, sous-produit d'une logique de l'entendement pur.

L'itinéraire spirituel de Maine de Biran retrouve une voie où les romantiques allemands s'étaient avancés bien avant lui. Son expérience, dans la solitude, a quelque chose d'exemplaire. « C'est en nous-même qu'il faut descendre, c'est dans l'intimité de la conscience qu'il faut habiter, pour jouir de la vérité et atteindre à la réalité de toutes choses. Par l'acte seul de la réflexion, par l'effort que fait l'homme qui s'arrache au monde extérieur pour s'étudier et se connaître, il se dispose à recevoir et à saisir le vrai. (...) Quel autre motif que le besoin de connaître le vrai pourrait l'engager à s'enfoncer dans les souterrains de l'âme ? » ([6]). Les romantiques retrouvent le mot d'ordre de saint Augustin : *in interiore*

([4]) BIRAN, *Journal*, éd. citée, à la date du 23-25 novembre 1817 ; *ibid.*, p. 94.
([5]) *Ibid.*, p. 95.
([6]) 25 novembre 1816 ; éd. citée, t. I, p. 240.

homine habitat veritas; l'imagerie de la caverne, de la grotte, des catacombes, géographie obscure de l'espace du dedans, poursuit le voyage initiatique aux suprêmes révélations. « Qui sait, questionne encore Biran, ce que peut la réflexion concentrée et s'il n'y a pas un nouveau monde *intérieur* qui pourra être découvert un jour par quelque *Colomb métaphysicien ?* » ([7]).

En juin 1816, Maine de Biran, qui a assisté à une procession publique du culte restauré, est frappé par l'intensité du sentiment religieux, expression du sentiment de l'infini, qui échappe aux déterminations conceptuelles. « Dans un siècle où l'on raisonne de tout, où l'on demande que tout soit démontré, il ne peut y avoir de religion ni aucune institution proprement dite ; l'analyse fait évaporer le sentiment, si elle veut remonter jusqu'à la source où il se rattache et en mettre la base à nu ; elle ne trouvera rien,elle niera la réalité de cette base sans s'apercevoir qu'elle n'est pas de son ressort. (...) Tout ce qui parle à l'âme sans l'intermédiaire des sens et de la raison doit exciter notre respect ; il faut bien se garder de vouloir le faire rentrer dans le cercle étroit de nos raisonnements ou de nos idées claires. Les philosophes du XVIIIe siècle se sont lourdement trompés à cet égard ; ils n'ont pas connu l'homme » ([8]).

Telle, la ligne de rupture entre l'âge des Lumières et l'âge romantique ; l'impérialisme de l'intellect prétendait réduire à néant tout ce qui échappait à l'intelligence restrictive de ses catégories. Le romantisme propose une anthropologie soucieuse de faire accueil aux variétés de l'existence humaine, sans discrimination arbitraire. Pourquoi les évidences de sentiment seraient-elles répudiées au profit des seules relations articulées par l'entendement ? Les « philosophes » ont méconnu la réalité humaine, parce qu'ils ont prétendu la situer tout entière dans la zone périphérique où s'opère le contact entre l'individu et la réalité, l'ordre des choses imposant sa loi à la totalité du vécu. De là, la dissolution du moi dans l'environnement matériel et moral ; perpétuellement excentré, il perd le sens de sa propre existence.

Pendant l'automne de 1819, Biran médite dans les marges de Van Helmont, promoteur d'une anthropologie animiste, fondée sur l'unité de la vie elle-même dans la spontanéité du devenir organique. De l'enseignement du penseur du XVIIe siècle, il retient ce principe : « la distinction de l'homme *intérieur* et de l'homme *extérieur* est capitale et sera le fondement de toutes mes recherches ultérieures (...). Les modernes ne se sont attachés qu'à l'homme extérieur, depuis ceux qui ne voient partout que sensation, jusqu'à ceux qui font descendre du Ciel toutes les idées avec les langues. L'homme intérieur ne peut se manifester ainsi en dehors ; tout ce qui est en image, discours ou raisonnement, le dénature ou altère ses formes propres, loin de les reproduire. C'est là le plus grand obstacle que la philosophie puisse rencontrer, et cet obstacle est peut-être invincible par la nature même des choses (...). Il y a en arrière de cet homme *extérieur*, tel que le considère et en discourt la philosophie

([7]) 23 juillet 1816, *ibid.*, p. 176.
([8]) 16 juin 1816 ; *ibid.*, pp. 146-147.

logique, morale, physiologique, un homme intérieur qui est un sujet à part, accessible à sa propre aperception ou intuition, qui porte en lui sa lumière propre, laquelle s'obscurcit, loin de s'aviver, par les rayons venus du dehors (...) L'homme intérieur est ineffable dans son essence » ([9]).

De là la réponse de Biran à la question de l'abbé Morellet : « Qu'est-ce que le moi ? » Si l'homme intérieur se refuse aux prises du langage, s'il fait l'objet d'une expérience spécifique, réservée à celui-là seul qui tente d'obtenir un rapport d'intimité de soi à soi, alors l'identité du moi est un secret, qui ne peut entrer sans formalité dans les circuits de la communication objective. Mais ce moi qui ne peut se dire en termes de discours, ce moi n'en existe pas moins, il n'en existe que davantage sous les espèces d'un foyer d'irradiation qui concentre d'irrésistible manière l'attention de chacun sur soi-même et sur les autres ; « comment ne pas être sans cesse ramené au grand mystère de sa propre existence par l'étonnement même qu'il cause à tout être pensant ? » ([10]).

Expérience fondamentale de la spiritualité romantique ; le solitaire de Grateloup a voulu être, après d'autres, le « Colomb métaphysicien », à la découverte du « nouveau monde intérieur » que lui propose son propre moi, continent enveloppé de mystère, pourtant à proximité immédiate d'une conscience qui, déprise des évidences positives et matérielles, a opéré la conversion ouvrant les chemins secrets de l'espace du dedans. Niant la réalité du moi, les philosophes empiristes se sont lancés sur les pistes de l'objectivité matérielle, oublieux de ce premier moment de la prise d'être, à la faveur de laquelle chaque individu est donné à lui-même dans l'immédiateté de son moi, riche d'un infini en puissance.

Plus jeune que Biran, le poète Maurice de Guérin devait vivre, dans l'amitié de Lamennais, la même expérience : « Nous vivons trop peu en dedans, nous n'y vivons presque pas. Qu'est devenu cet œil intérieur que Dieu nous a donné pour veiller sans cesse sur notre âme, pour être le témoin des jeux mystérieux de la pensée, du mouvement ineffable de la vie dans le tabernacle de l'humanité ? Il est fermé, il dort, et nous ouvrons largement nos yeux terrestres et nous ne comprenons rien à la nature, ne nous servant pas du sens qui nous la révèlerait, réfléchie dans le miroir de l'âme. Il n'y a pas de contact entre la nature et nous : nous n'avons l'intelligence que des formes extérieures, et point du sens, du langage intime, de la beauté en tant qu'éternelle et participant à Dieu, toutes choses qui seraient limpidement retracées et mirées dans l'âme, douée d'une merveilleuse faculté spéculaire. Oh ! ce contact de la nature et de l'âme engendrerait une ineffable volupté, un amour prodigieux du Ciel et de Dieu. Descendre dans l'âme des hommes et faire descendre la nature dans son âme » ([11]).

Ces textes peuvent être mis en parallèle avec les fragments où les rédacteurs de l'*Athenaeum* exposaient leurs neuves exigences, aux

([9]) 25 octobre 1819 ; t. II, p. 244.
([10]) Juillet 1823 ; éd. citée, t. II, p. 378.
([11]) Maurice DE GUÉRIN, *Journal*, 15 mars 1833 ; *Œuvres complètes*, p. p. B. D'HARCOURT, t. I, Belles Lettres, 1947, p. 151.

environs de 1800. Locke partait de la réalité du monde extérieur, dont l'intelligibilité imprimait dans la conscience les premiers linéaments de l'intelligence. Guérin réprouve le primat ainsi reconnu aux « yeux terrestres », dont nous nous figurons qu'ils nous livrent le sens de la nature, alors qu'en réalité ils le dérobent à notre vue. A l'étude des « formes extérieures » s'oppose la compréhension du « sens », procédant d'une donation divine. Le « contact de la nature et de l'âme » ne consiste nullement en une appréhension directe; il implique un troisième terme, la présence divine; la connaissance paraît procéder d'une vision en Dieu, selon une formule de Malebranche. Le romantisme de Guérin, comme celui des Allemands, implique une composante platonicienne. La conscience selon Locke et Condillac, propose un miroir où se reflètent les choses du dehors; la « faculté spéculaire » de l'âme selon Guérin serait un miroir du monde intelligible, seul apte à nous offrir en transparence le sens d'une nature spiritualisée, alors que l'empirisme se cantonne dans l'ordre d'une conscience matérialisée. Au lieu de dissoudre l'esprit dans l'univers des réalités objectives, le romantisme tente de « faire descendre la nature » dans l'âme; le macrocosme devient une projection du microcosme, selon le principe d'une divination qui pressent dans le monde une procession, une expansion de la volonté créatrice de Dieu.

La révolution métaphysique s'affirme dès la perception. L'autorité de la connaissance sensible n'est qu'une illusion. « Notre œil nous empêche de voir, disait Joubert; c'est notre corps qui nous empêche de toucher. Entre nous et la vérité, il y a nos sens, qui en introduisent en nous une partie, mais aussi qui nous en séparent » ([12]). Le sensationnisme des Lumières, qui croyait trouver dans le témoignage des sens un accès direct à la vérité, se heurte à un démenti brutal; la connaissance sensible est un filtre, qui cache la vérité autant et plus qu'elle ne la révèle. Par-delà le domaine des impressions sensorielles, il existe une source et ressource du véritable savoir, à la lumière de l'ontologie retrouvée. De là le propos, plus brutal, de Joubert : « Ferme les yeux et tu verras » ([13]).

Le point origine de la personnalité doit être recherché en dehors de l'espace-temps phénoménal, où le moi se trouve livré au caprice des associations et des circonstances. Instance transempirique, imposée à chacun de nous avec une autorité intrinsèque supérieure au témoignage des sens. Le mot « ineffable », employé par Guérin comme par Biran, ne doit pas induire en erreur; si cette instance ne peut se situer dans l'univers du discours, elle n'en est pas moins attestée par une évidence qui surpasse toute réticence et dément toute critique. Le fondement de l'individualité est une donation ontologique en même temps qu'anthropologique, au commencement du commencement; les phénomènes qui en dérivent, lui étant subordonnés, ne peuvent avoir autorité pour le remettre en question. Le moi n'est pas après l'existence, comme une résultante; il se prononce dès l'instant où l'être personnel vient au

([12]) *Les Carnets* de Joseph JOUBERT, 16 janvier 1800; pp. André BEAUNIER, NRF, 1938, t. I, p. 226.
([13]) *Op. cit.*, janvier 1801, éd. citée, t. I, p. 286.

monde, et cette affirmation originaire se réitère en chaque instant de la durée. Je ne suis pas assuré d'exister quand je dors, disait Hume, et donc mon existence doit être discontinue. Mais pour penser que j'ai dormi, et que ma conscience a cessé d'être, il faut se trouver en état de veille, et donc s'enraciner dans le sens originaire de l'existence. Celui qui dort ne se pose pas de question ; celui qui se pose la question de son existence existe à coup sûr, dans l'assurance ontologique de sa présence au monde.

Maine de Biran a décrit cette instance fondamentale de l'être personnel. « Chaque individu se distingue d'un autre de son espèce par la manière fondamentale dont il sent la vie, et par la suite dont il *sent,* je ne dis pas dont il juge, les rapports avec les autres êtres en tant qu'ils peuvent favoriser ou menacer son existence. La différence à cet égard est peut-être plus forte encore que celle qui a lieu entre les traits de la figure ou la conformation extérieure du corps. De là vient l'impossibilité où chacun se trouve de *connaître* à fond ce qu'est un de ses semblables comme vivant et sentant, et de manifester ce qu'il est lui-même. (...) Les idées seules se ressemblent et peuvent se communiquer, avec les sentiments qui y sont joints ; ce qui est dans la sphère de l'animalité est inconnaissable » ([14]). La tentative pour forcer les limites de l'ineffable met en cause l'enracinement biologique de la personnalité. L'homme, être incarné, pose la question des limites respectives du physique et du moral. Biran estime que la « sphère de l'animalité » est séparée de la sphère de la connaissance, et donc qu'elle exclut toute possibilité de communication. Dualisme anthropologique dans la lignée du spiritualisme traditionnel ; mais Biran ne s'est pas contenté d'une disjonction pure et simple de l'esprit et du corps. Son attention s'est portée sur la zone de passage où s'échangent les significations du physiologique et du mental. Il a été l'un des premiers, sinon le premier utilisateur en France du mot *coenesthésie* ([15]), emprunté au maître allemand de la médecine romantique, Reil.

Selon Jean Starobinski, le néologisme apparaît pour la première fois comme titre d'une thèse de doctorat soutenue à Halle en 1794 sous la présidence de Johann Christian Reil. Or, selon les mœurs intellectuelles de l'époque, le candidat se contente, le plus souvent, d'exposer les vues de son patron. Il propose la définition suivante de la nouvelle fonction qu'il appelle en allemand *Gemeingefühl,* c'est-à-dire sens commun, sens interne par lequel la conscience est avertie de l'état général de l'organisme : « C'est par le *Gemeingefühl* (Coenesthesis) qu'est proposé à l'âme l'état de son corps, par la médiation des nerfs, répandus à travers l'ensemble de l'organisme. » Le *Gemeingefühl* est opposé au sens externe *(sensatio externa)* qui, par le concours des organes sensoriels, fournit à

([14]) Note du *Mémoire sur les perceptions obscures* (1807) ; Œuvres de Maine DE BIRAN, éd. TISSERAND, t. V, Alcan, 1925, pp. 43-44.

([15]) Cf. *Journal*, 28 juin 1823 ; éd. GOUHIER, Neuchâtel, 1955, t. II, p. 373 : « La cœnesthèse de sensibilité affecte premièrement l'âme ou saisit immédiatement le *moi* au réveil... »

l'âme une image du monde. Starobinski résume : « la *coenesthésie* est l'information sensible émanant du corps par voie nerveuse » ([16]).

Il s'agit là d'une information spécifique concernant l'espace du dedans, dédaigné par l'empirisme des Lumières, mais qui est l'objet de la part des romantiques d'une attention prioritaire. Reil déplore à cette occasion l'insuffisance et l'imprécision du vocabulaire relatif à l'ordre du sentiment, à la sensibilité et à la sensorialité. Il est difficile de mettre au point une expression discursive adaptée à une réalité intensive et affective. L'ordre coenesthésique correspond à une sensibilité vitale diffuse qui exprime à la conscience l'état global de l'organisme ; cette tonalité à la fois biologique et affective donne à la vie sa coloration pénible ou agréable et sert de toile de fond pour le déploiement des humeurs. Le texte sur la manière dont chacun « sent sa vie » figure dans le *Mémoire sur les perceptions obscures,* ouverture sur l'immense domaine de l'inconscient, qui ne possède pas encore de désignation explicite.

Coenesthésie, inconscient, acquisitions maîtresses de la psychobiologie romantique ; explorateur de l'homme intérieur, Biran pressent l'importance des domaines nouveaux qui hantent sa pensée quotidienne et ses écrits, domaines où il ne lui est guère possible de s'aventurer, mais qui constituent une zone de communication entre l'esprit et le corps, première alliance où s'affirme la singularité de chaque vie comme phénomène à double face ; ce qui est en question, ce n'est pas seulement la spécificité biologique de l'individu, son « animalité », comme dit Biran, c'est aussi un ordre de valeurs. L'inconscient, la coenesthésie, sont des lieux d'origine et de référence pour les sentiments régulateurs de l'existence. Le romantisme reconnaît l'ordre émotionnel et affectif comme une dimension significative de la réalité humaine. La métaphysique classique avait élaboré une ontologie rationnelle, excluant les instances irréfléchies, les pulsions sentimentales, comme relevant d'empiétements de la vie organique sur le territoire de la raison. Les penseurs romantiques, sans exclure la rationalité, veulent faire la part de toutes les composantes de l'être ; ils admettent la possibilité d'une ontologie du sentiment. Biran n'est pas un penseur systématique ; ses écrits comme son journal, proposent des essais et sondages, tentatives pour explorer le domaine de l'intériorité humaine dans sa singularité. A la métaphysique de la physique doit se substituer une métaphysique de l'anthropologie.

A la question « qu'est-ce que le moi ? », point de passage obligé pour l'entrée en métaphysique, répond la nécessité d'une prise directe de la conscience sur elle-même. Cet appui de soi sur soi n'est pas réalisable dans la doctrine empiriste ; la statue a besoin de l'odeur de la rose pour

([16]) Dans Jean STAROBINSKI, *Le concept de coenesthésie et les idées neuropsychologiques de Moritz Schiff,* in *Gesnerus,* 34, 1977, Aarau, pp. 2-3, citant *Cœnesthesis, dissertatio inauguralis medica, quam praeside J. C. Reil, pro gradu doctoris defendit* Chr. Friedr. HÜBNER, Halae, 1794. Il faut ajouter que l'ordre cœnesthésique, mais sans le mot, est évoqué avec précision par CABANIS, dans ses *Rapports du physique et du moral de l'homme,* publiés en 1802 ; cf. notre ouvrage *La conscience révolutionnaire, Les Idéologues,* Payot, 1978, pp. 459 sqq. Sur l'imprécision du vocabulaire de la sensibilité cf. plus bas, pp. 155 sqq.

s'éveiller à elle-même ; elle ne se connaît que comme support d'informations adventices, surface sans fond ni fondement, surface non pas réflexive mais réfléchissante. Rien ne lui est plus étranger qu'elle-même, en sorte qu'à la limite elle serait plus proche des autres que de soi. Le moi romantique n'est pas un emplacement vide, mais le lieu d'une présence où la vie personnelle se concentre, emplacement privilégié d'une densité plus haute, ce qui lui permet d'opposer une résistance irréductible à toutes les entreprises du scepticisme. Contemporain de Biran, Jouffroy affirme : « Nous savons à chaque moment ce qui se passe dans le sein de notre moi. (...) De toutes les certitudes, la plus invincible à nos yeux est celle qui s'attache aux dépositions du sens intime. Rien au monde ne pourrait nous persuader que nous ne pensons pas, que nous ne voulons pas, que nous ne sentons pas, quand nous avons la conscience que nous pensons, que nous voulons et que nous sentons ; et la plus absurde de toutes les suppositions serait celle qu'un homme pût penser, vouloir, sentir sans en être informé » ([17]).

La révolution galiléenne avait transféré du dedans au-dehors le paradigme de la vérité, la démonstration scientifique fournissant le prototype de la connaissance assurée. La révolution non-galiléenne opère le mouvement inverse de repli vers les données du sens intime, certitude « la plus invincible », parce qu'elle s'impose par sa propre autorité, sans la médiation d'un appareillage épistémologique. Ce savoir de soi sur soi possède une priorité ontologique sur tout savoir concernant le monde extérieur, car il permet un approfondissement, ou plutôt une élévation à une puissance supérieure de la connaissance à travers l'expérience empirique, il atteint à une forme de transcendance, autorisée par l'accès de la conscience jusqu'à l'origine transempirique de son être. La psychologie débouche dans l'ontologie.

Schelling, né en 1775, indique, dans des essais rédigés dès 1795, le sens de ce cheminement trans-physique. « Nous possédons tous un pouvoir mystérieux, merveilleux, qui nous permet de nous soustraire aux marques du temps, de nous dépouiller de tous les apports extérieurs, pour rentrer en nous-mêmes et y contempler l'éternel sous sa forme immuable. Cette contemplation constitue l'expérience la plus intime, la plus authentique, celle dont dépend tout ce que nous savons ou croyons savoir d'un monde suprasensible. C'est elle seulement qui nous enseigne que quelque chose *est* au sens propre du mot, tandis que tout le reste n'est qu'*apparence:::* » ([18]). Cette analyse prend le contrepied de celle de Hume, affirmant que nous ne saisissons jamais, quand nous pensons avoir conscience de nous-même, que des perceptions et impressions, phénomènes et accidents sans réalité sous-jacente. A la fermeture du champ phénoménal, Schelling substitue l'ouverture vers la surréalité de l'être.

Il n'est pas question de s'opposer par voie argumentative à une

([17]) Théodore JOUFFROY, *Mélanges philosophiques*, 2e éd., 1838, pp. 249-250.
([18]) SCHELLING, *Lettre sur le dogmatisme et le criticisme*, 1975-1976, 8e lettre ; tr. S. JANKELEVITCH, Aubier, 1950, p. 109.

certitude de fait. « Tout notre savoir, dit Schelling, a pour point de départ des " expériences " directes. (...) Même les notions les plus abstraites que manie notre connaissance remontent à une expérience de vie et d'existence. Cette intuition intellectuelle a lieu toutes les fois que nous cessons d'être objet pour nous-mêmes, toutes les fois que, rentré en lui-même, le moi qui contemple s'identifie avec ce qu'il contemple. Pendant ces instants de contemplation, le temps et la durée disparaissent pour nous : ce n'est pas nous qui sommes alors dans le temps, mais c'est le temps ou plutôt la pure éternité absolue, qui est en nous. Ce n'est pas nous qui sommes perdus dans la contemplation du monde objectif, mais c'est lui qui est perdu dans notre contemplation » ([19]).

Dès 1795, alors que Kant a encore une dizaine d'années à vivre, les barrières de l'idéalisme transcendantal se trouvent rompues. Le Je transcendantal demeurait un inaccessible sujet grammatical, nœud d'interconnection pour l'organisation de l'univers du discours ; Schelling ouvre la voie vers la chose en soi, le moi ontologique propose à l'homme le mystère d'une présence qui, bien loin de subir la loi du monde, impose au monde sa loi. Ce n'est plus un point d'observation sans épaisseur bloqué dans son abstraction, mais une réalité substantielle dotée d'un droit d'initiative par rapport à la totalité cosmique. Il ne s'agit plus de la représentation, mais de la réalité même, en la plénitude de son être. Le recueillement proposé par Biran, l'intuition intellectuelle décrite par Schelling sont des équivalents du voyage initiatique vers la source de la vérité, souvent décrit par les romantiques. « Tout me ramène en moi-même *(Mich führt alles in mich selbst zurück)* » ([20]), prononce le disciple de Saïs ; l'aventure essentielle ne consiste pas à se disperser sur les chemins du monde ; elle est la poursuite de l'être dans l'espace du dedans.

Trois ans à peine après ces textes de Schelling paraissent dans l'*Athenaeum,* en 1798, les fragments de Novalis rassemblés sous le titre : *Grains de pollen:* « Nous rêvons de voyages à travers l'univers ; l'univers n'est-il point en nous ? Nous ne connaissons pas les profondeurs de notre esprit. C'est au-dedans de nous que mène le chemin mystérieux. En nous ou nulle part se trouve l'éternité avec ses mondes, le passé et l'avenir. Le monde extérieur est le monde des ombres, il jette son ombre dans le royaume de la lumière... » ([21]). L'initiative romantique est ce renversement spéculaire qui substitue à la plate clarté de l'intelligibilité empirique l'illumination des révélations transcendantes, dans la mise en question radicale de l'être personnel. Hamann, autre inspiré de la tradition piétiste, enseignait que « la connaissance de soi est la descente aux enfers qui conduit à l'apothéose » ([22]). Jacob Boehme, référence majeure du romantisme, avait dit : « Le livre où reposent toutes choses cachées est l'homme lui-même ; il est lui-même le livre de l'essence de toute essence,

([19]) *Ibid.*, p. 111.
([20]) *Les Disciples de Saïs,* dans NOVALIS, *Petits écrits,* trad. BIANQUIS, Aubier, 1947, p. 185.
([21]) *Grains de pollen,* § 16, *Petits écrits,* éd. citée, p. 35.
([22]) Cité dans Maurice BESSET, *Novalis et la pensée mystique,* Aubier, 1947, p. 83.

mais la révélation en appartient au Saint-Esprit » ([23]). Propos que n'aurait pas désavoué Maine de Biran, dont la longue quête aboutit aux confins de l'eschatologie. Descartes, dans son poële germanique, une fois réalisée l'opération du cogito, a pris congé une fois pour toutes de l'existence humaine en sa quotidienneté. La métaphysique est le dimanche de la pensée, un montage de concepts, dédaigneux du donné empirique. L'autobiographie de Descartes commence à la première personne : « j'étais alors en Allemagne... », mais s'arrête court dès que s'est réalisée la nouvelle naissance qui donne au cavalier français un accès à la vérité de Dieu. Nous ne savons presque rien de la vie personnelle et privée de Descartes, de ses errances européennes ; le vrai visage de l'homme Descartes demeure mystérieux, non pas, sans doute, qu'il ait voulu vivre sous un déguisement, mais parce qu'il estimait que ses aventures biographiques n'avaient aucune signification ontologique. La vérité qu'il poursuit étant universelle, le philosophe se doit de garder l'anonymat, sous peine de faire écran à l'universalité de sa doctrine.

Chez Descartes, le point de départ historique et psychologique est tout de suite dépassé ; le *Cogito* procure un accès à la surréalité ontologique, dissociée du domaine confus de la réalité psychologique, lieu propre de l'inintelligible jointure entre l'esprit et le corps. Les romantiques, empruntée la voie du sens intime, ne cherchent pas à sortir de l'espace du dedans pour accéder à l'ordre des idées pures. La pensée négative interdit à l'homme toute espérance de s'approprier la vérité de Dieu. Mais les approches de la transcendance se situent dans l'expérience intime de l'être humain ; la psychologie authentique, approfondissant la conscience personnelle, s'efforce d'y découvrir les confins entre la réalité humaine et la surréalité, par-delà l'infranchissable limite, derrière le voile de la déesse. « Etrange que l'intérieur de l'homme n'ait été jusqu'ici considéré que si pauvrement et traité avec si peu d'esprit. La prétendue psychologie appartient, elle aussi, aux fantômes qui ont usurpé dans le sanctuaire la place qui revenait à de véritables images divines. Comme on a peu utilisé jusqu'ici la physique pour le fond de l'âme, et le fond de l'âme pour comprendre le monde extérieur ! — Entendement, imagination, raison, voilà les misérables matériaux de l'univers en nous. De leurs extraordinaires mélanges, structurations, passages de l'un à l'autre, pas un mot. Personne n'a encore eu l'idée de chercher en nous des forces nouvelles, innommées — d'épier les rapports qui les unissent. — Qui sait quelles admirables liaisons, quelles admirables générations s'offrent encore à nous et au-dedans de nous-mêmes ! » ([24]).

Novalis prend partie contre la psychologie empirique, qui connaît un essor considérable dans l'Allemagne de la fin du siècle, et contre l'anthropologie positive, autre discipline en faveur dans les universités. Le vieux Kant publie en 1798 le cours qu'il a professé dans cette matière pendant de nombreuses années. La prétendue science des faits mentaux

([23]) Jacob BOEHME, *Epistulae philosophicae*, XX, 3 ; cité *ibid.*

([24]) NOVALIS, *L'Encyclopédie*, fragments, classement WASMUTH, § 1147, trad. GANDILLAC, éd. de Minuit, 1966, p. 270.

n'est qu'une mystification parce qu'elle a commencé par naturaliser les phénomènes qu'elle prétend étudier, à la manière de Hume qui se flatte d'être le Newton de l'association des idées. Le « fond de l'âme » n'est pas un domaine naturel, mais une instance surnaturelle, lieu d'origine des sens et des valeurs de la réalité humaine. Il ne s'agit pas de mécanismes obéissant aux lois qui régissent l'univers galiléen, mais d'une alchimie, mettant en œuvre des puissances dont le jeu échappe aux moyens d'analyse mis en œuvre par nos prétendus savants. La « physique supérieure » est une magie, poésie radicale que nous devons essayer de ressaisir à sa source, dans le fond de notre âme. L'authentique psychologie donnerait accès, en nous, à la matrice du sens, en ce foyer de l'intelligibilité où s'abolissent les distinctions entre dedans et dehors, corps et esprit, la physiologie et la science spirituelle. La distinction entre les domaines, entre les facultés est le produit d'une dénaturation secondaire de l'unité originelle. L'image du monde extérieur est solidaire de la conscience que nous prenons de nous-mêmes ; l'essentiel est le va-et-vient du sens, du dedans au dehors, du dehors au dedans. « Le premier pas consiste à jeter un regard à l'intérieur de nous-mêmes, à contempler distinctement notre moi. S'en tenir là, c'est rester à mi-chemin. Le deuxième pas devra toujours consister à porter un regard actif au-dehors, à observer avec énergie et fermeté le monde extérieur » ([25]). Il existe entre l'anthropologie et la cosmologie une unité indissoluble ; celui qui se cantonne dans l'un ou l'autre domaine ne peut parvenir qu'à une connaissance imparfaite. Chacune des disciplines se réfère à l'autre ; sans cette contrepartie, elle ne sera jamais qu'une demi-science, elle ne sera pas une science du tout. Le romantisme en sa haute exigence poursuit l'élaboration d'un savoir unitaire.

([25]) NOVALIS, *Grains de pollen*, § 24 ; traduction BIANQUIS, *Petits écrits*, Aubier, 1947, p. 41.

CHAPITRE III

INTERMITTENCES ET CONTRADICTIONS

Pour restaurer le moi dans sa fonction de laboratoire central des significations, creuset de l'alchimie cosmique, la condition première est de desserrer l'étreinte de la science rigoureuse qui bloque partout le libre parcours de la pensée. Le romantisme n'est pas un subjectivisme, cantonné dans les marges de la réalité humaine, dans les îlots de résistance opposés par le sommeil, le rêve, le fantasme, la folie, à l'impérialisme du savoir conscient et organisé. Refuges pour la conscience romantique, lieux d'asile, ou places fortes ; mais l'inspiration romantique prétend soumettre à son animation la totalité du réel. Cette prétention, inadmissible pour des esprits modernes, nous empêche d'accéder à une compréhension de l'affirmation romantique au prix d'un bouleversement des habitudes mentales qui sous-tendent notre vision du monde. Pourtant les domaines axiomatisés des sciences rigoureuses ne sont que des enclaves délimitées, dans l'espace d'un seul tenant constitué par une conscience humaine. Une science n'a pas de commencement de par sa propre autorité ; elle doit son commencement à une initiative de la pensée, en un moment déterminé de l'histoire de la culture. Le champ total de la présence au monde est défini par la zone d'expansion d'un moi qui s'efforce d'élargir sa connaissance de la réalité. L'être humain à sa naissance n'intervient pas dans un univers organisé en raison scientifique, où sa place serait marquée par des déterminismes préfabriqués. L'histoire du monde recommence avec une conscience émergeant du néant, à la lumière d'un savoir qui se reconstitue pour définir l'espace vital de chaque moi reprenant à son compte l'aventure humaine.

L'individualité romantique ne se réduit donc pas à la conscience d'un sujet, même dotée d'une capacité ontologique qui s'évanouirait aussitôt à la manière du cogito cartésien. A la place du sujet empirique flottant sur le vide, le moi s'annonce à lui-même comme une émergence qui revêt la valeur d'un nouveau commencement. L'identité chrétienne de l'âme faillible, engagée, par une prédestination qu'elle n'a pas voulue, sur le chemin du salut ou de la perdition, sous l'effet de l'érosion des siècles, semble avoir perdu toute sa vigueur à l'âge des lumières. Le romantisme réhabilite le sujet substantiel ; la vérité se prononce en première personne. Le retour de l'ontologie majore conjointement l'existence de Dieu et celle de l'homme ; le sens intime, libéré de l'anesthésie qui pesait sur lui, propose à chaque individu la possibilité de la connaissance de soi, pèlerinage initiatique aux sources de toute vérité. L'expérience du moi n'est pas celle d'un point sans substance, donné à la conscience dans un instant évanouissant. L'accès à l'ontologie ne se réduit pas à un simple contact de soi à soi, signe et signal d'un nouveau départ, pivot ou charnière sans densité propre, à quoi l'on pourrait accrocher n'importe quoi, page blanche offerte non aux inscriptions du dehors mais aux impressions du dedans. Chaque individu, disait Biran dans un texte que nous avons cité, se distingue de tous les autres « par la manière fondamentale dont il sent sa vie ». Cette saveur première, donnée immédiate de l'existence, constitutive de la prise de conscience originaire, confère au moi un caractère distinctif, souvent oublié sous l'effet du mouvement spontané qui nous pousse à nous fondre dans la masse, oublieux de cette vocation distinctive à une identité propre. Contre quoi protestait déjà, en 1759, Edward Young, le poète des *Nuits ;* la nature, disait-il, « nous met tous au monde comme des originaux, il n'y a pas deux visages, deux esprits exactement semblables ; tous portent la marque de différences entre eux. Nés originaux, comment se fait-il que nous mourrions tous copies ? » ([1]).

La vertu d'originalité est caractéristique du *moi* romantique. Chaque homme, de par la dotation originaire qui constitue sa personnalité, est appelé à mener une vie à sa ressemblance. Young proteste contre l'érosion du moi imposée par la légalité galiléenne de la vie mentale et sociale. Une vie humaine, vue du dehors, est une suite d'événements qui se conditionnent les uns les autres. Le sens est donné par l'intégration à la communauté d'action et de réaction qui compose la société dans son établissement au sein de l'univers matériel. L'individu désigne un ensemble de phénomènes passagers, inclus dans la relativité universelle des causes et des effets, ni point d'arrêt, ni centre de valeurs. La sagesse communément admise consiste pour lui à se persuader de sa propre insignifiance, et à se fondre dans la masse.

A cette sagesse de l'anonymat, la conscience romantique oppose une initiative de rupture ; l'originalité du sens de la vie, donnée au départ, engendre une vertu de différence. Le romancier Jean-Paul Richter (1763-1825) raconte, dans un fragment autobiographique, l'expérience initiatique de la découverte de soi, en sa septième année, un matin qu'il se trouvait sur le seuil de la maison paternelle. Comme un éclair venu du ciel la pensée « Je suis un moi *(Ich bin ein Ich)* » le frappa d'une illumination soudaine ; « mon moi s'était aperçu pour la première fois, et pour toujours ». Il est impossible d'analyser le contenu d'un pareil moment inaugural, où se noue une fidélité appelée à régir l'existence entière de l'homme qui, se racontant dans son âge mûr, se retrouve dans

([1]) *Conjectures on original composition,* 1759 ; *The works of the Reverend Dr.* Edward YOUNG, Edinburgh, 1770, vol. IV, p. 274.

le petit enfant qu'il a été. Jean-Paul se reconnaît dans son identité et dans sa différence ; l'enfant s'arrache brusquement à la communauté paisible, familiale et villageoise ; il a charge de sa vie propre ; il est son propre centre ; il s'appartient à lui-même, dans une liberté neuve et une fragilité également inaliénable. L'œuvre de l'écrivain à venir ne sera qu'un immense commentaire, une périphrase de ce qui cherchait à se dire dans la formule « je suis un moi ». Le chemin à parcourir est la distance, infranchissable, entre le moi sujet et le moi attribut, la substance d'une vie, vécue non pas selon l'ordre de l'événement, mais dans l'observance des valeurs et des exigences fondatrices de l'existence.

Une autre expérience princeps de la conscience romantique a été évoquée par le romancier et philosophe F. H. Jacobi (1743-1819), dans ses *Lettres sur la philosophie de Spinoza:* Là encore l'intuition fondamentale remonte à la petite enfance, « vers huit ou neuf ans », et son influence s'est étendue à toute la vie de l'intéressé. L'intuition fut « une vision, indépendante de toute idée religieuse, d'une durée sans fin ; (...) cette vision s'empara inopinément de moi avec une clarté et me saisit avec une violence telle que je sursautai en poussant un grand cri et retombai comme sans connaissance. Dès que je fus revenu à moi, un mouvement très naturel me contraignit à renouveler en moi cette même vision et le résultat en fut un état d'inexprimable désespoir. La pensée de l'anéantissement, qui avait toujours été horrible pour moi, le devint encore plus et je ne pouvais pas davantage supporter la perspective d'une durée éternelle » ([2]). Jacobi souligne la permanence dans sa vie de cette « étrange affliction », contre laquelle il s'efforça de lutter jusqu'à l'âge adulte, sans qu'il lui ait été possible de s'en libérer tout à fait. « Cette vision m'a encore souvent surpris malgré mon soin constant pour l'éviter. J'ai lieu de supposer que je pourrais en tout temps la susciter à mon gré, et je crois qu'il serait en mon pouvoir de mettre fin à ma vie en quelques minutes en la répétant quelques fois de suite » ([3]).

L'enfant Jean-Paul découvre l'unicité et la personnalité de l'existence humaine. L'enfant Jacobi expérimente l'infinité et ensemble la finitude de cette existence ; la conscience subite que l'homme est un être pour la mort, intervenant dans le cours d'une temporalité sans fin, l'emplit d'une angoisse qui lui paraît mettre sa vie même en péril. Ces deux révélations énoncent des données immédiates de la conscience romantique. Enraciné dans le temps, situé dans l'espace, le moi sujet se découvre une différence spécifique, logée dans l'épaisseur du réel. Je suis un moi, quelqu'un qui dit *Je*, en cet instant même, sur le pas de la porte, regardant vers la gauche, du côté de la réserve de bois. Mon existence aura une fin, c'est-à-dire qu'elle a eu un commencement ; je suis un centre et une origine, présence capable d'un rayonnement limité dans l'étendue du monde. Ma présence au monde ne suffit pas pour héberger la richesse du sens, et

([2]) *Lettres à Moses Mendelssohn sur la doctrine de Spinoza* (1785), Appendice 3 ; dans *Œuvres philosophiques* de F. H. Jacobi, p. p. J. J. Anstett, Aubier, 1946, p. 245.
([3]) *Ibid.*, p. 246.

cette limitation au sein de l'illimité définit un caractère de la réalité humaine.

L'origine radicale se situe en deçà et au-delà de la conscience intellectuelle, dimension propre de l'homme des Lumières. La réalité humaine transcende l'intelligibilité ; le moi romantique met en cause l'inconscient, il mobilise les ressources de l'affectivité, emporte avec lui toutes sortes d'adhérences, d'implications obscures ou claires à demi seulement ; on ne peut le séparer de son sillage temporel, avec lequel il fait cause commune. L'ordre galiléen, régi par les coordonnées de l'intelligibilité physico-mathématique, propose un espace de sécurité où le sujet se sent à l'abri des récurrences menaçantes du mal, de la maladie et de la mort. Sécurité acquise au prix d'énormes restrictions mentales ; le je transcendantal se désolidarise de son être de chair et d'histoire. Complètement aliéné, le moi intellectualiste ne connaît pas l'angoisse du destin, ni les récurrences de la mort, mais il s'est oublié lui-même, dans une fuite en avant qui ne laisse au cœur de l'être qu'une place vide.

L'affirmation romantique, réaction de défense de l'individualité, se découvre prisonnière de l'univers du discours rationnel. La conscience, prise à son propre piège, se replie sur soi, dans une dénégation passionnée devant une image où elle refuse de se reconnaître. Contre l'impérialisme de l'entendement, le moi romantique évoque les puissances sensibles ; contre l'autorité de la science, le savoir illuminant ; contre la politique rationnelle et l'ordre cosmopolitique, le messianisme social des Polonais, de Michelet, et de Mazzini, de Pierre Leroux. L'anthropologie des Lumières se déploie selon la dimension unique de l'axiomatisation rationnelle, à plat ; le moi romantique assume une pluralité de dimensions dans le relief d'une existence en tension et non en extension. La découverte de soi implique une déchirure ; la liberté est proposée comme le sens d'une libération à entreprendre. Dès son premier mouvement, le moi se découvre solidaire, immergé dans la nature et dans la société ; il lui faut se reprendre, et d'abord se déprendre, pour départager ce qui, dans son être, lui appartient en propre et ce qui lui est imposé par l'environnement.

La naissance à soi-même implique une expérience contrastée. Prononcer : « je suis un moi », c'est se distinguer du reste, c'est s'opposer à tout le paysage familial et familier dont on est pourtant solidaire. Avoir la révélation de l'infinité du temps et de la finitude de l'existence, c'est découvrir l'anéantissement à venir du sujet, dans une durée qui ne finira pas. Le moi s'annonce en rupture des solidarités instituées. « Il n'y a pas d'autre connaissance de soi que l'historique, disait le jeune Schlegel. Nul ne sait ce qu'il est s'il ne sait ce que sont ses compagnons — et avant tout le suprême compagnon de l'alliance, le maître des maîtres, le génie de l'époque *(der Genius des Zeitalters)* » [4]. Le *Zeitgeist*, l'esprit du temps, acquisition maîtresse de la conscience romantique. L'homme des

[4] Fr. SCHLEGEL, *Ideen*, § 139 ; Athenaeum, 1800 ; *Werke*, kritische Ausgabe, t. II, 1967, p. 270 ; in LACOUE-LABARTHE et NANCY, *L'Absolu littéraire*, Seuil, 1978, p. 221.

Lumières a mobilisé la structure éternitaire de l'ontologie classique, mais le grand axe du progrès de la civilisation n'est qu'une dimension d'application des exigences rationnelles de l'entendement. L'histoire, prise en charge par la philosophie de l'histoire, fait mouvement vers un but défini à l'avance, selon une progression réglée, sans incidences possibles du hasard ou de l'accident. L'historisme romantique restitue à la marche du temps son épaisseur charnelle, sa présence chanceuse. La réalité humaine se trouve prise dans le contexte imposé par les solidarités du moment, incarnée dans un devenir sans but ; cette incarnation conditionne son accès au monde et à soi-même. La connaissance de soi implique un passage obligé par les composantes historiques de la culture ; alors seulement on pourra tenter de dissocier dans l'expérience de soi les réquisitions de l'époque et les exigences propres du sujet. L'écrivain qui veut être le porte-parole de son époque a tout intérêt à connaître celle-ci dans sa singularité avant de décider de son engagement.

L'incarnation historique du moi doit être complétée par la reconnaissance de l'appartenance au devenir global de l'histoire naturelle, à l'aventure de la vie dans les espèces. Chaque individu se trouve immergé dans le flux des forces créatrices qui régissent le mystérieux devenir du Cosmos. La réalité humaine n'est pas le dernier moment de cette évolution qui passe à travers elle ; rien ne nous autorise à penser que l'humanité présente constitue le stade ultime, le reposoir de la création. Chaque conscience est une émergence, un affleurement du grand dessein cosmobiologique dont elle ne connaît que des pressentiments obscurs, dans les soubassements inconscients de l'être, au niveau des pulsions instinctives et de l'émotivité profonde. Le journal intime de Maine de Biran, celui de Novalis, celui de Maurice de Guérin, sont riches en notations concernant les humeurs quotidiennes, la saveur des jours, météorologie du dedans, souvent mise en relation avec le temps qu'il fait au dehors. La conscience de soi ne peut se ressaisir qu'au travers de ces indications non élucidables en raison, signes ou symboles de la relation que chacun entretient avec soi-même.

Le moi de l'ontologie classique, épaulé par la présence divine, bénéficie d'une parfaite possession de soi, dans la jouissance de l'éternité. Le moi transcendantal de l'intellectualisme, posté au lieu d'origine des catégories, régulateur du temps et de l'espace, n'a rien à craindre des chocs en retour d'une expérience qu'il maintient confinée dans les cadres de la rationalité. Le moi romantique, au contraire, ne règne pas en souverain sur lui-même et sur l'univers géométrisé ; l'individualité, ici, apparaît comme un lieu habité, une zone de passage, ou un espace des confins, ouvert sur d'insondables horizons, dont les appels et fascinations exercent des tensions contradictoires à travers le territoire de la présence individuelle. La philosophie occidentale, fidèle à la tradition de l'intellectualisme hellénique, n'accepte que les critères de la rationalité ; elle oppose une fin de non recevoir à une attitude qui ne respecte pas les règles de son jeu ; à ses yeux, la pensée romantique relève de la littérature ou de la poésie, non de la métaphysique proprement dite. Mais la rigidité doctrinale a-t-elle droit de s'imposer, de par sa seule autorité, comme critère unique de la vérité ? Si l'on admet cette option, le romantisme se trouve mis hors la loi de la connaissance, rejeté dans les ténèbres extérieures où grouillent les fantasmes et les fantômes, dans cette nuit où toutes les vaches sont noires.

Selon Henrich Steffens, « la conscience est la révélation de l'infini dans le fini, la tension entre un fini du dedans (en tant que moi) et un infini extérieur (en tant qu'univers), le tout transposé sous les espèces d'une tension intime » ([5]). Carrefour des tensions extrêmes, la conscience n'est pas un lieu quelconque, mais un emplacement sans garde-fou, enjeu d'un débat pour la manifestation d'une vérité explosive. Cette vérité, sans système de défense, éclate, elle s'éclate dans l'homme et vers le monde, au risque de ravager l'homme et le monde, vérité des extrêmes, extrémités de la vérité. Toute conscience de soi est posée comme un signe de contradiction. « Grâce à la conscience, à tout moment se trouve affirmé l'infini, c'est-à-dire la totalité ; l'opposition entre le dehors et le dedans se trouve dépassée » ([6]). La raison classique et l'entendement intellectualiste imposent à la pensée un idéal d'équilibre, de symétrie, de stabilité ; la conscience romantique met en avant les vertus opposées, en quête d'un ordre profond, qui ne se contenterait pas de répondre aux conformités et utilités de la pratique quotidienne.

Chez les romantiques allemands, le moi figure le foyer imaginaire d'une vie perpétuellement excentrée, traversé de tensions contradictoires, et pourtant rayonnant alentour une irradiation spécifique. Le classicisme allemand, après l'escapade du *Sturm und Drang*, s'était rallié à une sagesse de la personnalité harmonieuse, imposant sa loi à l'univers personnel, en dépit des tentations et des tourments. La plus haute félicité des enfants de la Terre, enseigne Goethe, se trouve dans la jouissance de la personnalité ; quelque vie que l'on mène, l'essentiel est de ne pas se perdre soi-même. A cet idéal apollinien de la maîtrise de soi, à cette clôture sécurisante de la vie personnelle, les romantiques opposent le thème dionysiaque d'une conscience déchirée, possédante et possédée, en perpétuelle errance, lieu d'explosion et d'implosion, où la recherche de l'identité personnelle va de pair avec la volonté de distance et de différence de soi à soi. L'âme romantique doit se perdre pour se retrouver, la voie de l'égarement proposant l'un des plus sûrs chemins pour parvenir au but.

Diastole et systole, rythmes opposés et complémentaires, également révélateurs de l'être personnel, dont l'identité se dissimule dans un lointain eschatologique, telle la lumière derrière la vitre, qui attire les insectes. Le moi classique, cantonné dans le centre de sa sphère d'influence, tient à distance les ombres et conjure les fantômes ; le moi romantique s'ouvre à toutes les sollicitations ; il refuse de privilégier le royaume de la clarté par rapport au royaume de l'ombre, parce qu'il sait, comme Jung croira le découvrir beaucoup plus tard, que l'ombre fait

([5]) Henrich STEFFENS, *Grundzüge der philosophischen Naturwissenschaft*, Berlin 1806, p. 202.
([6]) *Ibid.*, p. 205.

partie du moi et contribue à son établissement ontologique dans l'univers des significations. La clarté tamisée de l'espace mental classique, nappe claire d'une lumière également répartie, fait place aux irradiations alternantes de l'illumination et de l'obscurcissement ; il arrive que le soleil aveugle et que la nuit se fasse transparente. La conscience de soi fait de l'homme une personne déplacée dans le monde des évidences. Pour retrouver le réel, il faut traverser le miroir, inverser les priorités usuelles de la présence au monde. « Est un homme du spirituel, un clerc *(Geistliche)*, celui qui ne vit que dans l'invisible, pour qui tout le visible n'a que la vérité d'une allégorie » ([7]).

Irréalisme ou surréalisme, la conscience romantique, maîtresse du sens, refuse de se plier à la loi des choses, affirmant son droit de reprise, en seconde lecture, sur la littéralité des choses. Elle substitue sa seconde lecture, allégorique, à la première lecture, littérale, des philosophes et des savants. August Wilhelm Schlegel justifie ce renversement de perspective par l'intervention du thème de l'infini, qui voue le domaine humain à la disproportion. « Les Grecs voyaient l'idéal de la nature humaine dans l'heureuse proportion des facultés et dans leur accord harmonieux. Les modernes au contraire ont le sentiment profond d'une désunion intérieure, d'une double nature dans l'homme qui rend cet idéal impossible à réaliser. Leur poésie aspire sans cesse à concilier, à unir intimement les deux mondes entre lesquels nous nous sentons partagés, celui des sens et celui de l'âme. Elle se plaît également à sanctifier les impressions sensuelles par l'idée du lien mystérieux qui les rattache à des sentiments plus élevés, et à manifester aux sens les mouvements les plus inexplicables de notre cœur et ses plus vagues aperçus. En un mot, elle donne de l'âme aux sensations et un corps à la pensée. On ne doit donc pas s'étonner que les Grecs nous aient laissé dans tous les genres des modèles plus achevés. Ils tendaient vers une perfection déterminée, et ils ont trouvé la solution du problème qu'ils s'étaient proposé ; les modernes au contraire, dont la pensée s'élance vers l'infini, ne peuvent jamais se satisfaire complètement eux-mêmes, et il reste à leurs œuvres les plus sublimes quelque chose d'imparfait qui les expose au danger d'être méconnues » ([8]).

Ligne de partage entre anciens et modernes, classiques et romantiques, la mutation littéraire exprime l'opposition des anthropologies. L'homme classique s'établit dans la finitude, dont il prend son parti, en lui imposant la marque de sa personnalité. Les chefs-d'œuvre de Goethe sont des œuvres finies, enracinées dans la stabilité et portant témoignage d'enseignements déterminés. *Wilhelm Meister*, en dépit des apparences, les *Affinités électives*, *Faust*, *Iphigénie*, *Torquato Tasso* proposent une sagesse à hauteur d'homme. Aucune œuvre romantique ne peut être vraiment achevée, sinon par artifice, ou parce que l'auteur a cessé d'être

([7]) Frédéric SCHLEGEL, *Ideen*, § 2, *Athenaeum*, 1800 ; dans *L'Absolu littéraire*, recueil cité, p. 206.

([8]) A. W. SCHLEGEL, *Cours de littérature dramatique*, 1808 ; trad. française, 1814, 1re leçon, t. I, pp. 29-30.

romantique. L'œuvre romantique, image de l'homme romantique, ne s'inscrit pas dans un espace-temps clôturé, si restreint soit-il, ou si étendu. Dans sa structure et dans son déroulement, elle rejette les contraintes d'un art poétique, car elle implique contradiction et démesure ; elle prétend exposer un infini actuel. L'idée d'un chef-d'œuvre achevé, dans son immobile perfection, se trouve en contradiction avec la poétique romantique. « Le ciel nous préserve des œuvres éternelles », disait Frédéric Schlegel ([9]). Le rédacteur de l'*Athenaeum* avait écrit une compréhensive recension du *Meister* de Goethe ; mais le grand roman qui fascinait les jeunes romantiques était ensemble pour eux un repoussoir. Novalis, Tieck, Jean-Paul, Clemens Brentano, se sont efforcés d'opposer au héros, finalement trop sage, de leur maître des anti-héros, dont la fierté est de ne pas renoncer, de ne pas se résigner à une acceptation de la vie en sa platitude. Quand on a été capable des audaces de Faust le magicien, quand on a affronté l'amour et le diable, on ne finit pas par s'engager dans la profession d'ingénieur des ponts et chaussées. L'anthropologie romantique présuppose ce vœu de ne pas aboutir, de ne pas réussir.

Goethe, maîtrisés les ardeurs et bouillonnements de la jeunesse, a fait une carrière de haut fonctionnaire de rang ministériel. Schiller, l'auteur des *Brigands*, fut un distingué professeur d'histoire à l'université d'Iéna. Certes, les initiateurs au romantisme eurent aussi des activités professorales, soit dans les chaires universitaires, soit à titre de conférenciers privés. Fichte et Schelling, August Wilhelm, et même Frédéric Schlegel à titre épisodique, exercèrent des fonctions d'enseignement, sans pourtant s'y identifier tout à fait, car ils ne donnaient pas la priorité au souci de l'insertion sociale et de l'honorabilité reconnue, témoin les retentissants démêlés de Fichte à Iéna, lors de la querelle de l'athéisme dont il fut la victime. August Wilhelm termina sa vie comme professeur d'études sanscrites à l'université de Bonn, mais cette carrière tardivement commencée n'est pas à la mesure du plus grand critique de l'école romantique, ni du fidèle suivant de Madame de Staël sur les grands chemins d'Europe. S'il est vrai que l'université de Berlin peut être considérée dans ses débuts comme une institution typiquement romantique, c'est qu'elle naquit d'un sursaut de la conscience germanique dans une situation d'extrême abaissement. L'occasion même était romantique, et les romantiques s'y reconnurent, conformément à leur exigence profonde, non par désir d'une belle situation, prometteuse d'un embourgeoisement avantageux. Le vœu romantique, bien entendu trahi par plus d'un à l'âge du doute et de la lassitude, est un vœu de non-parvenir. Celui qui s'identifie à une fonction sociale, délaissant les chemins mystérieux qui conduisent vers le domaine du dedans, s'est installé dans l'espace des conformités sociales et des fructueux renoncements ([10]).

([9]) Cité dans Fritz STRICH, *Deutsche Klassik und Romantik, oder Vollendung und Unendlichkeit*, München, 3e éd., 1928, p. 25, qui traite longuement de cette incompatibilité.

([10]) Cf. le titre de la seconde partie de *Wilhelm Meister : Les Années de Voyage ou les Renonçants*.

Une typologie du moi romantique doit tenir compte du facteur temporel. Ceux qui, en leur jeunesse, firent vœu de romantisme, incarnant parfois avec génie la neuve vision du monde, ceux-là, si la chance ne leur fut pas donnée de mourir à la fleur de l'âge, comme Novalis ou Keats, firent l'apprentissage de la vie quotidienne, de la famille et du métier, en même temps qu'ils subissaient la loi commune du vieillissement. Les « Jeune France », tels que Théophile Gautier, lui-même romantique repenti, les a dépeints, représentaient à Paris un groupe de militants de la poésie, de l'art et de la révolte, un *Sturm und Drang* à la française, où se manifeste sans doute la plus haute authenticité romantique. Outre-Rhin le mouvement de la Jeune Allemagne apparaît comme une révolte de jeunes écrivains, aux alentours de l'année tournante 1830, contre les représentants patentés et pensionnés d'un romantisme sclérosé; le romantisme en tant que révolte radicale est toujours à recommencer. Mais bien peu sont capables, et peut-être aucun, de supporter l'exigence d'une révolution permanente. Frédéric Schlegel, converti à l'ordre catholique et à la réaction conservatrice, finit en agent de Metternich; August Wilhelm mène sur les bords du Rhin l'existence nantie d'un chanoine de l'indianisme, décoré et sceptique. Schleiermacher élabore une *Dogmatique* pour le service de l'église établie. Coleridge et Wordsworth, initiateurs du renouvellement anglais de la poésie, évoluent vers un anglicanisme conservateur et des positions politiques de plus en plus réactionnaires. Victor Hugo, vieillard richissime, apparaît en son âge avancé comme un père de la patrie républicaine, sénateur inamovible de la conscience française, canonisé de son vivant, dès avant les honneurs funèbres de l'Arc de triomphe et du Panthéon.

Les romantiques vieillissent mal, et sans doute les romantiques les plus authentiques sont-ils ceux qui ne vieillissent pas. La révolte, la tempête et l'assaut sont signes distinctifs de la jeunesse de l'esprit et du cœur. Or l'adolescence finit avec le métier et le mariage, les responsabilités familiales et professionnelles; le romantisme ne résiste guère à ces engagements. Pour demeurer fidèle sans compromission à l'exigence romantique, il faudrait bénéficier d'une adolescence éternelle, prolongement, jusqu'à la limite extrême de l'existence, du vœu de non-conformisme et d'irrégularité. Au lieu d'accepter le cahier des charges de la vie bourgeoise, au lieu de « se ranger » dans les limites du fini, il faudrait maintenir jusqu'à la limite de rupture le vœu de l'infini.

La solution est d'abord de mourir jeune, comme l'archange Novalis et Wackenroder, comme Keats ou Aloysius Bertrand; la tuberculose, la consomption, maladie romantique par excellence, propose une issue radicale; le poète jette son cri, et la maladie même atteste que l'existence en sa banalité a quelque chose d'insupportable. La maladie mentale, refuge de Hölderlin, de Nerval et de Nietzsche, de Robert Schumann, revêt une signification analogue. Et si la grâce de mourir de mort naturelle, ou de s'absenter dans la folie, n'est pas donnée à tout un chacun, on peut recourir aux paradis artificiels de l'opium, chers à Coleridge, à Quincey et à Baudelaire, ou de l'alcool, systématiquement utilisé par Ritter, par Jean-Paul et par bon nombre de leurs contemporains. Le suicide également est une porte de sortie, une dénégation radicale et un défi, acte suprême de la liberté aux yeux de Caroline de Günderode, de Kleist et de Nerval. La mort de Shelley et même celle de Byron, à demi volontaires, sont fruits d'un jeu où l'individu, qui en est lui-même l'enjeu, se plaît à braver le destin, dont il triomphe au moment même où il semble échouer à jamais.

Brève ou longue, l'existence romantique, si elle est fidèle à son vœu, doit être marquée du signe de l'échec ; inversement, la réussite sociale du poète lauréat consacre l'inauthenticité de son aspiration au romantisme. Sans doute faut-il admettre une échelle graduée de la qualification romantique ; les porte-parole de cette dénomination ont été romantiques plus ou moins, et plus ou moins longtemps. Entre le romantisme intégral et le degré zéro de romantisme, toutes sortes de positions sont possibles. Certains ont été un moment touchés par la grâce, mais ayant pressenti l'énormité du prix à payer, ont préféré prendre leurs distances vers une honorable maturité, une vieillesse bien rentée, tels A. W. Schlegel, Théophile Gautier ou Sainte-Beuve, conservant pourtant dans leur éloignement la nostalgie des grandes espérances de leur jeunesse trahie. Chaque cas particulier appellerait une analyse, qui aurait à tenir compte de la carrière biographique, mais aussi de l'intensité des œuvres qui la jalonnent. Encore convient-il de se méfier d'un jugement dernier hâtivement prononcé. Telle existence, apparemment unie et banale en surface, peut dissimuler un romantisme des profondeurs d'une indéniable authenticité. Il peut y avoir inadéquation entre le dehors et le dedans, la façade sociale et le domaine intérieur de la pensée. Les *Naturphilosophen* d'Allemagne ont mené en général une existence simple et unie de dignitaires universitaires, cependant que leurs spéculations bouleversaient l'ordre de la biologie. Les traités d'un Henrich Steffens, d'un Carus, d'un G. H. von Schubert, d'un Oken liquéfient la réalité universelle, y compris la présence de l'homme, sans que pour autant la personnalité de ces auteurs ait eu un caractère explosif et scandaleux. Les universités de Berlin, puis de Munich, ont été des foyers de rayonnement de la conscience romantique dans le domaine de la philosophie, de la théologie, de la biologie, des sciences historiques et plus généralement des sciences humaines, sans sortir de la régularité et de la respectabilité des bienséances universitaires.

Nous nous attendons à retrouver dans la biographie d'un artiste, d'un penseur, les mêmes caractères qui se montrent dans les produits de son activité créatrice. Mais on peut être romantique dans ses œuvres sans l'être dans sa vie ; une personnalité créatrice peut contenir les pulsions romantiques et les satisfaire selon l'ordre de la pensée ou de l'écriture, préservant ainsi la sécurité de sa vie quotidienne. La pauvre Caroline de Günderode s'éprit, pour son malheur, d'une passion romantique pour l'éminent professeur Friedrich Creuzer, de Heidelberg, dont la *Symbolique* (1810-1812) est une synthèse de mythologie comparée selon le goût de l'époque. Romantique dans son œuvre, Creuzer ne l'était pas dans sa vie, conforme à la respectabilité bourgeoise ; romantique dans sa vie, Caroline le fut aussi dans sa mort volontaire. L'historiographie romancée se plaît à reconstituer les auteurs en conformité avec leurs œuvres ; mais il existe toujours un écart entre le style de vie d'un individu et les valeurs que ses œuvres illustrent. George Sand n'est pas Lélia, ni Consuelo ou Spiridion, mais la maîtresse de maison attentive à gérer sa propriété de Nohant et à défendre ses intérêts auprès des éditeurs ; les écarts et intermittences de sa vie sentimentale et sensuelle, complaisamment orchestrés par les historiens, avaient un caractère plus terre à terre que l'image qu'on s'efforce de nous en présenter. Autre exemple, Victor Hugo, dont la carrière publique et la vie privée sont jalonnées par bon nombre d'épisodes scandaleux ou de péripéties historiques propres à étayer une biographie proprement romantique. Mais le style de vie de Victor Hugo n'est qu'un épiphénomène de son romantisme authentique, dissimulé dans les profondeurs insondables de l'être, où le poète lui-même hésitait à s'aventurer. Le poète fécond, l'écrivain inlassable, le don Juan de bas étage, le pamphlétaire, a hanté les rivages du néant intérieur et laissé certains témoignages d'aventures eschatologiques, nullement faites pour plaire à ceux qui se délectent de sa production courante et de ses amours ancillaires.

La part faite des coefficients de romantisme, caractéristiques de la vie et de l'œuvre, et de l'écart entre le dedans et le dehors, resterait à établir une typologie du moi romantique en fonction des personnalités représentatives, de celles qui se sont données à ce sens de la vie avec le dévouement le plus entier, et sans abdiquer jusqu'à la fin. En laissant de côté ceux à qui la grâce fut donnée de mourir jeunes, on pourrait penser, parmi les créateurs littéraires, à des figures comme celles de Ludwig Tieck, de Clemens Brentano et de sa sœur Bettina ; Zacharias Werner, E. T. A. Hoffmann, Justinus Kerner et même Jean-Paul Richter ont assumé à des degrés divers le mal de vivre romantique. Nerval, Nodier, Berlioz et Baudelaire, dans le domaine français, sont demeurés fidèles à leur vœu d'un romantisme profond, ainsi que Coleridge, Shelley, Keats, Edgar Poe et beaucoup d'autres moins grands que ceux-là, mais marqués du signe du génie et de l'irrégularité, princes de la bohême, non conformistes ou dissidents, parfois capables comme Charles Nodier de masquer sous d'aimables apparences leurs abîmes intérieurs. Idyllique dans son œuvre, Jean-Paul le fut beaucoup moins dans sa difficile existence. La loi commune est la démesure, l'incapacité de parvenir à l'équilibre intime et externe, la conscience malheureuse perpétuellement en quête d'apaisement, recherchant parfois les secours de la religion, comme Frédéric Schlegel, Brentano ou Z. Werner, sans que l'abdication entre les mains de l'autorité hiérarchique suffise à mettre fin à l'instabilité ontologique dont ils sont affectés.

Le caractère fondamental du moi romantique serait le refus de s'identifier, de mettre fin à la quête inlassable et insoluble de soi. Les amis et les ennemis de Frédéric Schlegel, Goethe et Schiller, mais aussi Schleiermacher et Tieck, soulignent le caractère protéiforme du fondateur de l'*Athenaeum,* dont le génie non contestable leur apparaît comme un nœud de contradictions. Robert Minder résume : « Le romantisme chez lui était affiné et raffiné jusqu'à tourner par un besoin de compensation ses armes contre lui-même : l'esprit avec une cruelle lucidité dénonçait les méfaits mêmes de l'esprit. Mieux que quiconque, Frédéric Schlegel connaissait ses propres défauts, en particulier cette mollesse, cette indolence qui contrastaient si singulièrement avec les ambitions d'une intelligence toujours en éveil. Devant tant de contradictions, il songe lui aussi, comme Tieck, au suicide ; mais alors que ce dernier y renonce par piété familiale, Schlegel remet l'exécution à plus tard parce que, dit-il, mon développement est inachevé ; ce serait donc un acte prématuré... » ([11]). Varnhagen von Ense, après la mort de Frédéric, soulignait la difficulté extrême de se faire une idée précise de cette nature « constituée par un amalgame de contradictions, de confusions, de bizarreries, de caches secrètes et d'irrégularités de toutes sortes, où des fantômes, des démons et des génies ne cessent de bourdonner à tort et à travers ; la Lucinde et Charlemagne, Alarcos, Marie, Platon, Spinoza et de Bonald, l'invocation à Goethe et sa damnation, la Révolution et la hiérarchie se rencontrent dans un renouvellement continuel, et, ce qui est le plus étonnant, se laissent mutuellement subsister intacts. Car Schlegel, en dépit de sa mutabilité protéiforme, n'a jamais rejeté l'une quelconque de ses figures ; il a jusqu'à la fin trouvé des justifications pour chacune d'elles ; il y avait véritablement dans son esprit une communauté vivante de cette multiplicité » ([12]).

Les témoignages de cet ordre ont une valeur exemplaire en tant que représentatifs d'un moi romantique sinon à l'état pur, du moins comportant une très haute teneur de romantisme. A ce portrait intellectuel s'ajoutent les irrégularités passionnelles du jeune Schlegel, le désordre matériel et moral, la quête spirituelle d'une obédience religieuse capable de mettre fin aux tourments de l'âme et du corps. Cette personnalité parmi d'autres ne saurait les représenter toutes ; mais, avec des composantes diverses, il semble bien que les existences romantiques proposent la même expérience des tensions extrêmes et des insolubles contradictions. « Si l'on a la passion de l'absolu et que l'on n'en puisse guérir, écrivait Novalis, il ne restera d'autre issue que de se contredire sans cesse et de concilier les extrêmes opposés. Le principe de contradiction se trouvera inévitablement aboli et l'on n'aura que le choix entre une attitude passive ou la décision de reconnaître la nécessité et de l'ennoblir en la transformant en acte libre » ([13]).

La structure de la personnalité romantique, dans son effort toujours manqué, toujours renouvelé pour surmonter le principe de contradiction, obéit à une logique non aristotélicienne et non galiléenne. De là le tourment de ce moi écartelé entre des polarités différentes, entre lesquelles il ne parviendra jamais à établir un état d'équilibre, sinon au prix d'un renoncement total. L'équation personnelle varie dans chaque

([11]) Robert MINDER, *Un poète romantique allemand : Ludwig Tieck*, Belles Lettres, 1936, p. 227.

([12]) Varnhagen VON ENSE (1836) ; cité sans référence dans Ernst BEHLER, *Friedrich Schlegel*, Hamburg, Rohwolt, 1966, p. 167.

([13]) NOVALIS, *Grains de pollen*, § 26 ; dans *Petits écrits*, éd. BIANQUIS, Aubier, 1947, p. 41.

cas, mais on retrouve chez la plupart les sollicitations opposées, les velléités antagonistes du dandy, du snob et du héros ou du saint, la passion du démoniaque, le satanisme, la recherche systématique du bizarre, mais aussi la nostalgie de la pureté, de l'idylle, de la bonté, l'alternance entre l'égoïsme le plus monstrueux et l'humilité, le sacrifice. Ces ambiguïtés fondamentales apparaissent aussi bien dans le cas d'un Clemens Brentano que dans celui d'un Nerval, d'un Baudelaire, ou d'un Poe, qui leur est apparenté ; ce qui change de l'un à l'autre, c'est le coefficient dont chacune de ces sollicitations est affectée, le plus ou le moins peut varier, mais non la nature des composantes.

La confusion est augmentée par le fait que la conscience romantique n'est pas étalée à plat, selon la dimension du seul intellect. Il s'agit d'une conscience incarnée, immergée dans l'épaisseur de la réalité naturelle et du devenir historique et social, dont elle retient de nombreuses adhérences qui la rendent non translucide à elle-même. L'être naturel, l'être sensuel, l'être historique de l'homme font corps avec sa réalité mentale. La conscience émerge des contextes dans lesquels elle se trouve englobée, elle accède à une plus ou moins grande clarté dans le débat difficile entre les motivations qui la traversent ; elle se débat parmi les ambiguïtés et les contradictions, incapable de se choisir elle-même dans l'accord final d'une volonté qui ne parvient pas à se fixer dans un engagement terminal, où elle redoute de perdre cette possibilité de dénégation et de refus, en laquelle elle croit ressaisir l'essence même de sa liberté. Alors que le Je des philosophes rationalistes fulgurait comme un point fixe, incorporel et insaisissable, déterminé comme lieu d'ancrage pour les édifices spéculatifs, le moi romantique apparaît comme une zone de phosphorescence, traversée de polarités en conflit les unes avec les autres, sans que les discordances puissent faire place à un accord parfait. L'unité, la conciliation, point de convergence de toutes les nostalgies, la conscience romantique la voit se profiler de loin, en ce lieu eschatologique, par-delà les horizons finis de l'espace et du temps, où les parallèles se recoupent et communient.

En France, les « petits romantiques » sont les romantiques les plus authentiques, avec Gérard de Nerval et même Musset. En Angleterre, William Beckford ou Thomas de Quincey sont évidemment plus significatifs que Walter Scott ; les contradictions et déchirements de Byron renvoient eux aussi à la conscience malheureuse d'une intolérance radicale opposée aux régularités de la vie dite « normale ». Mais le domaine germanique paraît le plus riche en personnalités de ce type. Tel Clemens Brentano, confiant à Sophie Mereau : « J'éprouve chaque jour plus clairement que je ne peux trouver l'apaisement que dans la vie la plus fantastique et la plus romantique *(im phantastischsten, romantichsten Leben)*. Tu dois m'aider, tu dois m'aider à inventer cette vie, sinon je mourrai... » ([14]). Le même Brentano confie à Wilhelm Grimm : « il y a

([14]) Cl. BRENTANO à Sophie Mereau, 2 septembre 1802 ; dans P. KLUCKHOHN, *Charakteristiken*, Deutsche Literatur, Reihe Romantik, Bd. I, Stuttgart, Reclam, 1950, p. 238.

en moi un esprit sombre et instable, qui ne cesse de m'éprouver et ne me laisse jamais en paix » ([15]). Encore cet aveu de Tieck : « Le romantisme *(das Romantische)* est un chaos, à partir duquel il faudra bien que sorte une certitude, si l'on peut s'exprimer ainsi. Tous mes projets se perdent toujours davantage dans une immensité informe *(in's Ungeheuer)* » ([16]).

Ludwig Tieck (1773-1853) accompagne la durée de vie du romantisme, depuis ses glorieux débuts jusqu'à son crépuscule. Poète, romancier, conteur, homme de théâtre, Tieck ne met en scène qu'une seule et même expérience sans parvenir à la fixer sous les espèces d'un chef-d'œuvre. « Des conditions fondamentales de notre existence, nous ne pouvons jamais nous détacher ; nous voyons seulement se reproduire en métaphores et transpositions diverses ce que nous étions et savions déjà, alors même que nous n'en avions pas encore clairement conscience » ([17]). La poétique romantique gravite autour d'une structure de l'être, donnée originaire, fondatrice de toutes les variétés de l'aventure à venir. Tieck confiait un jour à Wackenroder, l'ami de sa jeunesse : « L'enfance est la terre natale de tous nos sentiments. Au fond, une nature de poète sent toujours de même, dans l'enfance comme dans l'âge mûr. Ses impressions ne peuvent changer, elle ne peuvent que se multiplier » ([18]). Proche de Nerval, Tieck évoque le retour à l'enfance comme un vœu d'innocence, nostalgie de l'intégrité perdue, avant la chute et les compromissions de la vie adulte. Il fait dire à l'un de ses personnages : « Peut-être a-t-on raison de dire que nous sommes tous des anges en exil. Notre jeunesse est comme un rêve qui se tisse en nous comme une nuée rose avant le lever du soleil brûlant » ([19]). La nostalgie d'une perte irréparable entretient chez l'écrivain la conscience « d'une profonde angoisse, d'un indéracinable sentiment de culpabilité et de punition ; l'enfant se croit exilé d'un paradis dont il n'oubliera plus jamais la splendeur et l'innocence » ([20]). D'où la confidence à Wackenroder : « le malheur et la tristesse furent mon lot depuis ma plus tendre enfance » ([21]).

Cet arrière-plan d'échec et de nostalgie forme un terroir, que la poétique développera sous les espèces de mythologies, images et concepts, interprétations occultistes, un gnosticisme de la personnalité. Les références à une eschatologie doctrinale trouvent leur justification dans une eschatologie de la personnalité. Saint-Martin, maître du romantisme, avait affirmé : « Où est le principe de la science de l'homme ? Ne se trouve-t-il pas dans lui-même et tout auprès de lui ? Son malheur est de l'aller chercher hors de lui et dans des objets qui ne

([15]) BRENTANO à W. Grimm, 2 juillet 1809 ; *ibid.*
([16]) A. Fr. Schlegel, mars 1801 ; dans *L. Tieck und die Brüder Schlegel*, hgg.v. Edgar LOHNER, München, 1972, p. 58.
([17]) TIECK à Justinus Kerner ; cité dans R. MINDER, *Un poète romantique allemand, L. Tieck*, Belles Lettres, 1936, p. 14.
([18]) A Wackenroder, 28 décembre 1792 ; dans MINDER, p. 10.
([19]) *Vittoria Accorombona*, dans MINDER, *op. cit.*, p. 13.
([20]) R. MINDER, *op. cit.*, p. 15.
([21]) TIECK à Wackenroder, 12 juin 1792, dans MINDER, p. 15.

peuvent réactionner (*sic*) son véritable germe » ([22]). Le retour à la source intérieure met en évidence l'existence d'un paradis perdu. « Tu n'es pas à ta place ici-bas ; un seul de tes désirs moraux, une seule de tes inquiétudes prouve plus la dégradation de notre espèce que tous les arguments des philosophes ne prouvent le contraire » ([23]). La même interprétation gnostique de l'expérience existentielle se retrouve chez Ballanche : « Le principe ontologique de l'homme est un principe cosmologique, et ce principe cosmologique repose dans le dogme de la déchéance et de la réhabilitation » ([24]).

Ces raisons profondes inclinent la conscience romantique vers la mythique, la mystique et la religion en général. Le mythe n'est pas une formation secondaire et volontaire de l'esprit, selon sa fantaisie ; il naît d'une conscience de soi cherchant à justifier à ses propres yeux une expérience trouble et contradictoire. Non pas libre fantaisie, mais exigence vitale, face à une angoisse au sein de laquelle l'esprit et le cœur risquent de sombrer, si une forme quelconque d'intelligibilité n'est pas rétablie, à quelque prix que ce soit. L'expérience douloureuse de la non transparence, le scandale de la question sans réponse, s'il n'est pas surmonté, laisse la conscience en porte à faux sur un vide dans lequel elle risque de s'engloutir. Goethe, le classique, a côtoyé des abîmes, y compris celui du suicide ; mais il était capable de contenir son angoisse suffisamment pour conjurer le danger. La densité humaine de ses grandes œuvres atteste l'authenticité des épreuves qu'il a vécues. Il maîtrisait pourtant le danger d'un choc en retour qui aurait mis son équilibre en péril, en particulier grâce aux disciplines de la création artistique. La perfection classique est à ce prix, non sans susciter un certain agacement devant la figure invulnérable du créateur de *Faust* et d'*Iphigénie*.

Tieck ne domine pas les menaces qui l'habitent, et ne cessent de parasiter son existence, faisant obstacle à sa vie, à son art ; il ne connaîtra pas la grâce d'écrire des chefs-d'œuvre, en dépit de sa prolixité tenace d'écrivain. Mélancolique, hypocondriaque, toujours hésitant entre l'exaltation et la dépression, il dénonce « cette damnée mélancolie qui, depuis mon enfance, m'a volé tant de jours et de semaines de ma vie » ([25]). Sa vie lui échappe ; elle se perd dans la vie des autres. « Souvent je me sens angoissé quand j'aperçois la rapidité avec laquelle je sympathise avec les autres, m'identifiant avec les pensées et les situations d'autrui avec une telle facilité que souvent c'est comme si, pendant des moments ou des heures, mon propre moi devenait crépusculaire. Ou encore, si je me remémore par quel courant de pensées et de certitudes changeantes il m'est arrivé de passer, alors je me sens effrayé, et me revient la thèse de

([22]) Louis Claude DE SAINT-MARTIN, *L'homme de désir*, § 299, 1790, Union générale d'éditions, 1973, p. 322.
([23]) *Ibid.*, § 128, p. 167.
([24]) BALLANCHE, *La Vision d'Hébal*, 1831, p. 12.
([25]) TIECK à Solger, 1er avril 1816 ; dans P. KLUCKHOHN, *Charakteristiken*, recueil cité, p. 118.

Hume, selon laquelle l'âme serait seulement un quelque chose au contact duquel dans l'écoulement du temps des apparitions de toute espèce deviendraient visibles... » ([26]).

La conscience de Tieck, marquée d'incohérence, d'inconsistance, s'interroge elle-même sous le coup d'une suspicion existentielle qui affecte le principe de la réalité. Interrogation que Tieck prête à un personnage d'un de ses romans : « Et puis moi-même qui suis-je ? — Quel est l'être qui parle par ma bouche *(das Wesen, dass aus mir heraus spricht ?).* Quel est le principe inconcevable qui contrôle les membres de mon corps ? Souvent mon bras s'offre à moi comme celui d'un étranger. Récemment, j'ai été épouvanté, à un moment où je voulais concentrer ma pensée sur un sujet, de sentir brusquement ma main froide contre mon front » ([27]). Tieck n'a pas connu, comme Nerval, la descente aux enfers de la folie, l'internement dans la maison des fous, mais il a côtoyé cette terrible épreuve. Et l'on peut se demander si cette expérience aux limites de ce qu'on est convenu d'appeler la santé mentale n'est pas une marque distinctive du romantisme. Un homme solidement installé dans l'ordre établi, social, intellectuel, mental, culturel, ne peut prétendre à l'appellation romantique, qui implique une démesure apparente ou latente, un désaveu des certitudes instituées. Le romantisme présuppose dissidence et différence, un éloignement à l'égard des autres et de soi-même, ainsi que le vœu de l'impossible et la certitude de l'échec. Le philistin, le bourgeois, incarnations des vertus de la quotidienneté, confortablement installés dans les conformismes ambiants, ont toujours fourni le meilleur repoussoir aux tenants de l'authenticité romantique.

Dès lors, l'œuvre d'art, de pensée ou de littérature en laquelle s'incarnera ce régime de la conscience présentera, dans sa structure et dans son contenu, des aspects spécifiques. L'irrégularité, la contradiction, la bizarrerie, le passage d'un extrême à l'autre, la dissymétrie, l'ouverture et le désordre sont recherchés au détriment des formes fixes et des compositions symétriques. Le jardin géométrique à la française cède la place au parc à l'anglaise, avec ses détours fantasques et ses ouvertures qui se perdent dans les confins du paysage environnant. Le fragment, la rhapsodie, la symphonie inachevée, la suite capricieuse, l'assemblage en mosaïque, la fugue sans résolution proposent leurs sollicitations aux amateurs de désordre et de fantaisie. Le roman correspond au vœu de l'époque, parce qu'il combine les avantages souhaitables pour une imagination qui veut se donner toute liberté d'action. Le mélange des genres y règne en maître et le mélange des humeurs ; le roman peut occuper tout le champ entre l'idylle et l'épopée, entre la musique de chambre et la symphonie, la prose et la poésie, selon les caprices de l'auteur. Aussi prend-il figure de genre dominant. On n'est d'ailleurs même pas tenu de l'achever, en sorte que le récit reste ouvert sur l'avenir, ou sur l'informe, comme le *Heinrich d'Ofterdingen* de Novalis, ou le *Godwi* de Brentano, achevé à titre posthume par des amis

([26]) *Ibid.*, pp. 117-118.
([27]) TIECK, *William Lovell ; Schriften,* Berlin, 1828 sq., Bd. VI, p. 307.

du disparu. La *Lucinde* de Frédéric Schlegel, bien que proposée comme roman, n'est qu'une séquence de textes disparates, dans la plupart desquels il ne se passe pas grand-chose. Quant aux romans de Jean-Paul, les principaux d'entre eux proposent d'énigmatiques constructions, dont l'ordonnancement obéit à une logique non euclidienne, la suite des événements défie la chronologie et la géographie puériles et honnêtes ; *La loge invisible* ou *Hespérus* ont une composition labyrinthique, d'ailleurs entrecoupée d'énormes divagations en marge de l'histoire principale, de sorte que le lecteur risque de perdre le fil, ou de penser qu'il n'y a pas de fil. On pourrait évoquer aussi l'étrange rhapsodie des *Veilles de Bonaventura* (1804), suite d'épisodes fantastiques dont il ne semble pas que l'on ait réussi à identifier l'auteur, et dont les intentions demeurent inconnues.

Si l'on songe, par contraste, à la solide composition des œuvres romanesques d'un Hugo, d'un Vigny, d'un Balzac, on peut conclure que ces écrivains français ne sont pas des romantiques de plein exercice, capables, comme ils le furent, d'organiser la matière de leurs ouvrages selon des normes satisfaisantes pour l'esprit. Seul peut-être un Gérard de Nerval, parmi les plus grands, peut-il être rangé à côté des écrivains d'Outre-Rhin, pour la liberté de ses écrits romanesques, régis non par des normes extérieures, mais par une logique interne du sentiment et de l'imagination créatrice. La fantaisie, au sens le plus ferme, reprend ici la prépondérance, n'obéissant qu'à l'exigence souveraine du cœur, qui se donne le droit de confondre les évidences, de liquéfier la réalité matérielle pour la reconstituer selon l'inspiration des pulsions du dedans. A côté du roman, le conte est un genre de prédilection de l'âge romantique, conte enfantin, conte fantastique, conte de fées, conte merveilleux : le *Märchen*, poétisation de la vie, élève la vie à la puissance poétique ; elle se plie grâce à lui à l'exigence souveraine du cœur ou de la déraison, trop souvent refoulés par les censures des arts poétiques. Charles Nodier représente la France aux côtés des conteurs germaniques, familier lui aussi des parages de l'irréalité, de la surréalité et de la folie.

La liquéfaction des formes fixes ne concerne pas seulement l'art poétique ; elle met en cause le domaine humain, elle est l'expression d'une déstructuration de la personnalité. La discipline unitaire, à dominante volitive, qui caractérisait la figure humaine des âges antérieurs, subit une éclipse. Le principe d'identité ou de non-contradiction qui valait aussi dans la psychologie sociale et la morale a perdu son autorité traditionnelle. L'équation personnelle ne définit plus le comportement de l'individu, qui, renonçant à tout vœu de cohérence, s'abandonne à ses impulsions successives et contraires ; l'excentricité devient la règle, poursuivie comme un jeu, dans un défi aux bonnes mœurs régulières. Le démenti de soi à soi, dans les comportements et dans les œuvres, devient le principe d'une liberté d'indifférence, ou plutôt de différence, qui croirait se trahir elle-même si elle se fixait jamais. Témoins de cette errance aux confins de l'absurde, marque du romantisme, les contemporains ne cesseront de s'étonner, de s'indigner, ou d'admirer, parfois, le sillage social d'un Byron, d'un Nerval, d'un Kierkegaard, de Bettina ou Clemens Brentano.

« Paradis, chaos, jeu, note Robert Minder : voilà les trois étapes de l'évolution intérieure de Tieck » ([28]) ; ces étapes ne sont pas successives, mais contemporaines, pas exclusives mais inclusives. « Son œuvre balance de l'enthousiasme à l'ironie, de la participation à la mystification. A toutes les étapes de sa carrière littéraire, il prend tour à tour ces deux attitudes. Tantôt il adhère entièrement à une cause, il s'en fait le champion enthousiaste, candide et convaincu. Il se montre plus hardi que bien d'autres ; puis, subitement désenchanté, son enthousiasme devient ironie ; et à l'ardeur succède la plus morne inaction. Mais cet être si mobile ne peut rester longtemps l'esprit inerte. Il va parfois jusqu'au point de vue opposé à celui qui fut d'abord le sien : par pur jeu, amour de la diversité, curiosité inlassable, mais aussi par ruse et calcul, ou bien encore par un instinct de soumission et d'obéissance, par peur et passivité. (...) Parfois aussi Tieck se prend en quelque sorte à son propre jeu et par une curieuse évolution devient réellement ce qu'il a d'abord mimé : la mystification s'est faite participation (...) Tieck aime à la fois le merveilleux et le familier, il passe avec facilité du monde magique au monde quotidien, du trivial au romanesque. Enfin — dernière opposition — l'un et l'autre monde lui apparaissent sous un jour tantôt comique, tantôt sérieux... » ([29]).

Ces témoignages, représentatifs d'une espèce aux multiples variétés, esquissent le type idéal de l'homme romantique, forme d'humanité dont les individus divers proposent des exemplaires plus ou moins approchés. Il y a un homme romantique, tout de même qu'il y a eu un homme des Lumières ; valables non seulement dans certaines limites chronologiques, mais sans restriction d'espace et de temps ; il y a eu des hommes des Lumières dans l'antiquité, tel Lucien de Samosate, rituellement dénommé le Voltaire hellénistique par la critique ; il y a eu des romantiques bien avant le romantisme proprement dit, il y en a eu aussi après le romantisme, il y en a toujours.

L'anthropologie romantique correspond à l'un des genres de vie décrits par le penseur danois Sören Kierkegaard (1813-1855) dans son livre *Les stades sur les chemins de la vie* (1844). Kierkegaard, élevé dans l'atmosphère du piétisme, a mené l'existence tourmentée d'un « témoin de la vérité », chrétien en lutte contre l'église établie, prophète dans le désert, et qui mourra à la tâche ; imprégné de philosophie germanique, il a lutté farouchement contre l'influence hégélienne ; ses excentricités, de la bizarrerie du costume et du comportement jusqu'à l'irrespect des formes et rituels ecclésiastiques, expriment une volonté de scandaliser le bourgeois, entreprise couronnée d'un plein succès.

Grand écrivain et penseur génial, Kierkegaard, dont l'intention maîtresse est d'ordre religieux, élabore une analytique de la condition humaine, destinée à mettre en place la foi chrétienne en son authenticité, parmi les divers régimes possibles de l'existence. Trois « stades » sont

([28]) Robert MINDER, *Un poète romantique allemand : Ludwig Tieck*, Belles Lettres, 1936, p. 25.
([29]) *Ibid.*, pp. 26-27.

définis : le stade esthétique, le stade éthique et le stade religieux. L'homme religieux obéit à la seule inspiration de la foi en sa radicale exigence ; le stade éthique se réfère à la régularité des normes morales ; il se caractérise par l'affirmation du sérieux de la vie, selon les enseignements de la sagesse bourgeoise. Quant au stade esthétique, il correspond au régime romantique de la conscience, que Kierkegaard, initiateur de la pensée existentielle et maître du romantisme religieux, connaissait par expérience. L'une des possibilités de sa nature l'inclinait au dandysme et à la poésie, à la jouissance raffinée avec une pointe de donjuanisme, de sensualité de l'esprit sinon du corps. L'ange du bizarre l'avait marqué de son sceau.

Le stade esthétique se place sous le signe de l'immédiateté ; la vie s'abandonne à la spontanéité du premier mouvement, incapable de résister à la tentation d'être soi selon l'attrait de toute possibilité offerte. L'existence vécue a sa circonférence partout et son centre nulle part. L'esthéticien, docile à ses pulsions contradictoires, se veut dilettante, virtuose de l'aventure et de la poésie, mystificateur qui se prend à son jeu, sans cesse à la poursuite de son ombre, car le but se dérobe, à peine est-il atteint. Kierkegaard se réfère à la *Lucinde* de Frédéric Schlegel, mais il serait aisé de multiplier les références. L'esthéticien oscille entre la passion instantanée et la mélancolie de l'insatisfaction ; homme de velléité et non de volonté, toute sa vie s'inscrit dans la perspective de cet échappement à soi-même auquel Pascal avait donné le nom de « divertissement ». La quête de la jouissance immédiate n'est peut-être qu'un prétexte : don Juan et Faust, avec leur passion de chair ou d'esprit toujours recommencée, poursuivent, chacun à sa manière, la quête désespérée du Juif errant ; leurs entreprises vouées à l'échec ne font que renouveler la mise en scène de leur mal de vivre fondamental.

Virtuose du fragment et coutumier de l'ironie, du *Witz,* ces pratiques romantiques par excellence, Kierkegaard a évoqué cet état d'âme de l'homme sans foi ni loi, sans feu ni lieu, dans une série d'aphorismes qui figurent, sous le titre de *Diapsalmata,* en tête de son grand ouvrage *Ou bien... ou bien.* Certains de ces textes sont repris du journal intime de l'auteur. « Je n'ai le cœur à rien. Je n'ai pas le cœur de monter à cheval, le mouvement est trop violent ; je n'ai pas le cœur de marcher, c'est trop fatigant ; ni de me coucher car, ou je dois rester couché, et je n'en ai pas le cœur, ou je dois me lever à nouveau et je n'ai pas davantage le cœur de le faire. *Summa summarum :* je n'ai le cœur à rien » ([30]). Le plus capricieux des arts de vivre, de jouissance en jouissance, et de désir en séduction, ne débouche en fin de compte que sur le néant de la souffrance et du désespoir : « Mon âme est comme la Mer Morte, qu'aucun oiseau ne peut survoler : celui qui s'y risque à mi-chemin, vaincu, s'abîme dans la mort et l'anéantissement » ([31]).

Le schéma kierkegaardien présente le stade esthétique comme un

([30]) KIERKEGAARD, *Ou bien... ou bien,* trad. PRIOR et GUIGNOT, N.R.F., 1943, p. 17.
([31]) *Ibid.*, p. 32.

palier dans un mouvement ascendant qui, à travers le stade éthique, mènera jusqu'au stade religieux, où l'existence s'accomplit dans l'amitié du Dieu *tremendum et fascinans* de la révélation biblique. Mais la personnalité romantique se fixe à ce niveau, où elle fait résidence, en dépit de l'inconfort certain. Kierkegaard lui-même y voit l'expression d'un *Zeitgeist,* d'un esprit du temps, qui s'impose aux individus : « L'époque actuelle est celle du désespoir, celle du Juif errant » ([32]). La fin de l'errance, pour Kierkegaard, est procurée par la foi, point fixe grâce auquel l'esthéticien échappe à son démon, sous l'invocation de la grâce ; le stade esthétique est d'ailleurs plus proche du stade religieux que le stade éthique. La régularité bourgeoise de la loi offre un asile à la conscience en règle avec elle-même, contre la tentation religieuse. Au contraire, l'homme romantique, en proie aux oscillations sans fin, aux alternances et alternatives d'une vie qui se fuit elle-même, porte en lui l'aspiration au repos dans la paix que procure l'amitié de Dieu. De là la fascination religieuse si fréquente, sous des formes diverses, chez les uns et les autres, de là les conversions romantiques, bien souvent au profit du catholicisme, dont les structures liturgiques et hiérarchiques offrent un encadrement plus ferme aux âmes incapables de se fixer. Frédéric Schlegel, Adam Müller, Clemens Brentano et Zacharias Werner, entre autres, tentent de mettre à profit cette possibilité d'échappement à leur tourment. Mais, chez les romantiques profonds, le vœu d'abdication, le consentement à la discipline imposée, ne parvient pas à dompter l'instabilité fondamentale du stade esthétique. Clemens Brentano converti, reclus en humilité et chantre du rosaire, n'en demeure pas moins « Demens » Brentano, selon le mot de Caroline Schlegel-Schelling. Et Zacharias Werner, entré dans les ordres, ne sera jamais qu'un prêtre excentrique. Si elle est adoptée comme un remède, à contre-sens de l'impulsion naturelle, la vocation religieuse se trouve faussée dans son principe ; le romantisme refoulé reprend le dessus, dénaturant l'exigence religieuse proprement dite. De là le tourment de Lamennais, pris entre le romantisme irrépressible de sa nature, et l'obédience ecclésiastique dans laquelle il s'était engagé.

([32]) KIERKEGAARD, *Journal*, 13 juin 1936, trad. P. H. TISSEAU.

CHAPITRE IV

QUÊTE DU CENTRE ET ANTHROPOLOGIE NÉGATIVE

L'excentricité, caractéristique du stade esthétique, souligne l'importance d'un autre thème, celui du *centre,* fortement accusé dès l'époque de l'*Athenaeum:* En 1799, Schleiermacher écrit à une amie : Frédéric Schlegel « veut connaître mon centre, et c'est un point sur lequel nous n'avons pu nous mettre d'accord... Qu'est-ce que mon centre ? Le savez-vous ? » ([1]). Cette question, Frédéric se la pose à lui-même ; il la pose à ses lecteurs. Un aphorisme de l'époque prononce : « Est artiste qui a son centre en soi-même. Celui à qui cela fait défaut doit se choisir hors de lui un certain guide et médiateur, naturellement pas pour toujours, mais pour commencer. Car sans un centre vivant, l'homme ne peut pas être, et s'il ne l'a pas encore en lui, il ne doit le chercher que dans un homme, et seul un homme pourvu d'un centre peut attirer et éveiller le sien » ([2]).

Le centre évoque un emplacement privilégié dans l'anthropologie romantique ; l' « artiste » désignant non pas le créateur d'art ou de littérature, mais l'homme de plein exercice, l'homme digne de ce nom. La plupart des individus ne possèdent pas de centre, il n'existe pas en eux de foyer des significations, regroupant leur être personnel ; autrement dit, ils ne se présentent pas comme un nœud dans le tissu social ; leur existence se dissout dans l'environnement ; ils ne s'appartiennent pas à eux-mêmes. Frédéric Schlegel appelle ses lecteurs à un regroupement de leur être personnel ; ils doivent se ressaisir. S'ils ne peuvent y parvenir par leurs propres moyens, ils peuvent utiliser la procuration d'un « médiateur », personnalité plus forte que la leur, et selon l'analogie de laquelle ils gagneront la possibilité de s'affirmer eux-mêmes. Le romantisme est un individualisme ([3]), alors que la sagesse des Lumières enseignait l'effacement, l'atténuation courtoise de soi, en accord avec la

([1]) SCHLEIERMACHER à Henriette Hertz, juin 1799 ; dans Roger AYRAULT, *La genèse du romantisme allemand,* t. III, *Aubier,* 1969, p. 471.

([2]) Fr. SCHLEGEL, *Idées,* § 45 ; *Athenaeum,* 1800 ; dans LACOUE-LABARTHE et NANCY, *L'absolu littéraire,* Seuil, 1978, pp. 210-211.

([3]) Cf. Charles NODIER, *Préface nouvelle à Thérèse Aubert* (dont la première édition est de 1819) : « Les jeunes âmes qui s'affectionnent à l'infortune se trompent quand non-substantialité du moi ; la réaction romantique rend hommage à l'originalité, au génie.

A l'éthique cosmopolitique de l'universalité s'oppose l'exigence neuve de la particularité. Dans le recueil de méditations publié par Schleiermacher en 1800 sous le titre *Monologues,* on peut lire que « chaque homme doit exposer l'humanité d'une manière qui lui soit propre, selon une combinaison originale, de manière qu'elle se révèle de toute manière et se réalise dans la plénitude de l'infinité de tout ce qui peut sortir de son sein » ([4]). L'humanité doit avoir son centre dans chaque individu particulier, ou plutôt chaque individualité représente un centre subordonné ou secondaire, un relais de cette plénitude trans-humaine qui désigne pour nous « la plénitude de l'infinité » humaine.

Roger Ayrault évoque les origines mystiques de l'idée de centre, que Frédéric Schlegel aurait empruntée au traité de Jacob Boehme, *Aurora oder Morgenröthe im Aufgang;* « le mot « centre », chez Boehme, sans jamais s'éloigner tout à fait des références au « cœur » de l'homme et au Christ en tant que « cœur » et splendeur de toutes les forces de son Père céleste, s'amplifie ou se rétracte incessamment au gré de la pensée. (...) On peut voir l'*Aurore* s'organiser tout entière par rapport à la formule « le centre de la nature », qui est à la fois la plus substantielle et la plus fréquente en ses retours, et qui s'agrandit jusqu'à l'*éternel centrum naturae* et au redoublement analogique : « le centre du cœur de Dieu ». Une suite de concepts différenciés se déploie dans l'œuvre, et si tous sont capables de subsister isolément, tous pourtant se trouvent ramenés à une image obsédante comme à leur « intuition originaire » : ce « centre » qui est dit « milieu », « cercle médian », « noyau », et aussi « source jaillissante ». La prolifération des images évoque le contact avec une transcendance par-delà les possibilités du discours humain. De là « des alliances surprenantes où l'énigme dernière du sens se disperse sans s'épuiser : « centre de la vie », « centre de l'esprit », « centre de la lumière », « centre du cœur », « centre des sources-esprits », « centre de la naissance plus intérieure », « centre du ciel », « centre des âmes »... ([5]).

La référence au mystique silésien atteste que la notion de centre désigne non un lieu géométrique, mais un lieu ontologique. De même, le médiateur, dont les bons offices sont nécessaires à la recherche du centre, dans la plupart des cas, n'est pas un simple pédagogue, un conseiller psychologique. Il exerce une fonction d'initiation religieuse. « Un médiateur est celui qui perçoit en lui le divin et se sacrifie, s'anéantissant lui-même, pour annoncer, communiquer et présenter ce divin à tous les hommes par ses mœurs et par ses actes, par ses paroles et par ses œuvres. (...) Médiatiser, être médiatisé, c'est toute la vie supérieure de l'homme,

---

elles ne l'aiment que pour son étrangeté. Elle est encore plus monotone que le reste. Je comprends à merveille qu'il y a, comme on dit aujourd'hui, beaucoup d'*individualisme,* et par conséquent un immense ennui au fond de tout cela. » Le mot *individualisme* se trouve dans le *Médecin de Campagne* de Balzac (1833).

([4]) Cité dans Fritz STRICH, *Deutsche Klassik und Romantik oder Vollendung und Unendlichkeit,* München, 3e éd., 1928, p. 23.

([5]) Roger AYRAULT, *La genèse du romantisme allemand,* t. III, Aubier, 1969, p. 470.

et chaque artiste est médiateur pour tous les autres » ([6]). L'association de l'artistique et du religieux constitue l'une des affirmations du romantisme, dimensions convergentes selon lesquelles peut s'accomplir la plénitude de l'homme, en dehors des formulaires ecclésiastiques et de la pratique de telle ou telle technologie esthétique. La conscience de l'individu, sa vie pratique et sa destinée terrestre ne forment pas un tout cohérent, mais composent des arabesques de surface sur le fond mystérieux d'une vie secrète, à laquelle nous ne cessons de faire référence, sans pouvoir la ressaisir dans sa teneur réelle. Principe d'une morale nouvelle, d'un devoir envers soi-même, la nécessaire recherche du centre. Et ce devoir envers soi-même est ensemble un devoir envers autrui ; car si chaque individu doit devenir un « artiste », ayant son centre en lui-même, il lui faut aussi exercer par rapport à ceux qui l'entourent la fonction de « médiateur », d'initiateur qui propose un relais d'approximation sur le chemin qui mène tout homme de soi à soi.

La réalité humaine en sa détermination ontologique évoque une nébuleuse, composée d'astéroïdes dont chacun proposerait un centre secondaire et comme périphérique, gravitant autour d'un Centre originaire, à la fois cœur de Dieu et corps du monde, pressenti, jamais approché, car il demeure le mystère de la divinité. Frédéric Schlegel a évoqué cette conception de la personnalité dans son petit roman *Lucinde* (1799) qui, sous les apparences d'une histoire d'amour marquée de sensualité, dévoile certains arrière-plans gnostiques, ou théosophiques, de la pensée romantique. Dire que l'homme est tenu de rechercher le centre ne signifie pas qu'il pourra atteindre ce centre et s'y établir. La quête du centre est un second mouvement, réaction contre un premier mouvement d'échappement à soi-même, d'excentricité.

« L'esprit de l'homme est pour soi-même un Protée, il change de forme et ne peut pas se rendre raison à soi-même quand il voudrait s'appréhender. C'est en ce centre le plus profond de la vie que le libre choix créateur mène son jeu magique. Là commencent et finissent, là se dispersent tous les fils qui servent de trame et de chaîne à la formation de l'esprit. Seul ce qui lentement progresse dans le temps et s'étend dans l'espace, seul ce qui arrive est objet de l'histoire. On ne peut que deviner ou faire deviner par une allégorie le secret d'une génération ou d'une transformation instantanée » ([7]). La personnalité empirique, installée dans l'espace-temps, ne propose qu'une apparence ; l'enjeu de l'existence se situe au profond de l'être, dans un domaine qui échappe à l'intelligibilité discursive. Une conversion, qui remet en jeu la vie spirituelle, ne s'explique pas, ne se raisonne pas ; on peut seulement l'évoquer dans le langage des images. La réalité humaine ici en question est prise dans un sens global, associant indissolublement la chair et l'esprit. La *Lucinde* est la chronique d'une liaison, et les considérations métaphysiques alternent avec des épisodes érotiques. « Je t'adore comme une divinité, écrit le héros à sa belle. (...) Nous deux sommes un ; l'homme n'atteint son unité

([6]) Fr. SCHLEGEL, *Idées*, § 44 ; dans *L'Absolu littéraire*, recueil cité, p. 210.
([7]) Fr. SCHLEGEL, *Lucinde*, 1799, trad. ANSTETT, Aubier, 1944, pp. 167-169.

et ne devient pleinement lui-même que lorsque, par la contemplation et l'imagination poétique, il devient également centre du Tout et esprit du monde. Mais pourquoi recourir à l'imagination alors que nous trouvons en nous le germe de tout et que cependant nous restons éternellement seulement une partie de nous-mêmes ? » ([8]).

Une conception unitive de l'univers se trouve évoquée par l'union charnelle des amants (« nous deux sommes un »), et par l'unité reconnue du moi et du monde ; l'anthropologie apparaît étroitement solidaire de la cosmologie. La conscience psychologique communie avec l'essence même de l'univers, les rythmes de l'individualité évoquent les échos du macrocosme, qui s'exercent à travers chacun de nous d'une manière atténuée. « Chaque idée, et tout ce qui d'autre part a reçu une forme en nous, semble en soi-même achevé, individualisé et indivisible comme une personne ; l'un chasse l'autre, et ce qui, il y a peu encore, tout proche et présent, s'enfonce bientôt dans l'ombre. Et cependant il y a alors de nouveau des instants de brusque clarté universelle : plusieurs de ces esprits du monde intérieur se fondent complètement pour ne faire plus qu'un en des épousailles merveilleuses et plus d'un fragment déjà oublié de notre moi resplendit dans une lumière nouvelle, et son vif éclat perce même la nuit de l'avenir. Ce qui se passe en petit vaut aussi, je le crois, en grand. Ce que nous appelons une vie est, pour l'homme intérieur pris dans sa totalité et son éternité, seulement une pensée unique, un sentiment indivisible. Pour lui aussi, il y a de tels moments de conscience très profonds et très pleins où toutes les vies l'envahissent, se combinent différemment et se séparent. Nous deux en un seul esprit, nous verrons encore un jour que nous sommes les fleurs d'une seule plante ou les pétales d'une seule fleur et, souriants, nous saurons alors que ce que, maintenant, nous appelons seulement espérance, était, à proprement parler, réminiscence » ([9]).

La personnalité échappe aux déterminismes empiriques, aux ordonnancements de l'espace et du temps. Le moi romantique n'est pas asservi aux catégories du jugement ni aux perspectives de la chronologie puérile et honnête. Les limites entre les individus, les confins entre la matière et l'esprit semblent se liquéfier au sein d'une totalité dont chaque aspect communie avec tous les autres. Nous ne sommes jamais qu'une partie de nous-même, enseigne Frédéric ; mais nous pouvons aussi être envahis par la vie des autres et vivre en participation avec eux. La personnalité goethéenne déployait dans l'univers ses rythmes de diastole et de systole, de concentration ou d'expansion ; mais le sujet classique affirmait au sein de la réalité globale son autonomie spirituelle, point de départ et point d'arrivée. Schlegel, s'il admet l'existence de rythmes de l'univers, évoque un océan sans bornes de l'être, dont les marées soulèvent l'individualité, la traversent, sans que puisse intervenir une structure fixe, un véritable point d'arrêt. Notre conscience est un fétu qui flotte sur les eaux, soumis à des mouvements mystérieux venus des profondeurs. Nous ne nous

([8]) *Lucinde*, édition citée, p. 197 (*Deux lettres*).
([9]) *Op. cit.*, pp. 55-57 (*Fantaisie en style dithyrambique*).

appartenons pas à nous-même ; nous ne pouvons accéder à un observatoire extérieur au flux qui nous emporte, et d'où nous pourrions découvrir la configuration de l'univers, auquel nous appartenons, en vertu d'une alliance dont nous ne sommes pas les maîtres. L'anthropologie romantique substitue au thème de la possession de soi, celui d'une im-possession, si l'on peut dire, riche en récurrences de toute espèce, en illuminations et pressentiments ; la réalité humaine indivise, en prise directe avec le devenir cosmique, peut bénéficier d'ouvertures sur la transcendance, dérobées aussitôt qu'évoquées, mais qui attestent l'identité supranaturelle et la destination divine de l'individu.

L'éthique traditionnelle de l'intégrité prétend enfermer dans les cadres étriqués d'un ensemble de valeurs instituées un être capable de l'infini. Cette répression intolérable se trouve au principe de la révolte romantique, telle que la vivent un Byron, un Shelley, un Nerval, un Aloysius Bertrand aussi bien que les jeunes contestataires de l'*Athenaeum:* Ce qui est à rejeter, ce n'est pas tel ou tel principe de la morale bourgeoise, par exemple le statut du mariage, mais le fait que l'on cherche à imposer aux individus un conformisme quelconque au nom d'une quelconque autorité. Donné à lui-même en toute liberté, l'homme n'a d'autre obligation que de cultiver son indépendance. L'évocation de Julius, le héros de *Lucinde,* est caractéristique : « son esprit était dans une fermentation continuelle ; il s'attendait à chaque instant à ce qu'il lui arrivât quelque chose d'extraordinaire ; (...) sans occupation et sans but, il allait et venait parmi les choses et les gens comme un homme qui cherche avec angoisse quelque chose dont dépend tout son bonheur. Tout pouvait avoir pour lui un attrait excitant, rien ne voulait le satisfaire. (...) Il lui semblait qu'il voulait embrasser un monde et qu'il ne pouvait rien appréhender... » ([10]). Le plaisir, la débauche, le dérèglement systématique font partie du parcours de l'homme du stade esthétique ; mais la sensualité même, comme on le voit chez Musset, devient une forme de la désespérance.

Dans ce contexte intervient le thème du Centre ; la *Lucinde* est contemporaine des fragments de l'*Athenaeum.* La recherche du Centre ne procède pas d'une impulsion spontanée de la personnalité, qui se fait bien plutôt une loi de l'excentricité. « Son esprit ne s'efforçait pas de tenir ferme les rênes de la maîtrise de soi ; mais il les rejetait volontairement pour se précipiter avec plaisir et impétuosité dans ce chaos de la vie intérieure... » ([11]). La quête du Centre procède d'une nostalgie et d'un recours ; la volonté de compenser le désordre établi engage l'individu à se regrouper pour faire mouvement en direction d'un lieu où pourrait se réaliser le salut. Le désordre, même systématiquement recherché, implique un vœu secret de l'ordre, comme une invocation désespérée, s'affirmant à un autre niveau que le dérèglement apparent. Georges Poulet, analysant le mal romantique, découvre dans son principe une multiplicité non cohérente de l'être, en quête d'une résolution ; la

([10]) *Op. cit.*, pp. 113-115 *(Les années d'apprentissage de la masculinité).*
([11]) *Ibid.*, p. 117.

conscience fait l'expérience d'une pluralité intrinsèque, non compatible avec les limitations de l'expérience présente. L'essence du romantisme « consiste peut-être dans la découverte, à travers l'instantané, d'un moi et d'une réalité qui ne sont pas instantanés, et qui par conséquent ne peuvent jamais être expérimentés dans l'instant que comme quelque chose qui n'est jamais réalisé par l'instant. Je me sens être, d'un côté, ma vie ; et d'un autre côté je ne me sens que *ce* moment de vie. Je me sens un être qui vit dans le moment, mais dont la vie est justement le contraire du moment. Mon existence actuelle *est* et pourtant *n'est pas* mon existence... » ([12]).

La dualité ressentie entre l'existence momentanée et la plénitude de l'être révèle à la conscience sa propre insuffisance. D'où la tentative de remédier à l'insuffisance du présent par l'intensité de la jouissance sous toutes ses formes et les paradis artificiels du stade esthétique. Don Juan cède à l'espérance toujours déçue de trouver dans la possession charnelle un substitut de l'absolu ; d'autres voies sont possibles, car l'esprit a aussi ses concupiscences. « Enfermé dans l'instant, le romantique s'échappe en pensée dans tout le reste de sa vie. Ou plutôt, il essaie d'envelopper celle-ci dans la conscience du moment actuel. (...) Il s'agit de donner au moment toute la profondeur, toute l'infinité même de durée dont l'être humain se sent susceptible. Posséder sa vie dans le moment, telle est la prétention, ou le désir fondamental, du romantique » ([13]). Un tel vœu a quelque chose de disproportionné, de titanesque et donc d'impie, car l'homme ne s'est pas créé soi-même, et ne peut se créer à nouveau, fût-ce grâce à une simulation. Impossible donc, pour lui, de remédier à la « déficience infinie du moment présent. Si vive ou si multiple qu'il rende sa sensation ou sa pensée, l'homme découvre à chaque essai qu'il a irrémédiablement manqué cette création de lui-même par lui-même. Invariablement il se fait et se sent au-dessous de ses exigences... » ([14]).

La recherche du centre ne consiste donc pas à définir un point dans un espace plan à deux dimensions, ou même à déterminer le centre d'une sphère déployée selon trois dimensions. Ces figures géométriques égarent la pensée. De même, il ne s'agit pas de parvenir à une éthique du comportement, dans l'obéissance aux normes fixées par quelque système de morale constitué une fois pour toutes. La recherche du centre s'impose comme une tâche ontologique, procédant de la conscience prise de l'absence du centre. Toute existence, à partir du moment où elle se préoccupe d'elle-même et souhaite se prendre en charge, se reconnaît en état d'aberration par rapport à ce foyer idéal qui définirait son point d'équilibre. Aucune existence ne peut se déprendre de la réalité globale, comme si elle existait en elle-même et pour elle-même. L'effort de recentrement ne met pas seulement en cause l'espace mental d'un individu, ou son identité humaine, retranchée du reste de l'humanité et

([12]) Georges POULET, *Etudes sur le temps humain*, Plon, 1953, Introduction, p. XXXI.
([13]) *Ibid.*, p. XXXII.
([14]) *Ibid.*, p. XXXI.

de l'ensemble cosmique. Une conscience n'a pas de frontières définies; elle communie avec la totalité dont elle émerge, de telle sorte que le centre en question est en réalité le centre d'un monde.

La conscience romantique en son incarnation, responsable du poids le plus lourd, doit animer, à partir de son centre, un domaine sans limite, matériel et moral, historique et social. Frédéric Schlegel, dans un texte de *Lucinde* que nous avons cité, disait que « nous trouvons en nous le germe de tout et que cependant nous restons éternellement seulement une partie de nous-même » ([15]). A tout moment de notre vie, nous nous trouvons partagés aux confins de l'extériorité et de l'intériorité, sans parvenir à dominer l'une ou l'autre, à faire le plein des significations de l'espace du dedans ou de l'espace du dehors. D'où la perpétuelle excentricité de chacun à soi-même. « Le siège de l'âme, écrit Novalis, est au point de contact du monde intérieur et du monde extérieur. Quand ils se pénètrent, l'âme réside en chacun des points de pénétration » ([16]). Le lieu de l'âme est le centre, lieu idéal indéterminable, car il se situe dans un espace doté d'une multiplicité de dimensions, si bien que la notion de localisation perd tout sens intelligible.

Georges Poulet, dans ses *Métamorphoses du cercle,* analyse cette configuration spirituelle de la conscience romantique. Shelley fait écho à Schlegel : « Chacun est à la fois le centre et la circonférence, le point auquel toutes choses se rapportent, et la ligne à l'intérieur de laquelle toutes choses sont contenues » ([17]). Une autre parole concerne la fonction de la poésie, considérée à la fois comme « le centre et la circonférence de la connaissance » ([18]). L'imagerie du cercle est un thème en lequel de nombreux romantiques ont reconnu un chiffre de leur expérience, dans le répertoire symbolique de la mystique traditionnelle.

La conscience romantique étant une conscience incarnée, en état de diffusion cosmique, à la fois immergée et émergeante dans la masse en fusion des significations, le centre et le cercle ne sont pas des entités géométriques, un point incorporel et une courbe fermée, liés l'un à l'autre par une relation mathématique, corrélatifs et indépendants puisque désincarnés. Le mathématisme romantique est un mathématisme vivant, dans le contexte d'une nature naturante au sein de laquelle se prononcent les rythmes vitaux. Dès lors, le centre exprime en contraction ce que le cercle, ou mieux encore la sphère, exprime en expansion. Selon le jeune Schelling, « le centre est le cercle entier, mais conçu seulement dans son idéalité ou dans son affirmation ; comme la périphérie est le cercle entier, mais conçu seulement dans sa réalité » ([19]).

([15]) Cf. NOVALIS, *Grains de pollen,* § 18 ; *Petits Ecrits,* trad. BIANQUIS, Aubier, 1947, p. 37 : « Comment un homme comprendrait-il une chose dont il ne porterait pas le germe en lui ? »

([16]) NOVALIS, *Grains de pollen,* § 19, éd. citée, p. 37.

([17]) SHELLEY, *Essay on Life, Prose,* éd. D. L. CLARK, Mexico, 1954, cité dans Georges POULET, *Les Métamorphoses du Cercle,* Plon, 1961, p. 147.

([18]) SHELLEY, *A Defense of Poetry ;* même recueil, p. 293, cité *ibid.*

([19]) SCHELLING, *System der gesamten Philosophie und der Naturphilosophie insbesondere ; Sämtliche Werke,* I, 6, p. 167 ; dans POULET, p. 145.

Une respiration cosmique s'affirme à la faveur du vocabulaire de la géométrie, qui permet de donner un sens intelligible à l'identité des contraires. « Si le centre, c'est le Moi, commente Poulet, le Moi, c'est-à-dire la conscience humaine, règne sur le cercle. Il ne s'agit plus ici d'un cercle cosmique, où la terre, avec ses créatures, serait située au milieu, et l'empyrée à la circonférence. Il s'agit d'un cercle proprement épistémologique et homocentrique, où la nature est placée à la périphérie, parce qu'elle est l'objet d'une pensée qui, étant essentiellement un centre d'activité et d'investigation, a pour mission de se reconnaître peu à peu en chacune des propriétés du cercle. Toute la philosophie devient donc une étude des similarités qui existent entre centre et cercle, plus encore, de la dépendance où ils sont l'un de l'autre » ([20]). Poulet cite un passage emprunté aux conférences de philosophie de Frédéric Schlegel (1804-1806) : « De même que le centre est centre en fonction de la périphérie, et que la périphérie est ce qu'elle est en fonction du centre, ainsi le Moi et le Non-Moi ne sont que par leur réciprocité » ([21]).

La théorie de la co-naissance met en œuvre le déploiement d'une expérience vécue, où le moi fait corps avec ce savoir dont il est lui-même l'enjeu. Moi et Non-Moi, esprit et univers ne sont pas des objets, dans l'impersonnalité de la troisième personne, mais des êtres incarnés, en relation de consubstantialité vécue sans distance. Le Monde n'est pas le cadavre de la réalité, mais son corps propre, son corps vécu, la chair de la chair de l'esprit. Habitués à une pensée qui procède par disjonction et opposition, nous avons peine à concevoir la pensée unitive propre aux romantiques, expression immédiate de leur rapport au monde. Une formule de la première esquisse des *Monologues* de Schleiermacher, citée par Dilthey, affirme : « Intuition de soi et intuition de l'univers sont des concepts interchangeables *(Selbstanschauung und Anschauung des Universums sind Wechselbegriffe):* » Dilthey commente : « C'est seulement de l'intuition de soi que procède une pleine et authentique intuition de l'univers ; et c'est seulement à partir du point de vue de l'univers que le Moi *(das Selbst)* peut être embrassé dans sa vraie valeur comme une pensée éternelle » ([22]). Chaque individualité porte la marque, et comme le reflet de l'infini. Tel est le principe de la religion selon Schleiermacher, docteur en théologie romantique. On lit, dans les *Discours sur la religion* (1799) : « Qu'est l'individualité et qu'est l'unité ? ces notions, et ce n'est que par elles que la nature devient pour vous, à proprement parler, intuition du monde, (...) n'ont-elles pas leur origine à l'intérieur de l'âme, et n'est-ce pas en partant de là qu'elles sont interprétées relativement à la nature ? C'est pourquoi aussi c'est vers l'âme que regarde en réalité la religion, et c'est de là qu'elle tire des intuitions du monde : l'Univers se reflète dans la vie intérieure ; ce n'est que par

([20]) G. POULET, *op. cit.*, p. 146.
([21]) Fr. *Schlegel*, *Philosophische Vorlesungen aus den Jahren 1804 bis 1806*, cité dans POULET, *ibid.*
([22]) Wilhelm DILTHEY, *Leben Schleiermachers*, 2e éd. Berlin-Leipzig, 1922, pp. 349-350.

l'intérieur que l'extérieur devient compréhensible. Mais l'âme aussi doit, si l'on veut qu'elle produise et nourrisse de la religion, être vue intuitivement dans un monde... » ([23]).

La conscience romantique unit dans un même mouvement présence à soi-même et présence au monde ; la religion réalise le mouvement qui remonte jusqu'au principe de leur alliance originaire, avant les dissociations opérées par les nécessités de la vie et par les procédures de la science. L'accusation de panthéisme, portée à l'égard de Schleiermacher et des romantiques, se justifie par ce présupposé d'un enracinement commun du moi et du monde ; si l'on spiritualise le monde, on semble matérialiser la conscience, et mettre en cause un Dieu-Monde, dépourvu de toute transcendance à l'égard de la création, cependant que la conscience, homogène au monde, serait ensemble homogène à Dieu. Schleiermacher et ses amis refusent d'aller jusqu'à la limite de cette identification. Selon l'auteur des *Discours sur la religion*, souligne Dilthey, le problème des problèmes est de déterminer le point mystérieux « en lequel l'infini et l'individu humain s'identifient et ensemble se dissocient » ([24]). Ce point de la plus haute intensité humaine, limite de l'exaltation, peut être identifié avec le centre du cercle, foyer d'irradiation du sens.

Le point en question est ensemble un point d'arrêt, où s'inverse le mouvement de dissociation et de dissolution dans la totalité ; là se prononce le principe d'individuation, qui cantonne dans la finitude l'âme éprise d'un infini qui la repousse, au moment même de la plus haute attirance. L'homme n'est pas Dieu ; l'homme n'est pas la totalité, totalité du monde ou totalité de l'esprit. L'identité de l'homme s'annonce à lui dans ce moment où il doit avouer l'incapacité où il se trouve de dépasser ses limites afin de poursuivre jusqu'à l'infini l'accomplissement de sa volonté d'être. La vraie vie est absente, parce que la vie en esprit et en vérité, réside au-delà de la limite, en un lieu où nous n'avons pas accès. La conscience de l'homme, au moment où elle espère son accomplissement, se trouve rejetée dans l'en-deçà, cantonnée en dehors, ou à l'envers, de cette authenticité dernière, qui aurait valeur de libération et de salut.

L'essence du romantisme ([25]) évoque une théologie négative. En vertu de l'analogie fondamentale entre l'homme et Dieu, la théologie négative est corrélative d'une anthropologie négative. La théologie apophatique enseigne que Dieu échappe aux prises du discours et défie les figures humaines dont on voudrait le faire prisonnier. Créé à l'image de Dieu, l'homme, dans sa vocation à l'infini, se dérobe à l'analyse linguistique. L'homme, disait Pascal, passe infiniment l'homme. La réalité humaine, en sa plus haute actualité, s'ouvre en abîme sur l'insondable. Le discours usuel réduit tout ce qui est en question à la mesure de la communication

([23]) SCHLEIERMACHER, *Discours sur la religion*, II ; trad. I. J. ROUGE, Aubier, 1944, p. 175.
([24]) DILTHEY, *op. cit.*, p. 351.
([25]) Cf. *Du néant à Dieu dans le savoir romantique*, Payot, 1983, *passim*.

analytique, par réduction en facteurs communs, c'est-à-dire par dépersonnalisation. Augustin disait fortement que quand je parle de Dieu, ce n'est pas de Dieu que je parle. De même, plus je parle de moi-même, et moins j'en parle, car le discours humain, loin d'évoquer ou d'invoquer la réalité, lui tourne le dos. Si la conscience romantique se connaît elle-même comme quête à l'infini, elle ne parviendra jamais à fixer l'infini dans la clôture de l'univers du discours.

Cantonné dans le fini, le moi empirique du XVIIIe siècle, sujet sans substrat, peut être identifié à la somme de ses attributs. Le moi romantique n'est pas annoncé, mais dénoncé, par des attributs qui le trahissent, sous prétexte de le manifester, et la multiplication même des attributs évoque la fuite en avant d'un mouvement centrifuge et non pas centripète. Le petit Jean-Paul Richter découvre son identité personnelle sous les espèces de la formule magique : « Je suis un moi *(Ich bin ein Ich).* » Le premier *Ich* est le moi accidentel du petit garçon de sept ans dans son individualité du moment. Le second *Ich* est le moi substantiel, qui se prononce lui-même dans une formulation insatisfaisante, mais grosse de l'infini. La voie négative rejette les épithètes qui dissimulent le sujet plutôt qu'elles ne le manifestent. Le moi n'est rien de ce à quoi on prétend l'identifier. Pôle de répulsion pour le discours, il s'affirme comme l'inidentifiable, l'incaractérisable, l'absolu, c'est-à-dire le détaché. Sa seule positivité serait celle d'une puissance de dénégation, d'un surplus toujours au-delà des atteintes de la parole. D'où le recours à des formes et formules, à des masques et allégories ; aucun de ces symboles n'est exact, le meilleur du sens se trouvant peut-être dans le mouvement de l'un à l'autre. La poétique romantique revient sans cesse à l'évocation du Voyageur, de l'Etranger, du Pèlerin, de l'Errant, du Cosaque, du Gitan, de l'Aventurier, figures de l'impossible quête du sens ; le passant garde son mystère, il a montré la nécessité de se mettre en chemin, même s'il s'agit d'un chemin sans issue. Peut-être aussi l'issue se trouve-t-elle par-delà les horizons de ce monde, là où la vie confine avec la mort. De là le prestige de la nuit romantique ; la nuit porte conseil ; elle rayonne une lumière négative qui illumine l'envers de la réalité, l'autre côté, le nocturne, l'inconscient *(Nachtseite)*, peut-être plus important que celui-ci

Si le fondement de l'anthropologie se situe hors des prises de l'intelligibilité discursive, le principe de raison insuffisante, qui régit la théologie romantique, s'applique aussi au domaine humain. La perspective du savoir, elle aussi, débouche sur l'Informe, le Chaos, le Néant sans qualification, non pas le néant négatif, mais un néant positif, d'où surgissent les incitations de la conscience. L'*Ungrund,* l'abîme sans fond, évoqué par Jacob Boehme et les mystiques spéculatifs, s'ouvre également dans les fondements de l'individualité, où la conscience s'enracine dans le néant positif de la surabondance de l'être. Par-delà ses contradictions, ses affirmations et ses dénégations, la conscience romantique se découvre en porte à faux sur l'*Ungrund,* ou plutôt en *porte à vrai:* L'intelligibilité dans les limites de l'entendement est une prison, où l'être humain est conduit à renier sa vocation en se cramponnant aux grilles protectrices. La conscience romantique refuse la portion congrue des certitudes restrictives ; elle répond à l'appel de l'aventure qui retentit à travers les espaces obscurs de l'être total. L'expérience de la nuit est le préalable à la connaissance authentique, promise à ceux que ne décourage pas le mystère du non-savoir.

Les adversaires du romantisme lui ont fait reproche du renoncement aux disciplines de la pensée claire et des utilités pratiques. La tentation romantique serait une fascination de l'abîme, une désappropriation niant toute structure de l'individualité, qui sombre dans la confusion. Telle est la substance de la critique développée contre le romantisme allemand par Echtermeyer et Ruge dans les *Hallische Jahrbücher*, d'inspiration hégélienne. En France, au début du XXe siècle, le même procès sera repris, au nom des valeurs traditionalistes et conservatrices, par Charles Maurras et ses disciples, dont Pierre Lasserre, au nom de la clarté française et des idées claires et distinctes. Même réquisitoire à l'extrême gauche marxiste, en particulier dans l'œuvre de Lukacs, qui s'en prend aux destructeurs de la raison, incapables de faire œuvre positive. Ceux qui hantent les rivages du néant ne sont pas bons maris et bons pères, serviteurs de l'Etat ou militants du socialisme. Dans leurs vaines tentatives, ils négligent les devoirs du citoyen, ou les obligations de la lutte des classes.

De tels rappels à l'ordre sont absurdes. On ne voit pas ce que l'humanité aurait gagné si Clemens Brentano, abjurant la poésie, était devenu un parfait épicier dans l'entreprise paternelle, ou si Baudelaire avait fait une carrière de fonctionnaire sérieux et dévoué, culminant dans une nomination comme chef de bureau. L'ingénieur des salines Hardenberg, après sa mort prématurée, a été remplacé par n'importe qui ; le poète Novalis, auteur des *Hymnes à la Nuit*, demeure irremplaçable. S'il s'agit de juger les hommes selon leur rendement dans l'édification du socialisme, n'importe quel terrassier, n'importe quel mineur de fond stakhanoviste doit être placé au-dessus de Gérard de Nerval. Il ne nous reste rien des misérables fellahs qui édifièrent la pyramide ; l'œuvre subsiste en son projet, telle que la conçut l'architecte de génie qui la dessina. Les monuments du romantisme, pyramides spirituelles, défient les siècles et édifient les hommes, de génération en génération. L'idée même de leur attribuer une négativité quelconque est absurde et relève d'une idéologie grossièrement primaire ([26]). Lorsque mourut Pouchkine, tué dans un duel consécutif à une médiocre histoire de femme, un de ses amis dédia à sa mémoire un article où il disait que la Russie venait de perdre l'un de ses plus éminents représentants. Le chef de la censure fit comparaître l'auteur de cet éloge funèbre, et lui administra une cinglante remontrance. Ce Pouchkine avait été un débauché irresponsable, jusque dans l'absurdité de sa fin, un citoyen inutile. Ah ! s'il était entré dans la carrière administrative, au service de l'Etat, avec les dons qui étaient les siens, il aurait pu s'élever très haut dans la hiérarchie, et peut-être finir général. Dans ce cas, il aurait été digne de la louange posthume.

([26]) Cf. pourtant l'ouvrage très informé de Dieter ARENDT, *Der « poetische Nihilismus » in der Romantik*, Tübingen, Niemeyer, 1972.

Les réquisitoires contre le négativisme romantique ressemblent à la mercuriale du chef de la censure. Il suffit de les transposer en évoquant leur contrepartie positive pour mettre en lumière leur caractère ridicule. L'épistémologie romantique se plaît à cette inversion, dont elle use pour déréaliser la réalité par les effets de la dérision, du *Witz*, de l'ironie et de l'humour. Ludwig Tieck, Jean-Paul, E. T. A. Hoffmann, entre autres, excellent à ce jeu, destructeur du positivisme primaire et du sérieux bourgeois, qui caractérisent le stade éthique de Kierkegaard. L'irréalisme n'est pas un négativisme, mais une méthodologie destinée à révéler les proportions authentiques d'une réalité que l'esprit, établi une fois pour toutes dans ses évidences et ses conformismes, a complètement perdue de vue. Le nihilisme a pour contrepartie une affirmation de plénitude, en vue de laquelle il faut d'abord faire place nette, en déblayant le domaine humain de tous les décombres et sédimentations de vérités sclérosées qui l'encombrent. Les écrivains romantiques se sont plu à jeter bas l'édifice traditionnel de l'art poétique, la distinction des genres littéraires mis en place depuis l'Antiquité ; ils ont déclaré la guerre à la rhétorique, à la syntaxe, au vocabulaire, au grand scandale des mandarins littéraires et des académies. Leurs propres écrits, souvent inachevés, se présentent parfois sous l'apparence du fragmentaire, de l'informe ; l'unité de l'œuvre, disloquée, s'en va souvent en morceaux ; le ton se transforme d'un moment à l'autre et parfois l'entreprise se perd dans les sables, laissant le lecteur à sa perplexité, si du moins il a été capable de suivre l'auteur jusqu'au bout. Aussi bien l'auteur lui-même a-t-il assez souvent abandonné ses écritures à leur sort, dédaignant de les publier, esquisses, ébauches, brouillons et papiers plus ou moins illisibles ; ce qui a été conçu par caprice est bientôt oublié ; une autre impulsion prend le relais de la première. Aubaine pour les historiens et critiques de l'avenir, qui consacreront de belles thèses de doctorat à la restauration, ou plutôt à l'instauration, de monuments qui ne furent pas construits.

Encore faut-il compléter ce tableau clinique par le rappel de la contrepartie positive, qui évoque, par-delà tant de décombres, la hantise du chef-d'œuvre total, du *Gesamtkunstwerk* dont l'ambition serait, dans l'ordre de la littérature, de la peinture ou de la musique, de parvenir à une affirmation plénière du sens. Les classiques ont la sagesse un peu bornée de limiter leurs ambitions, et de mener à bien, dans le cadre d'un art et d'un genre donnés, l'expression d'une perfection finie. Les grands romantiques ont la nostalgie de l'œuvre sans limites, dont les grandioses proportions permettraient de dire l'infini actuel, de consommer l'intégralité du sens dans l'unité d'un projet. L'homme, la nature, Dieu se trouveraient ainsi convoqués et évoqués au miroir d'une cosmogonie faite de la main d'un artiste de génie, comédie divine et humaine à la fois légende des siècles, Bible, encyclopédie, Océan, somme des aspirations et inspirations des poètes et compositeurs de tous les temps. L'auteur en puissance du *Gesamtkunstwerk* se poste par la pensée à la limite extrême de l'affirmation humaine ; son ambition est de tout dire, dans une parole eschatologique où le génie humain serait le messager d'une nouvelle révélation. Telle fut la prétention du peintre Philipp Otto Runge, celle du musicien Richard Wagner, dans sa quête du drame lyrique total ; mais c'est aussi le rêve partagé de Frédéric Schlegel et de Novalis au temps de l'*Athenaeum:* Les romantiques français ont nourri des projets analogues. Lamartine rêve d'un grand poème des *Visions,* Vigny porte en lui le projet des *Consultations du docteur Noir,* où devait s'affirmer sa vision du monde ; Hugo, à travers ses œuvres, sauvegarde la nostalgie ou l'espoir d'un Grand Œuvre dont nous ne connaissons que quelques épaves. Car le miroir humain n'est jamais qu'un miroir brisé, où se reflètent éclairs et éclats d'une intention qui ne s'accomplira jamais.

Le *Gesamtkunstwerk,* s'il se réalisait, ne serait pas le *Gesamtkunstwerk:* Le chef-d'œuvre absolu n'est pas de ce monde, et tous ceux qui se réclamaient de lui ont dû, un jour ou l'autre, renoncer à leur ambition. On peut rechercher l'absolu ; seul un fou peut prétendre l'avoir atteint. Cela ne signifie pas que le projet lui-même soit vide de sens, ou que son sens soit seulement négatif. Se donner pour but la plénitude inaccessible du sens, cachée dans les confins de l'eschatologie, c'est, bien entendu, se vouer et se dévouer à l'échec. Mais cette perspective, bien loin de décourager le créateur, l'encourage à persévérer dans son entreprise. Seul celui qui demande trop peut espérer sa récompense ; celui qui ne demande pas assez s'expose au péril de recevoir ce qu'il demande. La satisfaction comporte un danger de mort spirituelle ; l'insatisfaction salutaire maintient la distance de soi à soi, qui provoque l'esprit à persévérer pour combler le décalage, impossible à vaincre, séparant le projet de son accomplissement. Le thème romantique du *Gesamtkunstwerk* met en évidence la fécondité du pôle négatif de la conscience ; l'homme trouve sa mesure dans la confrontation avec l'infini, qui lui donne à vivre sa disproportion. Au-delà du désespoir commence un nouveau chemin, une nouvelle résolution.

La conscience romantique, pour s'éveiller à elle-même, emprunte la voie mystérieuse des initiations. Mais la connaissance par défaut n'est pas défaut de connaissance ; la conscience de soi doit sortir renforcée de l'épreuve, et même si elle ne sort pas d'une épreuve impossible à surmonter, elle témoigne par son échec des dimensions existentielles de la réalité. Il n'est pas inutile d'annoncer aux hommes du commun, au commun des hommes que le monde dans lequel ils vivent n'est que le décor illusoire d'une illusion d'existence. La destinée spirituelle de l'individu est un drame dont il est lui-même l'enjeu ; mais le sens de ce drame échappe à la plupart, incapables de percevoir les dimensions de la surréalité qui s'annonce à eux à travers la réalité. Le négativisme, l'irréalisme romantique sont l'école du réalisme authentique, lequel est un surréalisme ; ceux d'entre les hommes qui ne le savent pas demeureront des morts vivants ; ils suivent le parcours de leur vie en état de somnambulisme, inconscients des abîmes qu'ils frôlent. L'anthropologie négative consacre l'inversion romantique des priorités, qui permet le nouveau départ de la vie spirituelle. Tel est l'enseignement de la mystique spéculative, en Orient et en Occident ; telle est l'école de la sagesse taoïste, l'une des spiritualités majeures de la culture mondiale ([27]). La sensibilité romantique réactive l'une des inspirations constitutives de la spiritualité humaine. Ce n'est pas la pensée négative venue d'Orient qui a marqué les jeunes romantiques ; c'est la conscience romantique en formation qui s'est reconnue dans les matériaux apportés en Europe par l'orientalisme naissant. Les rédacteurs de l'*Athenaeum* sont parvenus à une pleine connaissance d'eux-mêmes avant que Frédéric Schlegel, dans sa période parisienne, se mette à travailler sur les manuscrits orientaux de la Bibliothèque Nationale.

([27]) Cf. RUDOLF OTTO, *West-Östliche Mystik*, 2e éd. Gotha, 1929 ; et le recueil *Philosophes taoïstes*, Bibliothèque de la Pléiade, 1980.

CHAPITRE V

PENSÉE DE LA VIE ET PENTE DE LA RÊVERIE

Le caractère négatif de la conscience romantique, plongée en direction de l'absolu, dénonce l'axiomatisation intellectualiste du domaine humain. La philosophie des Lumières avait mis en place un quadrillage de normes et de concepts, filet dans lequel elle prétendait prendre au piège la totalité du réel, dont chaque objet se trouvait étiqueté, classé, estimé dans un gigantesque répertoire, semblable aux gros catalogues des entreprises de vente par correspondance. L'univers se donne à nous comme une immense mosaïque ; une place pour chaque chose, chaque chose à sa place. Cela s'appelle l'encyclopédie, ou le système déployé *more geometrico* par les philosophes classiques.

La conscience romantique s'insurge contre cette captivité de la pensée dans la camisole de fer de la problématique rationnelle. L'imposition d'un critère présupposé de rationalité rejette dans les marges de la connaissance, dans les poubelles de la validité, les composantes de l'être non compatibles avec le modèle choisi d'intelligibilité. Abus de confiance, ou plutôt aliénation ; car l'intelligibilité est faite pour l'homme et non l'homme pour l'intelligibilité. Ce négativisme romantique, rejet du paradigme intellectualiste, rompt avec la tradition des rationalismes grands et petits dans l'histoire de la philosophie. La fin de non-recevoir opposée à un certain mode de pensée a pour contrepartie positive l'exigence d'un nouveau point de départ.

L'intellectualisme, le rationalisme procèdent par élimination ; ils prélèvent dans la masse de la réalité globale certains éléments considérés comme significatifs, tous les autres étant exclus du partage de la vérité. La pensée romantique repousse cette discrimination. « En général, écrit Frédéric Schlegel, la philosophie ne doit pas choisir pour point de départ un certain niveau de conscience, même élevé, elle doit procéder bien plutôt à partir de la plénitude intégrale de la vie sous sa forme personnalisée *(aus den ganzen Fülle der Ichheit des Lebens)*; elle doit englober toutes les forces de l'homme » [1]. L'idée de centre reparaît ici,

(1) Fr. SCHLEGEL, *Kölner Vorlesungen ; Werke*, Kritische Ausgabe, Bd. XII, p. 367.

non géométrique, mais vitale, assimilée non pas à un fonctionnement biologique, mais à une spiritualité animant l'ensemble du vécu sous l'impulsion des forces profondes de l'être humain. « Le point central où l'esprit philosophant se concentre d'une manière exclusive est la vie ; c'est pourquoi la philosophie elle-même est aussi elle-même vivante, mais sous la forme d'une conscience plus haute et plus claire, une sorte de seconde conscience à l'intérieur de la conscience usuelle. La philosophie est un savoir de la totalité, dans la mesure où elle concerne le point central *(Mittelpunkt)* de toute vie et donc aussi de toute pensée et s'efforce de le mettre correctement à l'épreuve » ([2]). Une telle expérience ne s'enferme pas dans les limites d'une subjectivité, elle s'efforce de s'identifier avec le mouvement même de la vie, dont chaque individualité propose une expression particulière.

Max Scheler, dans la postérité romantique, définissait la philosophie de la vie comme une philosophie « à partir de la plénitude de la vie, une philosophie procédant à partir de l'expérience vécue de la plénitude de la vie *(aus der Fülle des Erlebens des Lebens)* » ([3]). Frédéric Schlegel disait à la fin de son existence : « La vie représente la source commune de la dualité : réalité matérielle et pensée intime, vie et conscience » ([4]). Le parti pris des philosophies rationalistes se trouve remplacé par le présupposé inverse d'une vie unitive, indissociée, qui permet, lui aussi, une pensée cohérente. Schlegel a exposé dans sa *Philosophie de la Vie* (1828) un ensemble de conceptions englobant l'histoire de la culture et la philosophie religieuse. Dans la même perspective non-intellectualiste se situeront Dilthey, Nietzsche, Scheler et Bergson, témoins qui attestent la positivité de cette approche de la vérité.

La vie donne à la conscience romantique sa profondeur existentielle ; elle ouvre à l'identité romantique sa perspective d'insertion dans l'espace et le temps du monde. Son indivision originaire propose le fondement de toute prise d'être, référence des références et justification des justifications, au mépris des systèmes et axiomatiques proposés par l'autorité de la raison. Selon un personnage de Clemens Brentano, « le fondement de la morale est que l'homme (...) soit un représentant de la vie... » ([5]). L'éthique et l'esthétique, la physique et la métaphysique renvoient à cette régulation immanente du vrai et du faux, du bien et du mal, du beau et du laid. Les conventions et règles arbitraires à la faveur desquelles les autorités instituées s'efforcent de réprimer l'exigence primitive de la vie aboutissent à dénaturer la nature et à déshumaniser l'homme.

([2]) Ludwig WIRZ, *Friedrich Schlegels philosophische Entwicklung*, Bonn, 1939, p. 139, cité par Hans EICHNER, dans l'introduction au tome X de l'édition critique des *Œuvres* de F. SCHLEGEL, p. XXXII.

([3]) Max SCHELER, *Versuche einer Philosophie des Lebens*, 4. Auflage, Bern, 1955, p. 313 ; dans EICHNER, *op. cit.*, p. XXXIV.

([4]) Fr. SCHLEGEL, *Philosophie der Sprache und des Wortes*, VIII ; *Werke*, éd. citée, Bd. X, p. 501.

([5]) Clemens BRENTANO, *Godwi ; Werke*, éd. KEMP, 1963-1968, t. II, p. 366 ; dans Roger AYRAULT, *La Genèse du Romantisme allemand*, t. IV, Aubier, 1976, p. 274.

Dans sa libre expansion, la conscience désencadrée s'affranchit des disciplines de l'objectivité et des réquisitions de l'utilité. La dissociation du domaine externe des choses et du domaine du sens intime une fois reniée, l'être humain laisse bourgeonner en soi un sens du réel venu des profondeurs de l'être et qui se déploie en une spontanéité de plein exercice, dont le fleurissement passe à travers l'intimité personnelle, sans se laisser circonscrire dans le confinement étroit de ses limites. La présence au monde transcende l'ordre de la psychologie puérile et honnête pour s'affirmer en participation aux rythmes de l'univers vivant, en communion avec les êtres de la nature. L'être romantique, dans sa libre authenticité, se propose en expansion et confusion ; il ne s'agit pas d'une conscience à bords francs, soulignant l'opposition du moi et du non-moi, puisque justement l'intention de cette conscience est de remonter en deçà de la disjonction du moi et du non-moi.

Entre les moments de la présence au monde, la différence peut être d'extension ou d'intention. Il est donné à l'individualité de se déprendre pour se ressaisir, pour se concentrer en sa plus haute actualité dans l'exaltation mystique du centre, du point médian sans cercle ni sphère. La représentation rationnelle de l'univers aboutit à une cristallisation de la vérité, figée dans les formes imposées par les structures de la science ; la conscience dès lors prisonnière de l'état des choses, en vertu d'un physicalisme naïf. Le romantisme dénonce cette aliénation ; la conscience, pour se découvrir elle-même, doit se déprendre de l'univers du discours objectif dont elle est captive, et chercher en elle-même le principe de l'authentique connaissance de soi et du monde. L'inversion du mouvement de la présence au monde ne procède pas d'un rejet de l'intelligibilité scientifique. Il suffit de procéder à un changement de l'intelligibilité de référence. La révolution galiléenne a imposé le primat d'un physicalisme, lié à l'écriture mathématique. La révolution non-galiléenne confère à la biologie la priorité sur la physique ; le romantisme est un vitalisme, un organicisme.

La connaissance ne nous livre pas la réalité elle-même, mais une représentation de la réalité. Si l'on modifie la forme de représentation, on obtiendra une autre vision du monde, révélatrice d'autres aspects d'une réalité qui, dans sa littéralité, nous échappe toujours. Le physiologiste Bichat, gloire de l'Ecole de Paris (1771-1802), n'était pas romantique, mais vitaliste ; en réaction contre le physicalisme matérialiste ambiant, il professait la spécificité irréductible de la vie, faussée par la méthode d'analyse et le vocabulaire utilisé pour l'étude des phénomènes vitaux. « La science des corps organisés doit être traitée d'une manière toute différente de celles qui ont les corps inorganiques pour objet. Il faudrait, pour ainsi dire, y employer un langage différent ; car la plupart des mots que nous transportons des sciences physiques dans celles de l'économie animale ou végétale nous y rappellent sans cesse des idées qui ne s'allient nullement avec les phénomènes de cette science. Si la physiologie eût été cultivée par les hommes avant la physique, comme celle-ci l'a été avant elle, je suis persuadé qu'ils auraient fait de nombreuses applications de la première à la seconde, qu'ils auraient vu les fleuves coulant par l'excitation tonique de leurs rivages, les cristaux se réunissant par l'excitation qu'ils exercent sur leur sensibilité réciproque, les planètes se mouvant parce qu'elles s'irritent réciproquement à de grandes distances, etc. (...) La physiologie eût fait plus de progrès si chacun n'y eût pas porté des idées empruntées des sciences que l'on appelle accessoires, mais qui en sont essentiellement différentes. La physique, la chimie etc., se touchent, parce que les mêmes lois président à leurs phénomènes ; mais un immense intervalle les sépare de la science des corps organiques, parce qu'une énorme différence existe entre ces lois et celles de la vie. Dire que la physiologie est la physique des animaux c'est en donner une idée extrêmement inexacte ; j'aimerais autant dire que l'astronomie est la physiologie des astres » ([6]).

Bichat, mort en 1802, ne peut pas savoir que le parti pris antiphysicaliste dont il évoque la possibilité est justement celui qu'adopte à la même époque la *Naturphilosophie* romantique à l'école de Schelling. Au lieu de subordonner la physiologie à la physique, il faut subordonner la physique à la physiologie. « Comme les sciences physiques ont été perfectionnées avant les physiologiques, dit Bichat, on a voulu éclaircir celles-ci en y associant les autres ; on les a embrouillées. C'était inévitable, car appliquer les sciences physiques à la biologie, c'est expliquer par les lois des corps inertes les phénomènes des corps vivants. Or voilà un principe faux... » ([7]). L'organicisme romantique s'est engagé, depuis quelques années déjà, dans cette voie que Bichat imaginait comme un jeu de l'esprit. Le nouveau savoir donne priorité à l'intuition de la vie qui anime la totalité du cosmos ; l'immobilité physique de la matière inerte n'est que l'expression d'un mouvement plus long, une coupe dans le devenir de la croissance universelle. La germination des puissances à l'œuvre dans la totalité cosmique entraîne une mutation de la pensée, qui révèle la fluidité, la liquidité du devenir de la vie en nous et hors de nous, dans le contexte global de ce que Bergson appellera l'évolution créatrice. Mobilisation générale de l'être et du connaître, qui s'appliquera aux sciences humaines, où elle suscitera l'affirmation de l'historisme romantique. La croissance vitale évoque un amollissement des formes et des frontières ; les lignes et surfaces de séparation deviennent fluides ; telles des membranes, elles ne font plus obstacle à la communication de l'être et du sens. Cette perméabilité universelle substitue à l'image d'un monde en extension, *partes extra partes,* dont les éléments se trouvent juxtaposés selon un ordre discontinu, l'image d'un univers en continuité, où les limites et configurations seraient incluses dans la mutualité de la circulation vitale. Les états fixes proposent des moments dans la transition où s'affirme la dynamique de l'être.

Un même mouvement d'animation s'exprime dans le devenir de la

([6]) Xavier BICHAT, *Recherches physiologiques sur la vie et la mort,* 1800, 1re partie, article 7, § 1 ; rééd. 1852, pp. 58-59.

([7]) *Anatomie générale appliquée à la physiologie et à la médecine,* 1801, § 2 ; cité par le Dr CERISE dans l'édition des *Recherches physiologiques* citée à la note précédente, p. 311. Remarquer l'emploi du mot *Biologie,* première occurrence que je connaisse en langue française.

cosmologie et celui de l'anthropologie. La géologie, physique de la terre, se convertit en physiologie ; la psychologie associationniste et physicaliste se dissout dans la conscience de l'écoulement de la pensée, directement liée à la liquéfaction des formes dans la succession des rythmes vitaux. Le corps et l'âme de l'homme se trouvent en sympathie avec le corps et l'âme du monde ; la conscience romantique en expansion ne rencontre aucune limite extérieure à son mouvement de diffusion. A force même de s'élargir, de s'éloigner du centre, elle perd le sens de son identité propre pour se confondre avec la mystérieuse unité qui anime l'univers. La conscience classique se contrôle elle-même en donnant forme à l'univers ; on peut voir dans la conscience romantique un abandon progressif, une dissolution où se perdent les configurations et disciplines de l'espace et du temps. Cette dégradation du sens unitaire de la conscience peut avoir des degrés divers, une fois abolie l'opposition entre le moi et le non-moi ; la pente de la rêverie peut aller jusqu'au sommeil complet, où l'esprit renonce à toute vigilance ; le rêve alors introduit un régime d'absorption dans la communauté des significations. L'expérience spirituelle du romantisme, depuis Rousseau, privilégie les variétés rêveuses de la conscience, messagères d'une authenticité humaine voilée par les censures de l'entendement.

Les âges précédents de la culture n'avaient pas ignoré la rêverie et le rêve ; mais l'accent était mis sur la conscience claire, soumise aux normes de la droite raison. La rêverie s'inscrivait dans les marges, détente, moment d'abandon sans conséquence, à condition de garder l'initiative qui permet à volonté de retrouver le lieu de la responsabilité de l'esprit. A trop demeurer dans les limbes, on glisse du clair obscur dans la ténèbre, de l'insignifiant dans le pathologique. Si l'on s'en tient aux présupposés intellectualistes, tout échappement au contrôle ne peut libérer que des sous-produits de l'activité mentale, déchets et larves qui n'ont rien à voir avec une forme quelconque de vérité. Un égarement passager peut avoir l'effet bénéfique d'une vacance de l'esprit ; il faut revenir aux choses sérieuses, le plus tôt sera le mieux.

A cette appréciation négative, la conscience romantique substitue une évaluation positive. Le contrôle de l'entendement fait violence à la réalité humaine en la dénaturant ; le relâchement de ce contrôle libère une authenticité refoulée. L'abandon passif à la rêverie laisse la place à l'affirmation des voix intérieures, remontées des profondeurs où elles se cachent. Une intelligibilité d'un autre ordre se prononce, où semblent coexister des thèmes de la perception, des éléments d'intelligence et des sollicitations du sentiment. La pensée claire voit dans la rêverie le lieu de l'in-forme ; l'on n'y discerne ni la forme des choses, ni la forme de l'homme. Mais il se pourrait que s'annonce dans ce clair-obscur la matrice des formes, le sens perdu d'une intelligibilité plus décisive que celle de la raison diurne, en conformité avec l'organicisme universel qui, renonçant aux oppositions géométriques et physiques, justifie la dépossession et la dés-individualisation des êtres et des choses.

Le thème de la migration des âmes est familier aux romantiques ; après la mort, les âmes, libérées de leur prison de chair, vagabonderont à travers les espaces cosmiques, jusqu'au moment où il leur sera donné de se réincarner dans un être nouveau, au sein duquel elles prolongeront leur destinée mystérieuse. La rêverie offre la possibilité d'une dépossession, d'une migration de l'âme à l'intérieur même de l'expérience vécue, ce qui lui confère une signification eschatologique, au moins par anticipation ; elle autorise un exercice d'ontologie. Amiel réalise un exercice de ce genre ; l'être personnel met à l'épreuve la possibilité dont il jouit de se déprendre ou de se reprendre. « Se défaire de son organisation actuelle en oubliant et en éteignant de proche en proche ses divers sens, et rentrant sympathiquement, par une sorte de résorption merveilleuse, dans l'état psychique antérieur à la vue et à l'ouïe ; plus encore, redescendre dans cet enveloppement jusqu'à l'état d'animal et même de plante ; — et plus profondément encore, par une simplification croissante, se réduire à l'état de germe, de point, d'existence latente ; c'est-à-dire s'affranchir de l'espace, du temps, du corps et de la vie en replongeant de cercle en cercle jusqu'aux ténèbres de son être primitif, en rééprouvant, par d'infinies métamorphoses, l'émotion de sa propre genèse, et en se retirant et en se condensant en soi jusqu'à la virtualité des limbes : — faculté précieuse et trop rare, privilège suprême de l'intelligence, jeunesse spirituelle à volonté » ([8]).

La conscience romantique emprunte à rebours l'itinéraire de la *Naturphilosophie*, selon la croissance évolutive de l'organisme cosmique. Le chemin mystérieux vers le centre de l'être, par la voie de dépouillements successifs, propose le programme d'une anthropologie négative, dont le sens s'enrichit au fur et à mesure de la désimplication et désappropriation de la conscience. La dissolution cosmique permet une archéologie de la personnalité qui, grâce à cette ascèse, revient au point origine où son être a pris naissance à partir de l'être cosmique. En ce lieu communiquent les significations du singulier et de l'universel, de la mort et de la vie.

La conscience romantique ressent la nostalgie de ce moment de la plus haute actualité, et cette nostalgie ontologique pourrait bien être la clef de toutes les nostalgies subalternes, dans l'espace spirituel du romantisme. Une sensibilité sans borne s'identifie à l'expansion cosmique de l'être. Maurice de Guérin, comme Amiel, expérimente ce mouvement d'identification au sens dans sa totalité. « Tout se brouille au-dedans et au-dehors. Un immense chaos, la nature, les hommes, la science, l'universalité des choses roule ses flots contre un point isolé, comme un écueil dans la mer, mon âme perdue dans l'écume et le bruit... Je soutiens l'assaut d'une onde infinie, combien de temps tiendrai-je ferme ? (...) J'ai douté de moi-même d'un point imperceptible. Le doute qui couvrait ce point imperceptible a rompu ses limites, il couvre le monde ; un atome s'est dilaté sur l'univers entier. Je ne souffrais qu'en moi-même ; je souffre en toutes choses » ([9]).

([8]) AMIEL, *Grains de mil*, 1854, p. 138 ; dans Marcel RAYMOND, *Romantisme et rêverie*, José Corti, 1979, p. 67.

([9]) Maurice DE GUÉRIN, *Journal intime*, 28 septembre 1834 ; *Œuvres complètes*, t. I, p. p. B. D'HARCOURT, Belles Lettres, 1947, p. 220.

La pensée romantique ne va pas, comme la doctrine bouddhique, jusqu'à considérer l'individualité comme le résultat d'une pernicieuse illusion. Mais elle situe l'être personnel en prise directe avec l'être total de l'univers; la conscience est un point d'affleurement pour le sens; en revenant à sa racine, elle parcourt l'arbre du monde. Guérin note le lendemain : « La graine qui germe pousse la vie en deux sens contraires; la plumule gagne en haut et la radicule en bas. Je voudrais être l'insecte qui se loge et vit dans la radicule. Je me placerais à la dernière pointe des racines et je contemplerais l'action puissante des pores qui aspirent la vie; je regarderais la vie passer du sein de la molécule féconde dans les pores qui, comme autant de bouches, l'éveillent et l'attirent par des appels mélodieux. Je serais témoin de l'amour ineffable avec lequel elle se précipite vers l'être qui l'invoque, et de la joie de l'être. J'assisterais à leurs embrassements » ([10]).

Les critiques évoquent souvent, à propos de textes comme ceux-là, la notion de panthéisme, vaguement réprobatrice, héritière d'une tradition de haine théologienne. Le romantisme sacralise le réel total, y compris les êtres individuels; mais la réalité cosmique, émanation et incarnation de la divinité, n'épuise pas la divinité, qui demeure en surplus, dans le mystère de son être. Dieu subsiste, au fond de sa distance irréductible, et la conscience en expansion se tient en deçà de la limite extrême où elle s'évanouirait. Guérin écrit : « J'habite avec les éléments intérieurs des choses, je remonte les rayons des étoiles et le courant des fleuves jusqu'au sein des mystères de leur génération. Je suis admis par la nature au plus retiré de ses intimes demeures, au point de départ de la vie universelle » ([11]). Si l'on admet qu'il ne s'agit pas ici d'une rhétorique figurative, et si l'on voit dans ce texte la relation d'une expérience de vie, il est clair que le moi qui parle préserve la singularité de son être; il continue à dire *je* et à écrire *je*. Remonté jusqu'au « point de départ de la vie universelle », il ne s'abolit pas en cette vie.

Selon Marcel Raymond, la pente de la rêverie est la voie royale de la conscience romantique, où le rapport au monde réalise la plénitude de son intention. L'expérience varie de l'un à l'autre, certains demeurent sur les hauteurs modérées, d'autres s'avancent davantage. Le seul fait de prendre la plume, et d'interpeller le lecteur réel ou possible, signifie que l'auteur conserve son identité. Celui qui suivrait jusqu'au bout la voie négative s'abolirait dans le silence, ou disparaîtrait dans l'épaisseur du mur, comme l'enseignent certains apologues du Tao. L'apologue est de trop. Le vrai maître du Tao disparaîtrait sans laisser de trace, et sans avoir parlé. L'artiste créateur exerce un droit de reprise sur la diversité de son œuvre, y compris lorsque cette matière est lui-même. L'évocation de la dissociation implique un pouvoir de concentration. La conscience romantique, en coalescence avec l'univers, demeure en deçà du point de fusion où elle serait dissoute dans l'environnement.

Marcel Raymond, commentant ces textes, distingue entre l'expérience

([10]) *Ibid.*, 29 septembre 1834, éd. citée, pp. 220-221.
([11]) M. DE GUÉRIN, *op. cit.*, éd. citée, 10 décembre 1834, p. 224.

d'Amiel et celle de Guérin. « Amiel s'avance plus loin. Cette redescente, qui est aussi bien une remontée, aboutit à une existence antérieure à toute existence, qui s'apparentera selon les uns au *nirvana* bouddhique et s'identifiera selon les autres au premier mouvement de la Mère éternelle » ([12]). La genèse de l'individu que fut Amiel se fond dans une genèse cosmique, accomplie dans la nuit par l'effet d'une conscience elle-même nocturne. « Le milieu de notre conscience est inconscient, écrit Amiel le 27 octobre 1856, comme le noyau du soleil est obscur » ([13]). Pas plus que Guérin, pas plus que quiconque, Amiel n'a accès dans le centre noir du soleil. La conscience romantique, fascinée par le pôle négatif de l'existence, est ensemble repoussée par lui. Il ne lui sera pas donné d'entrer de plain-pied dans la demeure de l'incréé ; comme l'insecte attiré par la lampe, elle ne pourra traverser la paroi à laquelle elle ne cesse de se heurter, et qui pourtant la protège contre la destruction totale ou l'inconscience absolue.

La dernière limite avant la dissolution dans la nuit du non-savoir est le refuge de l'individualité, son lieu propre. Et sans doute la conscience n'existe-t-elle jamais davantage que dans cet instant décisif où elle paraît sur le point de sombrer dans l'abîme. Victor Hugo a orchestré, à diverses reprises, ces excursions sur le promontoire du songe *(Promontorium somnii)* où l'âme humaine subit la fascination du Cosmos dans lequel elle risque de s'engloutir, dans le cratère d'un volcan en ébullition. Hugo a reculé ; parce que, à la différence d'Empédocle, il a résisté à la tentation et pris le chemin du retour, il est resté Victor Hugo, ou plutôt il est devenu Victor Hugo. Le poète, Novalis ou Hölderlin, Coleridge ou Nerval, Nietzsche, est celui qui, au risque de sa raison et parfois de sa vie, s'est aventuré jusqu'aux extrémités, puis a porté témoignage de son aventure.

Amiel, bourgeois de Genève, poète médiocre, raté de l'enseignement et raté de la vie, a décrit certains moments extrêmes. En août 1856, la conscience d'une sorte d'impersonnalisation : « Il me semble que je suis devenu une statue sur les bords du fleuve du temps, que j'assiste à quelque mystère, d'où je vais sortir vieux et sans âge. Je ne sens ni désir, ni crainte, ni mouvement, ni élan particulier ; je me sens anonyme, impersonnel, l'œil fixe comme un mort, l'esprit vague et universel comme le néant ou l'absolu ; je suis en suspens, je suis comme n'étant pas. (...) Il me semble que ma conscience se retire dans son éternité ; elle regarde circuler en dedans d'elle ses astres et sa nature, avec ses saisons et ses myriades de choses individuelles ; elle s'aperçoit, dans sa substance même, supérieure à toute forme, contenant son passé, son présent et son avenir, vide qui renferme tout. (...) En ces instants sublimes, le corps a disparu, l'esprit s'est simplifié, unifié. (...) L'âme est rentrée en soi, retournée à l'indétermination, elle s'est *réimpliquée* au-delà de sa propre vie ; elle remonte dans le sein de sa propre mère, redevient embryon

([12]) M. RAYMOND, *op. cit.*, p. 67.
([13]) Dans M. RAYMOND, *op. cit.*, p. 67 ; *Fragments d'un Journal intime,* éd. BOUVIER, Stock, 1931, t. I, p. 106.

divin. Jours vécus, habitudes formées, plis marqués, individualité façonnée, tout s'efface, se détend, se dissout, reprend l'état primitif, se replonge dans la fluidité originelle, sans figure, sans angle, sans dessin arrêté. C'est l'état sphéroïdal, l'indivise et homogène unité, l'état de l'œuf où la vie va germer. Ce retour à la semence (...) est la conscience de l'être, et la conscience de l'omni-possibilité latente au fond de cet être. C'est la sensation de l'infini spirituel. C'est le fond de la liberté. » Il y a là aussi « un moyen de mesurer le chemin parcouru par la vie, puisqu'il ramène jusqu'au point de départ » ([14]).

Cette description du cheminement propre à l'anthropologie négative atteste qu'il ne s'agit pas d'un pur négativisme. Le dépouillement, voie de la plénitude, dégage l'essentiel de la vie personnelle, en prise directe avec l'être universel. Le rejet des engagements et des formes empiriques aboutit à la manifestation de la puissance unitive, source jaillissante des virtualités à venir. Une cosmologie de l'espace du dedans se déploie, corrélative de celle de l'espace du dehors ; « ma conscience (...) regarde circuler en dedans d'elle ses astres et sa nature, avec ses saisons et ses myriades de choses individuelles » ([15]). Kant avait interdit l'accès de la chose en soi ; la barrière est abolie. Non pas abolition, mais bien exaltation des puissances du moi, qui accède à son éternité, sans pour autant encourir la destruction dont il pourrait être menacé.

Le moi romantique, par-delà la psychologie empirique, propose la dimension d'une ontologie concrète de la réalité humaine. L'intellectualisme opère une discrimination parmi les données immédiates de la conscience selon des critères d'intelligibilité préalablement définis. Seules sont significatives les variétés de l'expérience personnelle réductibles à la norme du vrai et du faux, à l'intérieur d'une axiomatique dont les principes dérivent de la raison. La majeure partie de chaque vie consciente se situe en dehors du champ d'application de la vérité métaphysique. Sentiments, émotions et passions, habitudes, associations de pensées, humeurs, le courant de l'existence ne représente qu'un ensemble de sous-produits de la rationalité, déchets de l'entendement, nuls et non avenus du point de vue d'une philosophie cohérente. L'homme quotidien habite en dehors de la vérité ; celle-ci ne fait alliance avec l'être humain que dans l'atmosphère raréfiée de la méditation spécialisée, comme le fidèle de la religion traditionnelle rencontre son Dieu à l'office du dimanche, et n'y pense plus le reste de la semaine.

La pensée romantique refuse cet étrange séparatisme qui place le lieu de la vérité en dehors de l'humanité, vérité et humanité n'entrant en contact qu'exceptionnellement, par accident ; Descartes doit attendre l'âge de vingt-trois ans pour accéder à la révélation du *Cogito:* La vérité romantique fait résidence dans le séjour des hommes ; elle se propose comme le sens du monde et le sens de l'homme. Elle ne choisit pas tel ou tel emplacement privilégié, une église ou un poêle bavarois, pour une

([14]) H. F. AMIEL, *Fragments d'un journal intime,* 31 août 1856, éd. citée, pp. 104-105.
([15]) *Ibid.*, p. 104.

visitation exceptionnelle ; elle s'annonce en tous temps et en tous lieux du dedans même de la conscience humaine. La discrimination du vrai et du faux, de la psychologie et de l'ontologie, se trouve par là même abolie, tous les moments de la conscience, tous les états de l'âme proposent à l'homme des variétés de son incarnation, des expressions de son être dans sa relation avec lui-même, avec autrui, avec le monde. La vérité romantique est consubstantielle à l'expérience. Nous allons à la vérité non pas avec notre esprit seulement, mais avec notre cœur et nos sens, avec nos sentiments et nos passions. La vérité en débat avec l'existence est pour chacun la recherche d'une orientation dans l'incertitude des jours, la recherche d'un équilibre de soi à soi et de soi au monde selon la fidélité aux valeurs en lesquelles nous avons reconnu l'authentique justification de notre vie.

Si la vérité est recherche de la vérité, recherche du sens dans l'authenticité personnelle, les normes et interdits imposés par l'intellect, loin de faciliter cette recherche, lui imposent des entraves ; ils coupent la communication de l'individu avec lui-même. Rejetée cette discipline extrinsèque, toutes les voies de la conscience de soi peuvent être révélatrices du sens. De là, la réhabilitation du sentiment et de la passion, l'immense importance accordée au rêve et à la rêverie, aux aspects nocturnes de la conscience, aux fantasmes et fantasmagories de toutes sortes. Ces états de détente, profitant de la démission momentanée de l'entendement, laissent remonter en surface le témoignage des profondeurs. Le quadrillage géométrique de l'intellect n'est qu'une superstructure destinée à empêcher que l'esprit puisse prendre conscience de ses racines. L'*homo rationalis* était un fantôme, une fantasmagorie vide de substance ; l'*homo humanus* se retrouve d'autant mieux qu'il s'abandonne davantage, relâchant ses contrôles, qu'il se met à l'écoute de lui-même, remontant à ses origines, comme Guérin ou Amiel. Rêverie et rêve ne sont pas des jeux absurdes et gratuits, variations inconsistantes, suscités par le hasard objectif de la physiologie sous-jacente ou de l'accident extérieur. Ils nous proposent des expériences de l'authenticité humaine, plongées vers le mystère originel, vers le moment où l'homme vient au monde ; dépris de la captivité des choses et des institutions, l'individu devient perméable à l'être qui se prononce au profond de lui.

L'anthropologie romantique, opérant sa révolution non galiléenne, se met en état d'apesanteur ; suspendant les obligations et conformités de toutes sortes qui s'exercent sur elle dans la vie usuelle, elle se laisse porter au fil de l'être ; elle se veut tout entière actualisation de l'être, dans l'oubli ou l'abolition des limites respectives du moi et du monde. La rêverie, disait Bachelard, supprime l'opposition du moi et du non-moi ; elle réconcilie le moi et le non-moi dans une coalescence ontologique. Cette fusion sans distance ne met pas en cause seulement le non-moi de la réalité matérielle ; elle concerne aussi le premier non-moi qu'est pour nous le corps, si proche et si différent de la conscience. L'incarnation, l'indissoluble unité de l'âme et de la chair, est directement éprouvée. Au lieu de se diffuser dans l'environnement et de s'y perdre dans la mosaïque des objets et des événements, l'existence se replie autour de l'individualité indissociée, qui se perçoit elle-même comme une nébuleuse au milieu de l'immensité cosmique.

Les images de la rêverie évoquent l'immersion de la conscience, prise dans la continuité de l'être et du sens, en même temps que son émergence. Identifiée au réel total, la conscience rêveuse se fait témoin de ce courant du sens qui la traverse et l'emporte. Au sein de cette dérive existentielle du devenir sans limites, tout se passe comme si le tout, ou une partie signifiante du tout, se reflétait sur la partie. L'être individuel, lors même qu'il s'abandonne, sauvegarde une autonomie suffisante pour témoigner de cette expérience unitive de soi et du monde. Celui qui décrit sa désimplication, le dépouillement des enveloppes de son identité, condition de sa réintégration dans le milieu cosmique dont il est issu, garde assez de personnalité lucide pour témoigner de ce qu'il a vécu. Une distance subsistait de lui à lui-même, et la possibilité du retour au monde des hommes ; ainsi du vieux marin de Coleridge, revenu des horizons fantastiques pour raconter ses expériences eschatologiques. Ambiguïté qui autorise un soupçon de double jeu ; tout témoin du romantisme intégral serait suspect de faux témoignage. Le seul témoignage vrai serait l'absence de témoignage, situation qui révèle le péché originel de toute littérature.

Réserve faite de cette suspicion légitime, l'irréalisme de la conscience rêveuse peut être considéré comme la manifestation d'un réalisme supérieur. La conscience abandonnée au fil de l'être n'est pas le jouet d'une illusion. Si les romantiques ont souvent évoqué les états de cet ordre, c'est qu'ils y voyaient l'épiphanie de la surréalité du monde. Selon eux, la conscience humaine ne se présente pas comme une pellicule, une surface de projection sensible à des indications venues du dehors ou du dedans, mais indépendante de ce qu'elle réfléchit, comme un écran de cinéma n'a rien de commun avec les images qui s'inscrivent sur lui. La conscience romantique propose la manifestation d'un phénomène dont elle est partie intégrante ; elle fait corps avec la réalité qui se donne en elle ; elle est un aspect ou une dimension du phénomène total de la réalité humaine.

Une telle conception ne concorde pas avec nos habitudes de pensée, l'ordre de la *représentation* étant considéré comme distinct de la *présentation* proprement dite ; la représentation se donne comme le doublement de l'objet de la connaissance. La connaissance romantique, en tant que co-naissance, révèle un phénomène à plusieurs faces. Dans l'anthropologie et la cosmologie romantiques, le corps et l'esprit ne peuvent être dissociés, éléments constituants d'une réalité unitaire ; l'être humain ne se découpe pas, en opposition, sur le fond du Cosmos, dont il serait séparé. Moi et monde en continuité, la conscience se donne incarnée dans le corps, l'être individuel se découvre incarné dans le Cosmos, dont il propose un moment particulier. Les oppositions sont secondaires, inspirées par les urgences de l'intelligibilité ou par les utilités pratiques. La distinction entre le moi et le non-moi se révèle arbitraire. La rêverie, communion avec le paysage, rétablit les participations de l'homme à la terre ; la conscience se fond dans le paysage ; Rousseau, Senancour, bien d'autres après eux, ont décrit le mouvement d'illimitation de la conscience qui s'investit dans le monde, animant l'environnement des pulsations du corps humain, ou, à l'inverse, laissant les rythmes du vent, du ciel et de l'eau envahir le territoire de l'intimité personnelle. L'individu s'endort du sommeil de la terre ; les matins et les crépuscules le pénètrent, mais il arrive que sa joie déborde, s'épanche dans le flux des ruisseaux et des cascades, monte au ciel avec l'alouette ou fleurisse dans les prés. La symbolique des poètes, lorsqu'elle fait usage de l'immense répertoire des images et des mythes cosmiques, ne se livre pas à un jeu d'inventions allégoriques. Selon Schelling, l'allégorie est *tautégorie ;* elle propose le dire de la réalité, expression directe d'un sens immanent.

L'intellectualisme, à une réalité inerte, oppose une vérité désincarnée. La vérité descend du ciel sur la terre, sans faire alliance avec la terre autrement que le temps d'une brève visitation. Selon la pensée romantique, la vérité fait corps avec la réalité. La conscience humaine, affleurement d'un sens qui habite l'univers, est l'organe grâce auquel la parole immanente se prononce à la face du ciel ; la parole parlée, éparse dans la croissance vitale ou dans le paysage, devient parole parlante, par le ministère de l'être humain. Dérive de la conscience, la rêverie, renonçant au contrôle sur les productions du discours, s'abandonne aux puissances telluriques ; elle laisse dire, elle se laisse dire, à fleur d'eau et de vent, à fleur de sens. Parfois les intuitions du génie fulgurent à travers les nébulosités de la rêverie ; celle-ci se coule à travers les formes fixes du langage et de la pensée, il lui arrive de lire entre les lignes de l'intelligence. Dans cette objection de conscience à la conscience se dit une passivité, peut-être une activité supérieure. Le moi a renoncé à préserver son identité, et les contours de sa présence, mais il ne se perd que pour se retrouver en expansion cosmique, au maximum de sa capacité. De là, la fascination de la rêverie, réserve du sens originaire, désimplication du moi qui, en état d'illimitation, s'identifie à l'univers.

CHAPITRE VI

GEMÜT, STIMMUNG, HARMONIES

Henri Heine, réfugié à Paris, s'était fait, dans les années 1830, le dénonciateur du romantisme allemand. Rencontrant sur son chemin le mot *Gemüt,* il observe avec découragement : « mot dont il est impossible de trouver l'équivalent dans la langue française » [1]. Intraduisible en français, ce terme n'est pas tellement aisé à traduire en allemand, à définir avec quelque précision. Goethe, qui, dans la circonstance, n'était pas romantique, notait avec agacement, vers 1820 : « Les Allemands devraient, pendant une durée de trente ans, s'abstenir d'utiliser le mot *Gemüt;* alors peu à peu le sens de *Gemüt* se reconstituerait. Pour le moment, il ne désigne que l'indulgence pour ses propres faiblesses et celles des autres » [2]. Le substantif *Gemüt* et l'adjectif *gemütlich* évoquent une sensibilité qui tend à la sensiblerie, un sentimentalisme opposé à l'exercice du jugement critique, démission de l'entendement devant le débordement de l'affectivité.

L'article *Gemüt* du récent *Historisches Wörterbuch der Philosophie* situe les origines du concept dans la mystique : « La notion de *Gemüt* embrasse, dans la mystique allemande, l'ensemble du domaine intime de l'homme. Avant que la signification ne glisse vers un concept de l'intériorité, ultérieurement opposé à *pensée, entendement, raison, esprit* d'une part, et d'autre part à *âme, cœur, sensibilité* en tant que domaine du *Gemüt,* le terme *Gemüt* (associé à l'esprit *(Geist)* ou identifié à lui) désigne le lieu intime des représentations et des idées. » Maître Eckhart et Jacob Boehme désignent par le terme *Gemüt* le principe commun des facultés spirituelles et affectives. Les lexicographes allemands, à partir du XVIe siècle, évoquent le *thumos* grec, la *mens,* l'*animus* des Latins, sièges des désirs et des affections, en rapport médiat ou immédiat avec le développement de la représentation. L'âge romantique démultiplie les significations, les enrichit de nuances qui varient d'un écrivain à l'autre ;

(1) Henri HEINE, *De l'Allemagne,* 1835, éd. Bibliopolis, 1904, t. I, ch. IV, p. 145.
(2) GOETHE, *Werke,* Hamburger Ausgabe, Bd. XII, p. 386 (*Maximes et Réflexions,* § 165).

rien ne prouve d'ailleurs que l'utilisateur du mot *Gemüt* sache exactement, au moment où il écrit, ce qu'il veut dire.

Un penseur du romantisme tardif, Joseph Ennemoser, a proposé une élucidation de ce point fondamental, en mettant en évidence la priorité du *Gemüt* sur l'entendement *(Verstand)*. « L'entendement, pôle opposé au *Gemüt*, réagit sur lui de manière positive ou négative. L'entendement qui, pour concevoir, juge et doute de tout, construit sur la base de l'instinct et de la *Stimmung;* participant de leur certitude propre, il s'efforce de leur donner validité démonstrative » ; mais il peut aussi bien saper leur autorité, et ruiner les principes de la vérité et du droit, tout autant que les renforcer. L'intelligence critique ne se trouve jamais en position dominante, « car il existe une colonne *(Saüle)* de la conscience de soi, fortement établie sur la fondation du *Gemüt*, qu'aucun doute, aucune sophistique, n'est en mesure de renverser ; cette colonne est la conscience. Les principes de la vérité, des mœurs et du droit sont solidement établis dans le *Gemüt* » ; il serait ridicule d'attendre de l'entendement leur confirmation ; tout aussi ridicule, de la part du *Gemüt*, d'attendre de l'entendement une démonstration par sentiment *(Gefühl)*.

Verstand et *Gemüt* désignent donc des instances spécifiques, non pas opposées, mais hiérarchisées ([3]). « En ce qui concerne le suprasensible dans ses formes les plus hautes et les plus basses, le fondement *(Grund)* de certitude se trouve dans le *Gemüt* et non dans l'entendement ; celui-ci, qui prétend juger de tout, est beaucoup trop faible pour pleinement pénétrer les lois divines, et encore plus incapable de les renverser à force de doutes et de sophismes. Mais nos sentiments et nos instincts sont à ce point obscurcis que nous devons malheureusement nous satisfaire de la plate intelligibilité qui nous procure quelques connaissances et nous instruit sur les moyens et les fins de la vie » ([4]). Ennemoser ne se réfère pas aux initiateurs du romantisme ; il cite Pascal et sa conception des ordres de vérité, il rapproche le « cœur » pascalien du « cœur » dans le langage du Nouveau Testament. « Du point de vue d'une idéalité supérieure, le *Gemüt* est le lieu, le point de rassemblement, le conservateur et l'opérateur de la spiritualité, c'est-à-dire de la vie morale, juridique et religieuse, et de ce point de vue le *Gemüt*, en particulier dans la Bible, est donné comme synonyme de *cœur (Herz)* » ([5]). Ici en question, le lieu ontologique, en l'homme, à partir duquel s'annoncent les valeurs supérieures, régentes d'une vie proprement humaine ; l'ordre de l'amour a priorité par rapport à l'ordre de la connaissance.

Le *Gemüt*, par opposition aux facultés à partir desquelles se développent les systèmes de l'entendement, met en œuvre les puissances du

([3]) *Historisches Wörterbuch der Philosophie*, hgg. v. Joachim Ritter, Darmstadt, Wissenschaftliche Buchgesellschaft, Bd. III, 1974 ; cf. aussi Roger AYRAULT, *La genèse du Romantisme allemand*, t. III, Aubier 1969, p. 293 sq.

([4]) Joseph ENNEMOSER, *Der Geist des Menschen in der Natur oder die Psychologie in Uebereinstimmung mit der Naturkunde*, Stuttgart und Tübingen, 1849, § 235, p. 613.

([5]) *Ibidem*, § 236, p. 614.

désir, de l'affectivité, du sentiment, ressources non rationnelles de l'existence et de la connaissance. Il mobilise les impulsions de la générosité virile, caractéristiques de l'*animus,* mais aussi les tendresses actives et passives de l'*anima,* seconde voix féminine de la réalité humaine, inspiratrice des sympathies, forces et faiblesses des sentiments et de l'amour. La co-naissance romantique donnant à la rencontre de l'être humain avec les êtres et les choses la valeur symbolique d'épousailles mystiques, les voies et les moyens de l'analyse discursive, de la mise en équation selon les techniques des axiomatiques scientifiques se trouvent ridiculement insuffisantes. Le *Gemüt* assure l'insertion de l'homme dans l'univers ; grâce à lui l'être humain trouve son lieu dans la circulation de l'Etre, dans l'immense mutualité des significations au sein desquelles nous nous mouvons et nous sommes, sans pouvoir jamais nous en extraire suffisamment pour en dominer la totalité, réduite à l'obéissance d'une notion spéculative.

La promotion du *Gemüt* correspond à la transmutation du sens de la vérité. Un curieux texte du Père Enfantin, pontife de l'église saint-simonienne, peut aider à comprendre comment le *Gemüt,* ou plutôt son équivalent français, a pu devenir le point origine de l'intelligibilité romantique. « Saint-Simon, écrit Enfantin, n'aurait pu concevoir le *Nouveau Christianisme* s'il n'avait pas senti la flamme religieuse qui couvait dans les jeunes âmes ; vous pensez peut-être, comme nous l'avons cru longtemps nous-même, que ce livre était un passeport présenté par lui au visa des vieilles ganaches catholiques et des bigotes ; il n'en est rien. Saint-Simon, dans une opération chimique fort habile, après avoir mis dans un creuset Diderot, d'Alembert, Vicq d'Azyr et Linné, Condorcet et Cabanis, Condillac et Destutt de Tracy, après y avoir jeté Poisson, Gay Lussac, Gall, Prunelle, Arago et tant d'autres, et fait un feu d'enfer, croyait tirer du creuset un homme ; il regarde... une tête *énorme,* de *corps* point, pour cœur un morceau de glace : la bouche du monstre s'ouvre... et il renie son Père ! ! ! Et vous ne vouliez pas qu'il cherchât un disciple que sa parole d'amour pût enflammer ; et vous nous reprochez d'appeler à nous les Chrysostome, les Ambroise, les Thérèse de l'avenir ; et vous nous reprochez de subalterniser des vérités positives à des mômeries quand nous voulons soumettre la *Science* à l'*Amour ;* et vous nous accusez de sacrifier le progrès de nos *connaissances,* quand nous voulons faire sentir que nos connaissances n'ont de valeur que lorsqu'elles nous apprennent à mieux *aimer* et à plus *aimer* l'homme, l'humanité, le globe, l'univers tout entier, *Dieu* » ([6]).

Ce document pittoresque atteste l'appartenance du mouvement saint-simonien au romantisme ; Saint-Simon y est présenté comme réalisant son expérience de pensée à partir du positivisme des lumières, sous l'invocation des derniers patrons de l'encyclopédisme. La nouvelle

([6]) Lettre du Père ENFANTIN à Bailly, à Constantinople, août 1830. Je dois ce texte à l'amicale générosité de J.-P. LACASSAGNE, l'historien de Pierre Leroux, qui l'a découvert dans les archives saint-simoniennes de la bibliothèque de l'Arsenal, Fonds Enfantin, Ms. 7644, fol. 104.

synthèse a échoué parce qu'elle s'en est tenue aux éléments constitutifs de la cérébralité. De là le *Nouveau Christianisme,* testament philosophique du prophète qui, si l'on peut en croire Enfantin, ne serait pas un pseudo-christianisme. L'église saint-simonienne, en tout cas, entend subordonner la « science » à l' « amour ». Supériorité du *Gemüt* sur l'intellect qui, fonctionnant à vide, ne peut être qu'une faculté d'égarement. La Nouvelle Encyclopédie, dont rêvait Saint-Simon, et que l'ex-saint-simonien Pierre Leroux tentera de réaliser, tout comme, dans le domaine germanique, l'Encyclopédie esquissée par Novalis, sera un livre religieux, destiné non pas seulement à instruire mais à édifier, à conduire le lecteur à une compréhension religieuse de la nature, de l'humanité et de Dieu.

L'église saint-simonienne n'a pas eu de chance en son temps, et la postérité ne lui a pas été plus favorable ; les paroissiens de Ménilmontant ne sont pas parvenus à faire prendre au sérieux leurs « mômeries », comme parle le Père Enfantin. Condamnés par les tribunaux pour outrage aux bonnes mœurs, ils ne se sont pas relevés des poursuites pour cause de ridicule, intentées par les Jérôme Paturot et autres inquisiteurs de style Louis Philippe. On ne leur a pas pardonné, en particulier, la mise en honneur de la femme, les rituels et l'imagerie sur le thème de la Femme Messie. Pareillement le polytechnicien ex-saint-simonien Auguste Comte, inventeur du positivisme, encourt, de la part des gens sérieux, à commencer par son fidèle disciple Littré, la suspicion de maladie mentale, lorsqu'il place sa pensée sous l'invocation de Clotilde de Vaux, médiatrice, ni Sainte ni Vierge, de la Religion de l'Humanité. Les messianismes du XIXᵉ siècle n'ont pas été compris lorsqu'ils ont tenté, dans leurs modèles de société, de prendre acte, à la manière de Charles Fourier, du fait que la moitié de l'humanité se dit au féminin.

Le Romantisme dénonce l'insuffisance d'une vérité qui donne raison à la raison raisonnante, au prix d'un refoulement des puissances profondes de l'instinct et de l'affectivité. La vérité philosophique, comme la vérité scientifique dont elle s'inspire, vérité sans sexe, ne veut pas reconnaître sa sexualité masculine ; elle extrapole sa virilité, dont elle fait un modèle universel. Elle ne découvrira son monisme inconscient qu'à partir du moment où elle apprendra, sous la contrainte, que la vérité existe aussi au féminin, qu'il existe une approche féminine de la vérité, numériquement distincte de l'approche masculine, et que la dualité des épistémologies oblige à admettre une dualité de l'ontologie. On ne peut réduire purement et simplement la vision du monde propre à la femme à la vision de l'homme, ou inversement. Il faut composer les deux approches, en respectant les apports de l'une et de l'autre, dans un nouveau schéma d'ensemble. Michelet dit : « Le génie, la puissance inventive et génératrice, suppose (...) qu'un même homme est doué des deux puissances, qu'il réunit en lui ce qu'on peut appeler les deux sexes de l'esprit, l'instinct des simples et la réflexion des sages. Il est en quelque sorte homme et femme, enfant et mûr, barbare et civilisé, peuple et aristocratie » ([7]). La composition des influences dans l'homme de génie,

([7]) MICHELET, *Le peuple* (1846), Julliard, 1965, 2ᵉ partie, ch. VIII, p. 211.

type représentatif du romantisme, doit donner la prépondérance à l'une ou l'autre. « Quoique le génie ait en lui les deux puissances, l'amour de l'harmonie vivante, le tendre respect de la vie sont chez lui si forts qu'il sacrifierait l'étude et la science elle-même, si elle ne pouvait s'obtenir que par voie de démembrement » ([8]). Le choix de Michelet n'est pas différent de celui d'Enfantin. Et il ajoute : « ceci est un mystère du cœur » ([9]).

Le mot *cœur* est l'une des traductions françaises de l'intraduisible *Gemüt:* Lacoue-Labarthe et Nancy, dans le petit glossaire qui suit leur édition des textes de l'*Athenaeum,* écrivent à l'article *Gemüt* que ce terme « qui désigne parfois, comme chez Kant par exemple, l'ensemble indistinct des facultés de l'esprit, signifie ici le plus souvent le *cœur* comme « sens intime » distingué de l'esprit *(Geist)* et du sens *(Sinn)* (...). Il est traduit par *cœur* et signalé entre crochets. Sans cette mention, le mot « cœur » traduit *Herz,* le « cœur » de l'affectivité (ou celui du corps) » ([10]). On ne saurait mieux souligner l'embarras du traducteur et les équivoques insolubles qu'il rencontre ; car le français *cœur* surcharge de ses ambiguïtés propres le mot allemand, auquel il n'est pas superposable, puisque *Herz* et *Gemüt* ne sont nullement interchangeables.

Selon Frédéric Schlegel, « la véritable force vitale de la beauté et de l'accomplissement intérieur est le *Gemüt:* On peut avoir quelque esprit *(Geist)* sans âme *(Seele)* et beaucoup d'âme sans beaucoup de *Gemüt:* Mais qu'apprenne à parler l'instinct de la grandeur morale que nous appelons *Gemüt,* et il a de l'esprit. Qu'il s'éveille et qu'il aime, et il est tout âme ; et, lorsqu'il est mûr, il a le sens de tout *(Sinn für alles).* L'esprit est comme une musique de pensées ; là où il y a de l'âme, les sentiments ont aussi figure et contour, nobles arrangements et coloris attachants. Le *Gemüt* est la poésie de la raison sublime, et c'est de lui, uni à la philosophie et à l'expérience morale, que jaillit l'art sans nom qui s'empare de la vie confuse et fugitive pour lui donner forme d'éternelle unité » ([11]). Dans ce texte, le *Gemüt* apparaît comme la faculté centrale de la personnalité, celle qui fédère les puissances du moi, aussi bien la puissance intellectuelle de l'esprit que la puissance vitale de l'âme. En tant qu' « instinct de la grandeur morale », le *Gemüt* fait penser au « cœur » cornélien de « Rodrigue as-tu du cœur ? » ; mais ce qui est en question, ce n'est pas seulement la vertu de résolution virile ; c'est aussi la vertu de style qui négocie les rapports de la temporalité humaine avec l'éternité. Schlegel semble évoquer l'idéal goethéen de la personnalité, transmutation de la quotidienneté trop humaine en une configuration

([8]) *Ibid.*

([9]) LACOUE-LABARTHE et NANCY, *L'Absolu littéraire,* Seuil, 1978, p. 436 ; Armel GUERNE, dans sa traduction du fragment 339 de l'*Athenaeum,* traduit *Gemüt* par « sentiment » et non par « cœur » ; il écrit également « sensibilité profonde » ou encore, découragé, tout simplement *Gemüt,* en dernier recours. (Cf. *Les Romantiques allemands,* p. p. A. GUERNE, Desclée de Brouwer, 1963, p. 270.)

([10]) *L'Absolu littéraire, op. cit.,* p. 436.

([11]) *Fragments* de l'*Athenaeum,* 1798, § 339 ; *L'Absolu littéraire,* éd. citée, p. 152.

olympienne. L'absence, dans le vocabulaire français, d'un terme qui désigne ce noyau existentiel de la personnalité paraît surprenante.

Dans un fragment de l'*Athenaeum*, attribué à Schleiermacher, le *Gemüt* apparaît comme la faculté maîtresse de la présence au monde. « Pas de poésie, pas de réalité. Tout comme, en dépit de tous les sens, sans fantaisie il n'y a pas de monde extérieur, de même, en dépit de tout sens, il n'y a, sans *Gemüt,* pas de monde spirituel. Qui n'a que du sens ne voit que de l'humain : seule la baguette magique du *Gemüt* fait tout éclore. Il pose des hommes et les saisit ; il les contemple comme l'œil, sans avoir conscience de son opération mathématique » ([12]). Le mot *cœur* ne traduit ici que très approximativement l'intention de l'auteur ; le *Gemüt* désigne la faculté de sympathie qui assure la reconnaissance de l'homme par l'homme ; grâce à une opération qui tient de la « magie », les êtres, dans notre champ perceptif, sont dotés d'un relief d'humanité ; ils sont projetés dans un espace non géométrique, un espace vital et spirituel humain. Descartes, observant de sa fenêtre les passants dans la rue, prétend que rien, sauf la caution de la véracité divine, qui ne saurait induire en erreur les créatures, ne peut lui garantir en toute certitude qu'il s'agit là, non pas de manteaux et de chapeaux déambulant sur la chaussée, mais bien d'êtres humains. Le *Gemüt,* qui fait défaut à l'intellectualiste Descartes, c'est la spontanéité du sentiment qui lie entre eux les hommes et les femmes.

Un autre fragment de Frédéric Schlegel semble faire du *Gemüt* un attribut spécifiquement féminin : « de même que, chez l'homme, la noblesse extérieure a rapport au génie, la beauté des femmes se rapporte à la faculté d'aimer, au *Gemüt* » ([13]). Ce qui semblerait faire du *Gemüt* un des deux sexes de l'esprit, si un autre fragment de la même série n'établissait un rapport de cette même faculté avec le génie : « Toute autonomie est originelle, est originalité, et toute originalité est morale, est originalité de l'homme tout entier. Sans elle, pas d'énergie de la raison et pas de beauté du *Gemüt* » ([14]). Chacun d'entre nous possède une capacité de perception immédiate de la réalité humaine : nous reconnaissons nos semblables en vertu d'une intuition identifiante, nuancée dès l'origine, de sympathie ou d'antipathie, d'attraction ou de répulsion qui, par-delà les agréments physiques, s'adresse à la forme d'ensemble d'une personnalité que nous pressentons proche de la nôtre, ou différente, complémentaire ou hostile. Ce jugement, complexe et simple, et qui implique des composantes physiques et morales, est impossible à justifier en raison raisonnante. L'anticipation, le pressentiment, les affinités se confondent dans l'unité d'une divination, lors de la rencontre où se noue l'amour au premier coup d'œil, et l'amitié, expérience fréquente dans le domaine romantique.

Le *Gemüt* ne saurait être défini comme une faculté parmi les autres. La « noblesse extérieure » de l'homme, la beauté chez la femme, le sens de

([12]) *Ibid.*, § 350, p. 153. Je maintiens *Gemüt* là où les éditeurs écrivent *cœur*.
([13]) Frédéric SCHLEGEL, *Idées,* § 116 ; *Athenaeum,* 1800 ; *L'Absolu littéraire*, p. 218.
([14]) *Ibid.*, § 153, p. 222.

l'originalité personnelle qui s'impose à nous au contact d'un être d'exception, dessinent les configurations de la valeur humaine d'un être humain. La déficience du *Gemüt* chez un être correspond à une carence existentielle, dont l'effet est d'abolir le sens humain de la réalité. Une forme d'humanité, chez un individu donné, sous-tend la présence au monde et aux autres hommes ; grâce au *Gemüt*, l'homme vient au monde et à lui-même, l'homme s'ajoute à la nature, l'enrichit de la grâce d'une présence et comme d'un supplément d'âme. Cette fonction du *Gemüt* s'affirme chez Novalis, nature plus féminine que Frédéric Schlegel, et dont les intuitions s'auréolent d'une tendresse profonde. Toute vie personnelle a besoin d'un principe d'unité, qui cautionne son architectonique spirituelle. « Dans le fond de notre *Gemüt*, tout est lié de la façon la plus propre, la plus plaisante et la plus vivace. Les choses les plus étrangères s'y rencontrent par la grâce d'un lieu, d'un temps, d'une étrange analogie, d'un quelconque hasard. Ainsi surgissent d'admirables unités et d'originales liaisons — et un seul élément évoque tous les autres, devient le signe d'un grand nombre d'autres signes, qui le définissent et l'évoquent lui-même. Temps et espace établissent la plus singulière liaison entre entendement et imagination, et l'on peut dire que toute idée, tout phénomène qui se manifeste dans notre *Gemüt* est l'élément le plus individuel d'un tout parfaitement original » ([15]).

Novalis attribue au *Gemüt* une fonction architectonique. La perception, au sens restrictif du terme, réalise une synthèse cognitive à partir des sensations qui évoquent pour nous la présence du monde extérieur. Représentation objective dont l'idéal serait la fidélité au réel dans la reconstitution de sa géométrie dans l'espace. L'ordre du *Gemüt* évoque une appréhension différente, une géométrie de l'espace du dedans, colorée de tous les apports de l'imagination et de l'affectivité. La première personne, la subjectivité, exerce son droit de reprise sur l'objectivité matérielle. Cette re-création consacre le primat de la poésie sur la réalité. « On conçoit parfaitement pourquoi, en fin de compte, tout devient poésie. Le monde n'est-il pas finalement *Gemüt ?* » ([16]).

La poétique romantique du monde exposerait donc le *Gemüt* en expansion cosmologique. « La poésie est l'art de mettre en mouvement *le Gemüt* » ([17]) ; elle est « la révélation du *Gemüt* », car « dans les vrais poèmes, on ne trouve aucune autre unité que celle du *Gemüt* » ([18]). Le discours poétique est incarnation du *Gemüt* sous les espèces de la parole. « La poésie est la représentation du *Gemüt*, du monde intérieur dans sa totalité. C'est ce qu'indique déjà leur médium, les mots, car ils sont assurément la révélation extérieure de ce royaume intérieur de forces. Exactement ce que sont la sculpture pour le monde extérieur, le monde

([15]) NOVALIS, *L'Encyclopédie*, fragments classés par E. WASMUTH, trad. M. DE GANDILLAC, éditions de Minuit 1966, n° 1369 du classement WASMUTH, p. 309. Gandillac traduit *Gemüt* par « fond de l'âme ».

([16]) *Op. cit.*, n° 1366, p. 308.

([17]) *Ibid.*, n° 1370, p. 309.

([18]) N° 1371, *ibid.*

des formes et la musique pour les sons... » ([19]). Ainsi reconstitué en esprit, l'univers n'est plus asservi à sa réalité matérielle; l'idéal prend le pas sur le réel. « Comme celle de la nature, la représentation du *Gemüt* ne peut être que spontanée, universelle à sa manière propre, associante et créatrice. Non tel qu'il est, mais tel qu'il pourrait être et comme il faut qu'il soit » ([20]). Le poète, docile à l'inspiration, met en œuvre un droit de régence sur l'univers, qu'il transfigure selon son vœu. L'idéalisme magique de Novalis trouve sa justification dans l'alchimie de la représentation, dont le *Gemüt* est l'opérateur.

Il arrive, dans les textes de Novalis, que *Gemüt* ait simplement le sens de « âme », comme dans le premier des *Hymnes à la Nuit* où, à deux lignes de distance, *Gemüt* et *Seele* sont employés avec des significations interchangeables ([21]). Mais *Seele*, qui appartient au vocabulaire traditionnel de la théologie, de la métaphysique, et même à la langue populaire, se trouve usé par les emplois courants qu'on fait de lui. La coïncidence de *Gemüt* avec *Seele,* phénomène passager, n'épuise nullement la plénitude significative du premier des deux mots. Le *Gemüt* est le lieu et l'organe de l'inspiration créatrice; Frédéric Schlegel évoquait déjà la « baguette magique du *Gemüt* »; il possède d'autre part une valeur ontologique de présence au monde et d'insertion dans l'univers. Le vivant humain ne se situe pas seulement dans un environnement géographique, dont la configuration est donnée à chacun et à tous par les relevés topographiques des cartes et atlas. Il existe pour chaque homme une géographie cordiale de la présence au monde, immédiate, et pourtant expressive de nos tendances profondes, qui manifeste l'accord de l'homme avec le paysage.

Selon l'anthropologie romantique, l'une des missions essentielles de l'être humain sur la terre des vivants est la recherche du lieu. Toute créature, lorsqu'elle vient au monde, prend conscience d'elle-même dans la perspective d'une longue histoire, dont elle subit les conséquences sans en être personnellement responsable. La théologie, la mythologie rendent compte de cette aliénation originelle; que l'individu le veuille ou non, qu'il soit ou non informé des raisons, il se découvre dans la situation d'une personne déplacée, en état d'errance jusqu'au moment où elle aura réussi à gagner l'emplacement qui lui était destiné, sa résidence d'élection dans l'espace et dans le temps, condition de son accomplissement. Son identité est le trésor caché dans le labyrinthe; la recherche du Centre est l'école de la vie. Le *Gemüt* intervient dans la quête de soi comme une faculté d'orientation ontologique.

Autre notion dans cette recherche d'un accord entre l'être humain et l'univers, la notion de *Stimmung,* elle aussi impossible à transposer dans

([19]) N° 1367, p. 308.
([20]) N° 1368, *ibid.*
([21]) Cf. *Hymnes à la nuit*, I; trad. G. BIANQUIS, Aubier, 1943, pp. 78-79; Geneviève BIANQUIS traduit *Seele* et *Gemüt* par « âme », ce qui dans le cas présent ne présente pas d'inconvénient majeur; une rigueur absolue exigerait deux mots français pour deux mots allemands. Mais lesquels?

la langue française. Selon Charles du Bos, « le mot désigne tout ensemble l'accord d'un instrument et la disposition d'une âme, et c'est au point de jonction des deux sens, dans leur interpénétration même, que le phénomène a lieu : une âme en état de *Stimmung* est une âme tout *accordée:* Accord spontané, dû (...) à un mystérieux contact, où l'harmonie ne procède pas de quelque processus de réglage, qui n'a rien de commun avec la recherche, la conquête ou même l'obtention d'un équilibre. La *Stimmung* est donnée ; et, reçu, le don devient (dans toutes les significations cette fois du terme) la donnée centrale... » ([22]). Selon Novalis, le domaine en question est celui d'une « acoustique de l'âme » ([23]), appelée à jouer un grand rôle dans l'anthropologie et l'esthétique du romantisme, où poésie et musique se trouvent si souvent associées. « Parce que, en état de *Stimmung,* les conditions psychiques sont de nature musicale, il va de soi que la musique elle-même suscite cet état à un degré que rien d'autre n'égale, ni même n'approche » ([24]). L'idée de *Stimmung* évoque un milieu spirituel, à la fois intérieur et extérieur à l'individu, dont les éléments constituants au lieu d'avoir les contours arrêtés et comme granulaires des mots, seraient de nature fluide, défiant toute possibilité d'analyse.

La nature analytique du langage parlé projette la réalité humaine selon l'ordre du discours, refoulant dans le néant tout ce qui se refuse à subir la loi de l'intelligibilité discursive. Au cœur de l'existence, les régimes de la vie émotive s'imposent à nous comme des modulations musicales inspirées par une nécessité de l'être qui échappe aux déterminismes et conformités extérieures. Montés des profondeurs, s'énoncent des accords de soi à soi, ou des désaccords, des consonances ou des dissonances avec le monde environnant, sans autre justification que l'humeur du moment. Mais le caprice apparent, l'irrationalité expriment à leur manière une intelligibilité en laquelle l'être humain retrouve les saveurs essentielles d'une vie qui lui ressemble.

Les régulations de l'humeur échappent au contrôle de la volonté et de la pensée claire. L'anthropologie traditionnelle avait développé une doctrine des tempéraments, dont le souvenir s'est conservé dans la psychologie et dans la physiologie des modernes, et dans la récente caractérologie ; mais la signification réelle de ce système a été oubliée ou dénaturée au cours des temps. Dans la cosmologie antique, les tempéraments expriment la corrélation, au niveau de l'individu, entre le microcosme et le macrocosme, selon le déterminisme astral ; la composition des humeurs est réglée par la position relative des astres qui constituent l'horoscope individuel. Le tempérament correspond au

([22]) Cf. *Œuvres de* NOVALIS, t. II, *Fragments,* p. p. Armel GUERNE, N.R.F., 1975, p. 360 : « Le mot même de *Stimmung* indique la nature musicale des choses qui président aux mouvements de l'âme. L'acoustique est encore un domaine obscur, mais très important peut-être. Vibrations harmoniques — et disharmoniques (ondes d'accord et de désaccord). »
([23]) Charles DU BOS, *Fragments sur Novalis;* n° spécial des Cahiers du Sud sur le *Romantisme allemand,* mai-juin 1957, p. 183.
([24]) Ch. DU BOS, article cité, *ibid.*

réglage de la vie personnelle sous la dominance de telle ou telle planète ; le jovial se situe sous la dominance de Jupiter, le saturnien développe les sombres caractéristiques de l'astre qui a présidé à sa naissance ; le martial est belliqueux.

Les thèmes romantiques des *rapports,* des *correspondances* et des *harmonies* trouvent leur enracinement cosmologique dans la mathématique divine immanente à l'univers ; ces nombres de toute réalité s'organisent selon des proportions mathématiques, ainsi que l'avaient découvert les Pythagoriciens. Un initié à ces mystères peut percevoir la vie musicale du cosmos, directement manifestée par certains instruments, comme la harpe éolienne ou la flûte de Pan, chers aux écrivains romantiques. Ces doctrines transmises depuis les origines de la culture occidentale justifient la doctrine de la *Stimmung,* qui donne sa forme au *Gemüt* individuel. L'anthropologie romantique plonge ses racines dans l'inconscient, premier et dernier, en lequel s'affirme une eschatologie de la vie personnelle. C'est de la nuit de l'inconscient, affirme Carl Gustav Carus, que s'élève jusqu'à la lumière de la conscience cette résonance, « merveilleuse annonciation de l'inconscient à la conscience, que nous appelons sentiment *(Gefühl)* » ([25]). La vie émotive n'est pas un sous-produit de la physiologie, accompagnement négligeable de la pensée authentique ; elle a une signification ontologique et cosmologique à la fois. « Elle est le mystérieux domaine englobant tout ce qui, dans l'être inconscient de notre âme, construit, crée, agit, souffre, s'élance et couve ; elle ne se manifeste pas simplement d'une manière directe dans notre organisme propre, mais aussi en tout ce qui est excité par l'influence d'autres âmes, ou par celle du monde extérieur dans son ensemble, le tout imprégnant notre inconscient d'une manière plus ou moins puissante » ([26])

Les *Stimmungen* correspondent à des formes d'organisation de ce chaos originaire de l'espace du dedans ; elles désignent des formes d'intelligibilité que l'on peut percevoir en transparence à travers les vicissitudes d'une vie personnelle. Burdach définit les *Stimmungen* comme des « constitutions durables qui imposent une marque correspondante aux expressions personnelles, donnent le ton au développement de la vie extérieure, en même temps qu'elles déterminent le degré de réceptivité pour les impressions venues du dehors, et la vivacité de la réaction » ([27]). Selon Carus, la spécificité du *Gemüt* s'exprime sous les espèces de quatre *Stimmungen* fondamentales : joie, peine, amour, haine. Ces dispositions affectives désignent des modes de la présence au monde et à soi-même, réglages préétablis dans les soubassements de la vie personnelle, et qui donnent à chaque personnalité sa coloration, le ton harmonieux ou discordant de sa destinée spirituelle.

([25]) Carl Gustav CARUS, *Psyche* (1851), ausgewählt v. L. KLAGES, Iéna, 1926, p. 160.
([26]) *Ibid.*
([27]) Karl Friedrich BURDACH, *Blicke ins Leben,* Bd. I, *Comparative Psychologie,* 1re partie, p. 1842, p. 91.

Tout réglage implique la possibilité de dérèglements, par excès ou défaut. La *Stimmung* propose un idéal d'harmonie, à la fois esthétique et morale, ou plutôt ontologique, dans l'assurance d'une paix difficilement conquise, mais qui peut être aussi le don de la grâce. L'harmonie s'établit, par-delà toute discordance, en un accord parfait, romance sans parole, communion des êtres jusqu'aux lointains prolongements de leur présence au monde. Celui-là, dans l'espace immense de l'univers, a trouvé son lieu, achevant ainsi le pèlerinage vers le centre, qui se découvre en consonance avec l'univers entier, parce qu'il a établi au-dedans de lui-même, et de lui-même à ceux qui l'entourent, cette unité musicale sans discordance aucune, cette communauté du sens et des rythmes au sein de laquelle s'accomplit la fusion du macrocosme et du microcosme. Fluide et musicale, l'intelligibilité de la *Stimmung* ne connaît pas de limite à son expansion anthropocosmique ; elle fait régner la même paix harmonieuse dans l'homme, entre les hommes et dans l'ensemble de l'univers, divinement accordé comme par une providence immanente. Celui-là aurait trouvé son lieu, et mis fin à son errance, qui aurait fait résidence en ce pôle de sympathie, d'où il lui serait possible d'étendre à l'ensemble de l'univers les coordonnées de sa présence, sans rencontrer d'influences hostiles. Toutes les voix de son être vibreraient à l'unisson avec le chant du monde.

Les *Stimmungen,* les accords et les résonances de l'être, se présentent comme des rapports ; ils supposent un support, en lequel ils puissent prendre origine. « La *Stimmung,* écrivait Charles du Bos, est un des *effets* d'une *cause* plus vaste encore : le *Gemüt,* terme non moins intraduisible qui, selon les cas, désigne l'âme, le cœur ou le sentiment dans ce qu'ils ont à la fois de plus ample et de plus indivisible : « *Gemüt — Harmonie aller Geisterkräfte — gleiche Stimmung und harmonisches Spiel der ganzen Seele,* — harmonie de toutes les forces spirituelles, *Stimmung* égale et jeu harmonieux de l'âme tout entière (Ed. Minor, III, p. 199). (...) C'est de la *Stimmung* et du *Gemüt* que procèdent deux des notions fondamentales de Novalis : la notion du *moi magique* et la notion de la *poésie absolue* » ([28]). Une bonne approximation de ces notions pourrait être trouvée dans des formules d'Amiel, en lesquelles s'affirment nombre d'intuitions du romantisme germanique. « Chaque âme a son climat et est un climat ; elle a sa météorologie particulière dans la météorologie générale, et la psychologie ne sera pas achevée avant la physiologie de la planète, que nous nommons insuffisamment aujourd'hui la physique du globe » ([29]). Et encore : « Un paysage quelconque est un état de l'âme, et qui lit dans tous deux est émerveillé de retrouver la similitude dans chaque détail. La vraie poésie est plus vraie que la science... » ([30]).

Si *Gemüt* et *Stimmung* font partie des données fondamentales de l'expérience romantique, à défaut de mots exactement correspondants,

([28]) *Ibid.*

([29]) Henri Frédéric AMIEL, *Fragments d'un journal intime,* 5 février 1853 ; éd. Bernard BOUVIER, Stock, 1931, t. I, p. 60.

([30]) *Op. cit.,* 31 octobre 1852, *ibid.,* p. 51.

l'intuition qu'ils désignent se retrouve en cet emplacement spirituel où se négocient les rapports entre l'espace du dedans et l'espace du dehors. Le romantisme, revanche de la subjectivité, fait valoir ses droits contre les déterminismes extérieurs de toute nature, physiques ou sociaux. Amiel affirme en termes simples cette surdétermination imposée par la géographie humaine à la géographie physique. Nous croyons voir le promeneur inscrit dans le paysage, soumis à la loi de l'environnement ; c'est l'homme qui impose au paysage la prépondérance de son climat intime. Une conscience en expansion engendre alentour une météréologie, régie par les régulations psychophysiologiques et spirituelles de son métabolisme intime.

Gemüt et *Stimmung* mettent en œuvre la prépondérance reconnue à l'*invidence* du dedans sur les évidences du dehors. La consonance ou la dissonance entre le domaine intime et le domaine externe sont l'un des thèmes fondamentaux de la poésie romantique dans toutes les langues. En français, *Tristesse d'Olympio*, *Le Lac* et le poème de Musset intitulé *Souvenir* proposent aux recueils scolaires de morceaux choisis de célèbres variations sur ce thème. Encore faut-il remonter jusqu'aux origines humaines des états d'âme qui donnent lieu aux développements de la rhétorique poétique. La *Naturphilosophie* et l'épistémologie romantiques permettent de pénétrer en deçà de ce moment où se réalise la rencontre du regard et du paysage. La perception visuelle, comme Goethe le montre dans sa *Farbenlehre*, n'est pas un problème d'optique géométrique, l'enregistrement d'un certain nombre de données qui se combineraient dans la chambre noire de l'esprit humain selon les lois de la mathématique et de la physique.

L'homme est au monde avant le moment chronologique où il vient au monde ; l'homme de tout son être appartient au monde ; il s'inscrivait dans l'espace-temps du monde dès avant le jour de sa naissance. De tout son être corporel et spirituel, il appartient à l'univers, avec lequel il est accordé puisqu'il est destiné à y vivre. Dès les premiers gestes du petit enfant, dès les apprentissages des membres et des sens, le développement de la motricité, l'usage de la marche et de la parole attestent cette recherche d'une concordance avec l'environnement, au prix d'essais et d'erreurs sans nombre. La vie spirituelle s'enracine dans ces soubassements de la personnalité, où le corps et l'esprit, bien loin de s'opposer comme des entités séparables, collaborent dans la poursuite et l'accomplissement d'un même dessein. La notion romantique d'harmonie exprime cette prédestination mutuelle des données matérielles et spirituelles de la personnalité. De quoi l'on pourrait trouver une image symbolique dans l'expérience du verre de cristal qui se brise lorsqu'on émet, à proximité, un son d'une certaine tonalité. Chaque homme est, comme le verre de cristal, sensible à certaines influences avec lesquelles sa constitution psychophysique se trouve en accord ou en désaccord ; nous évoquerions aujourd'hui un réglage, à l'avance, sur certaines longueurs d'onde ; les romantiques parlaient le langage du magnétisme, des sympathies et des affinités électives.

L'empirisme du XVIIIe siècle, à la suite de Locke, Hume et Condillac, constituait le monde de l'esprit à partir des informations reçues par les appareils sensoriels, sans reconnaître à l'individu d'autre fonction que celle d'un enregistrement passif. Le romantisme rend à la personnalité l'initiative du sens. Au sensationnisme des lumières, il superpose le domaine de la sensibilité ; celle-ci n'est pas le règne des humeurs irrationnelles qui faussent le jugement, mais une instance ontologique qui traduit les exigences de l'être personnel dans son enracinement au monde. « La sensibilité, écrivait Senancour, n'est pas seulement l'émotion tendre ou douloureuse, mais la faculté donnée à l'homme parfaitement organisé de recevoir des impressions profondes de tout ce qui peut agir sur des organes humains. L'homme vraiment sensible n'est pas celui qui s'attendrit, qui pleure, mais l'homme qui reçoit des sensations là où les autres ne trouvent que des perceptions indifférentes. Une émanation, un jet de lumière, un son, nuls pour tout autre que lui, amènent des souvenirs, une roche qui plombe sous les eaux, une branche qui projette son ombre sur le sable désert, lui donnent un sentiment d'asile, de paix, de solitude » ([31]).

La sensibilité romantique est l'affleurement à la conscience d'une personnalité en expansion cosmique. Dans la pulsion de ce sentiment de l'existence, écrit Béatrice Didier, « la sensation ne sera poussée à son extrême (au besoin en s'aventurant voluptueusement dans quelque paradis artificiel) que pour aboutir à cet au-delà de la sensation qui est aussi sensation d'un au-delà » ([32]). Cet au-delà de la sensation est aussi un en deçà, parce qu'il renvoie à cette époque cosmique prénatale, où le cordon ombilical n'était pas rompu entre l'homme et l'univers, dans le sein de l'Etre en sa plénitude. L'ouverture dans la direction d'une eschatologie du sentiment est un aspect majeur de l'*Erlebnis* romantique ; « c'est la même sève du Romantisme qui nourrit la rêverie d'un lakiste anglais, d'un peintre allemand ou de notre Senancour » ([33]). La réhabilitation de l'émotivité, la reconnaissance de sa valeur comme index de l'authenticité de l'existence, renouvelle la métaphysique.

L'idée d'une météorologie de l'espace du dedans n'est pas neuve. La révolution galiléenne avait entraîné au XVIIe siècle un renouvellement de la curiosité scientifique et une extension de ses domaines d'investigation. Certains observateurs avaient pris le parti d'observer de jour en jour la pression barométrique, la température, l'orientation et la force des vents, les chutes de pluie et la durée de l'insolation ; ils tenaient registre des données ainsi collectées, avec l'idée qu'ils pourraient en dégager certaines régularités, en forme de lois. La météorologie ne devait se constituer comme science que beaucoup plus tard, mais ces premiers artisans ne pouvaient le savoir. Lamarck lui-même devait encourir les sarcasmes de Napoléon parce qu'il s'obstinait à publier des Annuaires météorologi-

([31]) SENANCOUR, *Rêveries sur la nature primitive de l'homme*, 1799-1801, t. I, pp. 58-59.
([32]) Béatrice DIDIER-LE GALL dans une recension de Marcel RAYMOND, *Senancour, sensations et réalité*, Corti, 1965 ; *Revue d'Histoire de la littérature française*, 1968, p. 118.
([33]) *Ibid.*, p. 119.

ques, avec l'idée absurde, digne des faiseurs d'almanachs, qu'il était possible de prédire scientifiquement le temps qu'il ferait.

Il pourrait exister aussi une météorologie du dedans, un registre quotidien des circonstances intimes de l'existence, nuages et orages, sérénité du temps, nuits obscures ou clairs de ciel. Le Journal intime naît du besoin, chez certaines âmes pieuses, de noter, jour après jour, les intermittences de la foi, les manquements et les péchés, mais aussi les grâces reçues et les bénédictions du Seigneur. Les origines piétistes de la littérature intime se situent sur l'une des perspectives d'émergence du romantisme européen ([34]) ; le journal d'Amiel, où la marque d'un certain piétisme calvinien est constamment présente en sous-œuvre, s'inscrit dans cette perspective. Avant le Genevois Amiel se situe sur la même ligne le Citoyen de Genève, dont les *Confessions* désacralisent le sacrement de la pénitence, mais selon le principe du sacerdoce universel ; ce qui veut dire que la désacralisation n'est accomplie qu'à demi. Or l'idée d'une météorologie psychologique se trouve explicitement affirmée par Rousseau dans la Première des *Rêveries du Promeneur solitaire ;* parvenu à la fin de sa vie, ayant achevé l'œuvre majeure des *Confessions,* Rousseau, ne sachant à quoi s'employer, se propose de consacrer son loisir à l'enregistrement de ses états d'âme : « Pour le faire avec succès, il y faudrait procéder avec ordre et méthode. (...) Je ferai sur moi-même à quelque égard les opérations que font les physiciens sur l'air, pour en connaître l'état journalier. J'appliquerai le baromètre à mon âme, et ces opérations bien dirigées et longtemps répétées me pourraient fournir des résultats aussi sûrs que les leurs. Mais je n'étends pas jusque-là mon entreprise. Je me contenterai de tenir le registre des opérations sans chercher à les réduire en système » ([35]).

Dans les *Confessions,* Rousseau avait présenté un projet dépassant la simple accumulation de données empiriques ; il s'agissait de permettre à l'observateur d'intervenir sur l'économie de sa vie personnelle. « L'on a remarqué que la plupart des hommes sont dans le cours de leur vie souvent dissemblables à eux-mêmes et semblent se transformer en des hommes tout différents » ([36]). D'où l'idée de « chercher les causes de ces variations » et de « les soumettre autant que possible à la volonté de l'intéressé ». Une partie de ces changements était due à l'expérience acquise dans la fréquentation du monde extérieur et à ses répercussions sur l'existence intime. Il fallait tenter de « forcer l'économie animale à favoriser l'ordre moral, qu'elle trouble si souvent. Les climats, les saisons, les sons, les couleurs, l'obscurité, la lumière, les éléments, les aliments, le bruit, le silence, le mouvement, le repos, tout agit sur notre machine et sur notre âme par conséquent ». Rousseau ajoute qu'il n'a guère développé cette entreprise d'une maîtrise du métabolisme conjoint

([34]) Sur les sources piétistes de l'observation de soi-même, cf. *Naissance de la conscience romantique au siècle des Lumières,* Payot, 1976, pp. 343-358.

([35]) *Les Rêveries du Promeneur solitaire,* Première promenade ; *Œuvres complètes de* J.-J. ROUSSEAU, Bibliothèque de la Pléiade, t. I, p. 1000-1001.

([36]) *Les Confessions,* livre IX, même volume des *Œuvres,* p. 408.

de l'homme et du milieu ; du moins lui avait-il donné un nom : c'était « la *morale sensitive* ou le *matérialisme du sage* » ([37]).

Le projet de morale sensitive est présenté comme un aménagement des rapports entre l' « économie animale » et l'environnement. Rousseau ne considère qu'un déterminisme s'exerçant du dehors au dedans, selon le schéma de la théorie des milieux, familier aux médecins et philosophes du XVIIIe siècle. Tout au plus admet-il, au même endroit, une causalité différée de ces influences extérieures par l'intermédiaire d'une sorte de mémoire organique. Il a découvert que les variations de nos manières d'être « dépendaient en grande partie de l'impression antérieure des objets extérieurs, et que modifiés continuellement par nos sens et par nos organes, nous portions sans nous en apercevoir, dans nos idées, dans nos sentiments, dans nos actions mêmes l'effet de ces modifications » ([38]). Si l'être humain est ainsi soumis à l'action centripète du climat extérieur, il ne semble pas que le climat intérieur puisse prendre l'initiative et soumettre le milieu à sa propre influence. Rousseau ne conçoit pas l'inversion de la priorité, qui permettrait au domaine intime d'irradier alentour et de soumettre le milieu à sa loi. Mais son œuvre atteste que le contact vécu entre le moi et le monde est une zone de passage dans les deux sens ; une osmose permet aux significations personnelles d'envahir l'univers sensible et de lui conférer des formes et des couleurs conformes au vœu du poète ([39]).

Rousseau, le théoricien de la morale sensitive, demeure fidèle à la loi matérielle du milieu, mais Rousseau le rêveur, l'auteur de la *Julie*, de la Lettre à M. de Malesherbes et de la *Cinquième Promenade*, où sont évoquées les rives du lac de Bienne, sait que le paysage est un état de l'âme en des moments privilégiés où l'âme se projette en forme de monde et se mire elle-même dans l'univers qui l'environne. Une expérience privilégiée du romantisme met en œuvre cette fusion anthropocosmique où s'abolissent les limites de l'individualité, si bien que l'on ne discerne plus si c'est le moi qui envahit le monde, ou si c'est le monde qui envahit le moi. Rousseau a noté au dos d'une carte à jouer, en 1776 : « ma vie entière n'a guère été qu'une longue rêverie divisée en chapitres par mes promenades de chaque jour » ([40]). Il ne s'agit pas ici de morale sensitive ; ou plutôt, le projet de morale sensitive n'était qu'une tentative pour sortir, grâce à des procédures expérimentales, de cet état de « rêverie ambulatoire », comme dit Marcel Raymond, ou de rêve éveillé, dans lequel Rousseau, à tout instant, se laissait glisser. Le métabolisme serait à double entrée ; un mouvement de systole, du dehors vers le dedans, et un

([37]) *Ibid.*, p. 409.
([38]) *Ibid.*
([39]) Marcel RAYMOND, dans son beau livre *Romantisme et Rêverie* (Corti, 1978, p. 24), ne semble pas avoir perçu que la « morale sensitive » de Rousseau retarde, si l'on peut dire, sur la poétique de Rousseau, laquelle est proprement romantique, tandis que le « matérialisme du sage », comme son nom l'indique, évoquerait plutôt un d'Holbach revu et corrigé, ou un Saint Lambert de la vieillesse, manipulateur de la « machine » humaine.
([40]) Cité dans Marcel RAYMOND, *Romantisme et rêverie*, Corti, 1978, p. 17.

mouvement inverse, de diastole, d'expansion, du dedans au dehors. Ces procédures « finissent paradoxalement par se rapprocher, la première étant celle d'un sujet qui tend à embrasser le cosmos *au-delà* de toute mesure, la seconde celle d'un sujet qui tend à s'assimiler le cosmos, réduit à un ordre unique de sensations en deçà de toute mesure. Mais c'est toujours l'unité qui est visée et le discours aboutit dans les deux cas à une sorte de mutisme ontologique » ([41]).

Le silence de la fusion contemplative désigne l'accomplissement, l'ouverture eschatologique. D'autres, après Rousseau, ont vécu cette expérience, l'un des points forts de la poétique romantique, par exemple Jean-Paul, dans le domaine germanique, créateur de mondes selon son cœur, sur la pente de la rêverie. La littérature romantique française, avant le Journal d'Amiel, s'honore de ces documents intimes que sont le Journal de Maine de Biran et celui de Maurice de Guérin ; on y trouve l'évocation, orchestrée d'une manière toujours renouvelée, du double mouvement qui unit le moi et l'univers. En mai 1815, Biran note : « Depuis huit jours environ, nous jouissons de tous les charmes du printemps. Je suis heureux de l'air embaumé que je respire, du chant des oiseaux, de la verdure animée, de ce ton de vie et de fête exprimé par tous les objets. Mon âme tout entière semble avoir passé dans mes sens externes ; il me faut un certain effort pour réfléchir et méditer. (...) Chaque saison a non seulement son espèce ou son ordre de sensations extérieures appropriées, mais de plus un certain mode du sentiment fondamental de l'existence, qui lui est analogue et qui se reproduit assez uniformément au retour de la même saison » ([42]).

Disciple des Idéologues, Maine de Biran essaie d'interpréter le « sentiment fondamental de l'existence » en termes de psycho-physiologie ; le physique et le moral de l'homme, pour parler la langue de Cabanis, s'y trouvent associés ou plutôt conjoints. « Il est certain que les variations du sentiment de l'existence répondent exactement à toutes celles qui ont lieu dans le corps, par l'action de causes externes et internes dont nous ne nous apercevons pas, ce qui explique jusqu'à un certain point les modifications variées du sentiment de l'existence correspondant à chaque saison » ([43]). L'analyse porte ici sur le fondement même de la présence au monde, sur le principe de la vie personnelle, auquel Biran reconnaîtra par la suite un statut métaphysique. L'observation empirique ne concerne pas l'essentiel ; le monde et le moi sont connus d'abord par ce que Leibniz appelait de « petites perceptions », le métabolisme du moi et du monde s'accomplit hors de portée de notre observation. « En ayant égard à tout cet ensemble de perceptions obscures et de modifications insensibles, il est certain que la psychologie expérimentale ne peut décrire que la moindre et infiniment petite partie des phénomènes de l'âme ; cette science commence à la perception claire, à l'époque de la

([41]) RAYMOND, *op. cit.*, p. 21.
([42]) Maine DE BIRAN, *Journal*, 13 mai 1815 ; Neuchâtel, La Baconnière, t. I, 1954, pp. 77-78.
([43]) *Ibid.*, p. 78.

distinction du *moi* et des modifications ; mais ce n'est là qu'une petite période de l'histoire de l'âme ; combien de choses se passent en elle avant, pendant et après le sentiment du *moi*, et qui ne viendront jamais à la connaissance ! » ([44]).

Le réseau de liens imperceptibles au niveau duquel se négocient les rapports du moi et du monde fournit un équivalent français, dans un langage inspiré de Cabanis, de ce que les romantiques allemands appellent *Stimmung*, au sens où l'entend un personnage des *Disciples de Saïs : « Das Beste ist überall die Stimmung ;* ce qu'il y a de meilleur, c'est avant tout la *Stimmung* » ([45]). L'ambiance intime, la perspective individuelle qui inspire l'approche de la réalité, évoque une valence affective où se composent les influences du dehors et du dedans. Biran, notant au jour le jour ses états d'âme, commence très souvent par l'indication du temps qu'il fait. Le 5 août 1816, « des brouillards épais ont obscurci le ciel : le temps est redevenu froid ; ce changement de température m'a éprouvé » ; le 6 août, « brouillard et vent froid » ; le 7 août, « belle journée, ciel sans nuages », etc. Ces indications météorologiques ne sont pas destinées à éterniser des circonstances de peu d'intérêt ; elles introduisent la description de l'humeur des jours, les colorations variables du paysage mental, avec les transmutations du moral au physique et vice versa.

Le *Journal* de Maurice de Guérin atteste la même mutualité des inscriptions du dehors et du dedans, alternance de paysages extérieurs et intérieurs, dans la recherche toujours recommencée de l'adhésion à un principe de transcendance qui libérerait l'âme de ses tourments. « Nous vivons trop peu en dedans, nous n'y vivons presque pas. Qu'est devenu cet œil intérieur que Dieu nous a donné pour veiller sans cesse sur notre âme, pour être le témoin des jeux mystérieux de la pensée, du mouvement ineffable de la vie dans le tabernacle de l'humanité ? Il est fermé, il dort ; et nous ouvrons largement nos yeux terrestres, et nous ne comprenons rien à la nature, ne nous servant pas du sens qui nous la révélerait, réfléchie, dans le miroir divin de l'âme. Il n'y a pas de contact entre la nature et nous : nous n'avons l'intelligence que des formes extérieures et point du sens, du langage intime, de la beauté en tant qu'éternelle et participant à Dieu, toutes choses qui seraient limpidement retracées et mirées dans l'âme, douée d'une merveilleuse faculté spéculaire. Oh ! ce contact de la nature et de l'âme engendrerait une ineffable volupté, un amour prodigieux du ciel et de Dieu. » Et Guérin rêve de « faire descendre la nature dans son âme » ([46]).

L'ontologie religieuse prend ici le pas sur la psychologie expérimentale. Le rapport de l'homme avec la nature, faussé dans son essence, porte sur des apparences dont la vérité intrinsèque ne peut être manifestée que par la médiation divine. Une restauration spirituelle

([44]) *Ibid.*, pp. 78-79.

([45]) *Les Disciples de Saïs*, dans NOVALIS, *Petits écrits*, p. 6, BIANQUIS, Aubier, 1947, p. 210 ; Geneviève BIANQUIS traduit ici *Stimmung* par « état d'âme ».

([46]) *Journal*, 15 mars 1833 ; in *Œuvres complètes* de Maurice de GUÉRIN, t. I, p. p. B. D'HARCOURT, Les Belles Lettres, 1947, p. 151.

permettrait à notre âme régénérée d'être le miroir de la nature en la plénitude de son éternelle beauté. Il existerait donc une concordance originaire, de caractère ontologique, entre notre esprit et l'univers, et c'est cet accord harmonique, mystérieusement perdu par un dérèglement de la nature humaine, qu'il est indispensable de retrouver. Or la *Stimmung* évoque l'idée d'un accord harmonieux, et le *Gemüt* est l'organe qui assure l'unité, la coloration affective de la vision du monde. De Rousseau à Amiel en passant par Biran et Guérin, c'est cette cosmologie du monde intérieur qui se trouve en question. Les recherches inquiètes des écrivains de France aident à comprendre les secrets de Novalis.

Sans doute peut-on considérer le *Gemüt* comme le foyer de la connaissance au monde et à soi-même, non pas à la manière d'un centre où se composerait la représentation objective de l'univers à partir des données fournies par les différents sens, mais en tant que lieu propre où perception, mémoire et imagination font alliance sous la présidence de la spiritualité propre à chaque individu. Selon Maurice Besset, le roman initiatique de Novalis, *Henri d'Ofterdingen*, pose la question « de la rédemption cosmique par la restauration de l'harmonie rompue entre le *Gemüt* de l'homme et les forces de la Nature. (...) Dans la mystique naturelle des *Hymnes à la nuit* et de *Henri d'Ofterdingen*, le *Gemüt* prend la place de ce " moi supérieur " qui tenait dans les fragments le rôle que la « cîme de l'âme » jouait dans la mystique surnaturelle du Moyen Age (...). Les rêves sont le produit de l'action en nous des forces supérieures, et le *Gemüt* n'est autre que le Moi enrichi de cette action. Il est à la fois *interior intimo meo*, et dépasse, transcende le moi individuel, comme la marque en chaque homme d'une haute puissance » ([47]).

La *Stimmung*, accord parfait de l'âme avec elle-même, revêt une signification cosmique dans son application au réel total, dans son organisation harmonique originelle, dont le rétablissement ferait régner sur la terre un nouvel âge d'or. « Le *Gemüt* véritable est comme la lumière : aussi calme et sensible, aussi élastique et pénétrant, aussi puissant et imperceptiblement agissant que ce précieux élément qui se répartit sur toutes choses avec une délicate précision et les fait apparaître toutes, dans une charmante diversité. Le poète est de pur acier : il est sensible comme un fragile fil de verre, et dur comme un silex inattaquable » ([48]). Le *Gemüt* est présenté dans ce texte comme l'organe de la création poétique, comparé avec la lumière, qui ne crée pas le monde, mais le fait exister pour l'esprit. « La Nature, avait dit Klingsohr peu auparavant, est à notre *Gemüt* ce qu'un corps est pour la lumière. Il la retient ; il la brise en couleurs particulières, grâce à elle, il allume à sa propre surface ou dans ses profondeurs une clarté qui, lorsqu'elle est équivalente à son obscurité, le rend limpide et transparent, mais qui, lorsqu'elle prédomine, rayonne hors de lui pour éclairer d'autres corps... » ([49]). La lumière, en illuminant les objets, les fait être ce qu'ils

([47]) Maurice BESSET, *Novalis et la pensée mystique*, Aubier, 1947, p. 160.
([48]) NOVALIS, *Henri d'Ofterdingen*, ch. VII, trad. Marcel CAMUS, Aubier, 1946, pp. 267 et 269 ; CAMUS traduit ici *Gemüt* par « âme », ce qui n'est guère satisfaisant.
([49]) *Op. cit.*, p. 265.

sont et leur permet à leur tour d'irradier tout autour ; de même la Nature est l'incarnation du *Gemüt* qui lui donne sens et vie. La lumière sculpte la face du monde, comme le regard suscite la nativité du sens.

Madame de Staël a consacré un chapitre de son *De l'Allemagne* au thème *De la contemplation de la nature.* Sans doute informée par les frères Schlegel, elle y parle de Novalis et du *Naturphilosoph* G. H. Schubert, auteur des *Aperçus sur le côté nocturne de la science de la nature* (1808), elle insiste sur l'osmose mutuelle entre la nature et la pensée, qui semblent échanger leurs significations. « La contemplation de la nature accable la pensée ; on se sent avec elle des rapports qui ne tiennent ni au bien ni au mal qu'elle peut nous faire ; mais son âme visible vient chercher la nôtre dans notre sein, et s'entretient avec nous » ([50]). De son côté, la nature « semble vouloir imiter les ouvrages des hommes, et leur donne ainsi un témoignage singulier de sa correspondance avec eux. (...) La symétrie des formes, dans le règne végétal et minéral, a servi de modèle aux architectes ; et le reflet des idées et des couleurs dans l'onde donne l'idée des illusions de la peinture ; le vent dont le murmure se prolonge sous les feuilles tremblantes, nous révèle la musique. (...) Souvent, à l'aspect d'une belle contrée, on est tenté de croire qu'elle a pour unique but d'exciter en nous les sentiments élevés et nobles. Je ne sais quel rapport existe entre les cieux et la fierté du cœur, entre les rayons de la lune qui reposent sur la montagne et le calme de la conscience... » ([51]).

Maine de Biran, dans son journal du 13 mai 1815, évoqué plus haut, cite ce chapitre de Madame de Staël. Celle-ci connaissait un peu la littérature romantique allemande ; Biran, lui, ne bénéficie que d'un contact plus indirect encore avec le domaine germanique, mais le peu qu'en dit Madame de Staël lui paraît attester un état d'esprit apparenté au sien. Et les poètes majeurs de l'âge romantique, Wordsworth, Keats et Shelley, mettent en œuvre une analogue intuition du rapport harmonique entre l'homme et le paysage. L'âme du poète est le lieu des commutations grâce auxquelles le paysage devient conscience et la conscience devient monde, par la médiation d'une fusion affective qui perpétue une très ancienne alliance entre la vie individuelle et l'évolution cosmique, la créature humaine, à l'origine, étant solidaire de l'ensemble de la création dans le projet divin. La co-naissance au monde ne saurait être bloquée dans l'instant de la perception actuelle, et considérée comme une combinaison de stimulations extérieures par l'opération de l'intellect, sur le modèle de ce qui se passe pour la statue de Condillac. Chaque moment de la présence au monde présuppose un mystérieux et immense passé, qui a commencé au commencement du monde, dans l'instant indivisible du *fiat* créateur ; il s'accompagne des orchestrations de l'irréel, où mémoire et fantaisie se conjuguent pour multiplier les dimensions de ce qui est.

Le *Gemüt* est le lieu d'origine ou d'enracinement de l'anthropo-cosmo-

([50]) Madame de STAËL, *De l'Allemagne,* 4e partie, ch. IX, édition Didot, sans date, p. 570.
([51]) *Ibid.*, pp. 571-572.

théologie romantique. Ni Rousseau, ni Maurice de Guérin, ni Amiel n'ont été capables de pousser l'investigation jusqu'à ce fondement ontologique de l'unité universelle; Novalis dans la deuxième partie, inachevée, de *Henri d'Ofterdingen* a tenté de faire apparaître la possibilité pour certains de parvenir jusqu'à cette limite de toute pensée d'où se révélerait le dessein de Dieu sur le monde, levé le voile d'illusion que le Mal a déployé devant les yeux du genre humain. « Faites-moi comprendre la nature de la conscience *(Gewissen)*, demande le disciple à son initiateur. — Si je le pouvais, je serais Dieu, car c'est au moment où on la comprend qu'elle se crée (...). Ainsi la perception *(der Sinn)* serait une participation au monde nouveau qu'elle a servi à créer? On ne comprendrait une chose que lorsqu'on la posséderait? » ([52]). Les intuitions de Novalis poussent, par-delà les conditions de possibilité de l'expérience humaine, jusqu'à cet instant plastique où toutes les initiatives sont possibles, dans une relativisation générale de la cosmologie. « L'univers se décompose en d'innombrables mondes qui, à leur tour, s'intègrent à des mondes plus vastes. Tous les sens ne sont en fin de compte qu'un seul sens *(Alle Sinne sind am Ende ein Sinn)*. Un seul esprit, de même qu'un seul monde, conduit graduellement à tous les mondes. Mais chaque chose a son temps et sa manière propre. Seul le Moi Universel *(die Person des Weltalls)* peut parvenir à comprendre la condition de notre monde. Il est difficile à dire si nous pouvons à l'intérieur des limites physiques de notre corps, accroître vraiment notre monde de mondes nouveaux et nos sens de sens nouveaux, — ou bien si toute extension de notre connaissance, toute aptitude nouvellement acquise, ne doit être considérée que comme un développement de notre représentation actuelle de l'univers » ([53]).

Ce texte, guère plus clair en allemand qu'en français, évoque la création du monde, plutôt la création des mondes, dans l'ordre de la poésie, telle que l'exerce le romantisme selon le mode métaphysique où l'idéal prend le pas sur le réel. La poétique revendique une efficacité cosmologique. Comme dit le jeune Henri, « la Fable *(die Fabel)* est pour moi le ressort unique de l'univers où je vis actuellement. La conscience elle-même, cette force créatrice de la pensée et des mondes, ce germe de toute personnalité, m'apparaît comme l'esprit du Poème universel *(der Geist des Weltgedichts)*, comme le Hasard ménageant l'éternelle et romantique rencontre des éléments infiniment changeants de la vie de l'ensemble » ([54]). Ainsi se nouent les thèmes chers à Novalis de l'idéalisme magique et du conte merveilleux *(Märchen)*, plus vrai que la vérité, parce qu'il exerce le droit de l'humanité sur l'ensemble des significations du monde. Relevé de l'antique condamnation de la Chute, le poète redevient la créature de Dieu, le maître du jardin du monde, qu'il peut organiser au gré de sa fantaisie créatrice; le monde est comme un rêve merveilleux; le rêveur s'éveille, et le rêve est la réalité même.

« Pour le poète qui a saisi en son centre l'essence de son art, rien

([52]) *Henri d'Ofterdingen*, 2e partie, trad. CAMUS, Aubier, 1946, p. 381.
([53]) *Ibid.*, p. 381 et 383.
([54]) P. 383.

n'apparaît contradictoire ni étrange : pour lui, toutes les énigmes sont résolues ; par la magie de son imagination, il peut faire coïncider tous les siècles et tous les mondes ; les miracles disparaissent et tout devient miracle » ([55]). Ces indications ne sont pas de Novalis, mais du romancier et poète Tieck, premier éditeur des œuvres posthumes de l'ami disparu. Tieck avait eu connaissance du projet d'ensemble de *Henri d'Ofterdingen*, le grand roman, ou plutôt le *Märchen*, demeuré inachevé, parce qu'inachevable. La mort de Novalis n'est pas un hasard, ou la conséquence inévitable d'une hérédité pathologique ; elle est aussi un miracle, c'est ainsi que le poète l'a vécue. La limite était atteinte, dans l'entreprise de remonter en deçà du premier moment, où s'est noué le destin du monde. L'aventure conduisait le poète jusque dans la nuit d'avant le sens, où les formes n'existent pas encore, ni les humaines existences.

Dès lors, le *Gemüt* propose le lieu propre à partir duquel se réalise l'invention poétique des mondes. Les impressions extérieures viennent s'y composer, et y prendre forme selon les exigences du dedans ; il correspond à l'affirmation de l'identité personnelle telle qu'elle se noue selon l'ordre des valeurs morales et esthétiques. Sentiments, émotions sont aussi des modalités de connaissance, des expressions de la présence au monde telle que les affirme la spontanéité personnelle.

Selon Albert Béguin, « tout l'effort des romantiques tend à rejoindre, par-delà les apparences éphémères et décevantes, l'unité profonde et seule réelle ; et, par conséquent, à retrouver en nous tout ce qui peut y survivre encore de nos pouvoirs d'avant la séparation. Si, pour eux, la poésie ou les mathématiques, l'imagination créatrice ou le “ sens interne ” ont une valeur privilégiée, c'est qu'ils y voient les divers moyens que nous avons de rejoindre notre communication première avec l'univers divin, ou encore les manifestations d'une région en nous, “ plus profonde que nous-mêmes ”, où cette communication subsiste malgré la Chute. Que nos sciences et nos arts magiques nous rendent la possession de ce mystère intérieur, et nous serons à nouveau ces rois que nous fûmes ». Les romantiques se trouvent à la recherche d'un principe d'unité spirituelle à la mesure de chaque destinée, non pas seulement principe d'action et de réaction, mais centre de présence à partir duquel rayonnent les valeurs du monde, tel qu'il se donne à nous et tel que nous l'interprétons selon notre vœu, nos sympathies et antipathies. La notion de *Stimmung* désigne les variétés de la correspondance, positive ou négative, les harmonies qui traduisent pour nous l'accord ou le désaccord dans le rapport au monde.

Evoquant l'œuvre des *Naturphilosophen*, Béguin relève ensuite « qu'il ne saurait s'agir pour eux d'analyser le rôle des diverses facultés qui composeraient le mécanisme humain, puisque justement ils nient que l'homme soit, davantage que l'univers, une machine démontable. L'homme-microcosme a commencé par être un organisme parfait, doué d'un seul moyen de perception que l'on nomme le *sens interne* ou *sens*

([55]) P. 395.

universel. Ce sens connaissait l'univers par analogie, selon la doctrine occultiste : l'homme, étant encore semblable à la nature harmonieuse, n'avait qu'à se plonger dans la contemplation de soi-même pour atteindre à la réalité dont il était le pur reflet. Et jusque dans l'état actuel des choses, ce sens subsiste en nous, effacé et morcelé, sans doute, mais c'est jusqu'à lui qu'il faut descendre si nous voulons parvenir à une connaissance vraie... » ([56]).

Le *Gemüt,* sens unitaire de notre être, est un sens caché, un rappel de la continuité de notre être depuis les origines secrètes de notre destin. Accessible seulement au prix d'une plongée jusqu'aux profondeurs ontologiques de notre destin, ce sens assure la liaison entre l'individu et l'univers, liaison enfouie dans les souvenirs de notre méta-mémoire, et qu'il est possible de faire revivre par des exercices appropriés. La *Stimmung,* la conscience de l'accord avec l'univers, n'est pas une pure impression ; elle s'enracine dans des communautés de structure qui énoncent la solidarité de chaque homme avec l'univers. L'immense importance accordée par les poètes et les philosophes romantiques à la physique récente vient de ce qu'elle permet de donner une signification réelle, un soubassement psychologique à l'implication mutuelle du moi et du monde. De là les innombrables références aux recherches en matière d'électricité, de magnétisme, à la chimie des polarités et affinités ; les rêves, l'hypnose, le somnambulisme permettent de saisir la matière en flagrant délit d'esprit, et l'esprit en complicité avec la matière. Le temps viendra de la transparence mutuelle de la chair et de la pensée, dans la restauration de l'intégrité perdue et retrouvée.

Le fait nouveau est le progrès scientifique dont les résultats permettent de donner une assise renouvelée au schéma traditionnel de la correspondance entre le microcosme et le macrocosme, désormais cautionnée par des expériences dont chacun peut prendre connaissance. Les contemporains ont pu croire que le savoir repartait sur des bases entièrement nouvelles, confirmées par les expériences de Ritter, de Mesmer et de tous les électriciens, chimistes et magnétiseurs d'Europe. Swedenborg était lui-même un savant de formation, observateur et expérimentateur de grande qualité. Saint-Martin observe : « c'est Mesmer, l'incrédule Mesmer, cet homme qui n'est que matière, et qui n'est pas même en état d'être matérialiste, c'est cet homme qui a ouvert la porte aux démonstrations sensibles de l'esprit » ([57]). « Le magnétisme animal est un fait désormais acquis à la science, prononce Théophile Gautier. (...) Nous ne voyons rien là de plus merveilleux que ce qui nous environne ; nous sommes entourés de merveilles, de prodiges, de mystères... » ([58]).

Les harmonies universelles célébrées par les poètes, analysées par Bernardin de Saint-Pierre, chantées par Lamartine, apparaissent d'autant plus merveilleuses qu'elles sont corroborées par les recherches

([56]) Albert BÉGUIN, *L'âme romantique et le rêve,* 3e éd., Corti, 1939, p. 74.
([57]) SAINT-MARTIN, *Œuvres posthumes,* Tours, 1807, t. I, p. 251.
([58]) Texte de 1838, cité dans G. POULET, *Etudes sur le Temps humain,* rééd. Plon, 1953, p. 287.

positives. Balzac, inspiré par Swedenborg, écrit dans *Seraphita :* « L'univers matériel des choses et des êtres se termine donc en l'homme par l'univers surnaturel des similitudes ou des différences qu'il aperçoit entre les innombrables forces de la nature, relations si multipliées qu'elles paraissent infinies ; car si, jusqu'à présent, nul n'a pu dénombrer les seules créations terrestres, quel homme pourrait en énumérer les rapports ? La fraction que vous en connaissez n'est-elle pas à leur somme totale comme un nombre est à l'infini ? Ici, vous tombez déjà dans la perception de l'infini, qui, certes, vous fait concevoir un monde purement spirituel. Ainsi l'homme présente une preuve suffisante de ces mondes, la matière et l'esprit. En lui vient aboutir un visible univers fini ; en lui commence un univers invisible et infini, deux mondes qui ne se connaissent pas (...). Franchissons, sans le sonder, l'abîme que nous offre l'union d'un univers matériel et d'un univers spirituel, une création visible, pondérable, tangible, terminée par une création intangible, invisible, impondérable ; toutes deux complètement séparées par le néant, réunies par des accords incontestables, rassemblées dans un être qui tient de l'une et de l'autre ! » ([59]). L'exemplarisme mathématique de ce discours prophétique sur l'unité du monde est représentatif de la cosmologie romantique. « Votre invisible univers moral et votre visible univers physique constituent une seule et même matière. Nous ne séparerons point les objets et les corps, ni les objets et les rapports. Tout ce qui existe, ce qui nous presse et nous accable au-dessus, au-dessous de nous, devant nous, toutes ces choses nommées et innommées composeront, afin d'adapter le problème de la création à votre logique, un bloc de matière fini. S'il était infini, Dieu n'en serait plus le maître » ([60]). Jusques et y compris dans cette dernière clause de sauvegarde contre le panthéisme, Balzac assemble dans une vision unitaire la matière et l'esprit selon l'analogie d'un réseau de relations mathématiques. Le *Gemüt* des romantiques allemands est le lieu où s'articulent les deux mondes, où se noue la vocation ontologique orientant, pour chacun d'entre nous, le sens de la présence au monde. Selon Léon Cellier, « le mot “ âme ” est le mot clef du Romantisme » ([61]). *Gemüt, âme,* mots trop riches, et donc usés, parce que, à force de trop signifier, ils ne signifient plus grand-chose. Pour leur restituer la plénitude oubliée de leurs harmoniques, il faudrait retrouver l'horizon eschatologique au sein duquel se prononce la pensée de l'être humain, lorsqu'il a été illuminé par les révélations initiatiques, lorsqu'il a gagné le Centre où se nouent les accords entre le fini et l'infini, entre la matière et l'esprit, les *Stimmungen* fondamentales, c'est-à-dire les rapports, comme on dit dans la langue des inspirés.

([59]) BALZAC, *Seraphita,* 1835, ch. IV ; éd. Jonquières, 1922, pp. 124-125.

([60]) *Ibid.*, pp. 125-126 ; le chapitre IV de *Seraphita* est intitulé *Les Nuées du sanctuaire,* reprise du titre d'un livre du mystique allemand ECKARTSHAUSEN (1752-1803) : *La nuée sur le sanctuaire* (1802).

([61]) Léon CELLIER, Présentation de : *La Porporina,* Entretiens sur *Consuelo,* Presses universitaires de Grenoble, 1976, p. 2.

L'illuminisme affirme que la vérité est aujourd'hui cachée, à la suite d'événements qui nous échappent ; la catastrophe de la Chute a rompu l'ancienne alliance de la conscience humaine avec la nature ; l'harmonie initiale est faussée. Seule une ascèse initiatrice permettra à l'homme de revenir du non-savoir, au sein duquel il naît, au savoir, dont la reconquête est le chemin unique de notre accomplissement. Or la rupture originaire avec la vérité divine, la désobéissance initiale, a été inspirée par l'esprit de rationalité transformé en volonté de puissance. Le fruit de l'arbre de la connaissance doit permettre à l'homme d'échapper à sa condition et de s'égaler à Dieu. D'où la catastrophe ; Adam, expulsé du Jardin, est réduit à l'errance, au malheur de l'histoire, dont les vicissitudes accableront sa descendance. Seules des initiatives de la clémence divine permettront la réintégration de la créature égarée dans le sein de l'unanimité primordiale.

Mais, tout au long des péripéties de l'histoire du salut, la raison humaine continue à jouer son rôle de faculté d'égarement. Les jeux de l'intellect sont des écrans, des moyens de dissuasion ; aussi longtemps que l'homme s'imagine pouvoir jouer le rôle d'arbitre de toute vérité, au prix d'un renversement des rôles qui équivaut à une rébellion contre Dieu, aussi longtemps il se condamne à demeurer étranger et voyageur sur cette terre, dont il méconnaît les harmonies intrinsèques. Le *Gemüt* désigne la faculté d'orientation ontologique, en opposition avec les puissances rationnelles, qui permettra à l'homme l'heureuse réintégration au sein d'une vérité non plus dissociative, destructrice du séjour humain, mais unitive, opératrice de l'unité, dans la paix de la conscience avec elle-même, avec le monde et avec Dieu.

L'opposition, chez Pascal, entre la *raison* et le *cœur* concède à la raison la domination sur le monde ; le cœur est l'organe privilégié de la rencontre avec le Dieu « sensible au cœur, non à la raison ». Le fragment sur les « trois ordres » tente de définir la spécificité des fonctions, l'esprit représentant la raison et le cœur la charité. « La distance infinie des corps aux esprits figure la distance infiniment plus infinie des esprits à la charité, car elle est surnaturelle » ([62]). Pascal, mathématicien, savant, ne méconnaît pas la grandeur de la raison humaine et de ses accomplissements : « La grandeur des gens d'esprit est invisible aux rois, aux riches, aux capitaines, à tous ces grands de chair. (...) Les grands génies ont leur empire, leur éclat, leur grandeur, leur victoire, leur lustre et n'ont nul besoin des grandeurs charnelles, où elles n'ont pas de rapport. Ils sont vus non des yeux, mais des esprits, c'est assez » ([63]). La grandeur d'Archimède, prince des esprits, est nulle à côté de celle de Jésus-Christ ; car « tous les corps ensemble et tous les esprits ensemble, et toutes leurs productions, ne valent pas le moindre mouvement de charité. Cela est d'un ordre infiniment plus élevé » ([64]).

([62]) PASCAL, *Pensées et Opuscules ;* éd. BRUNSCHVICG, petite éd. Hachette, § 793, pp. 695-696.
([63]) *Ibid.*, p. 696.
([64]) *Ibid.*, p. 697.

Les trois ordres pascaliens sont des ordres de valeurs, dont le modèle mathématique de l'infini comme limite permet de définir la spécificité. Le cœur propose la dimension spirituelle selon laquelle s'annoncent les révélations de la charité. Les vérités divines, est-il dit dans le traité *De l'esprit géométrique,* « sont infiniment au-dessus de la nature ; Dieu seul peut les mettre dans l'âme et par la manière qu'il lui plaît. Je sais qu'il a voulu qu'elles entrent du cœur dans l'esprit, et non pas de l'esprit dans le cœur, pour humilier cette superbe puissance du raisonnement, qui prétend devoir être juge des choses que la volonté choisit. (...) Et de là vient qu'au lieu qu'en parlant des choses humaines, on dit qu'il faut les connaître avant que de les aimer, (...) les saints au contraire disent en parlant des choses divines qu'il faut les aimer pour les connaître et qu'on n'entre dans la vérité que par la Charité » ([65]).

Le cœur pascalien n'est pas l'exact équivalent du *Gemüt* romantique. Pascal est, pour la physique, un moderne, dans la perspective galiléenne ; l'ordre matériel lui apparaît désenchanté, neutralisé ; le champ de manœuvre de la physique mathématique et expérimentale a été purgé de toutes les rémanences de l'ancienne astrobiologie. La *Naturphilosophie* romantique est la résultante de la révolution non-galiléenne, reprise de l'ancienne tradition de l'Occident. Le cœur de Pascal est le foyer d'une spiritualité chrétienne, sans complaisance aucune pour les harmonies cosmiques, les rapports, les *Stimmungen* chères à l'illuminisme. Mais si l'on fait abstraction de ce décor où fusionnent les significations du moi et du monde, le cœur tel que le conçoit Pascal est le centre du sentiment et de la volonté, le lieu où se prononcent les « désirs du cœur ». Max Scheler a repris ces indications pascaliennes, en opposant à l'*a priori* rationnel, mis en honneur par les philosophes rationalistes, en particulier par Kant, un *a priori* affirmant en nous les valeurs de l'émotivité et du sentiment, à l'origine des orientations maîtresses de l'existence. « Ce qu'il y a dans l'esprit d'émotionnel, la perception affective, la préférence, l'amour, la haine, le vouloir, tout cela aussi a des constituants originaires aprioriques, qui ne sont pas empruntés à la « pensée » et que l'éthique doit mettre en lumière sans rien emprunter à la logique. Comme le dit très bien Blaise Pascal, il existe un « ordre du cœur » et une « logique du cœur », qui sont *a priori* (...). Les axiomes axiologiques sont parfaitement indépendants des axiomes logiques, et ne constituent nullement de simples « applications » de ces derniers au domaine des valeurs. A côté de la logique pure, il y a place pour une pure théorie des valeurs » ([66]).

Scheler s'est formé à l'école de la phénoménologie de Husserl, développée en une ontologie des valeurs. Les penseurs romantiques, par une approche directe de la réalité humaine, étaient parvenus à des résultats analogues. Karl Friedrich Burdach développe l'idée que le principe vital, en se créant un système nerveux, ne s'est pas constitué prisonnier de la matérialité organique dans ses limites étroites. Le

([65]) *De l'esprit géométrique,* même recueil, p. 185.
([66]) Max SCHELER, *Le formalisme en éthique et l'éthique matériale des valeurs,* trad. M. DE GANDILLAC, N.R.F., 1955, p. 86.

système nerveux est l'organe de l'intériorité *(Innewerden)*; la vie de l'âme a pour support ces dispositifs organiques, mais elle ne se réduit nullement à eux. Dans sa spécificité propre, l'individualité s'exprime par le sentiment, non par la conscience réflexive. « Le sentiment *(Gefühl)* en général exprime l'intériorisation de l'être personnel en son immédiateté *(das unmittelbare Innewerden des eigenen Selbst)*, l'être personnel étant proprement, dès le début, intimité. Le sentiment s'oppose d'une manière immédiate aux produits de l'activité des sens et de l'entendement, c'est-à-dire à la connaissance objective *(Erkennen)*; il s'annonce de lui-même, il vient sur nous sans avoir besoin d'aucune influence supplémentaire; il s'impose même à nous contre notre volonté » ([67]).

Le sentiment exprime la spontanéité de la vie dans son unité, préalable à tout usage de la pensée discursive. « Le sentiment de l'existence *(das Gefühl des Daseins)*, dans son essence permanente, s'oppose au sentiment de l'état d'âme passager et accidentel » ([68]). On peut penser à une sorte de basse continue, à une tonalité fondamentale, caractéristique de chaque existence, ou encore à une coloration affective, saveur propre de l'existence. Mais il ne s'agit pas seulement de caractères passifs, inaccessibles à l'influence de la volonté claire; cette instance de l'être oriente les comportements; elle stimule ou entrave les activités de la personne, dans son rapport avec elle-même et avec le monde, alors que le pur entendement élabore ses décisions dans un horizon d'impassibilité glacée.

L'anthropologie de Burdach retrouve le schéma des deux instances pascaliennes du cœur et de la raison, repris et commenté par Scheler. L'interprétation schélérienne de Pascal semble correspondre à la spécificité du *Gemüt* romantique : « Ce que veut dire Pascal, c'est qu'il existe un mode d'expérience dont les objets sont absolument inaccessibles à l'entendement, en face duquel l'entendement est aussi aveugle que l'oreille et l'ouïe en face des couleurs, mais un mode d'expérience qui nous met authentiquement en présence d'objets objectifs et de l'ordre éternel qui les lie les uns aux autres, ces objets étant les valeurs et cet ordre éternel la hiérarchie axiologique. (...) Il existe des corrélations et des oppositions évidentes entre les valeurs, entre les attitudes axiologiques, et entre les actes de préférence et de subordination fondés sur elles, et ces corrélations et oppositions constituent le véritable fondement, possible et nécessaire, des décisions morales et des lois qui commandent ces décisions » ([69]). Le vocabulaire phénoménologique dégage l'originalité de la théorie pascalienne; Pascal, avec Fénelon et Madame Guyon, a compté parmi les maîtres du piétisme européen, même en dehors de la sphère d'influence catholique, au long du XVIIIe siècle. L'œuvre de Pascal ne contient d'ailleurs que quelques indications suggestives, alors que

([67]) Karl Friedrich BURDACH, *Blicke ins Leben*, Bd I, *Comparative Psychologie*, Erster Teil, Leipzig, 1842, p. 81.
([68]) *Ibid.*, p. 88.
([69]) SCHELER, *op. cit.*, p. 267.

Madame Guyon et ses amis se sont laissé prendre au charme d'une inflation littéraire qui perd en puissance ce qu'elle gagne en étendue.

La tradition scolastique avait soumis l'expérience spirituelle à la discipline de l'intellect, dans le tissu serré d'une axiomatique contrôlant l'ensemble de l'espace vital humain. Après la Renaissance, moment de rupture, la philosophie moderne fait alliance avec la raison, maîtresse des sciences exactes dont l'expansion triomphante renouvelle le paysage de la connaissance. Pascal se pose en objecteur de conscience en face de ce mouvement, avec d'autant plus de résolution qu'il le fait en parfaite connaissance de cause mathématique et physique. Dans le domaine humain, une origine de vérité résiste à toutes les tentatives de réduction ; cette source, cette ressource met en cause le principe qui doit orienter la destinée naturelle et surnaturelle des hommes, la relation avec les valeurs transcendantes, avec Dieu. Le domaine de l'émotivité, l'ordre du sentiment immédiat, n'est pas considéré par les rationalistes comme révélateur de vérité. Pensée confuse, où l'esprit perd ses droits en succombant à la tentation, l'émotivité, dans le rationalisme dualiste, relève du corps, sous-produit, au niveau de la conscience, des soubassements organiques de la présence au monde. Le refoulement des données du sentiment frappe de suspicion l'ordre des « passions » qui, comme leur nom l'indique, consacrent une abdication du primat de l'esprit. L'étude de l'émotivité correspond à une parasitologie de la pensée pure, appelée à reprendre ses droits face à des occupants sans titre du territoire de la conscience. La pensée claire et distincte exorcise la pensée confuse.

Le *cœur* pascalien, le *Gemüt* romantique, l'*âme* réhabilitent un type de connaissance refoulé et méconnu, accès direct, sans médiation discursive, à un sens supérieur de vérité. Les adversaires du romantisme, les tenants des lumières, ont accusé les novateurs de haute trahison à l'égard des exigences supérieures de l'esprit. Il n'y a pas loin du sentiment au sentimentalisme et à la sensiblerie ; les dérivés de *Gemüt : gemütlich* et *Gemütlichkeit,* se laissent nuancer par le soupçon de complaisance pour les facilités de l'émotion larmoyante déclenchée à tort et à travers. Réaction justifiée par les nombreux sous-produits religieux et littéraires du piétisme et du romantisme dès le XVIIIe siècle. La subjectivité incontrôlée triomphe dans le roman, sur la scène et même à l'église ; les égarements du sentiment sont exploités par d'habiles entrepreneurs qui mobilisent à leur profit la crédulité publique par les voies et moyens de la comédie larmoyante ou du mélodrame, par les techniques éprouvées des prédicateurs en milieu populaire, organisateurs de réveils et de missions à grand spectacle.

La sous-littérature ne saurait faire autorité contre la littérature authentique : les dévotions à l'eau de rose ou au vitriol ne peuvent être objectées contre l'expérience religieuse proprement dite. Il y a eu des romantismes de bas étage qui écœuraient Frédéric Schlegel et Ludwig Tieck en leur maturité. Ils n'avaient pas voulu cela ; on leur volait leur invention. Après tout, l'imitation, le pastiche sont des signes du succès et, si l'hypocrisie est l'hommage du vice à la vertu, la falsification plus ou moins intéressée signifie que les novateurs ont imposé la mode ; après avoir été méconnus et combattus, ils ont droit désormais à cette forme nouvelle d'incompréhension, la plus incurable, propre à ceux qui croient avoir compris, et s'emploient à exploiter la bêtise des contemporains en se faisant passer pour d'authentiques représentants des nouvelles mœurs esthétiques.

La littérature populaire n'est pas une nouveauté du XIXe siècle. Dès le siècle précédent, les réseaux du colportage diffusaient des livrets et brochures appartenant à des genres bien déterminés : vies de saints et textes d'édification, légendes et contes traditionnels, recueils de recettes pour divers usages, etc. A l'âge romantique, la diffusion de l'instruction, le développement des moyens de communication, les progrès des techniques de l'impression et de la gravure ouvrent à la littérature populaire de nouvelles perspectives. Des genres spécifiques se développent à côté des genres traditionnels ; la chanson et la complainte poursuivent leur carrière déjà ancienne, mais le mélodrame, le roman-feuilleton et le roman vendu par livraisons échelonnées atteignent un vaste public, justifiant la constitution d'un marché important où s'équilibrent les circuits de la production et de la consommation. En dehors des rédacteurs spécialisés dans ce genre d'écritures, bon nombre des écrivains les plus réputés fournissent aux directeurs des journaux et revues une copie abondante. En France, la gloire d'Eugène Sue est d'ampleur nationale, mais Balzac, George Sand travaillent aussi pour les magnats de la presse. Walter Scott et Dickens sont en leurs pays des romanciers populaires ; Lamartine, avec son *Cours familier de littérature*, essaie d'atteindre et de garder un vaste public. Le Victor Hugo de l'exil, acharné à dénoncer les crimes de Napoléon le Petit, utilise les voies et moyens du colportage clandestin pour diffuser le cri de sa résistance irréductible.

Cette vulgarisation, même si elle n'est pas le fait d'entrepreneurs bassement intéressés, ne va pas sans une dilution de l'*Erlebnis* romantique, de la pure expérience aux confins de la vie, propre à un Novalis, un Nerval, un Baudelaire, un Keats, un Shelley. Le pèlerinage aux sources de l'intériorité à travers les mystères des initiations ne saurait être divulgué dans la langue de tout le monde. L'authenticité romantique est une grâce résrvée à quelques élus ; si la lumière est donnée à tous, l'illumination n'appartient qu'au petit nombre. Le romantisme populaire occulte l'inspiration dans le moment même où il croit la diffuser ; il déplace le point d'application de la valeur du dedans vers le dehors, ce qui égare l'intérêt du lecteur, en lui faisant prendre l'accidentel pour l'essentiel. Certains petits poèmes de Tieck et d'Eichendorff, d'une simplicité de langage toute populaire, comptent au nombre des trésors du romantisme allemand, à cause de leur extrême musicalité et du frémissement ontologique dont ils sont animés. Les enfants les apprennent par cœur, les lecteurs adultes peuvent s'y tromper ; séduits par la simplicité harmonieuse du chant, ils ne perçoivent pas les transparences en écho qui répercutent les significations dans l'espace du dedans. Pareillement, les romans champêtres de George Sand peuvent être lus comme d'innocentes bergerades propres à charmer des imaginations qui se satisfont de peu.

Le sens cache le sens ; le mystère de la simplicité est révélateur des enchantements du *Gemüt.* La *Mare au diable,* la *Petite Fadette,* les *Maîtres sonneurs,* sont des *Märchen,* des contes merveilleux au sens de Novalis et de Tieck, d'autant plus merveilleux qu'ils s'offrent au lecteur sous les apparences de la simplicité dépouillée. L'effusion de l'âme exclut le sentimentalisme ; aucune dissimulation, le cœur mis à nu.

On peut trouver, chez des êtres sans culture, une approche de ces *a priori* émotionnels dont Scheler a défini l'existence, pure conscience des valeurs qui donnent sens à la vie, dans une spontanéité affective excluant toute ratiocination. Héroïne romantique, la Julie de Rousseau, en dépit des études faites, découvre la vérité dans les impulsion de son cœur, aux antipodes de la Princesse de Clèves, qui s'examine et donne raison aux prescriptions de sa raison, à l'école de Kant avec pas mal d'avance. La dogmatique romantique du sentiment, dénoncée par ses adversaires comme démission devant les pulsions aveugles de l'instinct, est vécue en son authenticité comme une ouverture à l'être, voie d'accès à une autorité qui résiste à la corrosion du relativisme anthropologique. La promotion romantique de la femme, reconnue comme médiatrice de vérité, correspond à cette conversion du point d'application de la quête ontologique. Il ne s'agit pas d'attribuer à la femme l'égalité des droits avec l'homme, mais de lui reconnaître une priorité d'inspiration, une sûreté de discernement, qui souvent fait défaut à l'homme, égaré par son goût des ratiocinations. Descartes, père fondateur du rationalisme occidental, lorsqu'il dialogue avec la princesse Elisabeth ou la reine Christine, les traite en égales, comme des hommes, et c'est certainement à ses yeux le meilleur moyen de les honorer. Leur féminité, accident fâcheux, les met en état d'infériorité ; mieux vaut fermer les yeux sur cet aspect régressif de leur personnalité. Christine, d'ailleurs, s'habille en homme et sa conduite s'accorde, jusque dans les pires excès, avec ce déguisement.

Le romantisme honore dans la femme une vocation féminine à la vérité, réconciliant la vérité avec l'émotion et la passion. Il existe des émotions déréglantes, égarements de la conscience, mais l'approche romantique reconnaît en l'affectivité une attestation de valeur, signe et médiation de transcendance. Sophie von Kühn, la fiancée de Novalis, avait été pour lui l'irremplaçable messagère du sens, comme devait l'être pour Hölderlin sa Diotima, pour Nerval la femme obstinément cherchée sous tant de masques et déguisements. L'amour romantique, en dépit des extravagances de Lélia, se dépasse lui-même dans le sens d'une initiation qui conduit au-delà des eaux troubles de l'anthropologie. Jacob Boehme découvre dans la Genèse le mythe de l'androgyne ; la Sagesse divine, Sophia, la Sainte Sophie ne peut se dire au masculin ; c'est elle qui commande les portes de l'éternité.

Le mot *cœur* ne figure pas dans le *Vocabulaire philosophique* de Lalande, édité pour la première fois en 1926. Le mot *romantisme* non plus ; mais un bref article est consacré à l'adjectif *romantique.* On y apprend qu'il existe une « philosophie romantique », propre à un groupe de penseurs, dont Fichte, F. Schlegel, Schelling, « généralement considéré comme le représentant le plus caractéristique de cette tendance », Novalis, Schleiermacher, Hegel, « et même, à beaucoup d'égards, Schopenhauer ». Le rédacteur de l'article ajoute : « en France, l'usage philosophique de ce terme est très récent ; il n'est guère employé que depuis une dizaine d'années en parlant du groupe historique que nous venons de définir. Auparavant, *romantique* et *romantisme* ne désignaient que le mouvement artistique et littéraire dont Victor Hugo, Delacroix, Berlioz ont été respectivement dans les lettres, la peinture et la musique les représentants les plus typiques. Cet usage est encore aujourd'hui de beaucoup le plus étendu ». Dans les années 1910-1925, ces indications attestent l'incompréhension persistante dont le romantisme a été victime en France ; en pleine époque d'influence — ou même de fascination — bergsonienne, personne n'a fait le rapprochement entre cette *Naturphilosophie* à la française et la pensée romantique allemande.

Si le mot *cœur* n'a pas droit de cité dans le vocabulaire philosophique français, peut-être par suite de l'équivoque entre l'anatomie et la psychologie, et de l'ambiguïté des sens figurés, la nécessité subsiste d'un terme capable de désigner le centre de l'espace du dedans, le lieu où se prononcent les pulsions intimes, les vocations à la valeur, où se combinent les tendances contradictoires qui fondent l'attitude globale de la personnalité et décident des rapports que l'individu entretient avec lui-même, avec les autres, avec le monde et avec Dieu. La présence au monde ne se constitue pas comme la totalisation d'un ensemble de sensations extérieures ; elle implique un ensemble de sympathies et d'antipathies, de préférences, de goût et de dégoût, des régulations de l'humeur, satisfactions ou insatisfactions qui composent la saveur de la vie, ou l'absence de saveur, tonalités globales dont les intermittences commandent pour chaque individu la valeur de l'existence.

Les journaux intimes de Novalis, de Biran et de Guérin, d'Amiel, enregistrent le métabolisme de ces humeurs, l'un des sens fondamentaux du mot *Stimmung* concernant l'accord ou le désaccord de la conscience avec elle-même et avec le monde, bien-être ou mal-être existentiel souvent exprimés en termes de physiologie, mais qui mettent en cause une physiologie du spirituel. Pour des raisons d'efficacité pratique, le système de notre intelligibilité se modèle sur les relations *partes extra partes* qui régissent l'interaction des objets matériels dans l'espace du dehors ; c'est pourquoi le physicalisme positiviste, bénéficiant de la supériorité immense des évidences linguistiques établies, s'imposera toujours aux âmes simples, du fait de sa commodité. Il n'existe pas de vocabulaire précis pour caractériser les événements et avènements, les modalités de l'espace du dedans.

Le mot *âme*, venu du fond des temps, désigne le double spirituel de l'être physique humain, utilisé par les païens et repris par les docteurs chrétiens. L'âme est le principe ontologique, l'unité de compte de la personnalité en matière religieuse et philosophique, support de la destinée immortelle de l'individu. Le mot *âme*, comme le mot *esprit*, capturés par la métaphysique rationaliste, ne désignent que des principes de pensée, plus ou moins abstraits, d'où sont exclues les composantes émotives; ils n'évoquent nullement l'idée concrète d'un fondement d'orientation dans l'ordre des valeurs, centre d'équilibre de la présence au monde, lieu ontologique de la ferveur ou de la sécheresse, de la pitié, de l'amour et de la haine, non pas en tant que passions irrationnelles, mais comme accomplissements dans la plénitude, ou attestations d'errance et de perdition. Quand Pascal, dans sa recherche d'une anthropologie chrétienne, écrit *cœur,* il ne songe pas à utiliser *âme;* pour lui *cœur* s'oppose à *esprit.*

Sur la lignée méditative qui conduit de Pascal au romantisme, l'un des jalons est François Hemsterhuis (1721-1790), le Platon hollandais, qui fut, par princesse Gallitzin interposée, l'inspirateur du cercle de Münster, l'un des points d'affleurement de la conscience religieuse du romantisme à ses débuts. La *Lettre sur l'homme et ses rapports* (1772) esquisse une conception de l'homme spirituel et de sa présence au monde. Principe ontologique, l'âme doit entretenir des « rapports » avec la réalité humaine : « cette cause unique, uniforme et éternelle, cette âme ne sent son existence qu'au moment où elle acquiert des idées des choses qui sont hors d'elle (...). Tout ce qui est hors d'elle et dont elle a des idées, est le point d'appui d'où elle part pour arriver à la conviction de sa propre existence. (...) Ce sont ses désirs, sa faculté attractive qui l'avertissent qu'elle est. (...) Pour avoir des idées, pour penser, pour agir, elle a besoin d'organes... » ([70]).

Le domaine intérieur de l'homme comporte certains rapports au monde, grâce auxquels se réalise l'incarnation de l'âme dont ils sont les organes; « tout ce qui est homogène à ces organes devient organe pour elle. Elle tient à toutes les faces de l'univers qu'elle connaît, elle agit sur toutes les faces, comme sur son propre corps, à proportion de l'intensité de l'action qui émane de sa velléité, vis-à-vis de la force des lois de la nature, qui dérivent des émanations de la velléité suprême » ([71]). L'âme et ses organes constituent une cosmologie de l'espace du dedans, en rapport d'analogie avec la structure de l'espace du dehors. Il y a en dehors de l'âme un « organe », intermédiaire de liaison entre le principe spirituel et l'environnement humain. Hemsterhuis se propose d'étudier « cet organe, qui jusqu'ici n'a pas de nom propre, et qu'on désigne communément par cœur, sentiment, conscience; cet organe qui est tourné vers la face, sans comparaison, la plus riche et la plus belle de toutes celles que nous connaissons, et dans laquelle résident le bonheur, le malheur et presque tous nos plaisirs et toutes nos peines; cet organe enfin qui nous fait sentir notre existence, puisqu'il nous fait sentir nos rapports aux choses qui sont hors de nous, tandis que nos autres organes ne nous font sentir que les rapports des choses hors de nous à nous... » ([72]).

« Cet organe (...) jusqu'ici n'a pas de nom propre », et pourtant, dans

([70]) *Lettre sur l'homme et ses rapports,* 1772; *Œuvres philosophiques* de François HEMSTERHUIS, éd. MEYBOOM, t. I, Leuwarde, 1846, p. 98.
([71]) *Ibid.*, p. 99.
([72]) *Ibid.*, p. 114.

sa spécificité, semble régler le domaine entier des valeurs. « Comme l'œil, sans qu'il y eût de la lumière ou des choses visibles, serait totalement inutile, l'organe que j'appelle le cœur est parfaitement inutile à l'homme, s'il n'y a ni velléités agissantes, ni société avec de telles velléités par les signes communicatifs » ([73]). L'organe en question a pour domaine l'ordre des motifs et des désirs, l'existence morale dans son ensemble. « Une marque certaine que nous avons les sensations de l'amour, de la haine, de l'estime par le moyen d'un organe, c'est qu'aucun homme quelque peu cultivé qu'il puisse être, ne se trompe dans ses sensations, non plus que dans les idées d'un arbre, d'un astre, d'une tour ou dans celles du *Ut,* du *Ré,* du *Mi* » ([74]). Au XVIIIe siècle, l'abbé de Lignac avait développé, par opposition aux sens externes, objets de la prédilection des tenants du sensationnisme empiriste, l'idée d'un sens interne, témoignage à la conscience de l'état de l'organisme, et ensemble objet possible d'une aperception métaphysique. Chez Hemsterhuis, il s'agit de tout autre chose que de ce qu'on appellera bientôt coenesthésie ; le cœur, l'organe évoquent l'ordre des valeurs affectives et émotives en tant qu'attestations d'une transcendance ontologique. « Le plus grand bonheur auquel il paraît que l'homme puisse aspirer dans tous les temps réside dans l'accroissement de la perfection ou de la sensibilité de l'organe moral : ce qui le fera mieux jouir de lui-même et le rapprochera de Dieu » ([75]).

Hemsterhuis n'est pas un psychologue, qui se proposerait d'étudier seulement le fonctionnement de la conscience humaine ; il veut être un maître spirituel. La *Lettre sur l'homme et ses rapports* met en évidence les données immédiates du sens intime, non pas données de fait, mais données de valeur. La rencontre avec Dieu ne se réalise pas par les moyens de l'entendement ; elle s'offre à l' « homme de désir », comme dit Saint-Martin. L'organe par la médiation duquel nous prenons conscience, en notre intimité, de l'amour, de la haine, de l'estime, adapté à la perception positive ou négative des valeurs, est le *Gemüt.* L'ontologie concrète du romantisme est une axiologie, chemin de l'immanence vers la transcendance. Mais l'ordre du sensible est enraciné dans l'empirisme anthropologique ou caractérologique des pulsions affectives ; le rire et les larmes, les plaisirs et les peines proposent le plus souvent l'affleurement à la conscience d'une physiologie mal dégrossie. Pour dégager dans ce contexte humain, trop humain, la présence des principes *a priori*, révélateurs de la transcendance et de la valeur, une critique préalable est indispensable. L'expérience immédiate est confuse, ambiguë ; les émotions, les sentiments sollicitent notre attention et faussent le discernement. Mais il existe aussi des illusions perceptives, et le témoignage des

([73]) *Ibid.*, p. 116.
([74]) *Ibid.*, pp. 125-126.
([75]) P. 130 ; sur l'histoire de la notion du *sens intime*, cf. *Naissance de la conscience romantique au siècle des lumières*, Payot, 1976, pp. 285-316. Diderot a annoté la *Lettre sur l'homme et ses rapports ;* son commentaire a été publié par Georges May (Yale University Press, New Haven, 1964). Diderot approuve parfois, mais critique le mot « organe », qui lui paraît équivoque.

sens externes ne peut être admis que sous réserve de vérification. La critique d'authenticité s'impose dans les deux cas ; seulement nous sommes plus entraînés à l'exercer sur les témoignages relatifs à l'espace du dehors ; elle est plus délicate lorsqu'il s'agit de dégager la validité des données axiologiques concernant l'espace du dedans. Quoi qu'en dise Hemsterhuis, les « sensations de l'amour, de la haine, de l'estime » peuvent nous induire en erreur plus aisément que des sensations portant sur des objets du monde extérieur.

Hemsterhuis a guidé Novalis sur le chemin mystérieux qui mène vers le dedans. « Le monde extérieur est le monde des ombres, il jette son ombre dans le royaume de la lumière. » La conversion romantique affirme le primat de l' « invidence » sur les évidences du monde extérieur ; « en nous ou nulle part se trouve l'éternité avec ses mondes, le passé et l'avenir » ([76]). Dans le domaine du *Gemüt* fait résidence en nous la vérité de toute vérité. L' « organe » selon Hemsterhuis, « cœur, sentiment, conscience », ne se constitue pas dans un superbe isolement à l'égard du monde et des hommes ; il est le principe intime d'une co-naissance au monde et aux hommes. En langage moderne, les perceptions de valeurs, donatrices de réalité, proposent des anticipations de la réalité humaine et même de la réalité du monde ; notre sensibilité est accordée par avance aux apports qui viendront des sens externes ; notre structure mentale est adaptée à un environnement matériel et moral dont elle porte l'empreinte en creux. Cette préadaptation de l'être individuel à la réalité totale dont il fait partie est un principe de la présence au monde romantique. Le sens interne ne s'oppose pas aux sens externes ; l'opposition du dedans et du dehors n'est qu'une illusion suscitée par la dégénérescence de la philosophie et le caractère de plus en plus matériel de la civilisation. La conversion spirituelle préconisée par Hemsterhuis, et Novalis après lui, ne répond pas à un désir de fuir le monde, de rompre avec lui, chose impossible. Il s'agit de retrouver la totalité, en son intégrité organique, qui affleure à la conscience de chacun d'entre nous. « Notre corps est une partie du monde, écrit Novalis, ou pour mieux dire, un membre. Il exprime déjà l'autonomie, l'analogie avec le tout — bref la notion du microcosme. Il faut que ce membre corresponde à l'ensemble, il faut que tout corresponde à ce membre. Autant de sens, autant de modalités de l'univers : l'univers qui est entièrement une analogie de l'être humain en corps, âme et esprit. Celui-ci un raccourci, celui-là une extension de la même substance » ([77]). Tout ce qui peut être dit du corps est transposable au sens interne ; une même solidarité unitaire assemble en un seul organisme la totalité des éléments qui nous paraissent comme dispersés.

Max Scheler, qui a proposé une doctrine des *a priori* axiologiques de l'ordre émotionnel, devait renouveler l'intuition romantique du sens interne en expansion cosmique. L'expérience affective de la *sympathie*

([76]) NOVALIS, *Grains de pollen*, § 16 ; *Petits écrits*, trad. G. BIANQUIS, Aubier, 1947, pp. 35 et 37.

([77]) NOVALIS, *Œuvres*, t. II, N.R.F., 1975, p. 191.

correspond à une révélation ontologique de l'unité de l'être. « La fusion affective cosmique n'est possible que pour autant que le monde est conçu comme une totalité, comme un organisme universel, animé d'une seule vie. (...) Lorsque cette condition se trouve réalisée, elle implique la reconnaissance qu'il existe, à côté des rapports réels et idéaux (causalité, téléologie, etc.) qui rattachent les unes aux autres les parties de l'univers et qui sont étudiés par la philosophie et par la science, une autre relation tout à fait *sui generis*, qui s'étend aussi loin que la vie elle-même, dans ce qu'elle a de réel et d'essentiel ; c'est le rapport, spécifiquement " symbolique ", entre la vie et l'expression de la vie. Avec les choses mortes, et données comme telles, aucune fusion affective n'est possible (et naturellement (...) aucune sympathie). » C'est seulement s'il est considéré comme vivant « que la fusion affective peut s'étendre à l'univers entier, devenir cosmique. C'est alors que l'ensemble des manifestations de la nature représente, dans son indivisibilité, un *champ d'expression* universel et changeant de ce seul et unique organisme cosmique et de sa vie indivisible partout répandue » ([78]).

Cette visée cosmologique de la sympathie a été développée par « Novalis, Lavater, Goethe, Fechner », maîtres de la mystique romantique ou de la *Naturphilosophie*, dans la coïncidence réalisée entre le sens intime et la perception externe. « Partant de l'expression, le moi sentant et en état de tension, se transporte directement (c'est-à-dire en dehors de tout raisonnement) dans le centre des choses, se confond avec leur forme, leur configuration, etc., tandis que leurs attributs concrets (couleurs, sons, odeurs, saveurs, etc.) lui apparaissent seulement comme la manifestation périphérique et comme la limite de la vie intérieure dont ce centre est le siège » ([79]). Il ne s'agit pas là d'une expansion imaginative du moi en forme de monde, et donc d'un anthropomorphisme plus ou moins illusoire — « formidable erreur » ; « on peut dire plutôt qu'en tant que microcosme, l'homme est un être qui, du fait qu'il porte en lui des réalités par lesquelles il se rattache à tout ce qui existe, est lui-même cosmomorphique et, comme tel, susceptible, en partant de lui-même, de parvenir à la connaissance de tout ce qui compose l'essence du cosmos » ([80]).

Résurgence de l'intuition romantique, la pensée de Scheler permet d'identifier l' « organe » de Hemsterhuis, le *Gemüt,* le sens intime, avec le « Centre », évoqué par Schlegel et Novalis comme le point d'équilibre idéal, le foyer ontologique de l'existence. Surmontées les contradictions apparentes, le sens intime et les sens externes retrouvent leur alliance originaire, le moi et le monde communient dans l'unité d'un même dessein ; le décalage se réduit entre la réalité et la valeur au sein de l'identité retrouvée, dans les accordailles où toutes les dissonances s'abolissent en une *Stimmung* d'accomplissement dans l'unité. En ce

([78]) Max SCHELER, *Nature et formes de la sympathie,* trad. M. LEFEBVRE, Payot, 1950, ch. V, p. 128.
([79]) *Ibid.*, pp. 128-129.
([80]) *Op. cit.*, ch. VII, p. 161.

point origine de la vision du monde romantique, anthropologie et cosmologie communient dans leur principe commun, qui est le projet divin de la Création. La présence de Dieu vient authentifier ce sens de la vérité.

Ce principe se donne à nous, en espérance et anticipation, objet d'une visée eschatologique. La recherche du Centre ne peut aboutir en cette vie mortelle ; du moins le sens interne affirme-t-il en nous la possibilité d'une mise en perspective grâce à laquelle nous réintégrerons, toujours plus harmonieusement, la vérité totale. Dans la lettre du 8 juin 1796, où Novalis annonce à Frédéric Schlegel ses fiançailles avec Sophie, il évoque cette conscience en lui d'une croissance au sein d'une « merveilleuse totalité » dont les « membres sublimes » lui apparaissent partout ([81]). La recherche du centre a le sens d'un épanouissement dans la vérité et dans la valeur. Le *Gemüt,* comme le *cœur* pascalien, ne désigne pas seulement la dimension émotive de l'être, dans sa spécificité ; il porte témoignage de la constitution de la réalité.

Baader a donné une grande importance au sens intime dans son anthropologie et sa *Naturphilosophie;* il s'agit pour lui d'une faculté cognitive, parfois identifiée avec la raison : « Il est souvent question dans le Journal de Baader (...) du « sens intérieur » *(innerer Sinn).* Ce « sens intérieur » nous apparaît d'ordinaire dans le journal, dans la mesure où il se trouve précisé comme un organe de connaissance intuitive. Ici au contraire il est défini comme la raison ; Baader lui applique les mêmes épithètes : principe puissant et principe divin, est-il dit à propos de la raison. (...) La raison est « la force vivante des hommes », leur « unique principe vital » ([82]). L'imprécision du vocabulaire n'est pas l'attestation d'une pensée confuse. La philosophie romantique opère par emboîtement, par implication des dimensions de la vérité. La plénitude du réel ne peut être approchée par la voie d'une analyse qui dissocie ; elle exige une mobilisation de toutes les ressources de la conscience vitale. Baader, qui ne cesse de faire le procès de l'intelligence mécaniste définie par abstraction à partir de la matière inanimée, ne peut concevoir la plus haute faculté de connaissance comme un agencement de principes extraits de l'investigation de réalités mortes et adapté seulement à leur mise en œuvre. La pensée sous sa forme éminente doit regrouper les approches intuitives appropriées aux puissances vitales.

La raison, identifiable au sens intime, est la marque en nous de la vérité totale, l'empreinte qui scelle notre appartenance à l'ordre universel. *Gemüt* et *Stimmung,* liés à l'expérience de cette harmonie globale, permettent d'en percevoir des échos, à proportion de notre fidélité au long des initiations que nous avons à subir. Le *Gemüt* n'est pas une faculté parmi d'autres facultés, qu'il serait possible d'isoler et de définir selon une spécificité propre. Le mot *Gemüt* désigne le concert de toutes les facultés de connaissance en tant que constituant l'architectonique

([81]) Cf. NOVALIS, *Schriften;* éd. KLUCKHOHN-SAMUEL, Bd. IV, 1975, p. 188.

([82]) Eugène SUSINI, *Franz von Baader et le romantisme mystique,* t. I, Vrin, 1942, p. 81.

d'un rapport au monde selon l'analogie de l'univers ; la connaissance totale, science pure des réalités et des valeurs, s'accomplit en ce lieu où se nouent les correspondances entre les rapports en nombre infini qui constituent le monde. Lecteur assidu de la *Lettre sur l'Homme et ses rapports* de Hemsterhuis, Novalis a l'intuition du savoir harmonique dont les sciences existantes ne proposent que d'insignifiants débris : « c'est seulement par défaut de génie et d'esprit que les sciences sont séparées : trop compliqués et trop lointains sont leurs rapports pour la sagacité et la stupidité. Pourtant c'est à des rapports de cette sorte entre les membres longtemps séparés de la science totale que nous devons les plus grandes vérités de nos jours » ([83]).

L'encyclopédie serait la communauté retrouvée de la science unitaire regroupant les membres du savoir, conscience totale de cette science totale dans la parfaite unité d'une *Stimmung* à la fois épistémologique et ontologique. But nécessaire et inaccessible de la quête qui conduit les disciples sur la piste de Saïs, le voile de la déesse ne se lève jamais complètement ; les initiations jalonnent une route dont le terme se situe au-delà des horizons de la vie. Celui qui emprunte le « chemin mystérieux » à travers l'espace du dedans, s'il parvenait au terme de l'entreprise, posséderait dans l'ordre du sens interne la plénitude de la connaissance, le mystère suprême étant défini par la coïncidence parfaite entre l'espace du dehors et l'espace du dedans.

Cette harmonieuse équivalence n'existe en ce bas monde que sur le mode du désir et du pressentiment. Certains individus sont doués pour cette recherche spirituelle. La circulation de la vérité à travers l'immense organisme de la nature s'accomplit physiquement par des moyens que la science récente a mis en évidence ; il existe des fluides vitaux qui prennent la forme des courants électriques, avec leurs polarités spécifiques, des affinités chimiques, du galvanisme, du magnétisme animal. Une incessante circulation d'influences assure entre tous les êtres de la nature une communication de sens, une communauté qui peut aller jusqu'à la communion. Le sens interne est l'organe d'une présence au monde qui n'a pas besoin du ministère des sens extérieurs. Les *Naturphilosophen*, les médecins romantiques ont été attentifs aux réalités du rêve, du somnambulisme, de la transmission de pensée, de la télépathie et du pressentiment sous toutes ses formes.

Cette immense catégorie de phénomènes parapsychologiques, considérés jadis comme démoniaques, était devenue l'objet d'une curiosité positive, libérée des tabous religieux. De ce transfert d'intelligibilité du surnaturel au naturel témoigne en particulier l'entreprise du romancier de formation piétiste Karl Philip Moritz (1767-1793), esprit curieux et profond, qui anime de 1785 à 1793 un *Magazine de psychologie expérimentale (Magazin zur Erfahrungsseelenlehre).* Cette première revue de psychologie normale et pathologique publie des observations précises de la vie mentale, avec une prédilection pour les rêves, les apparitions, ce

([83]) NOVALIS, *Œuvres complètes,* p. p. A. GUERNE, t. II, *Fragments,* N.R.F., 1975, p. 32 (Wasmuth, § 16).

que nous appelons aujourd'hui la parapsychologie, les formes légères d'aliénation. Le *Magazine* de Moritz disparut à la mort de son directeur, mais le mouvement romantique augmente encore l'intérêt pour ces aspects insolites de l'expérience humaine. La théorie intellectualiste de la représentation s'y trouvait prise en défaut ; une inversion du déterminisme donnait la priorité à l'espace du dedans. La voyance, sous toutes ses formes, atteste l'immanence de l'esprit à la réalité ; la matière morte n'est qu'une illusion perceptive ; l'univers est transparent au regard de qui en pressent l'intelligibilité intrinsèque sous le revêtement des apparences.

Le *Gemüt* du voyant possède le don de libérer le sens. Privilège du génie, en matière de littérature ou d'art, dont l'intuition cosmique permet de recréer des mondes selon l'analogie de la création divine. Les observateurs romantiques s'attachent aux cas paranormaux, chez des sujets dont l'équilibre mental fragile permet d'espérer que l'on pourra plus aisément mettre en lumière les secrets de la vie spirituelle. La Voyante de Prevorst fut observée par Justinus Kerner (1786-1862), poète, littérateur, théosophe, génie authentiquement romantique dans sa vie, dans son savoir comme dans son écriture. Médecin de campagne dans l'Allemagne du Sud, Kerner accueille dans sa maison de 1826 à 1829 la fille d'un forestier, somnambule et visionnaire, dont il se fait l'observateur vigilant, à la manière de Clemens Brentano montant la garde près de la nonne Anne Catherine Emmerick, de 1818 à 1824, et notant ses visions. Mais l'intérêt de Kerner, à la différence de celui de Brentano, n'est pas d'ordre mystique. Kerner tente une approche clinique, phénoménologique, dans l'esprit de la *Naturphilosophie ;* à propos de ce cas privilégié d'un sujet qu'il a sous la main, il consulte les meilleures autorités du moment : G. H. Schubert, Baader, Eschenmayer, Görres, savants et médecins qui s'efforcent d'intégrer cette expérience à l'encyclopédie romantique du savoir. Le livre de Justinus Kerner, *La Voyante de Prevorst* (1829), sera cinq fois réédité ; il y aura, pendant une douzaine d'années, une revue consacrée à la recherche psychique dans le sillage des événements de Prevorst.

Frédérike Hauffe, la voyante de Kerner, possède une extraordinaire sensibilité aux influences cosmiques. Le don de voyance rétablit une intégrité originelle, perdue par l'homme dans le cours de l'histoire. « Lorsque l'homme était plus près de la nature et moins empêtré de cette gangue qui l'enveloppe depuis qu'il est arrivé à l'état de civilisation, il était plus sensible aux influences spirituelles et même aux propriétés cachées des minéraux. Mais maintenant, avec la triple cuirasse matérielle qui l'entoure, il ne ressent plus que les influences chimiques ou mécaniques. (...) Mais la vie magnétique nous révèle bien des phénomènes qui prouvent que la réalité va plus loin que tout ce que nous avons coutume de considérer comme de simples rêves de poètes. (...) Dans son *Histoire naturelle,* Schubert fait remarquer qu'il ressort de maintes observations que le règne minéral a de profonds et magiques rapports avec la nature de l'homme et ses relations spirituelles. La clairvoyance magnétique a prouvé que, non seulement le contact, mais même le simple voisinage des métaux, produisait des effets qui n'ont certainement rien de chimique ni de mécanique. De tels résultats semblent plutôt produits par l'existence d'un fluide spécial, magnétique ou électrique, auquel nous restons insensibles dans l'état ordinaire » ([84]).

Sensible à la présence ou à l'absence de soleil, à l'action des éléments, aux minéraux, aux vents, à l'électricité atmosphérique et tout particulièrement à la musique, la Voyante de Prevorst est l'exemple de la personnalité cosmique, accordée à toutes les résonances de cet univers auquel elle est intégrée. Génie proprement romantique, mais génie passif, réceptif seulement, alors que le génie artistique possède le don de convertir cette passivité en activité, de rendre les autres témoins de sa propre voyance. Entre le *Gemüt* de la Voyante, dont le sens interne perçoit toute l'économie du monde, et le *Gemüt* du poète, il existe une affinité de nature et de vocation. Les hommes ordinaires, véritables somnambules, marchent à travers le monde les yeux fermés, aveuglés par les évidences matérielles. Le génie poétique est semblable aux instruments de musique qui vibrent aux rythmes du cosmos, telle la harpe éolienne suspendue dans le jardin de Justinus Kerner et dont il se plaisait à écouter les harmonies. Baader a correspondu avec Kerner et collaboré avec lui à l'interprétation du cas de sa voyante. Il a publié en 1822 un essai *Sur le sens interne opposé aux sens externes* ([85]), où il signale que si les phénomènes de voyance, qui relèvent du sens interne, présentent des caractères pathologiques, c'est parce que nous les observons sur des malades, et ne savons pas les reconnaître sur des individus normaux. Le phénomène banal du rêve atteste qu'il est possible d'évoquer le monde à partir d'une expérience intime, sans contact avec le monde extérieur. Les savants *(Naturforscher)* Paracelse et Jacob Boehme ont étudié l'imagination créatrice en tant que faculté magique capable de créer le monde par une production autonome de l'esprit. Comprendre c'est créer ; l'initiative interne permet de susciter au-dedans de nous le même univers que nous rencontrons par l'opération des sens externes, en vertu de l'identité originaire du sens ([86]).

Le 7 novembre 1798, Novalis, étudiant à l'Ecole des Mines de Freiberg, écrit à Frédéric Schlegel son enthousiasme au sujet de Baader, en lequel il voit l'un des membres futurs du « Directoire philosophique de l'Allemagne » ([87]). Les *Contributions à la physiologie élémentaire* (*Beiträge zur Elementar-Physiologie*, 1797), de Baader, développent le thème d'un *a priori* totalitaire de la connaissance ; la correspondance entre le dedans et le dehors se trouve assurée à l'avance, de sorte que

([84]) Justinus KERNER, *La Voyante de Prevorst*, 1829 ; extraits, trad. DUSSART, dans *Romantiques allemands*, t. II, Bibliothèque de la Pléiade, pp. 1557-1558.

([85]) *Ueber der inneren Sinne im Gegensatze zu den aüsseren Sinnen*, 1822 ; BAADER, *Sämtliche Werke*, Leipzig, 1853, Bd. IV, pp. 95 sqq.

([86]) Cf. l'essai dédié à Justinus Kerner : *Ueber die Inkompetenz unserer dermaligen Philosophie zur Erklärung der Erscheinungen aus dem Nachtgebiete der Natur*, 1837, même volume des *Werke*, pp. 304, sqq.

([87]) Cf. Roger AYRAULT, *La genèse du Romantisme allemand*, t. III, Aubier, 1969, pp. 62-64.

l'excitation extérieure n'est qu'un aiguillon qui suscite en nous la présence latente de la puissance naturelle *(innere Naturkraft)* ([88]). Une même co-naissance se réalise par la voie centrifuge comme par la voie centripète. Le *Gemüt* est ici le lieu de l'initiative, le centre ontologique d'interconnexion entre le dedans et le dehors, non pas dans la perspective intellectualiste d'une théorie de la représentation, mais dans le contexte d'une approche des valeurs régulatrices de l'existence humaine. Emportée par les mouvements de l'Etre, la conscience se découvre englobée et englobante, centrale et périphérique, maîtresse du sens et néanmoins aliénée, parce qu'elle ne peut atteindre le Centre des centres, où se prononce la présence divine. L'affiliation cosmique de l'être humain, l'accord harmonique *(Stimmung)* avec la nature globale, est la justification de ce qu'on a appelé le panthéisme romantique ; non pas divinisation de l'univers, mais conscience prise de l'appartenance de l'homme au grand Etre de la Nature globale. La doctrine panthéiste telle que la reconstituent les inquisiteurs anti-romantiques n'est qu'une rationalisation secondaire de cette intuition d'une solidarité organique entre les êtres et les choses.

Le *Gemüt,* au-delà de la conscience psychologique, assure, dans l'ordre du sens interne, l'insertion de la réalité humaine dans l'ensemble ontologique, dont elle représente une facette où se réfléchit la totalité. L'expérience religieuse, telle que Schleiermacher la décrit dans les *Discours sur la religion,* a été suspectée, elle aussi, de sentimentalisme, de panthéisme diffus ; on y a vu l'expression d'une conscience cosmique d'où serait absent le sens de la transcendance. Le *Gemüt* est, dans l'homme, le lieu et l'organe de la foi, le centre de la gravitation individuelle où s'articulent le naturel et le surnaturel. Trois ans après les *Discours,* sans lien avec eux, le *Génie du Christianisme* (1802) propose au public français une apologétique d'un style neuf qui se fonde sur la satisfaction des puissances émotives de la nature humaine. Chateaubriand n'a pas la profondeur théologique et philosophique de Schleiermacher, mais les deux hommes, nés en 1768, proposent à leurs contemporains un ressourcement du christianisme dans les exigences primitives du cœur, au sens pascalien et piétiste du terme.

([88]) BAADER, *Beiträge zur Elementar-Physiologie,* 1797, *Werke,* Bd. III, p. 220.

CHAPITRE VII

SURABONDANCE DU SENS

La sagesse des lumières est sagesse des limites; « cultivons notre jardin », mot d'ordre de Candide, résigné, après la fin des aventures. Le romantique, aux confins de l'illimité, s'abandonne aux tentations de l'aventure; s'il lui arrive, comme au Quichotte, de mourir dans son lit, c'est par accident; la mort elle-même devient un nouveau départ pour une aventure qui, cette fois, sera la bonne. Le secret du Quichotte est le secret des romantiques; aussi l'ont-ils choisi comme l'un de leurs intercesseurs, en quête du sens indéfiniment reporté par-delà la ligne d'horizon qui emprisonne la réalité.

Découverte de l'absence du sens, le romantisme déploie un immense discours sur l'insuffisance de la réalité. Il n'y a pas assez de réalité pour la plénitude du sens, pour que le sens puisse venir au monde et créer un monde à sa mesure. Le sens ne tient pas dans les limites du jardin de Candide. Le romantisme éternel habite en esprit au-delà des limites; il sait, comme Rimbaud, que la vraie vie est absente. Le surplus déborde, mais ne trouvant pas la possibilité de s'exprimer dans le réel tel qu'il est, il s'exalte ou se sublime dans l'espace du dedans, à la recherche de compensations dans l'irréel et dans l'imaginaire. Le fait fondamental serait la non-coïncidence entre l'espace du dedans et l'espace du dehors. L'empirisme du XVIIIe siècle prétendait faire de la page blanche de l'esprit un miroir où l'ordre des choses venait se refléter; l'occupation de l'espace mental par les phénomènes de l'univers était pleine et entière, sans ombres ni recoins, remords ou arrière-pensées. La morale et la religion se réduisaient à quelques réflexions secondes sur l'ordre des phénomènes et des comportements, sur la meilleure organisation des techniques pour la production et la distribution des biens, d'où résulteraient de meilleurs rapports entre les individus.

Le XVIIIe siècle éclairé est un siècle sans Mal. L'individu épouse son époque; présent au présent, sans douloureux malentendus. L'insatisfaction même prend forme de protestation, qui se convertit en action militante et réformatrice pour la création d'un monde meilleur. Voltaire, Turgot, Condorcet, les souverains éclairés, les caméralistes allemands se battent pour faire advenir plus d'ordre et de justice dans l'univers ; ils y réussissent plus ou moins, jamais tout à fait, mais l'échec ne les décourage pas, et ne leur donne pas mauvaise conscience. Condorcet proscrit, en sursis, dans l'attente d'une mort qui le guette au seuil de son refuge, ne récrimine pas contre le destin qui lui refuse sa juste place ; il connaît la fin de l'histoire, la raison aura raison en fin de compte, peu importe que ce soit par les bons offices de Condorcet ou de tel autre qui reprendra après lui le combat. Le XVIIIe siècle croit au bonheur, à la justice, à l'ordre ; le mal, si mal il y a, ne provient que du désordre social, désordre passager, auquel personne ne doute qu'il ne soit porté remède par des mesures rationnellement appropriées.

Le mal du siècle romantique implique la conscience d'un irrémédiable malentendu entre l'homme et son siècle. L'enfant du siècle n'a pas sa place dans le siècle, le siècle ne lui donne pas sa chance, il est dans le siècle une personne déplacée, les valeurs dont il est porteur sont refoulées et refusées. Le monde est trop petit, l'âme s'y sent à l'étroit. Le désaccord ne porte pas sur tel détail de la machine universelle, qu'un peu d'ingéniosité parviendra à rectifier ; il s'agit de l'ensemble des désirs, sentiments et valeurs, démentis en bloc par une réalité indifférente, ou plutôt différente. L'individu ne peut pas s'identifier à l'ordre social, s'insérer à la place qui lui est attribuée ; il n'accepte pas cette coïncidence, sinon par lassitude et non sans récrimination. Il fait défaut, il est absent, il rêve d'être ailleurs, il rêve d'être autrement, n'importe où hors du monde. La surabondance du sens se prononce sous la forme d'un vœu de non conformité ; la conscience se veut objection de conscience. Le bohème, le dandy, l'original sous toutes ses formes sont autant de figures de cette volonté de différence, en haine de la moyenne, de la foule, de la masse, du bourgeois. Le sens, que le monde refuse et refoule, s'exaspère en singularité, en désir de choquer, comme pour porter témoignage de l'absence de la vérité et de la valeur.

L'individu romantique est un dissident, un émigré à l'intérieur, devant la montée des périls de la civilisation industrielle et du monde bourgeois. Malaise, mal être excellement analysé par Lamennais : « Tous les liens sont brisés ; l'homme est seul ; la foi sociale a disparu, les esprits abandonnés à eux-mêmes ne savent où se prendre ; on les voit flotter au hasard dans mille directions contraires. De là un désordre universel, une effrayante instabilité d'opinions et d'institutions. Il y a au fond des cœurs, avec un malaise incroyable, comme un immense dégoût de la vie et un insatiable besoin de destruction » [1]. Le jeune Lamennais se scandalise devant ce manque de foi en soi-même et en Dieu, qui engendre les pires désordres spirituels. « On ne rêve rien moins que de révolutions totales dans chaque Etat et dans le monde, que l'entière abolition de tout ce qui est, sans s'occuper même d'y rien substituer. On veut une nouvelle religion, mais on ne sait quelle ; une nouvelle forme de société, mais on ne sait quelle ; une nouvelle législation et de nouvelles mœurs, mais on ne

[1] LAMENNAIS, *Essai sur l'indifférence en matière de religion*, t. II, 1820, Préface, p. XI.

sait quelles, déplorable symptôme de la perte de tout sens et de l'extinction de la raison sociale » ([2]).

Le diagnostic se contente d'un constat de carence. Cette pathologie spirituelle n'est que l'envers d'une affirmation résolue. La « perte de tout sens » résulte de la surabondance du sens, qui demande trop, qui demande tout, et ne se console pas de ne pas obtenir ce qu'il réclame. Une meilleure interprétation suivrait la voie inverse et s'efforcerait de reconstituer l'image positive dont le négatif apparaît ici. George Sand, en 1843, esquisse les deux aspects du phénomène : « Tous tant que nous sommes, nous traversons une grande maladie, ou nous allons devenir sa proie si nous ne l'avons déjà été. (...) Le doute est le mal de notre âge comme le choléra. Mais, salutaire comme toutes les crises où Dieu pousse l'intelligence humaine, il est le précurseur de la santé morale, de la foi. Le doute est né de l'examen. Il est le fils malade et fiévreux d'une puissante mère, la liberté. (...) La liberté prendra elle-même son enfant rachitique dans ses bras ; elle l'élèvera vers le ciel, vers la lumière, et il deviendra robuste et croyant comme elle » ([3]).

Le romantisme, mal être existentiel, est aussi caractérisé par l'affirmation de la croyance sous des formes surabondantes, attestées par la multiplication des sectes messianiques, y compris le messianisme social, auquel Lamennais finira par se rallier. Manque de foi ou excès de foi, le romantisme hante les extrêmes, et se convertit à l'occasion d'un extrême à l'autre ; le point moyen entre les attitudes opposées est le lieu qui lui convient le moins ; en religion comme en toutes choses, il est froid ou bouillant, mais pas tiède. Le mal être existentiel a son fondement dans la disproportion entre l'espace spirituel de la subjectivité et l'espace physique et social de la réalité objective.

Le romantisme est un surréalisme, ou plutôt le surréalisme est un romantisme, ainsi que le reconnaissaient André Breton et ses amis, fervents amateurs des romantiques allemands. La statue de Condillac enregistre les impressions qui lui viennent du dehors par la médiation des récepteurs sensoriels, qu'elle totalise pour en restituer une photographie mentale de la présentation matérielle du monde extérieur. Le sujet subit la loi de l'objet dont il fournit un double aussi conforme que possible ; l'espace du dedans copie l'espace du dehors, toute différence entre les deux devant être imputée à une aberration, erreur de jugement ou illusion de la part de l'individu percevant. Les doctrines classiques de la perception s'inspirent des schémas de l'optique géométrique ; vignettes et figures montrent l'œil assimilé à une chambre noire sur le fond de laquelle s'inscrivent en projection planimétrique inversée les configurations des objets qui peuplent le monde extérieur. La rose, il est vrai, a des couleurs et un volume, un certain contact, doux, rugueux, ou piquant ; elle a une odeur dont la suavité enveloppe la statue et la pénètre. Mais ces dimensions de la présence concrète, en dépit de leur irréductibilité à la

([2]) *Ibid.*, p. XII.
([3]) George SAND, Préface de la seconde édition des *Lettres d'un Voyageur*, 1843 ; *Œuvres autobiographiques*, Bibliothèque de la Pléiade, t. II, p. 648.

projection géométrique, s'amalgament avec elle jusqu'à faire corps avec le spectre de la rose en sa présence sensible. Quant aux significations esthétiques, morales et symboliques qui foisonnent autour de la fleur, quant aux souvenirs liés à cette apparition, ils rentrent aussi dans la forme géométrique, comme des accessoires dans une boîte.

On lit dans l'*Oberman* de Senancour : « il faisait sombre et un peu froid ; j'étais abattu parce que je ne pouvais rien faire. Je passai auprès de quelques fleurs posées sur un mur à hauteur d'appui. Une jonquille était fleurie. C'est la plus forte expression du désir : c'était le premier parfum de l'année. Je sentis tout le bonheur destiné à l'homme. Cette indicible harmonie des êtres, le fantôme du monde fut tout entier dans moi ; jamais je n'éprouvai quelque chose de plus instantané. Je ne saurais trouver quelle forme, quelle analogie, quel rapport secret a pu me faire voir dans cette fleur une beauté illimitée, l'expression, l'élégance, l'attitude d'une femme heureuse et simple dans toute la grâce et la splendeur de la saison d'aimer… » ([4]). Proche, à bien des égards, de ses contemporains idéologues, disciples de Condillac, Senancour décline son identité romantique. La jonquille n'est pas sous son regard une figurine géométrique, totalisant un certain nombre d'indications sensorielles ; elle impose une ouverture sur un autre monde, sur un monde autre et meilleur, messagère d'une révélation qui transfigure l'existence. Une page des *Confessions* évoque ainsi la découverte par Rousseau d'une pervenche, au bord d'un chemin, qui ressuscite le bonheur perdu du temps passé en compagnie de Madame de Warens, bien des années auparavant.

La Fleur Bleue, aperçue en rêve par Henri d'Ofterdingen, n'habite pas l'espace euclidien, homogène et isotrope, où la statue de Condillac inscrit la rose dans le réseau de ses coordonnées mentales. « Les plantes, écrit Novalis, sont le langage le plus direct du sol : chaque nouvelle feuille, chaque fleur particulière, c'est quelque secret qui s'efforce de paraître au jour et qui, transporté d'amour et de joie, ne peut faire un mouvement ni prononcer une parole, et devient alors une plante silencieuse et calme. Lorsqu'on trouve une telle fleur dans un lieu solitaire, n'est-ce pas comme si toutes choses alentour étaient transfigurées et comme si les petites chansons ailées se réunissaient de préférence auprès d'elle ? On voudrait pleurer de joie et, séparé du monde, enfoncer ses mains et ses pieds dans la terre pour y prendre racine et ne jamais quitter cet heureux voisinage… » ([5]). On se plaît à imaginer Novalis introduit dans l'univers aseptisé de Condillac et de sa statue, et le colloque qui s'ensuivrait. Le digne auteur du *Traité des sensations* aurait diagnostiqué chez son interlocuteur une grave aliénation mentale et mandé une ambulance, pour le convoyer vers le plus proche hôpital psychiatrique.

La réalité humaine de la présence au monde ne peut être rabattue dans le champ clos d'une axiomatique géométrique. La doctrine intellectua-

([4]) SENANCOUR, *Oberman*, Lettre XXX, 1804, Bibliothèque 10/18, 1965, p. 119.
([5]) NOVALIS, *Henri d'Ofterdingen*, deuxième partie ; trad. Marcel CAMUS, Aubier, 1946, p. 377.

liste développe un géométrisme morbide qui figerait le sujet percevant dans une aliénation vitale au sein d'un espace neutralisé. Chacune de nos perceptions, au sein de l'horizon d'un monde qui nous est propre, situe notre présence du moment dans l'ensemble de notre histoire ; la pervenche de Jean-Jacques lui renvoie d'un seul coup cette figure de sa destinée que symbolise le souvenir de Madame de Warens. L'amie lui avait montré une pervenche au bord du chemin, et cette pervenche n'a pas cessé de résider au profond de son être, jusqu'au moment de se réincarner d'une manière inopinée dans une autre pervenche, jumelle de la première et signe de résurrection, non pas pervenche de botaniste aux pages d'un herbier, — fleur symbolique, sourire d'une inoubliable présence. La rose de Condillac n'annonce rien à la statue qu'elle-même, un ensemble de pétales, de feuilles, une tige, des étamines, des épines, désordre organisé de formes et de couleurs surmonté d'un parfum. Si les hommes aiment les roses, s'ils ont fait alliance avec les fleurs, ce n'est pas par goût des signalements et classifications botaniques, c'est que les fleurs, en plus de leur structure ou à travers leur structure singulière, parlent aux hommes d'eux-mêmes, révélatrices de messages symboliques, langage de l'âme, selon des formulaires universels, et aussi personnels. La jonquille d'Oberman est porteuse d'un sens que l'écrivain n'a pas révélé ; nous savons le nom de la Fleur Bleue, fleur de mémoire, dont il est question dans *Henri d'Ofterdingen :* Mathilde dans le roman, Sophie von Kühn dans la vie du poète, jeunes filles en fleurs, perdues et retrouvées, contemplées en transparence dans l'émerveillement d'un instant de grâce. La botanique est plus que la botanique ; le myosotis rappelle aux fervents de Novalis la mémoire de Sophie, la pervenche renvoie à Jean-Jacques ; la jonquille porte dans sa corolle les mélancolies d'Oberman.

Le romantisme met en lumière la surabondance du sens, clef de la présence au monde, défigurée par les schémas positivistes, qui prétendent soumettre la conscience à la loi des choses, alors que ce sont les choses qui s'ordonnent selon le vœu, l'exigence de la conscience. Les nécessités de l'action refoulent la subjectivité et réduisent la présence au monde à un système de signaux matériels et objectifs, en vue des utilités pratiques. Il a fallu le génie de Monet pour donner à voir que la gare Saint-Lazare n'est pas seulement une carcasse d'acier et de verre, peuplée de machines monstrueuses qui polluent l'atmosphère, mais aussi un jeu de formes et de couleurs irréelles, où notre sens de la beauté trouve des satisfactions à sa mesure. La gare de Monet se démarque du lieu commun des usagers, des cheminots et des ingénieurs du chemin de fer, hallucinés par leurs programmes, au point de ne pas voir ce qu'ils voient. Comme Turner avait vu en poète les steamers de l'âge industriel, Monet a vu la gare Saint-Lazare, reconquise et annexée au monde visionnaire de l'art. Qui, du poète, du peintre ou de l'ingénieur est le plus près de la vérité ? Turner, Novalis, Monet ou l'indicateur Chaix ?

La vision romantique du monde mobilise un surplus de sens, qui propose un surplus de vérité, par-delà l'exactitude matérielle. Au déterminisme du présupposé positif, prisonnier de son schématisme linéaire, s'oppose la surdétermination de la réalité humaine, riche des significations du sentiment, de la morale, de l'esthétique et de la religion. Ces significations surimposées n'interviennent pas en seconde lecture, revêtement surajouté à l'ossature géométrique de la perception initiale ; ils se trouvent à l'origine, donateurs de sens, générateurs de la conscience de situation, telle qu'elle s'impose à nous. Monet n'a pas perçu d'abord la gare Saint-Lazare, comme tout le monde, en sa nudité matérielle, après quoi il aurait déformé cette première image par une habile dissolution des configurations euclidiennes dans l'ambiance lumineuse. En grattant la couche de peinture, on ne trouverait pas sur la toile une épure géométrique. L'impression, qui dicte sa loi au peintre impressionniste, est déjà cette coalescence du moi et du monde, cette harmonie des couleurs et des lumières, à laquelle le tableau achevé s'efforce de rendre justice.

Novalis formule cet état second, ou premier, lieu propre de la présence au monde romantique : « Le monde devient rêve, le rêve devient monde *(Die Welt wird Traum, der Traum wird Welt)* » ([6]). La poétique romantique met en œuvre ce principe. « Le Rêve est une seconde vie » ([7]), ainsi commence *Aurélia,* où Nerval relate son séjour dans la maison des fous ; non pas seconde, mais première, plus essentielle, parce que s'y nouent les significations de l'existence éveillée, parce que s'y annonce cette unité de notre être, dispersée aux quatre coins de la vie quotidienne par la distraction que nous imposent les obligations et les rencontres. La vie est un songe, et d'ailleurs qui nous assure que notre vraie vie ne se développe pas à l'abri du sommeil, l'existence éveillée n'étant qu'un envers de l'existence authentique, défigurée par les servitudes de la loi du jour ?

Henri d'Ofterdingen, lorsque son initiation lui permet d'entrevoir le savoir véritable, résume sa présence poétique au monde sur le mode d'une communion avec le réel total : « La Fable est pour moi le ressort unique de l'univers où je vis actuellement. La conscience elle-même, cette force créatrice de la pensée et des mondes, ce germe de toute personnalité, m'apparaît comme l'esprit du Poème universel, comme le Hasard ménageant l'éternelle et romantique rencontre des éléments infiniment changeants de la vie de l'ensemble » ([8]). L'art poétique, considéré comme un ensemble de techniques et recettes mises en œuvre par un artisan plus ou moins habile, se trouve loin de compte. Le poète est porté par la puissance immanente à l'univers, comme le nageur qui s'abandonne au mouvement des vagues ; le sens du monde s'annonce à travers lui, vérité dont il est l'organe et non le maître.

Ludwig Tieck, lorsqu'il édita le roman inachevé, y joignit une notice résumant l'ensemble de son projet. « Pour le poète, qui a saisi en son centre vital l'essence de son art, rien n'apparaît contradictoire ni étrange : pour lui toutes les énigmes sont résolues par la magie de son imagination, il peut faire coïncider tous les siècles et tous les mondes ; les

([6]) *Heinrich von Ofterdingen,* 2e partie, *Astralis,* poème, éd. citée, p. 355.
([7]) Gérard DE NERVAL, *Œuvres,* Bibliothèque de la Pléiade, 2e éd., t. I, p. 359.
([8]) NOVALIS, *Heinrich von Ofterdingen,* 2e partie, éd. citée, p. 383.

miracles disparaissent et tout devient miracle. » Tieck commente le conte *(Märchen)* qui termine la première partie du roman (chapitre IX) : « le lecteur y trouvera les connexions les plus audacieuses (...) ; là sont abolies toutes les différences par lesquelles semblent se diviser les siècles et un monde s'opposer à l'autre en ennemi. Avec ce conte, le poète voulait avant tout se procurer une transition vers la seconde partie, dans laquelle le récit s'échappe constamment de la réalité la plus ordinaire pour courir au merveilleux le plus étonnant, et où chacun de ces deux mondes s'explique et se complète par l'autre. (...) Par ce moyen, le monde invisible restait en perpétuel contact avec notre monde sensible... » ([9]).

La transparence de l'univers romantique, le sensible permettant le dévoilement de l'invisible, ou plutôt l'invisible devenant visible, expose la surabondance du sens. La poésie est un état de grâce, état second ou plutôt premier, où l'univers s'éclaire d'une intelligibilité transcendante, pierre précieuse dont les facettes répercutent la lumière qu'elles reçoivent. Nerval décrit dans *Aurélia* une expérience de cet ordre ; au cours de son séjour dans la maison de santé du docteur Blanche, il a été élevé, à la suite d'événements et signes ayant valeur d'initiation, à un état d'intelligibilité transcendante, les significations les plus secrètes se trouvant révélées à sa vue. Etat pathologique, où le médecin ne manquerait pas de diagnostiquer une forme de délire d'interprétation. Mais que peut signifier ici le mot « pathologique » ? la maladie sensibilise la conscience, lui donne une profondeur supplémentaire, inaccessible à l'individu bien portant. Nerval a fait de sa « maladie » la matière de l'un des chefs-d'œuvre du romantisme français. Ainsi que disait Nietzsche, la maladie pourrait bien être le chemin d'une santé supérieure.

« Du moment que je me fus assuré (...) que j'étais soumis aux épreuves de l'initiation sacrée, une force invincible entra dans mon esprit. (...) Tout dans la nature prenait des aspects nouveaux, et des voix secrètes sortaient de la plante, de l'arbre, des animaux, des plus humbles insectes pour m'avertir et m'encourager. Le langage de mes compagnons avait des tours mystérieux dont je comprenais le sens, les objets sans forme et sans vie se prêtaient eux-mêmes aux calculs de mon esprit ; des combinaisons de cailloux, de figures d'angles, de fentes ou d'ouvertures, des découpures de feuilles, des couleurs, des odeurs et des sons, je voyais ressortir des harmonies jusqu'alors inconnues. « Comment, me disais-je, ai-je pu exister si longtemps hors de la nature et sans m'identifier à elle ? Tout vit, tout agit, tout se correspond ; les rayons magnétiques émanés de moi-même ou des autres traversent sans obstacle la chaîne infinie des choses créées ; c'est un réseau transparent qui couvre le monde, et dont les fils déliés se communiquent de proche en proche aux planètes et aux étoiles. Captif en ce moment sur la terre, je m'entretiens avec le chœur des astres, qui prend part à mes joies et à mes douleurs » ([10]).

Le rapport au monde romantique se développe en défi aux lois de la

([9]) Notice de Ludwig TIECK, Epilogue à son édition de *Heinrich von Ofterdingen*, éd. citée, p. 395.
([10]) NERVAL, *Aurélia ; Œuvres* Pléiade, t. I, p. 403.

logique et de la physique, maîtresses du sens et du bon sens dans l'univers du sens commun. L'excuse absolutoire de la folie permet de rejeter ce témoignage comme indigne de crédibilité de la part d'individus sains d'esprit. Si l'on s'abstient d'une telle récusation, on constate la parenté entre le délire de Nerval et le surnaturalisme magique de Novalis. « Novalis pensait terminer ainsi son *Ofterdingen :* Henri devait trouver dans une eau profonde une clef d'or qui lui ouvrirait le pays du miracle, où plantes, pierres et astres parlent et agissent comme des hommes ; il devait se changer en un arbre sonore, puis en un bélier d'or, et enfin de nouveau en lui-même » ([11]). De par cet art poétique, les êtres et les choses sont liés par des circuits de significations ouverts sur l'impossible et l'irréel, sans respect pour le principe d'identité ou de contradiction. Dans la nature, les formes ne cessent de se transformer, l'oiseau sort de l'œuf et la fleur du bouton ; cette vérité plastique autorise à tout moment le renouvellement du sens, ou sa métamorphose.

Tieck attire l'attention du lecteur d'*Ofterdingen* sur le conte qui termine la première partie du roman ; un autre conte figure dans *Les disciples de Saïs,* comme un noyau de signification. Le mot *Märchen* désigne aussi bien le conte populaire que le conte de fées, récit merveilleux ou légendaire à l'usage des enfants, mais aussi des grandes personnes. Les romantiques allemands, et les Français à leur suite, se sont attachés à réhabiliter les récits traditionnels, dont les *Kinder und Hausmärchen* des frères Grimm (1812-1822) ont proposé à l'Europe une collection exemplaire. Mais les *Märchen* constituent aussi un genre littéraire, illustré par Novalis et Tieck, Arnim et Brentano et par les contes très célèbres d'E. T. A. Hoffmann. Il ne s'agit pas là seulement de nouvelles, romans en réduction, réunissant dans le cadre d'une brève intrigue un petit nombre de personnages. Le *Märchen* est un récit irréaliste, où la fantaisie l'emporte sur le respect de la réalité ; il se définit par son ambiance, par la *Stimmung,* par l'harmonie interne du sentiment qui le régit, plutôt que par la cohérence logique. Le merveilleux des contes de fées s'y retrouve, mais intériorisé, transfiguré en une libre expression du cœur et de l'âme, dont l'exigence finit par triompher, une fois dissipées les angoisses et l'oppression des ténèbres.

Novalis esquisse une doctrine du *Märchen,* forme privilégiée pour l'expression de l'idéalisme magique, opérateur de transmutations lyriques de l'univers. « Le *Märchen* est en quelque sorte le canon de la poésie ; tout ce qui est poétique est nécessairement de la nature du *Märchen (märchenhaft).* Le poète adresse sa prière au hasard ». Et Novalis dit aussi : « c'est dans le *Märchen* que je crois le mieux capable d'exprimer la résonance du fond de mon âme *(Gemütsstimmung).* Tout est *Märchen* » ([12]). Il n'est pas de meilleur moyen pour formuler l'intelligibi-

([11]) Ricarda HUCH, *Le Romantisme allemand,* trad. BABELON, Grasset, 1933, p. 260 ; cf. la notice de TIECK sur *Ofterdingen* dans l'édition citée plus haut.

([12]) NOVALIS, L'*Encyclopédie,* fragments, classement WASMUTH, n° 1464 ; GANDILLAC (éditions de Minuit, 1966) écrit pour *Märchen :* « conte de fées », traduction inadéquate ; mieux vaut maintenir *Märchen.*

lité de l'univers ; le *Märchen* est un mode d'appréhension du réel en même temps qu'un genre poétique. Aucun mot français ne donne une transcription adéquate du nœud de significations que désigne le terme germanique. Il s'agit non seulement d'un récit féerique, merveilleux, fantastique ou simplement légendaire, mais d'une vision du monde affirmée à travers ce récit. « Un *Märchen* ressemble proprement à une image onirique — sans cohérence — un *ensemble* de choses et de faits merveilleux — par exemple une *fantaisie* musicale — les suites harmoniques d'une harpe éolienne — la nature elle-même. Si l'on fait d'une histoire réelle un *Märchen,* on y introduit un élément étranger. — Une série d'essais aimables, divertissants, une conversation variée, un bal masqué, sont des *Märchen.* Une forme supérieure de *Märchen* est celle où, sans chasser l'esprit de merveille, on introduit quelque intelligibilité (cohérence, signification). Un *Märchen* pourrait même, peut-être, devenir utile » ([13]).

Mieux qu'un conte, le *Märchen* apparaît comme la source des contes, l'arbre magique dont ils sont les produits, un état de l'esprit et du cœur, un régime de la présence au monde, dérobé résolument aux prises de la logique euclido-aristotélicienne. « Le *Märchen,* dit encore Novalis, est totalement *musical* » ([14]). L'ordre immanent au développement du *Märchen* est un ordre dynamique, régi par des harmonies, des consonances, assonances et dissonances qui échappent à la servitude des dimensions de la géométrie usuelle. La musique évoque un ordre du dedans, spécifiquement différent de l'ordre du dehors, mais qui peut, à l'occasion, s'imposer à l'ordre du dehors, en vertu d'une légitimité supérieure. Selon les physiciens romantiques, la nature matérielle, telle qu'elle s'offre aux sens extérieurs, semble le fruit d'une sclérose, d'un amortissement du sens, figé dans son immobilité par quelque magie, et qui persiste dans son ensommeillement, en attente d'un miraculeux éveil. « Il me semble que les relations musicales sont, de la façon la plus propre, les relations fondamentales de la nature. Cristallisations : figures acoustiques de vibrations chimiques (sens chimique). Plantes, animaux, minéraux, éléments etc., géniaux, nobles, divinatoires, thaumaturgiques, sages, sots, etc. Individualité infinie de ces êtres, — leur sens musical et individuel — leur caractère, leurs inclinations, etc. Ce sont des êtres passés, historiques. La nature est une ville magique pétrifiée » ([15]).

Le *Märchen* se réfère à cette musique imaginaire assoupie sous les formes matérielles de l'univers. Tel Orphée mettant en mouvement les êtres de la nature, le *Märchen* libère le sens captif. Opérateur de métamorphoses renouvelées, il intervient en révélateur de la nature, dénaturée en vue de nos utilités pratiques, et rendue à sa première liberté par la parole prophétique du poète. « Dans un *Märchen* authentique, il faut que tout soit merveilleux, mystérieux et incohérent, que tout soit

([13]) *L'Encyclopédie,* éd. citée, n° 1462, trad. GANDILLAC, p. 326. Op. cit. fr. 1465 (traduction modifiée, loc. cit., pp. 327-328).
([14]) *Ibid.,* fragment 1468, p. 328.
([15]) Fragment 1326, p. 300.

animé — chaque fois d'une manière nouvelle. Il faut que la nature entière soit merveilleusement mêlée à tout l'univers des esprits — le temps de l'anarchie universelle — de l'absence de lois — de la liberté — de l'*état de nature de la nature* — le temps d'avant le *monde* (avant l'Etat). Le temps d'*avant* le monde livre pour ainsi dire les traits dispersés du *temps d'après le monde,* comme l'état de nature est une image *singulière* du Royaume éternel. Le monde du *Märchen* est l'exact opposé du monde de la vérité (histoire) — et c'est pourquoi justement *il lui ressemble si parfaitement,* comme le chaos à la création achevée. (...) Le *Märchen* authentique doit être en même temps *représentation prophétique* — représentation idéale — représentation absolument nécessaire. Le véritable conteur de *Märchen* est un voyant de l'avenir » ([16]). Cette perspective cosmologique nous éloigne des contes de Perrault, des *Contes des Mille et Une Nuits,* ou autres traditions légendaires de l'humanité, encore que, sous l'impulsion du Romantisme, nous ayons appris à trouver dans les produits de la fonction fabulatrice des témoins d'un âge archaïque de la culture universelle.

Le *Märchen* semble l'organon de la poésie, forme privilégiée d'une exigence de la réalité humaine, occultée par l'usage habituel de la vie. « Seule la faiblesse de nos organes et de notre contact avec nous-mêmes nous empêche de nous apercevoir dans le monde du *Märchen* » ([17]). Le poète, l'homme totalement éveillé, est l'habitant de ce monde plus que réel, dont il porte témoignage. « Dans un livre authentiquement poétique tout semble si *naturel* — et pourtant si merveilleux — on croit que rien ne pourrait être autrement et qu'on n'a fait jusqu'ici que dormir dans le monde — et que pour la première fois à présent s'éveille le véritable sens qui nous permet de saisir le monde. Tout souvenir et tout pressentiment semblent venir justement de cette source. — De même aussi ce présent où l'on est captif de l'illusion, — ces heures singulières où l'on est pour ainsi dire au cœur de tout objet qu'on considère, et où l'on éprouve les sensations infinies, inconcevables, simultanées, d'une harmonieuse pluralité » ([18]).

Aurélia, de Gérard de Nerval, est un *Märchen* français, ou un ensemble de *Märchen,* où s'entrelacent le rêve et la vie, le merveilleux et le quotidien, à la lumière d'une transcendante poésie. La théorie du *Märchen,* élargie en art poétique, donne le sens de la doctrine mise en œuvres par Achim von Arnim et Ludwig Tieck, par Eichendorff, La Motte Fouqué ou Chamisso ; romans, contes, poèmes, essaient de dire cet éveil d'un sens total dans l'imagination de l'écrivain, abandonné à l'exigence de son génie. Représentant de cette lucidité qui perce à jour le réel et délivre le sens endormi au cœur des hommes et des événements, Jean-Paul Richter, dans les récits duquel les êtres et les choses, les paysages et mêmes les animaux semblent vivre en dehors de leurs apparences, de l'autre côté du miroir. Ils portent les uniformes de la vie

([16]) Fragment 1460, p. 325.
([17]) Fragment 1678, p. 369.
([18]) Fragment 1445, p. 323.

quotidienne et parlent avec les mots de tout le monde, mais le sens de leur vie habite un autre monde, plus vrai que le réel. Leur existence authentique est celle de l'imagination et du cœur ; leur modeste vie se développe à la manière d'un mouvement musical dédaigneux des utilités pratiques, où le merveilleux se fait quotidien, au mépris des déterminismes matériels. Les catégories de l'idylle et l'ange du bizarre règnent sur les aventures des héros au cœur pur, dans l'émerveillement du paysage campagnard. Le héros de la *Loge invisible,* premier grand roman de Jean-Paul, vit jusqu'à sa dixième année dans un souterrain, en compagnie de son précepteur et d'un caniche. Il viendra au monde le jour de son dixième anniversaire, dans la gloire d'une journée de printemps, et se croira dès lors transporté au Ciel, jouissant chaque jour de cette merveilleuse illumination que les indigènes du globe terrestre, dont l'imagination est usée par l'évidence toujours recommencée, ne perçoivent même plus. L'univers de Jean-Paul bénéficie de cette surnaturelle radiance où se joue l'esprit de miracle, transfigurant l'existence.

La catégorie du merveilleux irradie un champ d'application plus vaste que le seul domaine du *Märchen*. Le *Märchen,* au sens restreint et technique du terme, est un genre littéraire parmi d'autres ; mais l'esprit du *Märchen,* par-delà ses limites, peut régner dans le roman, dans les variétés diverses de poèmes. Il est lié à la religion ; le miracle intervient, selon l'ordre de la foi, comme récurrence d'une instance transréelle qui transfigure les significations du monde. Trop souvent réduit à un événement matériel (guérison, résurrection), le miracle est d'abord un signe de Dieu, donné au croyant ; il y a miracle chaque fois que s'annonce la présence divine à celui qui l'implore, ou même ne l'implore pas. L'aspect spectaculaire entraîne un déplacement de l'attention vers un élément superficiel. Tout est grâce pour le croyant ; l'authenticité du miracle se situe dans le bienfait de la grâce, création continuée de la vie divine se communiquant à la vie humaine. Novalis observait : « tout à fait singulière est la ressemblance entre notre Histoire Sainte et le *Märchen ;* au début un enchantement, puis la merveilleuse réconciliation etc., l'accomplissement de la condition d'ensorcellement » ([19]). La légende dorée des saints du moyen âge, ou encore la légende de saint François et de ses compagnons sont des histoires saintes, des *Märchen* au sens romantique du terme. Les écrivains romantiques, en particulier Tieck et Brentano, ont écrit dans cet esprit des contes renouvelés du moyen âge, où fleurissent les miracles suscités par l'intervention des Saints et de la Vierge. Le renouveau du sentiment religieux honore les formes populaires de la piété, les dévotions refoulées par l'esprit des lumières ; l'esprit de miracle reprend le dessus.

Si la surabondance du sens trouve ainsi un espace privilégié dans le domaine religieux aussi bien que dans le conte merveilleux et dans la féerie, sa sphère d'influence ne se limite pas là. Novalis, encore : « Si nous avions aussi une *fantastique* comme nous avons une logique — on découvrirait — l'art de découvrir. A la fantastique appartient aussi dans

([19]) Fragment 1471, p. 328.

une certaine mesure l'esthétique, comme à la logique la théorie de la raison » ([20]). La « fantastique » serait la doctrine de l'imagination créatrice ; fonction cosmologique, elle contient les principes de la présence au monde ; elle règle la co-naissance de l'homme à l'univers, non selon les normes de la physique ou de l'optique géométrique, mais en vertu des exigences du cœur et de l'esprit. Les penseurs rationalistes asservissaient l'imagination à l'intellect ; les romantiques lui reconnaissent un droit d'initiative par rapport aux évidences de la perception objective et aux certitudes du sens commun. « L'imagination est le sens merveilleux qui peut remplacer tous les sens et qui est déjà tellement soumis à notre libre décision ; alors que tous les sens extérieurs paraissent être entièrement sous la dépendance des lois organiques, l'imagination n'est manifestement pas liée à la présence et au contact d'excitations extérieures » ([21]).

La « fantastique », doctrine de l'imagination, est le lieu de l'autonomie humaine dans l'imposition du sens. La plupart des hommes ont oublié cette capacité qui leur fut donnée de créer un monde à leur image. Comme le sage Locke, ils s'imaginent que l'ameublement de leur esprit ne peut être obtenu que par l'importation d'articles étrangers. Réduite à ses propres ressources, la statue de Condillac n'est qu'un réceptacle vide, un contenant sans contenu, sans identité ni spontanéité. « Il est étrange que l'intérieur de l'homme ait été jusqu'ici l'objet de si pauvres considérations, et qu'on en ait traité avec si peu d'esprit. Ce qu'il est convenu d'appeler la psychologie n'est qu'un de ces fantômes qui ont pris dans le sanctuaire les places que devraient occuper d'authentiques images des dieux. (...) L'intellect, l'imagination, la raison ne sont que le misérable cloisonnement de l'univers en nous. De leurs merveilleuses confusions, des formes infinies qu'elles revêtent, de la façon dont l'une passe en l'autre, pas un mot. Il n'est venu à l'idée de personne de chercher encore en nous des forces nouvelles qui n'ont pas encore de nom, de suivre le détail des rapports qui les unissent. Qui sait à quelles unions et quels engendrements étranges nous avons encore à nous attendre à l'intérieur de nous-mêmes » ([22]).

Le chemin mystérieux vers l'espace du dedans découvre la pluralité des mondes intérieurs. Par le ministère de l'imagination, des valeurs peuvent venir au monde, des pressentiments inconnus peuvent susciter des univers inédits, ou encore forcer à travers les limites de l'univers apparent des ouvertures vers d'autres horizons qui mettent en défaut l'horizon familier. L'imaginaire est la nouvelle espérance, le domaine de toutes les attentes et de toutes les angoisses, le lieu de la poésie et le lieu de la foi ; l'âme y trouve un monde à sa ressemblance, la fin de l'errance ou peut-être le commencement d'une errance différente. Au plus profond de la conscience se réalise la communication des sens, dans la commu-

([20]) Fragment 1466, p. 328.

([21]) NOVALIS, *Schriften*, éd. KLUCKHOHN, Leipzig 1928, Bd. III, p. 15 ; dans M. BESSET, *Novalis et la pensée mystique*, Aubier, 1947, p. 84.

([22]) Ed. citée KLUCKHOHN, Bd. III, p. 327, citée *ibid.*, p. 85.

nauté des facultés entre lesquelles se noue le dessein de la présence au monde.

Dans la doctrine romantique de la connaissance, l'espace de l'imaginaire, le *mundus imaginalis,* selon la formule d'Henry Corbin, n'est pas un sous-produit du monde perçu, assemblage subalterne suscité par la décomposition et recomposition du réel proprement dit. L'imaginaire a priorité sur le réel ; il évoque et invoque le sens ontologique d'une vie antérieure à la faute, d'une pensée non encore déchue et forte de l'amitié de Dieu. L'irréalité se trouve de notre côté, par opposition au surréel de l'imaginaire. « Le monde de l'Imagination, enseigne Blake, est le monde de l'Eternité ; il est le sein divin dans lequel nous irons tous après la mort de ce corps qui végète. Ce monde de l'Imagination est infini et éternel, tandis que le monde de la génération ou de la végétation est fini et temporel. Dans ce monde éternel existent les réalités permanentes de chaque chose que nous voyons reflétée dans le miroir végétant de la nature. Toutes choses sont comprises, sous leur forme éternelle, dans le corps divin du Sauveur, la Vraie vigne de l'éternité, l'imagination humaine, qui m'est apparue venant au Jugement en compagnie de ses saints et se dépouillant du temporel afin que l'éternel puisse s'établir... » ([23]).

L'imagination romantique est cette faculté de vision prophétique et sacramentelle qui confère au voyant la possibilité d'accéder à « ce monde réel et éternel dont notre univers en état de végétation n'est qu'une ombre affaiblie ; nous y vivrons revêtus de notre corps éternel et imaginal *(imaginative),* lorsque nos corps mortels et végétant auront cessé d'être. Les apôtres ne connaissaient pas d'autre Evangile... » ([24]). Le poète est celui qui a découvert la présence en lui de l'organe des révélations, grâce auquel, maître des transmutations, il lui sera possible de convertir la médiocre réalité du monde en une transcendante vérité. L'imagination-magie opère cette multiplication des possibles, dont chacun s'incarne dans un univers soumis à sa loi. La poésie, la religion, le *Märchen* proposent des variétés de cette projection d'une conscience en forme de monde ; d'autres formes, en état de moindre organisation, esquisses ou fantasmes dans les marges de la pensée, ne l'envahissent que dans les moments où la tension critique se relâche. Alors « le rêve devient monde », selon Novalis, *der Traum wird Welt.* Ces cosmologies parallèles, parfois parasites, de l'univers de la représentation normale, constituent la catégorie du fantastique, caractéristique de la culture romantique, non seulement dans l'ordre littéraire, mais dans le domaine musical, avec la *Symphonie fantastique* de Berlioz, ou encore en peinture, où les évocations de cet ordre se multiplient sous le pinceau des artistes ; les vignettes dont William Blake illustre ses poèmes, les dessins, esquisses et gravures de Goya, les peintures de Füssli évoquent les dimensions hallucinatoires

([23]) *A vision of the last Judgement,* fragments, 1810 ; dans William BLAKE, *Complete Writings,* edited by Geoffrey KEYNES, Oxford University Press, 1979, pp. 605-606.
([24]) *To the Christians,* même édition, p. 717.

d'un univers où les formes se liquéfient, communiquent les unes les autres selon les principes d'une végétation surréaliste.

Le *Märchen* déploie d'ordinaire les enchantements d'un mystère de la clarté ; il y a de mauvaises fées et des monstres méchants, mais ils n'auront pas le dernier mot, car le conte féerique achemine l'enfant, ou le lecteur en esprit d'enfance, vers la réconfortante sécurité d'un *happy end ;* la nuit même du conte est peuplée de rassurantes étoiles ; les *Hymnes à la Nuit* de Novalis sont préservés du désespoir par l'assurance de la foi. Le conte fantastique, héritier du roman noir et de la littérature cruelle, est un conte nocturne, où les ombres occultent la lumière. L'autre monde n'est pas l'endroit glorieux de celui-ci, mais son envers ténébreux, où s'agitent les refoulements de la conscience claire, les angoisses, craintes et terreurs, hantise du mal qui peuple les cauchemars. L'imagination se laisse fasciner par l'insolite ; les obsessions récurrentes peuplent l'espace mental de monstres et d'abîmes vertigineux. Le *Märchen* est une anticipation du Ciel ; les avenues du fantastique débouchent sur l'enfer ; le pire n'est pas toujours sûr, mais le pire est toujours possible, le pire n'est jamais loin, peut-être derrière cette porte, ou au prochain coup de sonnette, comme il arrive dans les récits d'Edgar Poe. Le théâtre d'ombres met en scène tous les jeux et sortilèges de la mauvaise conscience ; on peut refuser cette perspective, en dénoncer l'arbitraire, pourtant subsiste en fin de compte le soupçon qu'en dépit de toutes les précautions, des arrangements et systèmes de sécurité destinés à rendre l'existence possible, la vie est une aventure souvent amère et qui, de toute façon, finira mal.

Ernst Theodor Amadeus Hoffmann (1776-1842) est l'« ange du bizarre » en lequel brille le génie du fantastique romantique, reconnu et imité à travers l'Occident. « Si le conte traditionnel, écrit Albert Béguin, comporte des éléments de terreur ou de cruauté, s'il en est peu dans le trésor des nations, qui n'évoquent pas le sang versé ou les victimes dévorées par quelque vampire assoiffé, tout l'art des narrations anonymes tend à exorciser l'épouvante. On a peur pour le plaisir, le sang coule, mais on retrouvera vivant le Petit Chaperon Rouge. Chez Hoffmann, au contraire, rien ne sera jamais concilié. Tout le sens de son œuvre est de faire apparaître les insolubles conflits de l'existence, non pas d'y trouver un apaisement et moins encore de chercher une voie d'évasion. Plus il va à travers une vie agitée, abreuvée de mécomptes, et plus Hoffmann atteste, par ses inventions extraordinairement libres, qu'il faut tourner le dos à l'appel des sirènes et préférer aux songes vains la réalité rugueuse... » ([25]).

Il y a dans le meilleur romantisme, depuis le groupe de l'*Athenaeum*, jusqu'à Eichendorff, Gérard de Nerval et Victor Hugo, une espérance de salut, associée à la transfiguration religieuse de la réalité. Le romantisme fantastique, celui de Hoffmann et des « petits romantiques » français, tel Aloysius Bertrand, implique une religion de la désespérance ; aussi bien

([25]) Albert BÉGUIN, Préface à l'édition des *Contes* d'HOFFMANN, Les libraires associés, 1964, pp. 24-25.

Nerval lui-même, en dépit des clartés des *Filles du Feu* et d'*Aurélia,* finit-il pendu dans une ruelle d'un bas quartier parisien. Béguin écrit de Hoffmann : « Il est peu de témoins aussi déchirés. Pour lui, la vie est invivable. L'art ne pardonne pas à qui se voue à son dur service. Telle est l'impossibilité d'être que tous les mythes hoffmanniens tentent de traduire. Et de là vient la nature si particulière du conte chez Hoffmann : il est la seule forme d'expression où ce génie, toujours hésitant entre la musique, le dessin et l'écriture, ait trouvé à dire ce qu'il avait à dire : que tout est souffrance, que rien ne s'accomplit, que les instants où l'on perçoit l'harmonie des sphères sont fugaces. Mais aussi qu'une seule chose vaut la peine, qui est de tenter de saisir ces dons provisoires, de les immortaliser par la magie des mots qui, transfigurant le réel, le livrent enfin à notre prise » ([26]).

Ici l'un des secrets du romantisme extrême. Ecrire, composer, c'est résister au désespoir, rechercher par l'œuvre le salut impossible dans la vie. Le pessimisme radical s'enfermerait dans le silence. Faire œuvre c'est invoquer autrui. Le fantastique, même s'il donne la parole à l'instinct de mort, est un jeu, et le jeu déréalise la mort. Raconter la mort, c'est contester la mort, la tenir à distance ; le conte fantastique, là même où il cède aux hantises de l'épouvante, où il se livre aux fascinations de l'horreur, procure au narrateur les satisfactions du metteur en scène, maître des abominations qu'il déchaîne. Faire peur aux autres, se faire peur à soi-même, c'est exorciser les inquiétudes remontées des profondeurs, conjurer les spectres auxquels s'impose la volonté supérieure de celui qui domestique ses fantasmes en les organisant.

La catégorie du fantastique, en deçà de la limite où elle atteint l'horizon infranchissable de la mort, s'accomplit à tous les degrés de l'irréalité, du gris plus ou moins teinté jusqu'au noir le plus dense. Le sens du merveilleux, positif ou négatif, introduit une aberration par rapport au centre normal de gravitation de l'existence. Le nocturne hoffmannien le plus exacerbé, ou celui qui s'affirmait dès 1804 dans la curieuse chronique des *Veilles de Bonaventura,* marque l'écart maximum d'une ex-centricité qui peut se déployer à tous les degrés de l'insolite, de l'étrange ou de l'horrible. Hoffmann, dans un passage cité par Sainte-Beuve, estime que le « pressentiment du merveilleux » est donné à quelques-uns, comme le sixième sens que Spallanzani a découvert chez la chauve-souris. « Ce sixième sens, si admirable, consiste à sentir dans chaque objet, dans chaque personne, dans chaque événement le côté excentrique pour lequel nous ne trouvons point de comparaison dans la vie commune et que nous nous plaisons à nommer le merveilleux » ([27]). Ce sens de la singularité permet de saisir une face cachée des êtres et des choses, dissimulée sous les revêtements adventices et sédiments de la quotidienneté, dont la fausse présence n'est que le masque d'une absence

([26]) *Ibid.*, p. 27.

([27]) Texte cité sans référence dans un article du *Globe*, 7 décembre 1830 ; SAINTE-BEUVE, *Hoffmann, Contes nocturnes,* in *Premiers Lundis, Œuvres,* Bibliothèque de la Pléiade, t. I, p. 382.

réelle au monde qui nous entoure. Sainte-Beuve commente : « En un temps où on est las de toutes les sensations et où il semble qu'on ait épuisé les manières les plus ordinaires de peindre et d'émouvoir, en un temps où les larges sentiers de la nature et de la vie sont battus et où les troupeaux d'imitateurs qui se précipitent sur les traces des maîtres ne savent que soulever des flots de poussière suffocante, lorsqu'on avait tout lieu de croire que le tour du monde était achevé dans l'art, et qu'il restait beaucoup à transformer et à remanier sans doute, mais rien de bien nouveau à découvrir, Hoffmann s'en est venu qui, aux limites des choses visibles, et sur la lisière de l'univers réel, a trouvé je ne sais quel coin obscur, mystérieux et jusque-là inaperçu, dans lequel il nous a appris à discerner des reflets particuliers de la lumière d'ici-bas, des ombres étranges projetées et des rouages subtils, et tout un revers imprévu des perspectives naturelles et des destinées humaines auxquelles nous étions les plus accoutumés » ([28]).

Le fantastique met en évidence un exotisme au-dedans des limites du monde. La réalité familière subitement se fait ambiguë, l'image flotte, se dédouble ou encore devient plastique, comme vue dans un miroir déformant. La hantise de l'insolite provoque un dépaysement, qui trahit le caractère artificiel de l'existence coutumière et l'arbitraire des valeurs auxquelles nous avons accoutumé de nous soumettre. Les monstres horribles engendrés par le délire de l'imagination produisent peut-être une impression moins profonde que le simple dévoilement de l'irréalité du réel ; à l'extravagance se substitue une *intra-vagance,* messagère des profondeurs insoupçonnées de la réalité humaine. Les continents perdus, les îles lointaines nous sont moins étranges et étrangers que ces mers intérieures au sein desquelles le plongeur découvre les animaux des grandes profondeurs. Sainte-Beuve compare Hoffmann au « sauvage de l'Amérique », capable de déchiffrer dans le paysage des forêts mille signes inaperçus des hommes ordinaires. Ainsi du conteur, « observateur silencieux dans ce *désert d'hommes* où il est jeté, il recueille les traces éparses, les bruits flottants, les signes imperceptibles, et l'on est tout surpris, et parfois l'on frissonne de le voir arriver par des chemins non frayés à des issues extraordinaires. Il semble avoir découvert dans l'art quelque chose d'analogue à ce que Mesmer a trouvé en médecine ; il a sinon le premier, du moins avec plus d'évidence qu'aucun autre, dégagé et mis à nu le magnétisme de la poésie » ([29]).

Le fantastique est un réaménagement de la présence au monde ; la circulation du sens se fait de la conscience à la réalité, la pluralité des dimensions de la conscience évoque et invoque une démultiplication de l'image du monde, dont le sens apparent et littéral se surcharge de leçons parasites ; derrière l'image une autre image ; chaque objet est gros d'une animation insolite. La double ou triple vue bouscule les censures, dénonce les garde-fous imposés par le bon usage et la tradition. Tout se passe comme si nous étions les victimes de disciplines répressives

([28]) *Op. cit.,* p. 382-383.
([29]) *Ibid.,* p. 383-384.

imposées dès l'enfance, refoulant la tentation des enchantements au profit d'un positivisme utilitaire qui détruit en nous, avec les puissances imaginatives, le principe même de la poésie.

Charles Nodier, l'un des Français témoins de l'authenticité romantique, et, de ce fait, injustement méconnu, est un maître du fantastique, assez proche de Hoffmann, bien qu'il ait, mieux que son pendant germanique, réussi à sauver les apparences d'un personnage social capable de faire carrière. « Le penchant pour le merveilleux, écrit-il, et la faculté de le modifier, suivant certaines circonstances naturelles ou fortuites, est inné dans l'homme. Il est l'instrument essentiel de sa vie imaginative et peut-être est-il la seule compensation vraiment providentielle des misères irréparables de la vie sociale » ([30]). Il faut reconnaître la supériorité germanique dans ce domaine ; « c'est que l'Allemand, favorisé d'un système particulier d'organisation morale, porte dans ses croyances une ferveur d'imagination, une vivacité de sentiments, une mysticité de doctrines, un penchant universel à l'idéalisme qui sont essentiellement propres à la poésie fantastique » ([31]). Nodier s'en prend au « despotisme gourmé d'une oligarchie de prétendus savants », absente en Allemagne, où il est possible « de se livrer à ses sentiments naturels sans craindre qu'ils soient contrôlés par cette douane impérieuse de la pensée humaine » ([32]). On trouve en Allemagne « la fontaine de Jouvence de l'imagination » ([33]), qui permet l'éclosion d'une riche littérature dans ce domaine. Avec la pénétration du fantastique en France, la culture française se libère du système formel qui la maintenait dans son carcan ; « cette forme, c'était celle d'une civilisation usée, dont le classique n'est que l'expression partielle, momentanée, indifférente (...) ; il n'était pas étonnant que le lien puéril des sottes unités de la rhétorique se relâchât, quand l'immense unité du monde social se rompait de toutes parts » ([34]). Il faut briser « cette chaîne honteuse du monde intellectuel, dont vous vous obstinez à garrotter la pensée du poète » ([35]).

Nodier expose à mots couverts son propre drame. Sous son personnage officiel de protecteur bienveillant du romantisme français, il refoule le vertige menaçant de ses abîmes intérieurs ; il est son propre geôlier. Sa vie et son œuvre *contiennent* le fantastique, au double sens d'une inclusion et d'une répression ; son imagination hante les confins obsessionnels du délire dont il parvient à se préserver à force de discipline. Ces implications personnelles aiguisent son sens critique, et lui permettent de comprendre le rôle conservatoire joué par le classicisme en France, et son organe privilégié, l'Académie — l'Allemagne n'ayant, heureusement

([30]) Charles NODIER, *Du fanstastique en littérature,* 1832, *Œuvres de* NODIER, 1832-1837, t. V, p. 102.

([31]) *Ibid.*, p. 103 ; SAINTE-BEUVE estime que « Nodier se trouve originellement en France de cette famille poétique d'Hoffmann et des autres » (*Charles Nodier,* 1840, in *Portraits littéraires, Œuvres,* Pléiade, t. II, p. 327).

([32]) *Du fantastique en littérature,* op. cit., p. 103.

([33]) *Ibid.*, p. 108.

([34]) P. 106.

([35]) P. 111.

pour elle, ni d'équivalent de l'école de 1660, ni d'autorité académique pour faire obstacle à la libre expression dans l'art. La rupture de « l'immense unité du monde social », en 1789, n'avait pas brisé les contraintes de la rhétorique ; les premières tentatives du romantisme français ne sont apparues que des dizaines d'années plus tard.

Le texte de Nodier ne possède pas la force et la vivacité des fragments de Novalis relatifs au *Märchen*. Mais l'interprétation est voisine. Il s'agit de proclamer la prépondérance de l'espace du dedans ; le paysage est un état de l'âme, le sens présent dans la conscience s'épanche dans l'environnement, qui renvoie en écho les joies et les peines, les soucis et les pressentiments, les angoisses de l'être humain. Un des thèmes fondamentaux de la poésie romantique déplore le décalage entre l'âme sensible et la nature impassible. L'espérance de l'homme est de trouver dans la réalité un reflet de ses émotions. Comme Novalis, Nodier souligne le rapport entre l'ordre du fantastique et le domaine religieux. L'univers fantastique de l'irréel ou du surréel trouve son principe dans la faculté imaginative ; « le point culminant de son essor se perd dans le sein de Dieu qui est la sublime science. Nous appelons encore *superstitions*, ou science des choses élevées, les conquêtes secondaires de l'esprit, sur lesquelles la science même de Dieu s'appuie dans toutes les religions, et dont le nom indique dans ses éléments qu'elles sont encore placées au-delà de toutes les portées vulgaires » ([36]). L'homme « purement rationnel » est devenu aveugle à cette « région moyenne du fantastique et de l'idéal », lieu d'origine de toutes les religions.

Le romantisme proteste contre la science qui désenchante l'univers. La *Naturphilosophie* engendre des pratiques et doctrines scientifiques qui donnent libre cours à une imagination cosmologique, retrouvant sous les formes de l'univers la présence immanente, et imminente, d'un dynamisme créateur. Nodier se heurte, en France, à une science de formes mortes, un positivisme sans âme. Il n'y a pas eu en France de science romantique, ou guère, ce qui a restreint l'amplitude épistémologique du mouvement, dont la zone d'application se restreint à la culture littéraire, en réaction contre les pratiques neutralisantes et impersonnelles des savants.

Le renouveau mythologique atteste que le modèle physico-mathématique de l'univers physique et moral doit faire place à une autre forme de vérité. « L'apparition des fables recommence au moment où finit l'empire de ces vérités réelles ou convenues qui prêtent un reste d'âme au mécanisme usé de la civilisation. Voilà ce qui a rendu le fantastique si populaire en Europe depuis quelques années, et ce qui en fait la seule littérature essentielle de l'âge de décadence ou de transition où nous sommes parvenus. Nous devons même reconnaître en cela un bienfait spontané de notre organisation ; car si l'esprit humain ne se complaisait encore dans de vives et brillantes chimères, quand il a touché à nu toutes les repoussantes réalités du monde vrai, cette époque de désabusement serait en proie au plus violent désespoir, et la société offrirait la révélation

([36]) *Ibid.*, p. 72.

effrayante d'un besoin unanime de dissolution et de suicide. Il ne faut donc pas tant crier contre le romantique et contre le fantastique. Ces innovations prétendues sont l'expression inévitable des périodes extrêmes de la vie politique des nations et, sans elles, je sais à peine ce qui resterait aujourd'hui de l'instinct intellectuel et moral de l'humanité » ([37]).

Ce diagnostic sur l'esprit du temps, fondé sur un désespoir latent, dénonce l'instinct de mort à l'œuvre dans le triomphe de l'intellectualisme et du mécanisme. Le fantastique développe une réaction de compensation devant la tentation du suicide, impliquée par le désenchantement positiviste de l'homme et de l'univers. L'identité affirmée entre « le romantique » et « le fantastique » souligne l'importance majeure de cette catégorie dans le renouvellement des valeurs. Nodier mobilise sa vaste connaissance des littératures traditionnelles de l'Europe ancienne pour mettre en évidence l'omniprésence du merveilleux dans la littérature de l'Occident, jusqu'à l'époque où l'esprit mécaniste de la révolution galiléenne a éteint la flamme du surnaturalisme et de la « superstition » ; l'existence humaine s'est trouvée livrée sans recours à l'implacable déterminisme des phénomènes. Auparavant, le fantastique avait été la joie du cœur et la parure des jours ; « c'est lui qui avait inventé ou embelli l'histoire des âges équivoques de nos jeunes nations, peuplé nos châteaux en ruines de visions mystérieuses, évoqué sur les donjons la figure des fées protectrices, ouvert un refuge impénétrable dans le creux des rochers ou sous les créneaux des murs, abandonnés à la formidable famille des vouivres et des dragons. (...) Le fantastique était partout alors, dans les croyances les plus sévères de la vie comme dans ses erreurs les plus gracieuses, dans ses solennités comme dans ses fêtes... » ([38]). Derniers témoins de cette tradition perdue, Dante et son Enfer, ouvert à tous les monstres imaginables, Cervantès et son Quichotte, héros et martyr de l'irréel, l'Arioste et Rabelais, Shakespeare enfin, car « Shakespeare et la poésie, c'est la même chose... » ([39]). La litanie des intercesseurs est invoquée pour le service conjoint du romantisme, du fantastique et de la poésie, synonymes dans le combat pour la libération de l'imagination créatrice.

Le fantastique désigne le lieu où se noue la surabondance du sens dans l'irréductible objection de l'imagination aux formes imposées par la géométrisation de l'univers scientifique. La réalité humaine s'affirme dans son perpétuel dérapage par rapport à l'ordre des choses ; la vérité du cœur, de l'émotion et du sentiment est une vérité dans le désordre, dans le refus de l'évidence au nom d'une évidence meilleure. D'où la mise en honneur romantique du rêve, considéré par la pensée classique comme pathologique, absence au monde inspirée par la déraison qui menace dès que l'esprit, abdiquant sa responsabilité, s'abandonne aux puissances

([37]) Pp. 78-79.
([38]) Pp. 81-82.
([39]) P. 93 ; la catégorie du fantastique a été étudiée en détail dans le livre de Louis Vax, *La séduction de l'étrange,* P.U.F., 1965, où l'on trouvera une bibliographie.

trompeuses déchaînées par la paralysie, dans le sommeil, des facultés supérieures. Les romantiques, bien loin de voir dans les rêves les déchets de la vie consciente, y respectent une lucidité déliée des censures de l'ordre intellectuel et social. Le rêve, plongée vers les origines, met en œuvre les désirs, messagers des valeurs fondatrices de la réalité humaine. La clef des songes romantiques n'est pas un formulaire objectif, un vocabulaire de signes morts ; elle rassemble les éléments d'une anthropologie nocturne aussi vraie, sinon davantage, que celle du jour. Le cauchemar propose une forme privilégiée du fantastique, surgi des profondeurs de l'être ; chaque homme porte en lui sa folie, comme un secret qu'il maîtrise, ne lui laissant d'autre refuge que les marges de l'existence, le rêve, la rêverie. Lorsque le rêve est le plus fort, lorsqu'il envahit la zone claire de la conscience, s'éveille le sens de la folie ou de la poésie, témoins d'une humanité plus vraie que l'humanité quotidienne. L'onirisme, au lieu d'appartenir à l'envers de la vie, pourrait bien révéler son endroit ; leçon que Nerval essaie de dire dans *Aurélia*. « Le Rêve est une seconde vie. Je n'ai pu percer sans frémir ces portes d'ivoire ou de corne qui nous séparent du monde invisible. Les premiers instants du sommeil sont l'image de la mort ; un engourdissement nébuleux saisit notre pensée, et nous ne pouvons déterminer l'instant précis où le *moi*, sous une autre forme, continue l'œuvre de l'existence. C'est un souterrain vague qui s'éclaire peu à peu, et où se dégagent de l'ombre et de la nuit les pâles figures, gravement immobiles, qui habitent le séjour des limbes... » ([40]).

Le rêve est le lieu de la descente aux enfers, mais aussi le lieu d'une montée au ciel dans l'accomplissement de tous les désirs. Bien avant Freud, les fantasmes du sommeil proposent des expressions privilégiées des structures maîtresses de la réalité humaine, sans interposition de règles logiques ni de censures morales. Le beau livre d'Albert Béguin : *L'âme romantique et le rêve*, atteste que l'étude du rêve serait l'une des principales contributions à la « fantasmatique », dont Novalis réclame l'élaboration. La culture contemporaine commence à soupçonner l'immense importance de l'imaginaire dans l'existence des hommes ; rien de plus absurde que les doctrines traditionnelles qui prétendaient établir la conscience humaine dans un monde purement matériel, régi par le droit commun qui préside à l'intelligibilité des choses.

La surabondance du sens est la contrepartie de l'insuffisance du monde. Il n'y a pas assez de place dans l'univers réel pour que puissent s'y investir les exigences de l'être humain. Le monde des utilités pratiques, des procédures techniques et scientifiques, est un monde de la neutralisation du sens, contre lequel s'inscrit en faux notre besoin de la plénitude du sens. Un individu qui coïnciderait exactement avec la situation qui lui est faite, se pliant passivement aux déterminismes matériels et sociaux, docile, sans réaction, aux impulsions extérieures, ne serait qu'un rouage dans la machine, un robot. La civilisation moderne, dominée par les exigences des technocraties politiques et industrielles,

([40]) *Aurélia,* Première partie, début ; *Œuvres de* NERVAL, Pléiade, t. I, p. 359.

tend à dépouiller les humains de toute spécificité propre dans les rythmes totalitaires du Grand Etre naturel ou social. Ce qui fait naître la thèse que l'homme n'existe pas, soutenue par certains beaux esprits contemporains. Le mouvement romantique est une réaction contre cette menace, qui se laissait pressentir dès avant les erreurs et les horreurs du XXe siècle. Contre les négateurs du sens, il faut sauver le sens, en maintenant qu'il appartient à l'homme d'imposer le sens, et non de le recevoir tout fait de la part d'une instance extérieure.

Sainte-Beuve cite un propos de Henri Heine à propos d'un tableau exposé au Salon de 1831 : « en fait d'art, je suis *surnaturaliste*. Je crois que l'artiste ne peut trouver dans la nature tous ses types, mais que les plus remarquables lui sont révélés dans son âme comme la symbolique innée d'idées, et au même instant ». Le peintre est dans son droit, résume Sainte-Beuve, s'il demeure « fidèle à la vérité fantastique, à l'intention d'un rêve, à la vision nocturne de ces figures sombres courant sur un fond clair », que l'on voit vivre dans *La ronde de nuit à Constantinople* de Decamps. Le peintre n'a pas copié la réalité, précise Heine ; « il a recueilli en lui les figures que lui offrait la nature, et de même que les âmes ne perdent pas dans les feux du purgatoire leur individualité, mais seulement les souillures de la terre, avant de s'élever au séjour des heureux, ainsi des figures ont été purifiées dans les flammes brûlantes du génie de l'artiste, pour entrer radieuses dans le ciel de l'art où règnent encore la vie éternelle et l'éternelle beauté, où Vénus et Marie ne perdent jamais leurs adorateurs, où Roméo et Juliette ne meurent jamais, où Hélène reste toujours jeune, où Hécube, au moins, ne vieillit plus davantage » ([41]).

Ce « surnaturalisme » fait penser à ce que sera l'esthétique des préraphaélites anglais. La réalité à laquelle l'artiste rend témoignage n'est pas cette nature dégradée par les utilisations que nous en faisons, mais une nature en esprit et en vérité, plus vraie que le réel, parce qu'elle est un ordre de valeurs plutôt qu'un ordre d'événements et de phénomènes. L'autorité du sens s'impose à la matérialité des faits ; l'artiste exhibe le sens à l'état pur, qu'il contraint à l'expression. Hermine Riffaterre, commentant ce texte, estime que le mot « surnaturalisme » « désigne à la fois ce que le poète cherche à découvrir — le côté caché des choses, la réalité invisible des apparences visibles — et l'attitude de l'esprit tendu vers ce but, c'est-à-dire l'inspiration ésotérique elle-même » ([42]). L'esthétique classique définissait le projet de l'art comme l'imitation de la belle nature ; l'esthétique romantique inverse la procession du sens, conçu comme une émanation de l'âme de l'artiste. Le Verbe créateur engendre les thèmes qui vont s'incarner dans le monde des couleurs et des formes, en répétant les procédures mises en œuvre par Dieu aux premiers jours de la Création. La surabondance du sens trouve sa source

([41]) SAINTE-BEUVE : Henri HEINE, *De l'Allemagne*, Le National, 8 août 1833, *Premiers Lundis ;* Œuvres, Bibliothèque de la Pléiade, p. 555.
([42]) Hermine B. RIFFATERRE, *L'orphisme dans la poésie romantique, Thèmes et styles surnaturalistes*, Nizet, 1970, p. 9.

dans cet affleurement du surréel qui permet au poète de s'identifier analogiquement à Dieu.

Victor Hugo écrit en 1863 : « Comme l'antique Jupiter d'Egine a trois yeux, le poète a un triple regard, l'observation, l'imagination, l'intuition. L'observation s'applique plus spécialement à l'humanité, l'imagination à la nature, l'intuition au surnaturalisme. Par l'observation, le poète est philosophe et peut être législateur ; par l'imagination, il est mage et créateur ; par l'intuition il est prêtre et peut être révélateur. Révélateur d'idées, il est apôtre » ([43]). *La Contemplation Suprême*, qui débute par ces lignes, est l'un des examens de conscience de Victor Hugo, en la plénitude de son génie, au moment où vient de s'achever la rédaction des *Misérables ;* auréolé par les prestiges de l'exil, le poète vaticine du haut de son Sinaï maritime. Le mot *surnaturalisme* fixe son attention dans un contexte qui proclame la régence de l'homme sur l'univers, la souveraineté de la conscience. « Chose inouïe, c'est au-dedans de soi qu'il faut regarder le dehors. Le profond miroir sombre est au-dedans de l'homme. Là est le clair-obscur terrible. La chose réfléchie par l'âme est plus terrible que vue directement. (...) Ce reflet compliqué de l'Ombre, c'est pour le réel une augmentation. En nous penchant sur ce puits, notre esprit, nous y apercevons, à une distance d'abîme, dans un cercle étroit, le monde immense. Le monde ainsi vu est surnaturel en même temps qu'humain, vrai en même temps que divin. Notre conscience semble apostée dans cette obscurité pour donner l'explication. C'est là ce qu'on nomme l'intuition » ([44]).

Victor Hugo a inscrit en tête de ces pages inspirées : « Je publierai cela sous ce titre : *Préface de mes œuvres et Post-scriptum de ma vie* » ([45]). Comme quoi le Post-scriptum doit servir de préface, le mot de la fin est aussi celui du commencement, au moment où s'accomplit la lucidité, dans une ouverture en abîme sur la transcendance. Hugo poursuit : « Humanité, Nature, Surnaturalisme. A proprement parler ces trois ordres de faits sont trois aspects divers du même phénomène. L'humanité dont nous sommes, la nature qui nous enveloppe, le surnaturalisme qui nous enferme en attendant qu'il nous délivre, sont trois sphères concentriques ayant la même âme, Dieu. Ces trois sphères, car c'est là le vaste amalgame, se pénètrent et se confondent. Un prodige entre dans l'autre. Une de ces sphères n'a pas un rayon qui ne soit la tige ou le prolongement du rayon de l'autre sphère. Nous les distinguons parce que notre compréhension, étant successive, a besoin de division. Tout à la fois ne nous est pas possible. L'incommensurable synthèse cosmique nous surcharge et nous accable » ([46]).

Le poète, trahi par le langage de la géométrie dans l'espace, essaie de plaquer les formes du fini sur la réalité infinie ; d'où ces variations sur le

([43]) *Contemplation Suprême* (1863) ; *Œuvres complètes de* Victor HUGO, Club français du livre, t. XII, p. 111.
([44]) *Ibid.*, p. 112.
([45]) *Ib.*, p. 111.
([46]) P. 112.

thème mystique de la sphère de l'omniprésence divine, dont le centre est partout et la circonférence nulle part. Le surnaturalisme, c'est la constatation qu'il y a plus de sens dans l'esprit de l'homme, apparenté à l'esprit de Dieu, que la nature ne peut en exposer. On s'est trop extasié sur la monstration de l'infini dans la nature, depuis la révolution galiléenne et les révélations du microscope et du télescope, dont Pascal avait tiré l'admirable rhétorique des deux infinis. Les techniques d'optique et les générations successives d'appareils qu'elles ont engendrées ont eu beau multiplier l'ordre de grandeur des observations, nous n'en sommes pas plus avancés. L'horizon de l'essentiel recule au fur et à mesure que nous avançons. « Qu'est-ce que le surnaturalisme ? » C'est la partie de la nature qui échappe à nos organes. Le surnaturalisme, c'est la nature trop loin » ([47]). Aucune présence au monde n'est susceptible d'épuiser le monde ; aucune présence du monde n'est capable d'épuiser le sens. Comme Alexandre, au dire des historiens anciens, déplorait qu'il n'y eût pas, en dehors de celui-ci, d'autres mondes à conquérir, de même le poète, conscient du droit de régence qu'il possède sur la réalité, surplombe des espaces au-delà de l'espace, en dehors de l'espace.

Le mot *surnaturalisme,* utilisé par Sainte-Beuve d'après Heine, qui d'ailleurs avait écrit en allemand le terme *supernaturalist,* a été employé par Baudelaire et par Nerval, rencontres entre romantiques profonds. Mais l'évocation, l'invocation d'un au-delà ou d'un en dehors de la nature, présuppose une exacte délimitation de celle-ci. A en croire Victor Hugo, qui ne donne pas ses sources, « c'est la science académique et officielle qui, pour avoir plus tôt fait, pour rejeter en bloc toute la partie de la nature qui ne tombe pas sous nos sens et qui par conséquent déconcerte l'observation, a inventé le mot *surnaturalisme*. Ce mot, nous l'adoptons, il est utile pour distinguer (...), mais à proprement parler et dans la rigueur du langage, (...) ce mot est vide. Il n'y a pas de surnaturalisme. Il n'y a que la nature. La nature existe seule et contient tout. Tout Est. Il y a la partie de la nature que nous percevons, et il y a la partie de la nature que nous ne percevons pas. Pan a un côté visible et un côté invisible. Parce que sur ce côté invisible, vous jetterez dédaigneusement ce mot *surnaturalisme,* cet invisible existera-t-il moins ? X reste X. L'inconnu est à l'épreuve de votre vocabulaire. Nier n'est pas détruire. Le surnaturalisme est immanent. Ce que nous apercevons de la nature est infinitésimal » ([48]).

Hugo identifie l'univers avec la présence spatiale de la divinité,

([47]) Cf. les notes de René JOURNET et Guy ROBERT, dans leur édition critique du *Promontorium somnii* de HUGO (Belles Lettres, 1961), à propos d'un passage parallèle : « pour le Surnaturalisme, la Vision est intuition » (p. 31) ; le commentaire (pp. 99-100) esquisse une histoire du mot « Surnaturalisme ».

([48]) HUGO, *Contemplation suprême,* éd. citée, p. 115 ; JOURNET et ROBERT citent un passage parallèle du *Journal de l'exil* d'Adèle HUGO (27 mai 1854) à propos des tables tournantes ; HUGO : « pourquoi trouver *surnaturel* ce qui est *naturel ?* Pour moi, la surnature n'existe pas. Il n'y a que la nature. Oui il est naturel que les esprits existent ». Hugo cite Shakespeare : « il y a plus de choses dans le Ciel que la philosophie n'en a rêvé » (édition citée, p. 99).

laquelle n'est pas soumise à la juridiction des épistémologies scientifiques. Les savants renversent les rôles lorsqu'ils imaginent pouvoir imposer les normes d'intelligibilité élaborées par eux en un certain moment de l'histoire à la Nature dans son ensemble, comme si leur esprit était à la mesure de toute réalité. « L'électricité a longtemps fait partie du surnaturalisme. Il a fallu les expériences multipliées de Clairaut pour la faire admettre et inscrire sur les registres de l'état civil, de la science correcte. L'électricité a aujourd'hui pignon sur rue et rente des professeurs. Le galvanisme a fait le même stage ; il a été tout d'abord bafoué et traité d'enfantillage. (...) La pile de Volta a été fort raillée. Elle est admise à cette heure. Le magnétisme n'est encore qu'à demi entré ; une moitié est dans la science officielle, et l'autre dans le surnaturalisme. Le bateau à vapeur était « puéril » en 1816. Le télégraphe électrique a commencé par n'être pas sérieux » ([49]). La science de demain est considérée aujourd'hui comme occulte et suspecte, en attendant que soit trouvée la voie d'approche qui permettra de la réduire à la raison. Préoccupé par son expérience de communication avec l'au-delà par la médiation des tables tournantes, Hugo tente de justifier ce qu'on a appelé la « recherche psychique » et ensuite la parapsychologie, comme devaient le faire après lui un William James et un Bergson. « Toutes ces choses, spiritisme, somnambulisme, catalepsie, biologie, convulsionnaires, médiums, seconde vue, tables tournantes ou parlantes, invisibles frappeurs, enterrés de l'Inde, mangeurs de feu, charmeurs de serpents, etc., si faciles à railler, veulent être examinées au point de vue de la réalité... » ([50]).

Hugo entend par surnaturel d'abord l'avenir de la science, la réserve de savoir que les générations à venir intégreront au domaine de la connaissance rigoureuse, une fois élaborées et mises en service les méthodologies adaptées. Ce surnaturel provisoire appartient dès à présent, au moins en espérance, aux savants en recherche. Nous savons que la médecine guérira demain des maladies devant lesquelles elle demeure impuissante aujourd'hui ; ce sera la même médecine, quelque peu prolongée. Ce qu'on est convenu d'appeler une « révolution scientifique » ne représente qu'une extension de l'intelligibilité discursive antérieure, grâce à quelque subterfuge pour accéder à un déchiffrement du réel qui viendra s'intégrer au corpus de l'intelligibilité préexistante. Mais le surnaturalisme romantique ne se réduit pas à cette extrapolation du savoir selon l'ordre de l'immanence ; il désigne une intelligibilité de rupture, ou plutôt une rupture de l'intelligibilité, une ouverture vers l'irréductible transcendance. Lorsque Hugo écrit : « c'est au-dedans de soi qu'il faut regarder le dehors. (...) La chose réfléchie par l'âme est plus vertigineuse que vue directement... », il indique un principe, dans l'âme, qui échappe à la juridiction du monde, un droit d'initiative qui ne saurait se laisser prendre dans le filet de l'une des axiomatiques issues de lui. L'homme est au monde, mais il est une partie

([49]) P. 117.
([50]) Pp. 115-116.

du monde dotée de cette prérogative que l'ensemble du monde peut venir s'y réfléchir. Chaque conscience est un point d'arrêt dans le tissu des phénomènes, où l'infini s'inscrit dans le fini. Le « promontoire du songe », c'est ce lieu d'émergence qu'aucun progrès scientifique, aucune révolution épistémologique, ne réduira jamais à la discipline d'un déterminisme quel qu'il soit. Le point origine de la conscience, le sujet de la conscience, n'est pas un objet de conscience.

DEUXIÈME PARTIE

L'ÊTRE INCARNÉ

CHAPITRE PREMIER

SITUATION DE L'HOMME DANS LA NATURE : ANTHROPOCOSMOMORPHISME

Pour la philosophie classique, l'*homo philosophicus* est le point de départ et le point d'arrivée de toute réflexion. Le Cogito cartésien domine le panorama de la vérité universelle. Sans doute l'homme n'est-il pas Dieu, mais il a été créé à l'image de Dieu ; la droite raison lui assure un accès à la vérité de Dieu. Comme Adam, intendant du jardin botanique et zoologique, Descartes est l'administrateur de l'espace ontologique. A l'âge des Lumières, la vérité transcendante perd son autorité ; l'homme doit se contenter d'une vérité à l'échelle humaine et se considérer lui-même comme un objet parmi les objets ; l'espèce humaine est inscrite sur le tableau général de la classification. Néanmoins l'homme garde un statut privilégié, en tant que dépositaire du sens. Sa place demeure la place d'honneur, au centre du rond de l'encyclopédie ; le théâtre en rond du savoir fait cercle autour du sujet épistémologique. Le capitaine Noé regarde défiler deux par deux les passagers de l'Arche ; il embarque le dernier ; c'est lui le chef, et il tient la barre. L'idée d'évolution fait son apparition, avec la temporalisation de la chaîne des êtres. La progression s'arrête à l'homme, ce qui sauvegarde sa suprématie sur l'espace mental.

La pensée romantique refuse à l'espèce humaine et à l'individu le privilège d'une disjonction par rapport à la masse du réel. L'être humain, dans son unité incarnée, ne se réduit pas à la conscience claire ; complexe de chair et d'esprit, il est partie intégrante de l'*omnitudo realitatis,* en communication avec l'organisme total de la nature *(Gesamtorganismus).* La pensée en tant qu'émergence, affleurement du sens, ne peut être séparée de la réalité dont elle est un aspect. La philosophie de la nature met en œuvre un monisme psychobiologique ; le monde est un phénomène à faces multiples ; la conscience se propose à nous comme une face, qui ne peut valoir pour la totalité du phénomène. Les théoriciens idéalistes emploient parfois l'image du cube ou de la sphère : de ces corps géométriques, nous ne pouvons avoir qu'une vision partielle, en perspective, plus ou moins déformée. Notre esprit redresse les apparences, et la formule mathématique du solide en question nous procure la maîtrise de ce corps qui, dans sa totalité, n'est pas accessible à la perception de la vue ou du toucher. Notre corps fait obstacle à la connaissance plénière; l'incarnation oppose un écran à la manifestation de la vérité.

Selon cette doctrine absurde, nos yeux nous empêcheraient de voir, les yeux de l'esprit ayant seuls autorité pour révéler une vérité fondée sur la répudiation de la connaissance sensible. Le privilège conféré au sourd-muet-aveugle pour la recherche de la vérité serait un défi au bon sens. Notre rapport au monde se réalise par la médiation du corps et des sens. Tout ce que nous connaissons, nous le connaissons par le ministère de la réalité humaine globale qui assure notre insertion dans l'être du monde. Le privilège épistémologique accordé à l'intellect humain présuppose une dénaturation de l'expérience, puisque la priorité chronologique et ontologique dans l'élaboration du savoir revient à l'affirmation d'un organisme individuel dans le contexte global de la totalité naturelle. La conscience immédiate, émergence concrète du sens, intervient en position ambiguë, à la limite du dedans et du dehors, position latérale ou marginale. La conscience en sa spontanéité native répond à une excitation, à une incitation, elle suppose une situation d'ensemble préalablement donnée. La conscience première n'est pas un commencement radical, mais une composante partielle d'un moment de vie, où elle intervient pour réagir, pour compenser, pour rééquilibrer un dynamisme en cours.

L'intellectualisme soumet l'espace mental à l'impérialisme de la raison pure. Pour le romantisme, il ne saurait y avoir qu'une raison impure, la prétention à la pureté visant à masquer le caractère arbitraire et déficient d'une pensée par défaut, infidèle à l'expérience humaine réelle. Selon le principe de raison insuffisante, toute conscience actuelle est marquée d'incomplétude : elle intervient comme une réponse à une question qu'elle n'a pas elle-même posée; elle éclaire une partie de l'espace mental, mais l'espace mental renvoie à l'espace vital de la réalité humaine, composante fragmentaire de l'organisme total de la nature. L'existence ne peut se déprendre de ses solidarités et participations; elle se trouve impliquée dans l'environnement; toute tentative pour en faire un empire dans un empire semble vouée à l'échec. Notre conscience se trouve à tout instant inspirée par des attractions et répulsions, nimbée d'inconscient, traversée de polarités opposées qui font de nous un être des confins, aux limites imprécises, voué à la non-suffisance. Il n'y a de plénitude que sous la forme d'un vœu dont l'accomplissement nous renverrait aux régions eschatologiques où le vivant humain n'a pas accès. Exemple cher aux penseurs romantiques, celui de l'amour et de la sexualité, deux faces d'un phénomène capital pour le vivant humain. Le mythe de l'androgyne, foyer de significations, désigne un horizon auquel l'expérience humaine ne peut accéder. Femmes et hommes souffrent sur ce point d'une insuffisance d'être; cette carence ontologique conditionne leur présence au monde; aucune analyse intellectuelle ne peut la combler.

L'entendement n'est pas l'organe privilégié de la connaissance. L'homme est la mesure de toutes choses, non pas sous la forme atrophiée d'une axiomatique intellectualiste, mais en tant qu'existence incarnée qui prend conscience d'elle-même dans le commerce de la nature et des hommes. « Nous agissons toujours par instinct, observe J. W. Ritter. Les raisons sont des instincts élucidés » ([1]). Anthropomorphisme imposé par le cahier des charges de la co-naissance ; nous ne pouvons connaître ce qui ne s'inscrit pas, à un titre ou à un autre, dans notre espace vital. D'où cette autre formule de Ritter : « La nature entière rime avec l'homme *(auf den Menschen reimt sich die ganze Natur)* » ([2]) ; tout ce qui peut être connu par nous doit se trouver par quelqu'un de ses aspects en consonance avec nous. L'inverse est vrai aussi ; il doit y avoir entre l'homme et la nature un accord fondamental, l'homme est nature de part en part ; il ne peut se connaître que comme nature, en faisant retour à la nature dont il porte en soi tous les caractères. L'anthropomorphisme est ensemble un cosmomorphisme.

Au lieu de dominer un sens qu'il a lui-même constitué, le sujet romantique se trouve inclus dans la totalité du sens qui le traverse, et sourd au niveau de sa conscience. « Aucun être vivant ne vient au monde, écrit Troxler, sans que brille pour lui, dans son obscurité première, la lumière de la nature, avant même qu'il soit capable de percevoir les rayons venus à lui du dehors. » Troxler appelle *Psyché* cette connaissance originaire, plus profonde que la sensibilité et antérieure à elle. Nos tendances et instincts, nos préconnaissances *(Vorkenntnisse)*, sont une conscience obscure « procédant d'un esprit qui n'est pas une production de notre moi ou de notre être, mais qui nous a précédé et est extérieur à notre monde (...). C'est pourquoi tous les enfants des hommes viennent au monde en état de somnambulisme ; ils possèdent une clairvoyance au-dedans, avant même que s'ouvrent leurs sens extérieurs, et ils savent à l'avance tout ce qu'ils ont à être et à faire » ([3]). L'ordre du pressentiment irradie à travers l'expérience où se développent ses indications et inspirations, plus décisives que les décisions de l'intellect. Mais ce domaine de référence, où prennent racine nos justifications dernières, a été perdu de vue, ou renié par la conscience claire. « L'esprit humain dans sa course diurne sous le ciel de la Terre a perdu son être originaire *(hat sein Urselbst verloren)* » ([4]).

Le sens n'appartient pas à l'homme, c'est l'homme qui appartient au sens. L'illusion naît du séparatisme auquel nous procédons instinctivement, séparatisme du corps par rapport à l'esprit, séparatisme de l'individu par rapport à la totalité, dont il est pourtant indissociable. Au XVIIIe siècle, le savant, le penseur expliquent l'ordre du monde ; ils racontent l'histoire du monde et l'histoire de l'humanité, sans se considérer comme impliqués dans le récit. Le discours en troisième personne ne met pas en cause le récitant ; Condorcet, proscrit, expose le

([1]) J. W. Ritter, *Fragmente aus dem Nachhass eines jungen Physikers*, Heidelberg, 1810, Bd. II, § 674, p. 216.
([2]) *Ibid.*, § 670, p. 215.
([3]) Troxler, *Naturlehre des menschlichen Erkenntnis oder Metaphysik*, Aarau, 1828, pp. 329-330.
([4]) *Ibid.*

progrès triomphal de la culture humaine sans s'aviser que la Terreur qui dévaste la France oppose un tragique démenti à son optimisme spéculatif. La vérité ne passe pas par lui, et d'ailleurs, aveuglement ou héroïsme, son propre destin ne l'intéresse pas. Dans la perspective romantique, au contraire, l'individualité absorbe la généralité ; la vérité passe par la première personne. L'histoire naturelle, l'histoire de l'humanité sont ensemble l'histoire de l'historien.

D'où le propos de Michelet, dans la *Préface* de 1869 à son *Histoire de France* : « Ma vie fut en ce livre, elle a passé en lui. Il a été mon seul événement. (...) L'histoire, dans le progrès du temps, fait l'historien bien plus qu'elle n'est faite par lui. Mon livre m'a créé. C'est moi qui fus son œuvre » ([5]). Un peu plus loin, dans une appréciation rétrospective, Michelet souligne : « J'avais posé le premier la France comme une personne » ([6]), et l'historien ne cache pas l'affection passionnée qu'il porte à cet être à figure humaine. Ce langage ne doit pas être interprété dans un sens allégorique. La France de Michelet est perçue par lui comme un grand vivant, dont l'existence se poursuit de génération en génération ; les individus sont les feuilles, les fleurs, les fruits de cet arbre de vie. L'historien ne prend pas la parole ; la parole historienne du peuple français se prononce à travers lui ; il ne prétend être qu'un organe, un relais d'une affirmation qui l'englobe et le dépasse. « En pénétrant l'objet de plus en plus, on l'aime, et dès lors on regarde avec un intérêt croissant. (...) L'histoire, l'historien se mêlent en ce regard » ([7]). Nietzsche devait évoquer lui aussi ce thème d'une identification de la subjectivité et de l'objectivité dans la connaissance historique : « l'histoire imaginée complète serait la conscience cosmique » ([8]). L'historien est celui en qui s'accomplit l'affleurement du sens : « Prendre tout cela sur son âme, le passé le plus vieux, le présent le plus neuf, les pertes, les espoirs, les conquêtes, les victoires de l'humanité, réunir enfin tout cela comme une seule âme en un seul sentiment, voilà qui devrait produire un bonheur tel que l'homme n'en a jamais connu. (...) Et ce bonheur divin serait... l'humanité ! » ([9]). Novalis avait dit : « Nous sommes en relation avec toutes les parties de l'univers comme avec le passé et l'avenir. » Dès lors « la vraie méthode » à utiliser dans l'élaboration du savoir doit être découverte « grâce à l'observation géniale de soi-même » ([10]).

Il en est de l'ordre naturel comme de l'ordre historique. Le savant ne fait pas face à la réalité, comme s'il pouvait s'affranchir d'elle, sortir du rang et la soumettre à un regard objectif. Le Danois Henrich Steffens (1773-1845) a été, à l'académie minière de Freiberg, l'élève du célèbre géologue, ou plutôt « géognoste », Abraham Werner. Sous l'influence du

([5]) MICHELET, *Préface à l'Histoire de France*, 1869 ; à la suite de l'*Introduction à l'Histoire universelle*, p. p. Ch. MORAZÉ, A. Colin, 1962, pp. 169-170.
([6]) *Ibid.*, p. 176.
([7]) *Ibid.*, p. 169.
([8]) NIETZSCHE, *Le Voyageur et son ombre*, § 185, trad. H. ALBERT, Mercure de France, t. I, p. 118.
([9]) *Le Gai Savoir*, § 337, trad. VIALATTE, N.R.F., p. 167.
([10]) NOVALIS, *Grains de pollen*, § 92, trad. BIANQUIS, Aubier, 1947, pp. 73-75.

maître de Novalis, il rédige son premier livre, les *Contributions à l'histoire naturelle intérieure de la Terre* (*Beiträge zue inneren Naturgeschichte der Erde*, 1800). Titre impliquant que la science naturelle n'est pas une collection de phénomènes étalés dans l'espace du dehors ; la planète Terre possède une intimité, et il est possible au savant de pénétrer dans cette intimité pour la décrire. Cette idée, dit Steffens, a été « le thème fondamental de toute ma vie (...), depuis ma plus tendre enfance, la nature s'adressait à moi comme un être vivant ; elle recélait le secret d'un profond processus de pensée... » ([11]). A Schelling, Steffens devait la « connaissance intuitive du réel total comme une organisation » ([12]). L'objet de la *Naturphilosophie* est la mise en évidence de cet organisme total *(Totalorganismus)* de la nature, au sein duquel se développent les organismes particuliers. « Mais le *Totalorganismus* de l'époque présente de la terre n'est pas complètement réalisé ; on ne peut s'en faire une idée à partir des seules plantes et des animaux qui nous apparaissent. Nous savons que dans l'évolution historique de la terre, les divers éléments se sont détachés de la masse universelle, et se sont approchés de la vie, que l'air, la mer et la terre sont devenus plus vivants. Dès lors, pour saisir la vie dans sa totalité, nous devons considérer les éléments eux-mêmes comme un enveloppement vivant de vie végétale ou animale, comme une vie dans un vivant. (...) L'air, la terre, la mer se rapprochent continuellement des organismes que nous observons en leur servant continuellement de nourriture (...). Le rapport de l'homme à cet organisme total *(Totalorganismus)* avec son enveloppe vivante, est celui du cerveau aux autres organes avec leurs enveloppes extérieures » ([13]). Les phénomènes vitaux déploient une activité autonome ; la vie agit sur la vie. « Prétendre concevoir la respiration à partir d'une action chimique de l'air est aussi absurde que d'accepter l'idée de la conception d'un animal par un processus chimique. Si la vie constitue réellement un ensemble fermé, une prétendue nature inorganique ne peut entrer en rapport avec son essence intime » ([14]).

Le schéma du *Totalorganismus* affirme l'unité de l'espace vital ; la nature est d'un seul tenant ; elle fait entrer dans ses cycles les éléments nourriciers sans lesquels la vie ne pourrait se perpétuer. Ainsi s'établit une intelligibilité continue depuis l'eau, l'air et la terre, aliments de la vie végétale jusqu'à l'être humain, organe de cet organisme, au sein duquel lui est dévolue la fonction noble de cerveau. Nulle rupture au sein de cette continuité ; la conscience humaine, liée à l'exercice cérébral, intervient dans le contexte de la solidarité organique. Lors donc que la pensée prétend prendre ses distances par rapport à la vie, et fonder un ordre indépendant de rationalité, elle cède à l'illusion d'une autonomie, qui fausse la compréhension de la condition humaine. Tel est le péché originel du rationalisme.

([11]) Henrich STEFFENS, *Was ich erlebte*, Bd. IV, Breslau, 1841, p. 286.
([12]) *Was ich erlebte*, Bd. VI, Breslau, 1842, p. 38.
([13]) Henrich STEFFENS, *Anthropologie*, Bd. II, Breslau, 1822, p. 17.
([14]) *Ibid.*, pp. 17-18.

Steffens raconte que cette conception de l'être lui semblait la découverte majeure des temps modernes, aux environs de 1800. « Il m'apparaissait de plus en plus clairement que la science de la nature avait apporté dans l'histoire un élément tout à fait nouveau, qui faisait la différence entre notre époque et le passé dans son ensemble. Dès lors cette science de la nature devait devenir la plus importante de toutes les sciences, le fondement de l'avenir spirituel de notre espèce. L'histoire elle-même dans son ensemble devait devenir nature *(die Geschichte selbst musste ganz Natur werden),* si elle voulait s'affirmer comme histoire en liaison avec la nature, dans toutes les perspectives de son être » ([15]). Naturalisation de l'histoire, ou historialisation de la nature, aspects d'une même conversion de l'intelligibilité. Steffens répudie la méthode parcellaire, qui procède par regroupement d'un petit nombre de faits prélevés arbitrairement sur l'ensemble du réel. Il se propose « de lier entre eux tous les phénomènes de la vie dans l'unité de la nature et de l'histoire ; et ensuite, à partir de ce point de vue unitaire, de suivre à la trace une finalité divine à l'œuvre dans le prodigieux développement du Tout » ([16]).

Dans l'émergence à la conscience de la réalité en devenir temporel, l'historialisation va de pair avec une sacralisation ; la prise de conscience énonce le projet providentiel d'une création évolutive, étant entendu que sacralisation ne signifie pas divinisation. Le Dieu créateur garde sa transcendance par rapport à son œuvre, dont l'être humain, englobé dans le devenir universel, pressent le mystère. La biologie romantique refuse les facilités de la téléologie traditionnelle, qui perce à jour les intentions divines, comme si elle pouvait lire dans la pensée du Grand Architecte ; les romantiques prétendent seulement qu'il y a un processus évolutif ; le présent n'est qu'un moment, ouvert sur un avenir, dont tout ce que nous pouvons savoir est qu'il sera marqué par un accroissement en valeur. Le progrès, selon la philosophie de l'histoire à l'âge des Lumières, obéissait à une norme rationnelle, qui promettait de mener l'humanité raisonnable à bonne fin. L'évolution providentielle de l'organisme total selon le vitalisme romantique laisse espérer un épanouissement à venir, mais nous ne sommes pas maîtres du sens, nous sommes un fragment incarné de ce sens, qui passe à travers nous dans un cheminement dont Dieu a le secret.

Ce thème d'une conscience en marche selon l'axe ascendant du développement de la vie a été exposé par Carl Gustav Carus (1789-1869), autre maître de l'anthropologie romantique. Dès sa jeunesse, comme Steffens, il a été hanté par « le plus haut mystère de l'éternité ». L'homme serait voué au désespoir si la vie de l'âme n'était que « la face négative de l'existence corporelle, seule positive ». Mais sous l'inspiration d'un sentiment, ou plutôt pressentiment, de vérité *(Wahrheitsgefühl)* s'est éveillée en lui une faculté d'intuition spirituelle, le sens d'un principe divin et absolu, conditionnant le réel total. Cette intuition n'est

([15]) STEFFENS, *Was ich erlebte,* Bd. IV, Breslau, 1841, p. 288.
([16]) *Ibid.*, p. 289.

pas transmissible ; « il faut l'atteindre grâce à une croissance intime du moi, grâce à une organisation dans le sens d'une progression vers le haut *(durch Hinauforganisiertwerden)* » ([17]). L'organisation spirituelle n'est pas dissociable de la croissance vitale ; les deux dynamismes n'en font qu'un, qui donne lieu à une double manifestation.

Carus évoque ses tâtonnements métaphysiques, et cite ses travaux de jeunesse : « L'homme n'est-il pas la manifestation partielle, dans l'espace et dans le temps, d'une force originelle *(Urkraft)* globale ? », cette manifestation n'exposant elle-même qu'un « stade d'évolution », une « métamorphose » de la force originaire, qui veut s'affirmer au-dehors, se constituer ; « à la manière du Fils de Dieu qui s'est fait chair, elle est l'étincelle qui apparaît au sens interne et au sens externe comme force vitale (énergie nerveuse, énergie sensorielle, motricité, énergie formatrice, etc.) ; et c'est par l'intermédiaire de ces forces que la force vitale produit, à partir des divers éléments de la terre, le porteur de cette force, le corps *(Leib)*. C'est ainsi que corps et force vitale deviennent les formes finies sous lesquelles l'énergie infinie se manifeste pour une courte période, formes qui paraissent destinées au développement de cette force originaire. Le monde lui-même n'est-il pas la manifestation finie de Dieu, distincte de Dieu ? La lumière n'est-elle pas dans le monde ce qu'est dans l'homme la vie du système nerveux, la manifestation aussi immédiate que possible de la puissance originaire infinie *(Urkraft)?* Force vitale, corps, énergie nerveuse, âme ne sont donc que des formes de l'énergie originaire, dans lesquelles elle s'est manifestée avec le plus d'évidence. (...) La force est éternelle, sa manifestation finie est passagère » ([18]).

Carus, ami de Goethe, expose la communauté du sens de tout ce qui compose la réalité humaine. La conscience se situe sur le même chemin de la croissance vitale qui justifie l'univers ; l'être humain lui-même comme une production parmi toutes les autres. Une pensée qui prend modèle sur l'ordre matériel des choses, telles qu'elles apparaissent rangées dans l'espace, méconnaît le principe interne dont l'influence justifie cette dispersion. La connaissance authentique doit être anthropocosmomorphique ; la communauté des significations assure la cohésion du grand être de l'univers. A la pensée par opposition, qui sépare les objets, les êtres et les ordres de réalité doit être substituée une pensée en identification, qui supprime les limites et étend à travers la totalité de l'espace mental la coordination des analogies.

Novalis reconnaît à l'homme une individualité cosmique, corrélative de l'individualité organique du monde. Nous ne sommes pas au monde par notre seule conscience, notre pensée ; nous y sommes présents dans la matérialité de notre corps, qui a prise sur le monde et donne au monde une prise sur nous. « Notre corps est une partie du monde, ou, pour mieux dire, un membre. Il exprime déjà l'autonomie, l'analogie avec le

([17]) C. G. CARUS, *Lebenserrinerungen und Denkwürdigkeiten,* 1865-1866 ; Bd. I : *Denkwürdigkeiten aus Europa,* hgg. Manfred SCHLOSSER, Hambourg, 1963, p. 79-80.
([18]) *Ibid.*, p. 80.

tout, — bref la notion de microcosme. Il faut que ce membre corresponde à l'ensemble ; il faut que le tout corresponde à ce membre. Autant de sens, autant de modalités de l'univers : l'univers qui est entièrement une analogie de l'être humain en corps, âme et esprit. Celui-ci un raccourci, celui-là une extension de la même substance » ([19]).

L'identité analogique joue dans les deux sens ; elle matérialise l'homme, elle spiritualise le monde ; elle accorde à l'être humain une présence illimitée, irradiant le cosmos. « L'air n'est pas moins *organe* de l'homme que le sang. Le corps est séparé du monde comme l'âme l'est du *corps*. L'homme a pour ainsi dire deux zones du corps. — Son corps propre *(Leib)* est le plus prochain ; — ce qui l'entoure immédiatement est la seconde zone ; — la troisième est sa ville et sa province — et ainsi de suite jusqu'au soleil et au système solaire. La zone la plus intérieure est en quelque sorte le moi — et au moi, en tant qu'il est la plus haute abstraction, la plus haute contraction, s'oppose le monde, — la plus haute réflexion, la plus haute expansion. — De même le point s'oppose à l'espace atmosphérique » ([20]). Le paradigme de l'organisme propose une intelligibilité à double effet, de la physique à la biologie et de la biologie à la physique. Selon Ritter, « le cerveau est chez les animaux le centre de gravité de l'organisme, tout gravite en fonction de lui. Ici aussi, comme sur la terre, l'éloignement par rapport au centre d'attraction est à l'origine de grandes différences. Une pierre tombe vers la terre ; une impression parvient à la conscience : c'est la même action » ([21]).

La connexion établie entre géologie, physique et biologie sera l'un des présupposés actifs de la poétique romantique, ressource offerte à l'imaginaire, et qui permettra la fantasmagorie. Il ne s'agit pas là d'un jeu gratuit ; les physiciens romantiques y voient un sens du réel, le principe d'une neuve compréhension des phénomènes. « La terre existe en fonction de l'âme, pense Ritter. Elle-même est un organe de l'homme, son corps physique. La Terre elle-même est homme. La description de la terre (...) devient description de l'homme. On doit retrouver la Terre entière en *miniature* dans l'homme. Son anatomie, celle de la Terre et celle du grand être de l'humanité sont une et la même » ([22]). L'être humain est donc plus qu'une parcelle de la création ; il n'est pas seulement une réduction microcosmique du macrocosme, selon l'enseignement de la tradition occulte ; il récapitule la création dans son mouvement ascensionnel. « Le monde a pris forme individuelle dans l'homme, enseigne Oken. L'homme est une reproduction complète du monde. Son langage est l'esprit du monde. Toutes les activités de l'animal sont parvenues dans l'homme à l'unité de la conscience de soi » ([23]). La même idée est formulée par Steffens : « L'organisation

([19]) NOVALIS, *Œuvres complètes,* trad. Armel GUERNE, t. II, N.R.F., 1975, p. 191.

([20]) NOVALIS, *L'Encyclopédie,* fragments, classement Wasmuth, § 934 ; trad. M. DE GANDILLAC, éd. de Minuit, 1966, p. 229.

([21]) J. W. RITTER, *Fragmente aus dem Nachlass eines jungen Physikers,* Heidelberg, 1810 ; Bd. II, § 414, p. 33.

([22]) RITTER, *Fragmente...,* op. cit., § 420 ; t. II, p. 37.

([23]) OKEN, *Lehrbuch der Naturphilosophie,* 3. Auf., § 3623 ; Zürich, 1843, p. 521.

humaine, ou le microcosme, est l'image de la présence éternelle de l'esprit ; par elle se réalise la révélation de la liberté rationnelle » ([24]).

Ces conceptions n'opposent pas la matière à l'esprit, le ciel des idées à une réalité inerte. Le sens habite l'organisme ; la conscience est la manifestation du sens de la vie, immanent aux formes du développement à tous les degrés de la création. La pensée de l'homme permet l'explicitation de ce qui demeure implicite aux stades inférieurs de la réalité ; la situation de l'homme fait de lui le dépositaire du secret de l'ensemble, du moins en attendant une plus ample manifestation de cette vérité encore en chemin. La procession des existences propose aux yeux et à la pensée l'accomplissement d'un projet divin. L'organicisme romantique s'ordonne en fonction de la transcendance, inscrite au cœur de cette réalité en laquelle elle a incarné son projet créateur. Face à l'évolutionnisme aveugle des darwiniens, école de doute et de désespoir, qui dépouille de toute signification réelle l'odyssée de la vie dans les espèces, les derniers biologistes romantiques, défenseurs du sens, maintiennent que le devenir immanent de la vie réalise l'inscription d'un projet divin, dont nous pouvons retrouver la trace, en creux, dans la succession des phénomènes. L'évolution obéit à l'exigence d'une croissance en vérité et en valeur.

Selon une interprétation théologique, sinon même théosophique, de la création, l'analogie du microcosme et du macrocosme s'approfondit en une analogie de la créature et du Créateur. Baader évoque l'homme image de Dieu et répétiteur de la divinité. « Dieu, en tant qu'être éternel, est tout à la fois un être éternel et un éternel devenir. Dans cette dernière acception, Dieu est également un processus (au sens que les physiciens donnent à ce mot) indéfiniment poursuivi. Comme l'homme se trouve appelé, dans une sphère d'existence inférieure, à répéter, poursuivre ou imiter ce processus (avec d'ailleurs la capacité de bloquer ce processus, autant qu'il le peut, au lieu de le continuer, " maintenant la vérité dans l'injustice "), ainsi ne peut-il concevoir et comprendre, en tant qu'être indépendant, que cette part de Dieu qu'il est appelé à répéter » ([25]). L'homme doit déployer son action sur la terre en tant que collaborateur de Dieu et répétiteur de son œuvre ; toute conception statique du service divin fausse le sens religieux. Le fidèle est celui qui a pris conscience de la croissance évolutive de la Création, et transforme cette connaissance en une règle d'action.

Dieu a créé le monde et le conserve ; sa création a une signification « universelle, cosmique, centrale » ; la créature ne peut intervenir au sein du devenir que d'une manière « partielle, locale, limitée et périphérique ». Diminution capitale, mais cette restriction n'annule pas la validité de l'analogie entre créature et Créateur, qui doit orienter le comportement des hommes, pour autant qu'ils sont capables de lire en transpa-

([24]) Henrich STEFFENS, *Grundzüge der philosophischen Naturwissenschaft*, Berlin, 1806, p. 87.

([25]) Franz VON BAADER, *Gedanken aus dem grossen Zusammenhang des Lebens*, 1813 ; *Werke*, hgg. HOFFMANN, Bd. II, p. 21.

rence à travers l'ordonnancement des phénomènes l'intention divine dont ils sont les messagers. « Par l'effusion de Sa Parole dans la nature, sa création, Dieu s'est réellement offert à nos sentiments et à nos sens. Sans la compréhension de cette signification authentique de la Parole faite chair *(Verbum caro factum est),* la Physique et l'Ethique demeurent muettes et stupides » ([26]).

Baader s'est rallié à une mystique de l'incarnation, inspirée, sur ses vieux jours, de la théologie orthodoxe russe. Ce disciple de Boehme et de Saint-Martin, qu'Auguste Wilhelm Schlegel appelait *Boehmius redivivus,* a fait des études de médecine, de chimie, de minéralogie ; élève d'Abraham Werner à l'école minière de Freiberg, ses premiers travaux, qui lui valurent l'attention du groupe de l'*Athenaeum,* portent sur le calorique. Son projet majeur est de réconcilier la science et la religion. Comme il le dira dans son discours d'ouverture lors de la fondation de l'université de Munich, en 1826, « le problème de notre temps (...) est le problème de la réunion, de la restauration et de la consécration de la science par la religion, et ensemble celui du renforcement de la doctrine religieuse par la science » ([27]). Toute connaissance positive doit prendre place dans ce schéma, qui seul peut donner au savoir spécialisé sa profondeur de champ, sa plénitude signifiante. Car le mystère des mystères de la nature est celui de « l'existence, perpétuellement à l'œuvre, et ordonnatrice d'un invisible esprit du monde *(Weltgeist)* au cœur du monde visible » ([28]). Toute présence au monde se règle en fin de compte sur la perception de la Parole créatrice de Dieu, incarnée dans l'univers ; sans ce lest ontologique, cautionnant le devenir du monde, notre savoir s'évanouirait en une poussière de phénomènes, fantasmagorie dépourvue de raison et de sens.

Tous les docteurs du romantisme n'iront pas aussi loin dans cette transmutation théologique de l'épistémologie. Mais le savoir romantique, chez tous ses représentants, admet une double lecture du réel, l'ordonnancement des phénomènes renvoyant, en profondeur, à une justification providentielle. Les ensembles constitués par les sciences spécialisées selon leurs méthodologies ne proposent que la demi-vérité d'une demi-réalité ; un savant digne de ce nom ne peut se contenter de cette énorme restriction mentale. Les romantiques se rallient à une loi du tout ou rien. Oken met en place la condition humaine dans un schéma théologique : « Comme l'éternité devient réelle en accédant à la conscience de soi, la créature supérieure est aussi un être conscient de soi-même, mais à titre individuel. Une telle créature est le Dieu fini, le Dieu qui a pris forme charnelle *(der leiblich gewordene Gott).* Dieu est *Monas indeterminata,* la monade indéterminée ; la créature supérieure est monade déterminée, la totalité déterminée. Une conscience de soi finie, nous l'appelons homme. L'homme est une idée de Dieu, cette idée en laquelle Dieu se fait objet complètement, en chacun de ses actes individuels. L'homme est Dieu,

([26]) BAADER, lettre à Z, 3 mars 1817 ; *Werke,* éd. citée, Bd. XV, p. 309.
([27]) *Werke,* t. I, p. 149.
([28]) *Tagebücher,* 20 juillet 1786, Werke, op. cit., Bd. XI, p. 63.

exposé par Dieu dans l'infinité du temps. Dieu est un homme exposant Dieu dans l'acte d'une conscience de soi en dehors du temps » ([29]). Seconde lecture de la doctrine chrétienne de l'incarnation sous une forme quelque peu rationalisée. « L'homme est Dieu parvenu à sa complète manifestation. Dieu est devenu homme. Le zéro est devenu plus-moins. L'homme est l'arithmétique complète, tous nombres rassemblés ; c'est pourquoi il peut les faire sortir de soi. L'homme est un complexe de tout ce qui l'entoure, de l'élémentaire, du minéral, du végétal et de l'animal » ([30]).

La théosophie de Oken, plus abstraite que celle de Baader, s'appuie sur une arithmologie néo-pythagoricienne, qui attribue à Dieu le zéro, non pas un zéro négatif, mais le zéro de la pensée négative qui désigne l'inépuisable, l'indicible plénitude du sens. Pour parvenir à l'expression, pour s'incarner, le zéro indéterminé doit se faire nombre ; l'homme représente le point culminant et le but de la procession des nombres. On ne saurait voir là une manifestation d'impiété, car l'idée d'un Dieu fini, l'idée d'un Dieu en forme humaine, qui s'applique d'abord au Christ, respecte le décalage ontologique entre l'infini et le fini. Le Christ, non nommé, mais sous-entendu, propose un relais analogique à la doctrine de l'homme image de Dieu. Oken est un savant ; son ouvrage est une description des règnes de la nature, un ordonnancement rationnel de la création, où les êtres sont mis en place selon des critères scientifiques, relevant de la physique, de la chimie, de la biologie. Cet énorme effort de systématisation aboutit à justifier la préséance de l'être humain, auquel est reconnue la première place dans la procession des êtres. « La beauté naturelle la plus accomplie, c'est le fragment universel de la Nature *(das universale Stück)*, l'homme. L'homme expose le but dernier de la volonté de la Nature » ([31]).

Cette anthropologie se justifie dans le détail de la structure vivante, selon l'ordre de l'organicisme universel. « Le but de la nature est de rentrer en elle-même dans l'être humain » ([32]). Emboîtement des significations, l'homme étant la vivante récapitulation de la réalité. De là une physiologie cosmique ; chaque détail est appelé à proposer une réverbération de la totalité. « Le sang signifie dans l'animal la terre associée avec l'eau et l'air. (...) Le sang est la terre, qui porte en soi tous les éléments terrestres, l'air par l'intermédiaire des bronches, l'eau par l'intermédiaire de l'intestin, le tout constituant une planète complète. Le sang est une planète à l'état liquide. Le sang est le corps à l'état liquide. Le corps est le sang à l'état solide... » ([33]). Il ne s'agit pas ici de métaphores. Oken retrace la procession des êtres à travers les espèces ; chaque règne récapitule le règne inférieur et développe ses propriétés latentes, jusqu'à

([29]) Lorenz OKEN, *Lehrbuch der Naturphilosophie* (1810-1811), 3. Auflage, § 97, Zürich, 1843, p. 20.
([30]) *Op. cit.*, § 98, *ibid.*
([31]) OKEN, *op. cit.*, § 3631, p. 331.
([32]) *Ib.*, § 3632.
([33]) § 1991, 1993-1996, p. 291.

l'affirmation de l'homme, qui, assumant la totalité naturelle, propose l'accomplissement des accomplissements, la divinité sous une forme finie.

L'évolutionnisme romantique est orienté et hiérarchisé en direction de la forme humaine. « L'histoire du développement de la Terre, estime Steffens, montre d'une manière décisive que l'homme a fait son apparition dans la dernière période de la construction d'ensemble ; elle fait apparaître aux époques antérieures des aspects de la force productrice de la terre qui excluaient la possibilité d'une existence humaine. C'est dans ces conditions que l'homme est apparu. Même si le mystère de ses origines devait nous être éternellement caché, ceci du moins est clair que la force productrice ne pouvait pas se manifester dans une forme qui n'existait pas encore. La force créatrice divine demeurait cachée dans la terre » ([34]). La formation de la terre est une croissance globale de la réalité ; l'époque actuelle doit être considérée comme une organisation d'ensemble. « C'est ainsi que, là où l'homme apparaît, l'homme est le produit supérieur de l'environnement, le point culminant de la production globale dans ces conditions données. Chaque région principale a ses plantes, ses animaux, sa configuration vivante. Mais là où les perspectives les plus diverses se rencontrent dans un type fondamental, là aussi s'est accomplie l'œuvre suprême, la plus sainte de toutes » ([35]).

Accomplissement de l'œuvre divine, l'homme se trouve détenteur du sens de la création. Toute philosophie doit trouver son point de départ et son point d'arrivée dans cette forme humaine, la plus haute expression du projet divin. La décadence de la philosophie provient de ce que la connaissance a cessé de s'attacher à la vie, ou encore « de ce que la philosophie a cessé d'être anthroposophie », pour reprendre une formule de Troxler. « La philosophie a prétendu connaître la nature de Dieu et du monde en dehors de l'âme humaine, et ainsi elle n'est parvenue qu'à une divinité abstraite et à un univers abstrait » ([36]). Ceux-là se sont approchés de la vérité qui s'en sont tenus à la connaissance humaine, poursuivie en eux-même « jusqu'au point où elle naît de Dieu et s'abîme en Dieu *(bis zu seinem Ursprung und Abgrund in Gott)* » ([37]).

L'anthropologie romantique est reliée à une théosophie. L'homme intervient à son heure dans le grand dessein de la création, qu'il a pour fonction de récapituler. La conscience romantique ne constitue pas un espace fermé dont on pourrait rendre raison en vertu de principes autonomes ; elle propose un aspect du phénomène humain global, solidaire du phénomène total de la création. L'identité romantique ne peut être transparente à elle-même ; la conscience fait corps avec la réalité organique de l'homme et du monde, elle s'ouvre de toutes parts sur l'inconscient, elle communique avec les aspects nocturnes de la réalité.

([34]) H. STEFFENS, *Anthropologie,* Bd. II, Breslau, 1822, p. 369.
([35]) *Ibid.*, p. 372.
([36]) TROXLER, *Naturlehre der menschlichen Erkenntnis oder Metaphysik,* Aarau, 1820, p. 312.
([37]) *Ibid.*

Sommation et consommation de la création, l'être humain, seul d'entre les êtres à avoir pris la parole, se trouve le porte-parole des êtres antérieurs dans le schéma de l'évolution créatrice. Il lui faut écouter ces voix qui tentent de se frayer un passage dans les profondeurs de son être ; il ne doit pas refouler le sens de cette charité cosmique, grâce à laquelle il lui est possible de s'identifier avec la totalité des êtres naturels. La dimension anthropologique ainsi comprise permet à l'être humain de se reconnaître à sa place dans le schéma de ce que Steffens appelait « l'histoire naturelle intérieure *(innere Naturgeschichte)* de la Terre » ; à la succession des phénomènes offerts à l'observation du naturaliste correspond une croissance selon l'axe de l'intériorité.

Dans une communication présentée, à la fin de sa vie, à l'Académie de Berlin (1845), Steffens, résumant ses vues sur la méthodologie d'une psychologie scientifique, oppose aux acquisitions récentes de la psychologie positive, ou prétendue telle, la nécessité d'une histoire naturelle de l'âme en liaison avec l'évolution de la vie. La physique mécaniste s'appuie sur le concept de la pesanteur, dont l'essence échappe à toute expérimentation ; le physiologiste ramène tous les phénomènes à un principe vital, en lui-même inconnu. De même le psychologue, s'il veut mettre de l'ordre dans les expressions de l'âme, doit se référer au principe spirituel qui assure à la pensée, conjointement, la légalité et la liberté créatrice. Providence intérieure de l'évolution mentale et providence extérieure de l'ordre naturel de la création se trouvent en corrélation ; le même grand dessein providentiel assure l'unité de l'anthropocosmologie. Ainsi se trouvent renvoyées dos à dos la psychologie spéculative des philosophes et la psychologie empirique des laboratoires, qui méconnaissent la signification de la réalité humaine et son insertion dans la vie cosmique ([38]).

Les penseurs romantiques refusent de dissocier la vie universelle ; l'histoire naturelle de la Terre est elle-même prise dans le contexte de la création cosmique. La découverte des fossiles et les débuts de la paléontologie, grâce aux recherches et reconstitutions de Cuvier, ont révélé que chacune des périodes géologiques a été caractérisée par des vivants, végétaux et animaux, qui ont disparu, remplacés par d'autres à l'époque suivante. On ne peut pas séparer ces espèces de l'environnement où elles ont pris naissance, comme on séparerait le contenu d'un contenant. Le vivant et son paysage font partie d'une totalité organique, relevant d'une intelligibilité globale. L'idée d'évolution s'applique à la Terre, dont la géologie nous apprend qu'elle n'a cessé de se métamorphoser en même temps que les vivants qu'elle abritait dans son milieu nourricier.

La pensée objective, procédant par dissociation, considère le globe terrestre comme le support matériel des êtres vivants qui figurent sur son sol. Illusion d'optique, car la Terre est un vivant, bien que les mots « vie », « évolution », « sentiment », « effort » ne semblent guère s'ap-

([38]) *Ueber die Wissenschaftliche Behandlung der Psychologie,* 1845 ; texte reproduit dans W. BIETAK, *Romantische Wissenschaft,* Leipzig, Ph. Reclam, 1940, pp. 281, sqq.

pliquer au domaine terrestre tel que nous le percevons par nos sens. « Et pourtant, ces expressions ne sont aucunement vides et dépourvues de sens. Nous qui avons été créés à l'image de Dieu, nous avons la capacité de contempler le même type originaire *(Urtypus)* d'évolution et de structure dans le domaine naturel et dans le domaine spirituel. Et cette intuition, cette connaissance, dévoile la richesse infinie d'un profond sentiment de la nature qui, portant bien au-delà des simples apparences, nous permet d'approcher de la mystérieuse vie de la nature, et nous permet de reconnaître dans le développement de la terre, l'origine profonde de notre propre existence » ([39]). Le métal fait apparaître l'union étroite de toute vie avec l'univers, telle que nous la ressentons dans le sentiment fondamental de notre être ; nous pouvons reconnaître dans l'eau le désir de la Terre, avide de se ressaisir elle-même et de mettre à jour dans la multiplicité de ses formes l'infinité de son être, identifié au principe divin créateur.

Cette « anthropologie géologique » assure la continuité entre le domaine minéral et le domaine organique. Le thème d'ensemble est proposé sur le mode hypothétique. « S'il y a réellement une histoire évolutive de la Terre, si ce n'est pas seulement un rêve que tous les processus, toutes les activités sur la Terre n'ont cessé de s'orienter toujours davantage vers l'infinité intime de la vie telle qu'elle se manifestait dans chacune des espèces animales ou végétales ; — s'il apparaît sans le moindre doute que cette puissance organisatrice embrasse la totalité de la Terre, si bien que même l'air, l'eau et la terre sont devenus plus vivants à mesure qu'ils s'approchaient de la vie et se détournaient de la masse matérielle ; — alors il faut aussi que le régime du comportement mutuel externe des éléments les uns par rapport aux autres se soit transformé à chaque époque ultérieure de l'évolution... » ([40]). Choc en retour de la biologie sur la géologie, la vie récupère les éléments minéraux et chimiques dans son intelligibilité spécifique.

L'évolution cosmique exerce un effet d'entraînement global sur les êtres pris dans son sillage. « L'histoire de la Terre nous fait voir que la constitution graduelle des époques équivaut à un développement toujours croissant des animaux, jusqu'à la forme humaine. Mais le développement des animaux n'est pas autre chose qu'un dévoilement de la sensibilité, qui constitue apparemment le point central à partir duquel se révèle la spécificité du règne animal. A toutes les époques de la formation de la Terre, la sensibilité s'oppose comme un soleil intérieur au soleil du dehors ; plus cette opposition parvient à s'affirmer, et mieux se réalise l'ordonnancement de la vie intime comme de la vie extérieure » ([41]). On ne peut séparer l'homme de la série des vivants, elle-même enracinée dans la vie de la terre. « C'est le domaine de la vie qui est la patrie de l'homme *(das Lebendige ist des Menschen Heimat)*. Nous

([39]) H. STEFFENS, *Anthropologie*, Bd. I, Breslau, 1822, p. 59.
([40]) *Ibid.*, p. 313.
([41]) *Op. cit.*, Bd. II, p. 268.

sommes liés autrement, plus intimement avec les animaux et les plantes qu'avec les composants élémentaires de la Terre... » ([42]).

L'homme apparaît comme le couronnement et ensemble le révélateur de la vie, qui trouve en lui seul la manifestation plénière de son sens. L'anthropologie, science suprême, entraîne les autres disciplines dans son sillage. De là une triple perspective proposée à la recherche. Steffens appelle *anthropologie géologique* l'étude de l'évolution de la Terre, l'homme étant le terme du passé de la nature dans sa durée infinie. Ce point d'arrivée est aussi le point central de l'*anthropologie physiologique*, qui rayonne sur l'extension infinie de l'époque organique présente. Troisième dimension, tournée vers le futur, celle de l'*anthropologie psychologique*, où l'homme se situe au départ d'un avenir infini, consacré à la révélation spirituelle du divin ([43]). La conscience humaine expose la sommation et consommation du savoir total, en son expansion cosmique. Ce parcours fait le tour de l'Encyclopédie, il embrasse toutes les dimensions de la durée ; mais il ne se contente pas de mettre en ordre les sciences objectives ; il communique par ses deux extrémités avec le domaine de l'eschatologie. C'est une anthroposophie articulée à une théosophie.

Ce que Steffens appelle anthropologie psychologique ne peut se concevoir qu'en fonction d'une histoire surnaturelle superposée à l'histoire naturelle et lui imposant sa loi. « La création est la révélation de la volonté divine, car elle est la révélation d'un être érternel et libre, et non le produit d'une nécessité naturelle aveugle. » Au commencement, il y a l'esprit de Dieu, mais aussi l'esprit du Mal, qui fait obstacle à son projet. « La Nature a une histoire, elle a un développement naturel, elle manifeste une direction, une destinée, ce qui n'est possible que là où il y a combat et victoire, où les forces à l'œuvre recherchent un salut encore douteux. La création entière porte la marque de ce combat, depuis le début. Mais la victoire est assurée... » ([44]). La doctrine chrétienne vient relayer la connaissance scientifique pour mener l'histoire naturelle à bonne fin, conformément à l'évangile de Jean : « Le Fils de Dieu, de toute éternité, est lui-même Dieu et non une créature ; il est l'amour de Dieu, éternel depuis le commencement, qui se trouvait auprès de Dieu, la Parole, grâce à laquelle tout est arrivé » ([45]). Steffens et ses amis veulent montrer non seulement la compatibilité, mais l'unité intrinsèque et nécessaire de la connaissance scientifique et de la doctrine chrétienne, qui seule rend compte des origines de toute réalité et détient les clefs de l'avenir. L'histoire de la nature est l'enjeu du grand combat entre le bien et le mal, entre Dieu et Satan.

L'évolution expose une dynamique eschatologique, conformément aux schémas de la théologie. Steffens, à la fin de sa vie, a rédigé des ouvrages d'apologétique, au service de l'église luthérienne. La *Philosophie de la Vie*

([42]) *Ibid.*, Bd. I, p. 21.
([43]) Bd. I, p. 16.
([44]) Bd II, p. 356.
([45]) P. 357.

professée par Frédéric Schlegel au bout de sa carrière (1828) est solidaire de la théologie catholique. Les *Naturphilosophen* conjuguent le schéma biblique des jours de la création et une loi biogénétique révélant en l'être humain l'aboutissement prévu de la série des vivants. Le mythe de la Genèse présente des actes créateurs successifs, indépendants en apparence, mais respectant un ordre hiérarchique des êtres créés, la figure humaine apparaissant au dernier « jour », nantie d'un droit d'aînesse sur toutes les autres. Les penseurs romantiques ont été à l'école de l'anatomie, de la physiologie et de la biologie comparées. La création divine leur apparaît comme l'acte unitaire de la puissance divine, mais en s'inscrivant dans l'immanence, cet acte transcendant inspire la totalité des temps par la vertu de son dynamisme.

En l'absence de distinction entre l'inorganique et l'organique, la réalité s'anime d'une vie solidaire ; au sein de cette masse en évolution s'accomplit une progression des formes, corrélative d'un progrès de l'âme. Tous les êtres sont animés, y compris les végétaux ; la terre, mère et nourricière, recèle en son sein une âme en relation avec l'âme du monde. Leibniz avait dit que la matière était un esprit dans l'instant *(mens momentanea)*. Doctrine reprise par Gustav Theodor Fechner, l'un des derniers penseurs romantiques (1801-1887). « Il me semble tout à fait naturel de considérer la mère comme au moins aussi vivante, et même plus vivante, que les êtres qu'elle a engendrés, puisqu'elle a pu en engendrer non seulement un, mais aussi tous les autres. Après une première naissance, elle n'a cessé de mettre au monde des créatures de plus en plus vivantes ; il ne semble pas qu'elle ait succombé dans les douleurs de l'enfantement, et soit morte après cette naissance (...). N'est-il pas tout aussi fantastique de croire que la mère de l'homme, du fait de l'enfantement, s'est transformée en pierre, que d'admettre qu'une pierre a été la mère de l'homme ? » ([46]).

La vie ne peut provenir d'autre chose que la vie. « Peut-on penser sérieusement qu'il soit possible de produire l'âme par un simple arrangement de matière ? » ([47]). Fechner admet l'initiative divine, attestée par la *Genèse*. « En fin de compte, tout procède de Dieu, mais en toute occasion, il faut poser la question : comment, à partir de quoi et dans quel ordre Dieu fait-il ce qu'il fait ? » ([48]). La Terre Mère n'est pas analogue aux mères terrestres, qui produisent des enfants à leur ressemblance. Les produits de la Terre ont toutes sortes de formes, sans rapport avec la forme de la Terre, mais la Terre les a marqués de son esprit. Enfantement original, maternité réelle. Pareillement, nous sommes les enfants de Dieu, bien que Dieu ne puisse passer pour notre père naturel, au sens usuel du terme.

Si la Terre, notre mère, a une âme, sortis d'elle, tous les êtres de la nature doivent en avoir une. On passe par une série de gradations de

([46]) Gustav Theodor FECHNER, *Zend Avesta oder ueber die Dinge des Himmels und des Jenseits...*, 1851, 4e éd., Leipzig, 1919, Bd. I, p. 139.
([47]) *Ibid.*, p. 140.
([48]) P. 141.

l'âme universelle aux âmes particulières, dont l'âme humaine représente l'expression la plus haute. Cette doctrine est appliquée au règne végétal dans *Nanna, oder das Seelenleben der Pflanzen* (*Nanna, ou la vie spirituelle des plantes*, 1848). Toutes les formes vivantes s'inscrivent dans le sillage de la force vitale qui est ensemble un principe spirituel. Fechner, contre le matérialisme biologique qui s'affirme avec force dans l'Europe de son temps, propose un panpsychisme gradué selon une évolution ascensionnelle des formes. « J'ai affirmé auparavant que, contrairement à l'opinion commune, les plantes ont une âme. Maintenant, j'affirme que les planètes aussi en ont une, avec cette différence que ce sont des êtres animés d'une espèce supérieure à nous, alors que les plantes constituent une espèce inférieur » ([49]). Notre Terre, avec tous les êtres qu'elle a engendrés, étant issue d'un même processus, générateur de la vie et de l'âme, les planètes sœurs doivent posséder les mêmes propriétés, dont le règne s'étend à la totalité de la création. Faute de démonstration rigoureuse, Fechner se réfère à l'instinct naturel des peuples primitifs, lesquels admettent tous que les astres sont des êtres animés d'une essence supérieure à la nôtre.

Nous nous sommes habitués à considérer l'âme, dans la nature, non pas comme la règle, mais comme l'exception, ce qui nous empêche de déchiffrer le livre vivant de la nature ; nous le transformons en un traité de mécanique. Reste qu'il ne faut pas imaginer que notre âme soit le prototype de toutes les âmes ; on ne peut pas identifier l'âme des plantes ou celle des animaux à l'âme humaine ; de même l'âme des plantes ne présente pas les mêmes caractères que celle des animaux. Il nous est difficile de parler de psychisme à propos d'êtres autres que nous ([50]).

L'âme n'est pas directement perçue ; nous reconnaissons son existence par une induction analogique à partir du comportement extérieur ; les animaux agissent, mangent, se reposent, entretiennent des relations mutuelles où nous pouvons reconnaître des motivations proches des nôtres. L'intériorité de la plante nous demeure cachée ([51]). Les plantes ne nous montrent pas de système nerveux, ni d'organes des sens ; mais de quel droit affirmons-nous que le système nerveux est la condition de toute sensibilité ([52]) ? Nous constatons chez l'animal des signes de mémoire et de prévision, qui n'apparaissent pas chez la plante. Mais l'organisme végétal se caractérise par une centralisation très poussée, et l'unité organique doit aller de pair avec l'unité spirituelle. Il se pourrait même que la perception sensible, chez le végétal, soit supérieure à ce qu'elle est chez l'animal. Dieu seul sait en dernier ressort ce qui revient à chacun dans l'organisme total de la création.

Le Dieu vivant s'est exprimé dans sa création vivante ; nous n'avons pas le droit de diviser cette création d'un seul tenant, pour les besoins de nos axiomatiques abstraites. La célébration de la plante et de la fleur chez

([49]) *Ibid.*, p. 1.
([50]) *Nanna, oder das Seelenleben der Pflanzen*, Leipzig, 1848, pp. 4-5.
([51]) *Op. cit.*, p. 7.
([52]) *Ib.*, pp. 387-388.

Fechner reprend le thème des lys des champs et des oiseaux du ciel, témoins évangéliques de la gloire de Dieu. Le fondateur de la psychophysique poursuit une entreprise apologétique, face à cette autre entreprise apologétique du scientisme athée. « Que les plantes soient ou non douées d'une âme, cela change l'ensemble de la conception de la nature, et la solution de cette question décide de beaucoup d'autres. Une réponse positive à cette question élargit l'horizon entier de notre vision de la nature » ([53]). La création, reflet de la présence divine, s'anime de la circulation de la grâce, providence organique présidant à l'intelligibilité cosmique. Lorsque la clarté de la conscience émerge de l'obscurité des stades préconscients, elle découvre un univers préparé pour l'accueillir par un Dieu bienveillant, dont l'homme parachève le projet.

Face au matérialisme scientifique en progrès, le romantisme maintient l'existence d'une intelligibilité globale du monde, seule capable de garantir l'intelligibilité de la destinée humaine. En dépit des moments de dés-espoir, le romantisme, c'est la lutte pour le sens, c'est-à-dire l'espoir. L'animisme de Fechner et des *Naturphilosophen* fait descendre le sens dans la matière, là où l'intelligence commune ne le perçoit pas d'ordinaire, dans les masses inertes des formations géologiques ou dans l'intimité des astres. Les romantiques reprennent inlassablement le thème de cette odyssée de l'âme à travers les formes du réel, doctrine développée dans l'*Histoire de l'âme (Geschichte der Seele)* de G. H. von Schubert (1830), dans la *Psyche, zur Entwicklungsgeschichte der Seele (Histoire évolutive de l'âme)* de Carl Gustav Carus (1846) et dans le traité de ce dernier intitulé *Natur und Idee, oder das Werdende und sein Gesetz* (*Nature et Idée, ou le devenir et sa loi*, 1861).

La thèse de ces travaux est que la conscience n'est pas homologue à l'âme. Cette dernière possède une expansion égale à celle de l'univers ; la conscience, elle, n'est pas omniprésente ; elle émerge, en des endroits privilégiés, des profondeurs où la vie se déploie sans conscience de la vie. La première phrase de *Psyche* affirme avec intrépidité : « la clef pour la connaissance de l'essence de la vie consciente de l'âme se trouve dans la région de l'inconscient ». Carus découvre cette âme à l'œuvre dès la constitution de l'embryon ; le principe directeur de la croissance organique, auquel Aristote donnait le nom d'*entéléchie*, est une idée de Dieu présidant mystérieusement au développement de l'individu. La conscience ne traduit que des aspects tardifs et partiels de cette vie psychique, à l'œuvre dans les profondeurs de notre être ; le dernier voile ne se lèvera jamais sur nos intentions profondes, qui nous demeurent en dernière analyse impénétrables. Notre existence est marquée par l'alternance entre la présence et l'absence de la conscience, dans la succession de la veille et du sommeil, mais aussi dans le cas de l'oubli et de la réminiscence. Toute conscience, lestée d'inconscient, fait corps avec l'inconscient, d'où émergent les impulsions, les intentions, les aspirations et régulations majeures de l'existence. Même notre rapport à Dieu trouve sa justification dans une nostalgie issue des profondeurs de l'être, et qui

([53]) *Op. cit.*, Vorwort, p. IX.

pousse notre conscience à se perdre dans l'inconscient supérieur de l'unité divine. « Ce qu'il y a d'insondable et de proprement inaccessible dans le désir de Dieu réside en ce qui constitue ici, au sens le plus vrai du terme, la tâche de l'esprit qui pense ; il doit laisser l'esprit conscient de lui-même, en sa plus haute exaltation, s'abolir ou plutôt s'accomplir en la profondeur la plus profonde d'une réalité qui demeure pour nous inconsciente... » ([54]).

La conscience claire n'est, pour le dynamisme vital, qu'un lieu de passage ; les zones inférieures et supérieures de la réalité échappent à cette clarté, sans pour autant que l'âme puisse en être absente. La réalité humaine est partagée entre le jour et la nuit, entre la conscience lucide et la ténèbre de l'inconscient. Rien ne peut donc nous empêcher d'admettre l'existence d'une âme latente dans des êtres en lesquels ne se produit aucun affleurement de la conscience, celle-ci ne constituant plus un attribut indispensable de la réalité spirituelle. Schubert, dans son *Histoire de l'Ame* (1830), décrit « le chemin de la vie à travers les métamorphoses ». L'ordre végétal et l'ordre animal peuvent recéler une âme non consciente. « L'essence de la plante est entièrement pénétrée et environnée par les puissances et l'attirance vivifiante d'un monde de lumière et de vie, qu'elle ne peut ni connaître ni contempler. Le règne animal a échappé, dans sa croissance, à cette captivité, à cet enfermement... » ([55]). L'activité des sens, étendue dans l'espace du monde, confère à l'animal un équivalent de la vie spirituelle ; son comportement atteste le désir d'un épanouissement. « Le chant plaintif de l'oiseau exprime son aspiration vers quelque chose d'inconnu, comme s'il l'avait perdu. (...) La pierre cherche la terre, d'où elle a été extraite, dont elle est une partie ; la vie, présente dans l'animal, recherche la source de vie d'où elle est venue, et dont elle est un épanchement. Car elle est une étincelle de cet esprit de connaissance, de cette sagesse ordonnatrice grâce à laquelle le monde a été créé... » ([56]).

Le sens de la vie anime les créatures, sans même qu'il y ait conscience de ce sens ; la conscience vient couronner le parachèvement du sens. « Comme les planètes, dans leur mouvement perpétuel, reçoivent du soleil, qui repose en leur centre, la force et la société du monde supérieur de la lumière, ainsi c'est l'homme, au centre du monde animal, qui réverbère aux autres êtres vivants la lumière d'un monde divin. Car l'animal ne connaît pas Dieu (...), mais il pressent dans l'homme, qui est l'image de Dieu, une flamme qui échauffe, qui fait vivre, qui lutte pour accéder vers le haut jusqu'à Dieu. Ainsi le règne animal, dans sa quête et dans son mouvement, propose une image extériorisée de l'activité de l'esprit *(Geist)* dans l'homme, tout comme se reflète dans la vie de la plante l'activité de l'âme *(Seele)* » ([57]). Si l'homme n'avait pas perdu le

([54]) C. G. CARUS, *Psyche oder zur Entwicklungsgeschichte der Seele*, 1846 ; 2e éd., 1860, p. 442.
([55]) G. H. VON SCHUBERT, *Die Geschichte der Seele*, 1830, 6e éd., Stuttgart, 1878, Bd. I, p. 59.
([56]) *Ibid.*, p. 60.
([57]) *Ib.*, p. 61.

pouvoir de déchiffrer les hiéroglyphes de la vie, il serait capable de reconnaître dans le règne animal le grand livre où se trouve racontée l'histoire du développement de l'esprit.

La loi biogénétique se trouve transférée de l'ordre organique à l'ordre spirituel. L'homme récapitule le devenir de l'esprit dans les espèces ; la conscience humaine est la dernière étape, en même temps que la manifestation du sens des étapes antérieures. Le cheminement de la force vitale ne se justifie qu'une fois parvenu au dénouement, où tout ce qui demeurait en attente, en pressentiment, se trouve accompli et ex-pliqué, c'est-à-dire déplié. « La vie du règne animal dans son ensemble paraît se frayer un chemin, par une poussée en avant continue, jusqu'à l'homme ; elle semble aspirer à la forme humaine » ([58]). Schubert, comme Oken, comme Carus, évoque le progrès de la vie depuis les formes inférieures des infusoires ou des premiers organismes aquatiques jusqu'à l'épanouissement de l'être humain, à l'image de Dieu, en qui le principe vital accède à la haute conscience. Cette révélation de la nature, surimposée à la révélation biblique, la rend intelligible aux esprits formés par la science moderne, sans renier les acquisitions de cette science. Des hommes comme Steffens, Carus, Oken, Troxler ou Fechner ne sont nullement des amateurs ou des polémistes au service de la cause chrétienne ; ce sont d'honorables professeurs qui enseignent l'histoire naturelle dans les chaires d'université. Ils pensent, comme le répètera encore Hermann Lotze (1817-1881), l'un des derniers d'entre eux, dans son *Mikrokosmos* (1856-1864), que la réalité du monde ne devient intelligible que si l'on admet une âme du monde *(Weltseele)* réglant du dedans l'ordre merveilleux de la vie universelle.

Ces conceptions romantiques demeurent vivantes alors même que Darwin ouvre des voies nouvelles au mécanisme scientiste. L'imaginaire du romantisme, sa poétique et son répertoire de symboles, son vocabulaire même se réfèrent à ces conceptions, présentes dans l'esprit des écrivains et des artistes, même s'ils n'ont pas étudié l'histoire naturelle. La poésie romantique propose une célébration de l'harmonie universelle ; le sentiment de la nature n'est pas seulement un style de sensibilité ou un parti pris esthétique. Dans l'expérience vécue d'une présence au monde, l'être personnel s'identifie avec un univers auquel il est lié par des affinités d'origine et de développement, par une identité de structure. Tous les vivants, apparentés, exposent, chacun à sa place et selon la manière qui lui est propre, des moments d'un développement providentiel, ordonné en vue d'une exaltation de l'omniprésence divine. La marque du romantisme est cette charité cosmique, cette sympathie universelle qui relie l'homme à l'homme, sans distinction d'âge, de race, de sexe ou de fortune, mais qui unit aussi l'homme à l'animal et au paysage ; l'âne et le crapaud, l'arbre, le rocher, le nuage au ciel, créatures fraternelles, porteuses, chacune pour les autres, d'harmonies évoquant une vocation commune.

([58]) G. H. VON SCHUBERT, *Ansichten von der Naturwissenschaft*, 1808, X, 3. Auflage, Dresden, 1827, p. 221.

Selon Ricarda Huch, « Oken définissait le monde animal en le comparant à un homme disloqué. Si l'homme jette un coup d'œil en arrière, il peut voir en quelque sorte les divers stades de son âme ; si entre temps elle a grandi, elle n'a pas totalement dépouillé son caractère inné. (...) Aussi bien pour Oken que pour Carus, la différence entre l'âme humaine et l'âme animale était que cette dernière ne parvenait pas à la hauteur de la conscience et par conséquent ne pouvait être un objet pour elle-même (...). Oken montre comment se déroule l'animalité : les animaux inférieurs vivant dans l'eau ont à la place des sens le sens du toucher, dont l'organe est la masse des entrailles ; leur vie spirituelle est pour lui un « état mesmérien », grâce auquel ils trouvent leur nourriture sans voir. Au stade suivant, on constate chez les animaux sexués l'existence de trois systèmes, les organes sexuels, les organes de la digestion et les organes du goût, auxquels correspond une certaine vie spirituelle, savoir : circonspection, voracité, volupté. (...) Chez les insectes apparaissent pour la première fois des animaux qui expriment leur idée par l'instinct artistique... » ([59]).

L'histoire naturelle, cantique des degrés, conduit à la forme humaine, couronnement de la création, qui explicite toutes les puissances latentes dans l'animalité. Carus, disciple de Goethe, maître de la morphologie, oppose à la doctrine darwinienne, négatrice du sens, une *Psychologie comparée*, *Histoire de l'âme dans la genèse successive du monde animal* (*Vergleichende Psychologie oder Geschichte der Seele in der Reihenfolge der Tierwelt*, 1866). La thèse de Carus est que « l'âme animale a le même point de départ que l'âme humaine, de sorte que l'on peut comparer l'âme des animaux à l'âme inconsciente de l'embryon humain, celle des animaux supérieurs à l'âme inconsciente des nourrissons, et finalement à l'âme des enfants où se manifeste le premier indice de la conscience : mais jamais l'âme animale n'atteindra le stade de la « psyché ailée » et, en ce sens, malgré les analogies, il faudra toujours la considérer comme essentiellement différente de l'âme humaine... » ([60]). La différence majeure est que les « animaux ne participent à l'immortalité qu'à titre d'espèce, comme si l'espèce était un énorme animal qui continue à vivre sous des formes toujours nouvelles par des métamorphoses de certaines de ses parties, tandis que dans l'humanité l'individu peut participer lui-même à l'éternité de l'espèce... » ([61]). Les théoriciens disputaient entre eux sur le degré de proximité dans l'apparentement entre l'animal et l'homme ; certains allaient jusqu'à affirmer une identité à peu près complète. Tous s'accordent pour admettre une communauté des vivants. C'est un signe des temps que la création, par Daumer, de la Société protectrice des animaux ([62]). Dans les intentions de son fondateur, cette institution se réfère à une conception chrétienne de la vie universelle,

([59]) Ricarda Huch, *Les romantiques allemands*, trad. Bréjoux, Aix-en-Provence, Pandora, 1979, p. 103.
([60]) *Op. cit.*, p. 105.
([61]) *Ibid.*,
([62]) Cf. R. Huch, *op. cit.*, p. 107.

incarnation de la révélation dans l'ordre cosmique. La charité à l'égard des animaux doit s'étendre au domaine végétal, et même à l'ensemble du paysage naturel. Cette inspiration se prolonge dans les mouvements écologiques de notre époque ; la passion qui anime les militants de cette cause est l'expression, consciente ou non, d'un sens du sacré issu du savoir et de la religion romantiques.

La spiritualisation du réel n'est pas le résultat, après coup, d'une connaissance objective, mais le produit d'une relation avec le réel, d'une prise de conscience de la signification sous-jacente aux phénomènes. Le savoir romantique de la nature et de l'homme est une mythologie de la nature et de l'homme. Mais la conception antagoniste du savoir objectif et positif s'inspire d'une mythologie inverse, évidente dans l'ardeur avec laquelle les militants du scientisme affrontent leurs adversaires. La perception et l'établissement des faits dits « scientifiques » répondent à une affirmation de valeur. La faiblesse des romantiques — ou peut-être leur force — est de reconnaître leurs présupposés.

Certains théosophes romantiques ont tenté d'aller plus loin encore dans cette mythologie de la nature, avec ou sans interposition du savoir. Ils ont tenté d'inscrire l'histoire naturelle tout entière dans la perspective chrétienne de l'histoire du salut, mettant la genèse des espèces en rapport avec le schéma de la chute et de la rédemption. L'histoire naturelle devient une histoire sainte exposant les divers aspects de la révélation. « Wordsworth écrit ses poèmes comme un commentaire sur la Nature. Bien que moins hanté par la Bible que Blake, Wordsworth est lui-même un poète dans la lignée des prophètes hébreux. Le corps visible de la Nature est pour lui davantage qu'un témoignage extérieur de l'Esprit de Dieu ; il est notre unique chemin vers Dieu. (...) Ainsi la perception commune est pour Wordsworth un moyen de salut, à condition que nous soyons pleinement éveillés à la signification de ce que nous avons sous les yeux. La terre en sa banalité doit être sanctifiée par la sainte union avec elle de l'esprit et du cœur de l'homme ; par cette union, le cœur et l'esprit ensemble doivent recevoir le cadeau nuptial de la beauté sensible, gloire dans l'herbe, splendeur dans la fleur. Jusqu'à ce que, en fin de compte, le grand achèvement soit consommé, et que l'homme remis à neuf se retrouve à nouveau dans l'Eden. La gloire humaine de Wordsworth, léguée par lui à Keats, se trouve dans cette célébration sur le mode naturaliste des possibilités inhérentes à notre condition ici et maintenant » ([63]).

Cette vision du monde met en œuvre une transfiguration de la réalité naturelle, dont le poète déchiffre le sens en transparence eschatologique. Le paysage indique, au-delà de son contenu apparent, le grand dessein immanent de la gloire de Dieu. Wordsworth n'est pas un savant, ni un philosophe, ni même un théologien ; il est le promeneur solitaire qui vient au monde dans l'effusion de son cœur. Les poètes et les artistes romantiques ont tenté de substituer à la mythologie païenne tradition-

([63]) Harold BLUM, *The Visionary Company, a reading of English Poetry*, New York, Doubleday Anchor Press, 1963, p. 136.

nelle du paysage une mythologie chrétienne, dont on trouve des traces chez Novalis et Eichendorff, chez les peintres Caspar David Friedrich et Philipp Otto Runge. Le symbolisme de l'incarnation régit non seulement le choix des objets et leurs dispositions, mais le répertoire des couleurs, dont chacune évoque telle ou telle composante. Le poème, le tableau prennent valeur d'icône, même si le sacré n'est pas directement évoqué par des scènes ou des personnages empruntés à la révélation chrétienne. Le monde propose au fidèle une liturgie de l'incarnation dans le processus des jours, de l'aube au crépuscule ([64]) ; les heures du bréviaire dans l'église ancienne associaient la durée vécue à l'histoire du salut, répétée chaque jour, chaque semaine, chaque année. Le sens romantique de la nature, sans le détour de l'histoire sainte, retrouve directement le sacré, sans l'interposition des personnages du drame. Les espèces sacramentelles, lors de la dernière Cène, ont été métamorphosées par le Christ en sa chair et son sang. Le miracle accompli dans le cas du pain et du vin s'étend de proche en proche à toute la nature, identifiée au corps du Christ. La communion avec le paysage est une eucharistie.

L'approche du poète, si elle se réfère à des justifications différentes de celles du savant, répond à une même exigence de sacralisation. Friedrich Schlegel, dans sa *Philosophie de la Vie* (*Lebensphilosophie*, 1828), prétend respecter la connaissance positive des phénomènes ; mais, conformément à son inspiration religieuse, il affirme la nécessité d'une théocratie de la science *(wissenschaftliche Theokratie)*. Les savants positifs tentent de faire sécession, et de constituer des espaces mentaux indépendants du christianisme ; de là un éparpillement des connaissances qui, sous prétexte de rigueur, aboutit à détruire le sens même de l'unique vérité. Les savants doivent inverser le sens de la marche et se donner pour tâche une « résurrection de la vérité », correspondant à « une restauration et un accomplissement de la conscience en sa divinité » ([65]). Le sens du divin doit présider à la présence au monde, quel que puisse être l'interprète de cette présence, savant ou artiste, puisque les deux vocations sont complémentaires, sinon identiques, ainsi que l'affirmaient les jeunes gens de l'*Athenaeum* aux environs de 1800.

L'histoire naturelle des romantiques, et la position qu'elle reconnaît à l'être humain, répond à un double critère de vérité : d'une part la méthodologie scientifique puérile et honnête, et d'autre part la signification chrétienne de la création. Steffens, Carus, Oken et leurs amis ne vont pas jusqu'à se réclamer d'un régime théocratique imposé à la connaissance, mais le thème théocratique est présent en sous-œuvre dans leur conception du monde, ce qui rend tout dialogue impossible avec les savants qui sont seulement des savants. La même situation devait se retrouver avec les spéculations de Teilhard de Chardin ; géologue et paléontologiste de grande compétence, le savant jésuite prétendait

([64]) Cf. Fritz STRICH, *Deutsche Klassik und Romantik oder Vollendung und Unendlichkeit*, 3. Auflage, München, 1928, pp. 146 sqq.

([65]) Fr. SCHLEGEL, *Philosophie des Lebens*, XV, 1828, *Werke*, Kritische Ausgabe, Bd. X, 1969, p. 301.

articuler son savoir à une théologie de l'incarnation. Il évoquait un Christ cosmique, dont le culte englobait dans sa liturgie la réalité de la terre en laquelle s'accomplissait la présence eucharistique du Fils de Dieu. Cette vision prophétique de l'univers se heurta à des oppositions résolues de la part des autorités ecclésiastiques ; elle eut aussi des partisans convaincus. La science positive se contente de rassembler et d'interpréter les données de la connaissance dans le champ clos d'une axiomatique aussi délimitée que possible. Il ne saurait être question pour un paléontologiste de découvrir en transparence à travers les couches géologiques le visage du Christ. Cette lecture paraît normale au penseur romantique ; il exerce une double vue qui ne saurait se satisfaire d'une simple mise en ordre de la diversité empirique.

La situation de l'homme dans le monde, l'affleurement de la conscience dans l'évolution des formes vivantes ne posent pas seulement des problèmes scientifiques. Heidegger disait qu'une question est d'ordre métaphysique à partir du moment où elle met en question celui qui pose la question. La réalité humaine ne se réduit pas à un ensemble de données que nous puissions, sous notre regard, réduire à l'unité d'un concept ou d'une théorie. La conscience est le point de départ de toute vérité, objet et sujet, commencement et aboutissement, mais aussi enjeu de la connaissance ; impossible d'en faire l'objet d'une physique empirique, descriptive ou même interprétative. L'approche psychologique et l'approche physiologique obligent à parler deux langages qui ne se complètent pas, ce qui déroute toute entreprise pour mener à bien une analyse unitaire d'un phénomène à plusieurs dimensions. Or le décalage entre les langages, le hiatus béant, est le lieu de la vérité essentielle. Les divers savoirs ne sont que des discours fragmentaires, sous réserve de l'essentiel. L'idée de Nature n'est pas une réalité scientifique ; il ne peut y avoir de science de la nature, les prétendues sciences de la nature sont des sciences sans la Nature, bribes d'une réalité éclatée, qui se dérobe aux approches méthodologiques de la connaissance scientifique. La place est libre pour une philosophie de la nature, traitant des questions qui échappent aux savants. Et cette *Naturphilosophie* sera une mythologie, car le mythe occupe les emplacements eschatologiques ; il explore les lieux intermédiaires, les passages, interdits aux savants, vers les origines premières et les fins dernières.

Il y a, dans l'homme et dans le monde, un surplus de sens qui échappe aux prises de la connaissance positive. Le savant du type courant ressemble à un individu qui se figurerait pouvoir parvenir à atteindre l'infini numérique en suivant la série des nombres à partir de un. Les sciences rigoureuses limitent par avance l'enjeu de leur recherche ; la démarche positiviste, contournant l'essentiel, ne livre que des combats limités en vue de succès limités. D'où le mépris des romantiques pour ces petits bourgeois de la connaissance, qui ne poseront jamais les vraies questions. L'approche mythique de la vérité ne signifie pas un recours à l'irrationnel, dans une démission de l'intelligence. L'intérêt des romantiques, de Schelling à Creuzer et à Kanne, pour la recherche dans ce domaine correspond à une validation de ce mode de connaissance. Le mythe situe l'homme dans le contexte d'une intelligibilité globale. L'évidence mythique, sans justifications intellectuelles, fournit un savoir total, à la mesure de la totalité de l'homme. Alors que les systèmes usuels de connaissance impliquent toutes sortes de restrictions mentales qui limitent leur validité, le mythe procure un savoir sans restriction, seul apte à éclairer le sens de la destinée. Les sciences délimitent les zones étroites occupées par le savoir objectif, et se désintéressent du reste; l'intention mythique a horreur du vide; elle occupe les espaces vacants, en se servant de l'être humain entier comme moyen de connaissance. L'homme est la mesure du mythe, à la lumière duquel se trouvent abolies les frontières du naturel et du surnaturel, du possible et de l'impossible, de l'esprit et du sentiment, du rêve et de la réalité.

L'homme habite le monde par la totalité de son être. La science exacte frappe de déchéance les puissances non rationnelles qui définissent les horizons de la conscience en chaque moment d'une vie. Cette physique de l'espace du dehors ne s'applique pas à l'espace du dedans. Si un individu tombe par la fenêtre du cinquième étage, s'il est heurté par une automobile roulant à grande vitesse, alors sans doute il est soumis aux lois de la physique; son destin est réglé par les lois de la chute des corps, par la dynamique des solides. Mais il s'agit là d'occasions extrêmes; dans la majeure partie de son existence, la conscience humaine obéit à des régulations non réductibles aux lois de la mécanique. Le corps humain, réalité organique, prend place dans l'économie générale de la biologie. Mais ce corps est aussi le point d'application d'une pensée qui fait de lui un centre d'initiatives; chaque conscience est habilitée à réaliser la transmutation des significations du monde. L'artiste, mieux que d'autres, fait éclater cette aptitude créatrice; elle existe chez tous les hommes à quelque degré.

Le savant affronte le réel, le met en équation et opère sur lui par le ministère des signes, de manière à obtenir des mutations à son avantage; les savoirs et les technologies permettent d'aménager le territoire humain dans le sens d'un mieux être souhaité. La civilisation industrielle, elle-même produit du désir, se développe à l'instigation de fantasmes dont l'accomplissement peut se révéler illusoire. Les sociétés modernes dites avancées ont opté pour la recherche d'un certain type de bonheur; tout se passe comme si le pragmatisme, le réalisme et l'utilitarisme des Occidentaux les engageaient dans la vaine poursuite de leur ombre. La recherche de la rationalité peut être déraisonnable. Mais l'homme fait également résidence dans le monde par la sensibilité et le sentiment, au niveau de l'imaginaire; il donne sens à l'univers en y projetant ses valeurs, fondements d'appréciations positives ou négatives, dont dépendent le bien-être et le mal être de chaque individu. L'analyse scientifique, l'efficacité technique n'ont pas de prise sur cette vision du monde, décisive en ce qui concerne la réussite ou l'échec d'une existence.

Il existe une énorme disproportion entre la présence physique de l'homme dans le monde matériel et sa présence spirituelle. En tant qu'objet corporel, l'individu est un point localisé en un emplacement déterminé d'une étendue indéfinie. En tant qu'être spirituel, l'homme irradie un espace mental ; sa présence rayonne en zones concentriques autour de l'emplacement qu'il occupe, selon que le sujet peut avoir un accès immédiat ou médiat aux régions qui s'étendent autour de lui. L'habitation géographique, circonscrite par un paysage donné, zone d'incarnation privilégiée pour l'être humain, s'élargit en habitation de pensée dans des lieux accessibles ou non. Chaque personne possède une géographie cordiale avec des places d'élection et des terres inconnues, des déserts ou des oasis, dont les confins coïncident avec ceux de l'univers. On peut hanter en pensée ou en rêve des lieux où on n'est jamais allé ; les livres de géographie, les récits de voyage attestent par leur succès ce désir des ailleurs, plus propices à une identification que le médiocre environnement de l'existence habituée. Et si les îles lointaines ne suffisent pas pour domicilier nos rêves, l'utopie propose des espaces de substitution, une géographie de la valeur et de la vérité. Les historiens anciens rapportent qu'Alexandre regrettait qu'il n'existât pas d'autres mondes afin qu'il puisse les conquérir. Ces autres mondes existent dans l'univers de l'utopie, où bien des hommes font élection de domicile, sous la forme d'une résidence secondaire.

Le rayon d'action de la pensée ne tient aucunement compte de l'étroite limitation de la présence corporelle. L'organisme humain est le lieu de domiciliation, le point d'insertion dans la réalité universelle d'une forme non organique de présence au monde. Tel un récepteur de radio ou de télévision, qui matérialise en un lieu donné des ondes impalpables en état d'errance dans l'atmosphère. La différence serait que la nature des ondes nous est connue, ainsi que leur mode d'action sur le dispositif de réception, tandis que nous ignorons le système de compatibilité entre la pensée, la conscience et la réalité organique de l'être humain.

L'impossibilité d'une explication en termes de positivité scientifique suscite un vide épistémologique ; l'activité mythique se propose pour occuper le terrain vague. Il ne s'agit pas là de spéculations gratuites, ainsi que le proclament les tenants de l'agnosticisme positiviste, qui prétendent rejeter comme dénué de signification tout ce qui ne correspond pas à leurs critères. Le domaine de l'expérience concrète n'est pas limité par la réalité sensible, matériellement déterminable en termes de quantité, celle que l'on peut prendre en flagrant délit, mesurer et dénombrer. Victor Hugo note dans son journal : « Oui, je crois au surnaturel ; il y a mieux, je vis dans le surnaturel. La nuit ma chambre se remplit de bruits étranges, l'on frappe dans mon mur, on remue les papiers, des bruits inexplicables se font entendre. (...) La nuit, lorsque je me réveille, je me dis : « Pourvu que je n'aille pas voir un être étrange se promener dans ma chambre. Puisqu'ils nous parlent, ils peuvent se montrer, ils frappent l'ouïe, ils frappent la vue. Un être noir me causerait une certaine crainte. Un être blanc m'effraierait moins... » ([66]).

La notion de « surnaturel » est équivoque, sinon absurde. Tout ce qui

([66]) *Journal de l'Exil*, Musée Victor Hugo, cité dans Jean GAUDON, *Le temps de la contemplation, L'Œuvre poétique de Victor Hugo des* Misères *au* Seuil du Gouffre (1845-1856), Flammarion, 1969, p. 215.

intervient dans une existence humaine doit être considéré comme « naturel », même si nous n'arrivons pas à en rendre raison selon ce que nous appelons les « lois de la nature ». Ces lois, nous les avons établies nous-mêmes ; si certains phénomènes les mettent en défaut, il ne faut pas incriminer les phénomènes, mais chercher à établir de nouvelles lois. « Il n'y a pas de surnaturalisme, proteste Hugo vers 1863-1864. Il n'y a que la nature. La nature existe seule et contient tout. Tout est. Il y a la partie de la nature que nous percevons, et il y a la partie de la nature que nous ne percevons pas. Pan a un côté visible et un côté invisible. Parce que, à ce côté invisible, vous jetterez dédaigneusement ce mot *surnaturalisme,* cet invisible existera-t-il moins ? X reste X. L'Inconnu est à l'épreuve de notre vocabulaire. Nier n'est pas détruire. Le surnaturalisme est immanent. Ce que nous apercevons de la nature est infinitésimal » ([67]).

L'erreur majeure du positiviste est de croire que la science humaine est en droit d'imposer ses conditions à la réalité, ce qui renverse les rôles. « De quel droit, poursuit Hugo, dites-vous à un fait : « va-t-en » ? (...) De ce qu'un fait vous semble étrange, vous concluez qu'il n'est pas. (...) Mais toute la science commence par être étrange. (...) La science d'aujourd'hui semblerait extravagante à la science d'autrefois. Ptolémée croirait Newton fou » ([68]). L'expérience humaine dans sa plénitude embrasse une réalité qui déborde par-delà les limites étriquées et surannées du savoir scientifique. Le sens du réel excède de beaucoup le terrain de parcours des scientifiques, prisonniers de leurs présupposés, aveuglés par leurs préjugés. Il faut constituer un nouveau mode de connaissance : « Science et religion sont deux mots identiques ; les savants ne s'en doutent pas, les religieux non plus. Ces deux mots expriment les deux versants du même fait, qui est l'infini. La Religion-Science, c'est l'avenir de l'âme humaine » ([69]).

Le principe du surréalisme romantique se trouve dans l'idéalisme magique de Novalis, ou chez les romanciers du merveilleux et du fantastique, de Tieck et Arnim à Hoffmann, Nodier et Poe, entre autres. Ce qu'ils revendiquent, ce qu'ils mettent en œuvre, c'est l'élargissement de l'expérience au-delà du champ clos des épistémologies scientifiques. L'aboutissement de la démarche peut être un parti pris philosophique ou une alchimie lyrique, une poétique de l'irréel et de la métamorphose. L'inspiration demeure la même ; elle exprime la révolte contre les déterminismes mécanistes, générateurs d'intelligibilités restrictives. Il s'agit d'affirmer le droit supérieur d'une conscience de plein exercice, non soumise aux conditions restrictives de l'espace mental euclidien.

Au lieu d'inclure l'homme dans la réalité matérielle, et de lui imposer la loi des choses, il faut comprendre l'ordre des choses à partir de la réalité humaine. Le reproche d'anthropomorphisme est mal venu ; on voit mal le statut d'une connaissance qui ne procéderait d'aucune

([67]) HUGO, *Contemplation suprême,* texte rédigé vers 1863-1864 ; *Œuvres complètes,* Club français du Livre, t. XII, 1969, p. 115-116.
([68]) *Ibid.*, pp. 116-117.
([69]) *Ibid.*, p. 117.

référence à celui-là même qui construit la science. Le pire des anthropomorphismes étant celui qui s'ignore, le reproche se retourne contre ceux qui prétendaient en faire usage. Novalis disait : « Le monde de l'homme est maintenu par l'homme, comme les particules du corps humain sont maintenues par la vie de l'homme » ([70]). La conscience régit la genèse d'un univers nécessairement relié à l'homme, même dans ses dimensions les plus disproportionnées. Pareillement Schopenhauer : « C'est en partant de nous-mêmes qu'il faut chercher à comprendre la nature, et non pas inversement chercher la connaissance de nous-mêmes dans celle de la nature » ([71]). L'opposition de l'idéalisme et du réalisme impose une alternative, alors que toute présence au monde suppose une alliance indissociable de l'organisme et de la pensée. L'être humain est un objet-sujet, un objet qui prend conscience de lui-même sous les espèces de la subjectivité. Cette contradiction initiale est la condition première de toute intelligibilité.

([70]) NOVALIS, *Journal et Fragments*, p. p. CLARETIE, Stock, 1927, p. 128.
([71]) SCHOPENHAUER, *Le monde comme volonté et comme représentation*, Suppléments, livre II, article 18, trad. BURDEAU, rééd. P.U.F., 1966, p. 891.

CHAPITRE II

MORT — RÊVE — SURVIVANCE

La mort est un *dénouement* de la vie, la dissolution du nœud constitutif de l'identité en tant qu'incarnation. Une conception mécaniste, qui considère l'être humain comme un objet matériel, dont la conscience demeure un aspect secondaire, un épiphénomène, prononcera que la destruction de l'objet marque la fin de l'existence, abolie en même temps que sa substance organique. Mais si l'organisme n'est qu'un support, le lieu de domiciliation d'une pensée dont le rayonnement donne sens à la totalité du monde, l'idée de la disparition totale de la conscience est difficile à concevoir. La conscience est impalpable, immatérielle ; on ne voit pas pourquoi elle serait nécessairement abolie en même temps que la matière. Lorsque les polémistes matérialistes du XIXe siècle professent que la pensée est au cerveau ce que l'urine est au rein, la comparaison ne convient pas ; l'urine est un composé matériel produit par le fonctionnement d'un organe selon des voies et moyens que nous connaissons, alors qu'il n'y a pas de continuité intelligible entre le cerveau et la conscience qui en est corrélative. La seule évidence est que l'interruption des fonctions organiques s'accompagne de l'arrêt de la pensée subjective.

La mort du corps ne peut être considérée comme la disparition totale de la vie organique ; l'arrêt de la coordination d'ensemble entraîne une dissolution, ou plutôt une régression de la vie. La décomposition du cadavre en ses éléments constituants libère les particules élémentaires, qui s'incorporent à d'autres cycles organiques. La continuité vitale est assurée sous d'autres formes dans l'ensemble du domaine naturel. La vie individuelle est interrompue, la vie universelle se poursuit. S'il existe une corrélation entre vie organique et vie mentale, la conscience aussi doit bénéficier d'une continuité sous une forme ou sous une autre. Victor Hugo note : « cesser d'être n'est pas plus possible pour l'atome matériel que pour l'atome moral » [1]. Cette conviction s'impose à la pensée romantique, fondée sur l'intuition de l'universelle continuité entre les

[1] Notes de Carnet, 1860 ; HUGO, *Œuvres complètes,* Club français du Livre, t. XII, 1969, p. 1531.

êtres qui peuplent le vivant univers. La discontinuité apparente doit être compensée par le recours à la fonction mythique, habilitée à occuper les espaces vacants de l'intelligibilité.

La sagesse des Lumières avait vaincu la mort, refoulé les angoisses, et réduit les décès à un phénomène statistique. L'âge des danses macabres et des jugements derniers est passé ; le temps est venu de la thérapeutique, de l'hygiène individuelle et sociale. A l'âge romantique se produit une récurrence de la mort, qui se rapproche de la vie, hante ses confins et lui confère une nouvelle saveur. L'existence romantique est une existence pour la mort, prochaine et comme apprivoisée, quand elle hante la poitrine des jeunes malades d'une insistante familiarité et se prononce dans les œuvres d'un Novalis, d'un Keats, d'un Chopin. Après la mort de deux de ses intimes, le romancier Jean-Paul, âgé de 27 ans, note dans son journal, le 15 octobre 1790 : « Soirée la plus décisive de ma vie, car j'ai éprouvé la pensée de la mort et ressenti que cela ne fait absolument aucune différence, que je meure demain ou dans trente ans. » Tous les moments de la vie se situent à égale distance de la mort, prochaine et comme privée de son aiguillon. Un mois plus tard, le 16 novembre, Jean-Paul ajoute : « Je me réconforte avec l'idée que la mort est le don d'une nouvelle vie, et l'improbable anéantissement un sommeil » ([1bis]). Au thème d'une mort négative, ou du moins neutre comme un effacement, se substitue l'idée d'une mort positive dont la signification sera fournie par un influx de la conscience mythique.

Cette conversion du sens est illustrée par le premier grand roman de Jean-Paul, intitulé *La Loge invisible,* composé en 1792, histoire d'un enfant élevé dans un souterrain jusqu'à dix ans, et qui émerge à cet âge à la lumière du printemps. Situation symbolique, riche en interprétations possibles. La plus évidente consiste à identifier la résidence souterraine à l'existence prénatale dans le sein maternel. Une autre lecture assimile l'âge nocturne à la vie humaine en son incomplétude ténébreuse, que suivra l'épanouissement au grand jour radieux de l'existence surnaturelle à venir. Selon Geneviève Bianquis, « pressé d'expliquer le sous-titre si surprenant de son roman, *Les Momies,* Jean-Paul a déclaré qu'on y sentait à tout moment la présence obsédante de la mort. « Dans cet ouvrage, écrit-il dans la préface de 1821, on trouvera partout exposées les images de la fragilité des choses terrestres et de leur retour à la poussière... » (...) Mais ce goût de la mort est une partie essentielle de la philosophie et de la sentimentalité de Jean-Paul. Il reparaît dans tous les instants d'émotion amoureuse ou de repliement sur soi et dans les nombreuses évocations d'agonies, de tombes et de cimetières, même dans le roman de l'enfance et de la jeunesse... » ([2]).

L'omniprésence de la mort hante les perspectives du romantisme depuis le XVIIIe siècle, où des tombeaux factices servent à l'ornementa-

([1bis]) Cité par A. BÉGUIN, Préface à JEAN PAUL, *Choix de rêves,* Fourcade, 1931, p. 13.

([2]) Geneviève BIANQUIS, Préface à sa traduction de la *Loge invisible,* José Corti, 1965, p. 9.

tion des jardins anglais. Jalonnant la diffusion de la sensibilité romantique, le poème de dix mille vers publié en 1742-1745 par le clergyman Edward Young (1683-1765) sous le titre *La Plainte, ou Pensées nocturnes sur la vie, la mort et l'immortalité,* orchestre une déploration sur une série de morts qui ont endeuillé l'auteur; les « pensées nocturnes » *(night thoughts)* évoquent les lumières de la nuit propres à éclairer le désespoir du jour. Autre œuvre maîtresse, l'*Elégie écrite dans un cimetière de campagne* (1750) de Thomas Gray (1716-1771). Les grands cimetières sous la lune, et même les petits, sont des emplacements privilégiés pour la méditation romantique, qu'elle se dise en vers ou en prose, en peinture ou dans les lieder de la *Winterreise,* du *Voyage d'hiver* de Schubert.

Cette présence de la mort, qui dément l'optimisme de l'âge des Lumières, comme la nuit s'oppose à la lumière du jour, est parfois critiquée comme un signe pathologique. Michelet se laisse un jour entraîner à dénoncer le goût de la mort comme un signe des temps, une baisse du tonus national de la France au milieu du XIXe siècle. Des notes en vue du cours de 1846-1847 mettent en accusation l'école romantique pour cause de morbidité, qui compromet le destin de la France. « La France, découragée sous l'Empire, dit sa mort. C'est quelque chose de dire sa mort... » L'historien, le polémiste incrimine l'esprit du temps; la France est « accusée à tort de mélancolie égoïste, alors qu'elle ne souffrait que de sa nationalité défaillante. Les représentants de cette école de la mort sont Senancour, Grainville, Chateaubriand dans *René.* Ils ont gardé le sépulcre, défendu l'âme mourante des nations (...). Nous sombrons tout doucement ». Il y a une connexion entre cette « école de la mort, qui sentit la mort, et l'école du faux, qui ramena la France au moyen âge ou l'égara dans l'imitation étrangère... » ([3]).

Interprétation superficielle. Michelet se laisse entraîner par ses détestations politiciennes, comme Henri Heine lorsqu'il met en accusation le romantisme allemand, dont sa poésie lyrique représente l'un des plus beaux achèvements. Michelet, historien et *Naturphilosoph,* a manifesté une compréhension positive de la mort selon l'intelligibilité romantique. La prise en considération de la mort n'est pas en soi un phénomène morbide; on pourrait aussi bien alléguer que le refoulement de la mort, le refus de la prendre en charge, est un signe pathologique, même chez un homme en bonne santé; la mort seule donne son relief à l'existence. L'homme des Lumières s'efforce de vivre comme si la mort n'existait pas; mais un univers où les hommes ne mourraient pas, où ils seraient a-mortels, serait peut-être un lieu de désespoir. Telle une composition picturale où n'interviendrait aucune ombre, une existence d'où seraient absents les aspects nocturnes, la maladie, la mort, la certitude aussi du caractère fragile et périssable des attachements et des possessions, serait à coup sûr une existence inhumaine. La mort n'est pas séparée de la vie par une cloison infranchissable, ou plutôt franchissable une fois seulement, toujours dans le même sens, d'une manière inéluctable et définitive. La

([3]) Notes pour le Cours de 1846-1847 au Collège de France, dans Gabriel MONOD, *La vie et la pensée de Jules Michelet,* Champion, t. II, 1923, pp. 214-215.

mort est un seuil que hante notre pensée et notre expérience, pôle de fascination, lieu de nostalgie et aussi de désir, car si elle fait horreur, elle exerce une attirance, dont témoignent les suicides romantiques, celui de Caroline de Günderode, celui de Kleist ou celui de Gérard de Nerval, mais aussi certaines formes de dégradation volontaire grâce à l'opium, à l'alcool, suicides à effet retardé, à moyenne ou longue échéance. Toute expression de vitalité est un défi, une victoire sur la mortalité qui nous habite. Lorsque Freud a décrit l'instinct de mort, il a repris, sur ce point comme sur d'autres, un thème constitutif de l'identité romantique.

On appelle mort la disparition de la conscience personnelle, corrélative de l'arrêt du dynamisme immanent qui assurait le fonctionnement cohérent de l'organisme. Dans le cas d'êtres inférieurs, dépourvus de conscience, comme les végétaux ou les insectes, la décomposition organique constitue à elle seule la totalité du phénomène. Chez l'homme, qui a accédé à la conscience de soi, la dissolution biologique s'accompagne d'un arrêt de la vie psychologique. Tout se passe comme si la conscience humaine représentait une propriété de l'organisme, intervenant à un certain moment du développement et disparaissant avec l'ensemble des autres propriétés lorsque la vie s'arrête.

Mais la conscience de soi n'est pas une propriété parmi les autres ; les structures biologiques, plus ou moins homogènes entre elles, relèvent d'une même intelligibilité, d'un même système d'interprétation. La conscience marque le seuil d'un rebondissement de l'évolution, saut après quoi commence une nouvelle forme d'existence, une nouvelle histoire. On s'interroge sur le sort de la conscience après la mort ; la question de la conscience avant la vie nous est tout aussi impénétrable. On s'interroge sur la destinée des âmes des défunts, mais non sur la provenance des âmes des nouveau-nés. Les deux questions n'en font qu'une ; ce sont les mêmes âmes qui partent et qui reviennent dans les cycles de la palingénésie, accompagnant les cycles des transformations organiques. La communication — ou plutôt la transition entre la mort et la vie — s'établit dans les deux sens, au commencement et à la fin de l'existence. La conscience de soi, absente de la vie embryonnaire, ne s'établit qu'assez tard, et graduellement, au cours de la petite enfance ; il arrive qu'elle disparaisse dans la vieillesse, avant la mort physique.

Il n'y a pas d'identité entre la conscience et la vie organique. Pendant la vie même, la conscience passe par des phases de latence ; elle connaît des hauts et des bas ; elle s'absente quand nous dormons. Carl Gustav Carus, théoricien de l'inconscient, cite à la dernière page de son traité *Psyche* une formule d'Oken : « Chaque réveil est une résurrection d'entre les morts, un renouvellement de la sympathie » (4). Chaque endormissement est une petite mort, et pour certains le sommeil, une nuit, sera définitif. La nuit de l'inconscient enveloppe le règne de la conscience, dont les affleurements sont loin de recouvrir la totalité de l'étendue de la vie organique.

Carus reconnaît à l'inconscient une existence indépendante de celle du

(4) Cité dans CARUS, *Psyché*, 2e éd., 1860, p. 544.

corps. Il existe un « en soi de l'idée » indépendant de toute conscience individuelle ; cette dernière, affleurement de l'en soi sous une forme personnelle, une fois son existence achevée, revient à la masse inconsciente. Il faut donc admettre que, après l'achèvement de sa vie temporelle, « l'idée fasse retour à son en-soi, ne conservant que ce qu'elle a gagné ou perdu en fait d'élévation ou de diminution d'énergie pendant sa libre manifestation comme esprit ». Dès lors, cette réalité éternelle de l'âme, ce pur en-soi de l'Idée, dont l'âme procède et auquel elle revient toujours, ce principe éternel, qui ne cesse d'enfanter le temporel et de l'abandonner à nouveau, ne doit pas être conscient ; c'est un inconscient divin originaire (5). Cet inconscient divin, en dépit de sa divinité, se trouve lui-même en évolution ; il subit le contrecoup du devenir temporel dans les phases d'émergence consciente, sous la forme d'une inscription positive ou négative. Cette doctrine répond au défi de la mort, comme interruption de la conscience individuelle : la cessation n'est que relative, puisqu'elle n'empêche aucunement la conservation de « l'idée » non personnelle dans le sein de la communauté inconsciente de l'âme.

Dans un univers animé en évolution, apparition et disparition des êtres particuliers sont des manifestations du métabolisme d'ensemble immanent au dynamisme de la création. Ce que nous appelons naissance et mort ne peut avoir qu'une signification relative, phénomènes superficiels de la vie universelle dont le commencement et la fin appartiennent à Dieu seul. La substance demeure indépendante de ses accidents. « Le nombre des organismes individuels n'est pas constant, estime Oken, car ils sont les produits d'une incessante polarisation, ou d'une incitation constamment exercée par les pôles au sein du galvanisme général ; ils sont des expressions temporelles du galvanisme universel. (...) Les organismes se transforment, parce qu'ils sont des nombres, des pensées de Dieu » (6). Les concepts fondamentaux de la *Naturphilosophie,* ainsi mis en œuvre, justifient le transformisme biologique sur le fond de l'éternité divine de la Création.

« Seul l'organisme universel est éternel, sans changement » (7), soutient Oken ; « Aucun organisme individuel n'est éternel ; il est seulement un pôle changeant de l'organisme du monde *(Weltorganismus)* » (8). De là une négation, ou du moins une relativisation de la mort. « La mort n'est pas un anéantissement, mais seulement une mutation. Chaque individu procède d'un autre individu. Mourir, c'est seulement un passage à une autre vie, et non à une mort totale » (9). Oken ajoute que « le passage d'une vie à une autre s'effectue par l'intermédiaire, à l'état originel, de la vie organique, la mucosité vivante *(Schleim)* » (10). L'embryologie, discipline d'élection de la biologie romantique, a mis en lumière le rôle

(5) CARUS, *ibid.*, p. 542.
(6) OKEN, *Lehrbuch der Naturphilosophie* (1810-1811), 3e éd., Zürich, 1843, § 917, p. 155.
(7) *Op. cit.*, 920, *ibid.*
(8) § 921, *ib.*
(9) § 924.
(10) § 925.

des humeurs, des sécrétions glandulaires, de la formation première de la vie que les savants de ce temps ont appelé *protoplasme*. La transition d'une individualité à une autre s'effectue par l'intermédiaire d'un passage par cet état visqueux de la substance biologique. Une décomposition, une dissolution organique, est suivie d'une recomposition ; en ce sens « chaque enfantement est une nouvelle création » ([11]).

Les spéculations d'Oken, à quelques détails près, exposent un fonds de pensées et d'images constitutives du rapport au monde romantique. La conscience, en réaction contre le matérialisme mécaniste inerte, met en œuvre un sens de la vie qui doit justifier l'intelligibilité universelle. Un vitalisme radical est hanté par le thème de la mort ; il lui faut nier la possibilité même d'une abolition de la vie. La mort doit être interprétée comme une illusion, un phénomène de surface, qui ne met pas en cause l'essence de l'être. La biologie corpusculaire, prolongement de la doctrine des atomes animés, proposée au XVIIIe siècle, permet d'habiller scientifiquement ces théories. Un passage est possible, dans les deux sens, par décomposition et recomposition de la vie indifférenciée, sous la forme moléculaire, à la vie individuelle différenciée de la plante, de l'animal ou de l'homme. Ces vues sont favorisées par les développements de la chimie organique, avec ses applications dans l'ordre de la nutrition, qui aboutit à la création des industries alimentaires aussi bien qu'à l'invention des engrais chimiques. Les travaux du célèbre Justus von Liebig (1803-1873) dans ces domaines encouragent les faiseurs d'hypothèses.

Ces conceptions de l'époque pouvaient être utilisées soit dans le sens d'un matérialisme biologique réducteur, soit dans le sens d'un spiritualisme sauvegardant les droits de la création divine. Le traité d'Oken, publié pour la première fois en 1810-1811, bénéficie d'une troisième édition en 1860 ; au moment où vient de paraître l'*Origine des espèces* de Darwin (1859), les vues du *Naturphilosoph* ne sont pas considérées comme périmées. Les thèmes de la biologie évolutive et des cycles vitaux inspirent bon nombre des esprits représentatifs de ce temps. Selon l'idéologue romantique Pierre Leroux (1797-1871), conseiller de George Sand : « la Nature a établi un CIRCULUS entre la production et la consommation. L'homme s'empare des plantes et des animaux, de tous les produits de la vie que la terre lui donne ; il les mange et sa vie est augmentée. Mais ce qu'il ne peut s'assimiler passe à l'égard de son être à l'état de détritus, d'excréments ; ces détritus, ces excréments sont un produit animal, un composé de forces et de sucs qui, retournant à la terre et se combinant avec elle, la rendent fertile et productive. Ce qui a lieu pour l'homme est une loi qui s'applique à tous les animaux. En outre, les cadavres de ces animaux, les détritus de toutes les plantes, les dépouilles de tous les êtres qui ont vécu, servent, ont servi et serviront, en se combinant et en se mêlant à la terre, à la rendre fertile et productive. La science a établi que les excréments de l'homme sont douze fois plus utiles pour la production des céréales que ceux des animaux. Elle a prouvé que

([11]) *Ibid.*, § 926.

chaque homme produisait l'engrais nécessaire à la reproduction de sa subsistance... » ([12]).

La loi naturelle du *Circulus* est une « loi divine ». Ainsi se trouvent réfutés tous les malthusianismes fondés sur la raréfaction inéluctable des subsistances. La vie sauvegarde la vie à travers le renouvellement des formes, en vertu d'une immortalité immanente à la matière. Pierre Leroux a été le compagnon d'exil de Victor Hugo à Jersey à partir de 1852, et les deux proscrits ont maintes fois arpenté ensemble la grève de Samarez, tout en partageant fraternellement leurs idées ([13]). On retrouve chez le poète l'écho de ces doctrines. Ainsi dans un poème des *Contemplations* (1856), intitulé *Cadaver :*

> La chair se dit : — Je vais être terre et germer,
> Et fleurir comme sève, comme fleur, aimer !
> Je vais me rajeunir dans la jeunesse énorme
> Du buisson, de l'eau vive, et du chêne et de l'orme,
> Et me répandre aux lacs, aux flots, aux monts, aux prés,
> Aux rochers, aux splendeurs des grands couchants pourprés,
> Aux murmures profonds de la vie inconnue !
> Je vais être oiseau, vent, cri des eaux, bruit des cieux,
> Et palpitant du tout prodigieux ! (...)
> Tous ces atomes las dont l'homme était le maître
> Sont joyeux d'être mis en liberté dans l'être,
> De vivre et de rentrer au gouffre qui leur plaît ([14]).

La circulation de la vie à travers les décompositions et recompositions des formes donne une assise scientifique, ou pseudo-scientifique, au panvitalisme romantique, lequel n'est pas un panthéisme, même si Leroux peut dire que la loi du Circulus est divine. Il s'agit là d'une mobilisation de la création, le Créateur demeurant distinct de son œuvre, laquelle n'est pas réalisée d'un seul coup, mais s'accomplit selon la dimension temporelle :

> Avant que, dominant l'animal et la plante,
> La pensée habitât la prunelle parlante,
> Et qu'Adam, par la main tenant Eve, apparût,
> L'ébauche fourmillait dans la nature en rut ([15]).

Selon Jean Gaudon, « la nature n'a pas changé, et l'arrivée de l'homme ne saurait affecter la véritable palingénésie, qui n'est autre que la vie même. Grouillement, fourmillement, tumulte, manducation, lubricité sont les réponses de la vie à l'immobilité, au silence et à la solitude de la mort. (...) La protestation contre le sort fait à l'homme par la nature a

([12]) Pierre LEROUX, *Doctrine de l'Humanité,* Aphorismes, Boussac, 1848, 3ᵉ partie : Subsistance, § 126, p. 27.

([13]) Jean-Pierre LACASSAGNE a réédité la curieuse chronique de P. LEROUX, *La grève de Samarez,* 2 vol., Klincksieck, 1979, recueil de conversations et de songeries du temps de l'exil, où Victor Hugo et le *Circulus* jouent un rôle important.

([14]) *Cadaver, Les Contemplations,* VI, 13, vers 15 sqq.

([15]) *La Fin de Satan,* à la suite de la *Légende des Siècles,* Bibliothèque de la Pléiade, p. 796.

quelque chose de viscéral » ([16]). Ce jugement convient à certains aspects du génie hugolien ; il ne rend pas compte de la célébration de la création cosmique, ni des certitudes relatives à la progression de l'humanité vers un mieux être, où prédomineront les vertus de justice et de fraternité. La création évolutive subit, au niveau de l'humanité consciente, une mutation, qui transpose l'évolutionnisme biologique en évolutionnisme moral et spirituel, en marche vers une rédemption cosmique.

Si l'anéantissement ne peut exister dans l'ordre biologique, tel que le considèrent Oken, Leroux et Victor Hugo, parmi d'autres, la mort ne peut pas exister non plus dans l'ordre de l'esprit, ou de l'âme, liés à l'organisme par une communauté de destin. Lorsque cesse l'état d'incarnation, on ne voit pas pourquoi l'une des composantes subsisterait alors que l'autre serait totalement abolie. L'immortalité de la vie doit profiter directement à l'esprit. Le 13 mars 1871 meurt à Bordeaux, subitement, Charles, fils de Victor Hugo, qui, accablé par ce nouveau coup du destin, note : « Si je ne croyais pas à l'âme, je ne vivrais pas une heure de plus. » La mort d'autrui, expérience fondamentale, joue un rôle décisif dans la spiritualité romantique. La spéculation compensatrice du deuil nie l'évidence de la séparation, et convertit l'absence en présence. La mort revêt un visage humain ; le système de la nature et la méditation sur les destinées des âmes n'interviennent qu'après coup, pour rétablir un équilibre spirituel gravement compromis. La négation de la mort est une nécessité vitale pour le survivant.

La parole célèbre, selon laquelle la mort est quelque chose qui arrive aux autres, fait de la disparition d'un être un événement étranger, tenu à distance, neutralisé. La mort romantique de l'autre est quelque chose qui m'arrive à moi ; dès lors, la survivance de l'autre est une condition de ma propre survivance. Montesquieu, Voltaire, Condorcet, Locke, Hume ou Kant ne s'intéressent pas à la mort, absente de leurs préoccupations comme de leurs œuvres, y compris leur mort propre et personnelle ; ils en ont pris leur parti comme d'un accident inévitable, mais à propos duquel ils s'abstiennent de tout commentaire, persuadés qu'ils n'ont rien à en dire. Dans la succession des générations, chaque individu doit à son tour laisser la place à d'autres, et s'en retourner au néant d'où il est issu. Telle est la loi de la « nature », dont nous devons nous accommoder, puisque nous ne pouvons rien y changer. La mort romantique se situe dans l'espace du dedans ; elle marque la fin d'un monde, et ensemble la perte de cet enjeu que représente pour chacun son existence. Cet échec inéluctable, il importe de le transformer en un succès, grâce à une transfiguration du sens. L'inintelligible scandale doit céder la place à l'imposition d'une transcendante intelligibilité.

Sophie von Kühn est morte le 19 mars 1797. Au trente-et-unième jour de son deuil, le mardi de Pâques, fête de la Résurrection, Novalis commence un journal intime et familier, consacré à la commémoration de la disparue en même temps qu'au rétablissement de sa vie spirituelle, affectée par le tragique événement. Le 13 juin, le poète note : « Elle est

([16]) Jean GAUDON, *Le temps de la contemplation, L'œuvre poétique de Victor Hugo des* Misères *au* Seuil du Gouffre, 1845-1856, Flammarion, 1969, p. 371.

morte — donc je meurs aussi — le monde est désert » ([17]). L'existence romantique n'est pas fermée sur elle-même, dans un individualisme exclusif; elle est ouverte en participation avec les autres, avec le monde; il n'y a pas de connaissance de soi sans co-naissance avec autrui. La mort de Sophie appelle, pour s'accomplir, la mort du fiancé et la fin d'un monde. Mais il faut résister à ce triomphe de la mort. L'amour, les fiançailles, le mariage, dans la perspective de l'organicisme romantique, impliquent une fusion des personnes, et la constitution d'une individualité d'un rang supérieur, en communication avec l'organisme cosmique. La mort de l'un des membres du couple ne détruit pas la communauté; elle subsiste, soit que le mort saisisse le vif, soit que le vivant assure la survivance du mort. Novalis note dans son journal des « pensées voluptueuses », de la « lascivité » à l'égard de la disparue; ces notations attestent la permanence sensuelle, la présence charnelle de Sophie, en dépit de la mort.

Actualité spirituelle aussi. Le 13 mai 1797, après un moment « très lascif » de la journée, Novalis visite la tombe : « Au soir, je suis allé vers Sophie. Là-bas je fus dans une joie, dans un bonheur inexprimables — des moments d'enthousiasme fulgurant — la tombe devant moi, je l'ai soufflée comme une poussière — les siècles étaient comme des instants; — sa présence sensible, à tout moment je croyais la voir s'avancer devant moi » ([18]). Le surlendemain : « hier au soir, je me suis rendu sur la tombe et j'y ai eu quelques moments d'une folle intensité » ([19]). L'expérience est vécue sur le mode de la parole évangélique : « Mort, où est ta victoire? »; la révélation de l'éternité se prolonge en un désir de mourir, la distance entre la vie et la mort faisant obstacle à l'accomplissement des épousailles. Sophie a atteint à la surréalité de la transcendance : « Je dois seulement *vivre* toujours plus *à son intention* — je ne suis que *pour elle*, ni pour moi-même ni pour personne d'autre. Elle est le sommet, l'unique. Le suprême. Que ne puis-je être à tout moment digne d'elle! » ([20]). Dernier point de l'identification, rejoindre la morte là où elle est, dans la mort. Vivre « pour elle », ce sera mourir « pour elle », avec elle. Le leitmotiv du désir de mourir court à travers les pages du journal; « Ma mort sera la preuve de mon sentiment pour ce qu'il y a de plus haut, un acte de sacrifice, — pas une fuite — pas un remède de détresse. Je me suis également aperçu que c'est manifestement ma destinée — que je ne dois ici-bas rien atteindre — qu'il me faut me séparer de tout à la fleur de l'âge.(...) Je commence seulement maintenant à me connaître et à jouir de moi — c'est pourquoi justement je dois m'en aller » ([21]). Et encore : « Je veux mourir joyeux comme un jeune poète » ([22]).

([17]) NOVALIS, *Journal intime après la mort de Sophie*, 13 juin 1797; dans *Œuvres complètes*, p. p. Armel GUERNE, t. II, N.R.F., 1975, p. 166.
([18]) *Ibid.*, 13 mai 1797, p. 154.
([19]) *Op. cit.*, 14-15 mai, p. 155.
([20]) 17-18 mai, p. 156.
([21]) 26 mai, p. 161.
([22]) 11 juin, p. 165.

Novalis survivra à Sophie pendant quatre ans, réconcilié avec la vie, suffisamment pour s'engager dans les liens de nouvelles fiançailles. Mais il faut chercher au-delà des apparences. Novalis ne s'est pas résigné à vivre comme avant; il a survécu parce qu'il a intégré à son œuvre de poète l'expérience de la mort. Dans son être même, il avait fait alliance avec la mort, non pas mort volontaire, mais mort involontaire et naturelle, mort prédestinée par la maladie, différée jusqu'au moment fixé par Dieu. Le 25 mars 1801, il prend paisiblement congé de ce monde, « joyeux comme un jeune poète »; il meurt comme on s'endort. Témoin de son départ, de son accomplissement, Frédéric Schlegel, qui a publié l'année précédente, en 1800, dans sa revue l'*Athenaeum,* les *Hymnes à la Nuit* de Hardenberg-Novalis, brève série de proses poétiques, l'un des joyaux du romantisme allemand.

Les *Hymnes à la nuit* sont un tombeau pour Sophie, une célébration de la Mort et de la Nuit; la voie commémorative a rendu inutile la mort volontaire. Vivre avec l'aimée et pour l'aimée vaut sans doute mieux que de mourir avec elle. La postérité a jugé le choix raisonnable, puisqu'il a assuré l'immortalité de la petite jeune fille couchée dans la tombe de Grüningen. Le troisième des *Hymnes* évoque la vision du 13 mai, « près du tertre aride dont l'étroite cellule de ténèbres enferme celle qui fut ma vie (...). Ferveur des nuits, sommeil sacré, tu t'emparas de moi. Le paysage sembla monter doucement dans les airs — au-dessus du paysage planait mon esprit libéré, régénéré. Le tertre s'évanouit en un nuage de poussière — à travers cette poussière, j'entrevis les traits glorieux de la Bien-Aimée. Au fond de ses yeux luisait l'éternité. (...) Des millénaires s'enfuirent à l'horizon, pareils à des nuées d'orage. Suspendu à son cou, j'inondais de pleurs de délices l'aurore de la vie nouvelle (...) et c'est alors qu'est née en mon cœur une foi éternelle et immuable au ciel de la Nuit, et à celle qui en est la médiatrice — la Bien-Aimée » ([23]).

Ainsi s'accomplit la réhabilitation de la mort, convertie du négatif au positif. Le désir du néant n'est pas nostalgie d'anéantissement, mais volonté d'accomplissement, selon le vœu de la pensée négative, appliquée à la destinée de l'homme. La mort n'est pas le non-être de l'effacement radical, mais le seuil d'un élargissement; le passage par l' « étroite cellule de ténèbres » du tombeau commande le cheminement obligé par delà les limitations imposées à l'être humain par l'incarnation organique et historique, dans un corps, dans un espace-temps donnés. Le dépouillement radical du cadavre tombé en poussière délivre l'être essentiel de la captivité d'ici-bas, ainsi que l'enseignent les traditions conjointes du platonisme et du christianisme. La Bien-Aimée transfigurée est la médiatrice qui montre le chemin, telle Béatrice qui guidait la poète aux enfers, tels les saints du christianisme et les anges, messagers de la transcendance.

Aux yeux de Novalis, la mort est une initiation, commencement d'une voie *(in-ire).* Les symbolismes religieux entendent par là une con-version,

([23]) NOVALIS, *Hymnes à la Nuit,* III; trad. Geneviève BIANQUIS, Aubier, 1943, pp. 85 et 87.

un changement du sens de la marche, correspondant à une mutation de l'ordre des valeurs. Le jour devient obscur et la nuit éclairante ; la « nuit du tombeau », selon la formule de Gérard de Nerval, prépare une nouvelle aurore. L'Hymne IV de Novalis débute sur cette révélation : « Je sais à présent quand luira le dernier matin, — quand la Lumière ne pourra plus mettre en fuite la Nuit et l'Amour — quand le sommeil ne sera plus qu'un rêve unique, éternel, insondable » ([24]). Geneviève Bianquis commente cette découverte de « l'inanité du monde de lumière où nous nous débattons. L'initié, celui qui est déjà mort une fois et qui a passé par la seconde naissance, s'il a pu, du haut de la crête qui sépare le monde des vivants du monde des morts, jeter un regard dans le mystérieux royaume de la Nuit, ne redescendra plus parmi les vivants ; symboliquement, il est mort au monde, mort avec celle qu'il a perdue ; il dressera là-haut sa tente, comme sur le Thabor de la Transfiguration ; il vivra comme ne vivant plus, jusqu'à l'heure bénie où il se dissoudra lui aussi en un fluide léger, en un souffle embaumé qui ira se mêler pour l'éternité à la cendre de ce qu'il aime... » ([25]).

Dans l'espace du dedans qui, par définition, échappe à la clarté du jour, la découverte de la vérité revêt le sens d'une épiphanie à la faveur de laquelle se réalise la donation du sens. Le corps est le médiateur des vérités externes ; l'âme est la médiatrice des vérités intérieures, qui ne requièrent pas le ministère du corps.

Il y a un lien entre les *Hymnes à la Nuit* et les fragments scientifiques. On peut lire, sous l'intitulé *Physiologie :* « La mort n'est que l'interruption de l'*échange* entre stimulus interne et stimulus externe, — entre âme et monde. L'intermédiaire — le produit en quelque sorte de ces deux grandeurs variables infinies — est le corps, l'irritable — ou plutôt le médium de l'irritation. Le corps est le produit et, en même temps, le modificateur de l'irritation — une fonction de l'âme et du monde — cette fonction a un maximum et un minimum ; si l'un ou l'autre est atteint, l'échange cesse » ([26]). Les composantes, interne et externe, de la constitution individuelle, sont des variables ; « *la mesure de la constitution* est susceptible de s'élargir ou de se rétrécir. Ainsi la mort peut se projeter dans des lointains indéterminés » ; de là la possibilité d'une initiative du sujet pour modifier sa formule vitale, soit selon l'ordre de la médecine naturelle, soit en vertu d'une thérapeutique d'un ordre plus élevé. « L'artiste de l'immortalité pratique la médecine supérieure — la médecine infinitésimale — il pratique la médecine comme art supérieur — comme art synthétique. (...) Le stimulus externe est déjà pour ainsi dire présent dans son incommensurabilité, et en majeure partie au pouvoir de l'artiste. Mais comme le stimulus interne est faible en face de l'externe ! Accroître *progressivement* le stimulus interne, tel est donc le soin capital de l'artiste d'immortalité. » Et Novalis renvoie à la doc-

([24]) *Hymne* IV, début ; trad. citée, p. 89.
([25]) G. Bianquis, Avant-propos à l'édition citée des *Hymnes à la Nuit*, pp. 18-19.
([26]) Novalis, *L'Encyclopédie*, Fragments, classement Wasmuth, § 1707 ; trad. de Gandillac, éditions de Minuit, 1966, p. 376.

trine centrale de son épistémologie : « Mon idéalisme magique ([27]) ».

L'auteur des *Hymnes* a maîtrisé la mort, réduite à un événement contingent qui rappelle l'initié à l'ordre de l'éternelle vérité. A un stade ultérieur d'intelligibilité, l'idéalisme magique propose une doctrine qui donne au sujet, par-delà l'initiation poétique, les pouvoirs de transformateur des significations de la vie. Nous sommes responsables de notre mort comme de notre vie ; nous avons le pouvoir de faire varier les stimuli externes et internes ; l'état de mort devient la limite positive à laquelle peut atteindre le stimulus interne parvenu à sa puissance haute, non pas par la voie grossière du suicide, mais par une ascèse spirituelle. Novalis a choisi le chemin qui donne au « stimulus interne » une prépondérance croissante sur les influences du dehors, jusqu'au terme du détachement, de l'absence plénière au monde, pour une présence totale à l'espace du dedans.

Le romantisme fait élection de domicile dans le domaine de la nuit ; il oppose aux prestiges aveuglants des lumières la clarté vraie de l'illumination ; la mort devient une situation limite dans le règne des ténèbres, ce qui lui enlève sa figure abusive de reine des épouvantements. La fascination de la nuit tient à ce qu'elle propose le cheminement naturel pour aller de l'*évidence* du dehors à l'*invidence* du dedans, exigence supérieure à toutes les sollicitations de l'extériorité. La lumière, physique ou intellectuelle, goulot d'étranglement, restreint notre présence au monde à l'environnement immédiat, qui nous fait prisonnier des apparences. La nuit abolit ces liens, supprime les lois de la perspective géométrique, et restaure dans ses droits la totalité où s'établit le relief véritable des sentiments, des aspirations et des désirs. Le plein jour fait le plein des objets ; la pleine nuit fait le plein de la présence totale qui, ne se heurtant à aucun obstacle, occupe la totalité de l'espace mental.

La simple nuit astronomique est faite de l'absence physique de la lumière, nuit neutre, où tout reste en place en attendant le lever du jour, nuit du sommeil des honnêtes gens, en attente de reprendre leurs agitations diurnes, aussi vides de sens que leurs ronflements nocturnes. Si cette honnête nuit bourgeoise est le zéro du sens, la nuit romantique hésite entre l'infini négatif et l'infini positif, nuit habitée dans tous les cas, et non nuit de vide et d'absence, nuit bénéfique ou maléfique. La nuit négative invoque les démons, les puissances obscures, le sabbat des sorcières et la fascination du mal. Les nocturnes romantiques déchaînent les fantasmes et fantasmagories, relâchées les censures de la conscience claire. La floraison de la littérature noire est l'un des signes du romantisme, manifesté, au cœur même de la première génération, par les *Veilles de Bonaventura* (1804), texte anonyme suffisamment représentatif pour que, parmi les attributions proposées, figurent Schelling et Jean-Paul. La nuit de Bonaventura est « le contraire du jour, son négatif, une nuit théâtrale, terrifiante, saturnienne, aux décors contrastés : fouillée par l'orage ou balayée par le vent glacé de l'hiver, inhospitalière, peuplée de ces êtres larvaires ou hybrides qui ne semblent surgir qu'avec

([27]) *Ibid.*, p. 377.

l'obscurité. Comme dans le *Gaspard de la Nuit* d'Aloysius Bertrand, elle est l'élément où se meuvent diables, damnés, criminels, fous, alchimistes et désespérés, où se manifestent toutes les situations tragiques du fantastique noir » ([28]).

Cette nuit de la perversion du sens trouve son apothéose dans un texte célèbre de Jean-Paul Richter, excursus à la suite du chapitre VIII du roman *Siebenkäs* (1796). Il s'agit d'une vision, dont le récit a frappé les commentateurs, à commencer par Madame de Staël. « Du haut de l'édifice du monde, le Christ mort proclame qu'il n'y a point de Dieu. » Ces pages commencent ainsi : « Lorsque dans l'enfance, on entend raconter que, vers minuit, à l'heure où notre sommeil s'approche si près de notre âme et assombrit les rêves eux-mêmes, les morts se lèvent dans les églises et parodient les services divins qu'y célèbrent les vivants : on a peur de la mort à cause des morts... » ([29]). Suit la relation du rêve, une nuit d'été, au sommet d'une montagne, dans le cimetière dont les tombes se sont ouvertes ; les défunts, réduits à l'état d'ombres, se rassemblent devant l'autel. « Une figure sublime, et qui portait la marque d'une impérissable souffrance, descendit alors des hauteurs sur l'autel, et tous les morts s'écrièrent : « Christ ! n'est-il point de Dieu ? » Il répondit : « Il n'en est point. (...) J'ai parcouru les mondes, je suis monté dans les soleils et j'ai volé avec les Voies Lactées à travers les solitudes célestes ; mais il n'y a point de Dieu... » ([30]). Les enfants morts se jettent à ses pieds en implorant : « Jésus, n'avons-nous pas de Père ? » — Il répondit en versant un torrent de larmes : « Nous sommes tous orphelins, vous et moi, nous sommes sans père » ([31]). Et face au « Néant immobile et muet », le Christ, déchu de sa divinité, proteste : « Ah ! que chacun est donc seul dans la fosse immense de l'Univers ! (...) Ah ! si chaque moi est son propre Père et son créateur, pourquoi ne peut-il être aussi son propre Ange destructeur » ([32]). La vision s'achève au réveil ; sous la clarté du ciel, « un monde heureux et périssable étendait ses courtes ailes et vivait comme moi, devant le Père éternel » ([33]). Jean-Paul ajoute que s'il devait un jour douter de l'existence de Dieu, le rappel de cette vision suffirait à le guérir. Une première rédaction de ce texte, datée de juillet 1790, attribuait à Shakespeare la même déploration du Néant que *Siebenkäs* placera dans la bouche du Christ. « Ne voyez-vous pas, ô Morts, ce petit tas de cendres immobile sur l'autel, je veux dire ce qui reste de Jésus-Christ décomposé ? » ([34]).

La nuit négative est la nuit de la mort de Dieu, au sein de laquelle l'homme et le monde retombent dans le chaos du non-sens. Le Dieu mort

([28]) Notes de J. C. SCHNEIDER, dans *Romantiques allemands*, t. II, Bibliothèque de la Pléiade, p. 1564.

([29]) Traduction d'Albert BÉGUIN, dans JEAN PAUL, *Choix de Rêves*, éditions Fourcade, 1931, p. 112.

([30]) *Ibid.*, p. 114.

([31]) *Ib.*, p. 115.

([32]) P. 116.

([33]) P. 118.

([34]) *Op. cit.*, p. 207.

est pire que le Dieu méchant ; le Dieu des messes noires, dans l'exaspération de son satanisme, conserve quelque chose de Celui-là même qu'il prétend supplanter ; la révolte commémore une contrepartie positive. Le Dieu mort n'appelle même plus le blasphème, en cette absence radicale où il se trouve enseveli. Face à cette nuit de l'angoisse et du dés-espoir s'affirme la nuit de la présence, de la plénitude du sens. Après la visite à la tombe de l'aimée, où Novalis a vécu « quelques instants de joie d'une folle intensité », comme vient le soir, la maisonnée de Grüningen se rassemble ; « nous nous sommes installés dans la grand-salle, rendus à nous-mêmes et recueillis, — nous avons chanté doucement la mélodie : « comme ils reposent tendrement, les bienheureux... » ([35]). Le cantique traditionnel, repris à mi-voix par la famille de la morte et son fiancé, annonce l'espérance chrétienne qui demeure par-delà le sépulcre. La nuit se fait transparente ; elle rapproche les êtres au lieu de les séparer ; elle est le lieu propre d'une nouvelle alliance, d'une possession que ne viendront pas troubler les effets pervers des événements de la terre. « Douce nuit, sainte nuit *(stille Nacht, heilige Nacht)* », chantaient aux approches de Noël les familiers de Grüningen.

La pleine lumière impitoyable, comme les théorèmes de la géométrie, disjoint ; elle dissémine les êtres et les choses dans l'espace du dehors, où ils se rangent, *partes extra partes,* comme les plantes mortes aux pages d'un herbier. Or la vie vécue, dans son humanité, déploie sur la face de la terre un réseau de participations mutuelles, de sympathies, d'intimité de chacun à chacun. L'ordre du sentiment se fonde sur la négation de la distance ; l'amour est plus fort que l'espace et que la mort ; la présence affectueuse de chacun à d'autres, à quelques autres puis à tous, réfute les dogmes de la géométrie. Là où notre entendement essaie de faire régner un ordre dérivé de la loi du jour, notre cœur obéit à l'inspiration de la charité et de l'amour, montée des profondeurs de l'inconscient. La conscience n'est qu'un îlot d'intelligibilité abstraite au sein des espaces nocturnes de l'inconscient, d'où sont issues nos racines et où nous ramènent nos accomplissements. L'univers galiléen est un univers de fantômes ; le monde du sentiment est l'espace habité de l'humanité, qui dément les illusions de la fausse lumière.

« C'est dans la nostalgie *(Sehnsucht),* disait Ritter, que notre être entier se trouve libéré ; il retombe dans la nuit et il aime. (...) Ainsi chaque être revient dans la nuit. Dieu lui-même est la nuit la plus profonde ; et la vie de la créature finie est un combat contre le jour, dont elle sort victorieuse » ([36]). Dans la symbolique romantique, la clarté douce de la lune s'oppose à l'impitoyable lumière du soleil ; l'irradiation lunaire rassemble les êtres plutôt qu'elle ne les sépare, elle baigne les formes qu'elle éclaire, et sa clarté fluide paraît constituer un éther propice à la propagation des ondes et harmonies unitives et musicales assurant

([35]) NOVALIS, *Journal,* 14-15 mai 1797 ; *Œuvres complètes,* p. p. Armel GUERNE, t. II, 1975, p. 155.

([36]) RITTER, *Fragmente aus dem Nachasse eines jungen Physikers,* Heidelberg, 1810, t. II, § 490.

l'intime unité du Cosmos. Carl Gustav Carus, *Naturphilosoph*, ami de Goethe, peintre et théoricien de l'art, observe, dans ses *Lettres sur la peinture de paysage* (1831) : « Comme la lune, tournant autour de la terre détermine la pulsation des eaux, le flux et le reflux des mers, de même l'apparition de la clarté lunaire agit très décidément sur les battements de cœur de notre vie spirituelle, sur notre âme *(Gemüt)*. Et que de résonances n'entend-on pas sur les cordes de cette vie de l'âme quand les rayons de la lune, en leur multiple splendeur, telle une brise frôlant une harpe éolienne, viennent la toucher » ([37]).

La nuit éclairée par la lune est le lieu des enchantements et des apparitions, que refoule la pleine lumière. Le tiers de l'existence humaine appartient au sommeil qui nous ouvre les portes du rêve. Si la perception diurne nous fait vivre dans l'univers de la physique, le rêve, libéré du contrôle critique de l'entendement, se déploie à l'abri des contraintes de la gravitation et des pressions sociales. Dans la rêverie, dans le rêve, l'échappement au contrôle de la volonté laisse la conscience flotter entre deux eaux, ou s'enfoncer dans les profondeurs de l'inconscient. Une personnalité alternative se manifeste, chant étouffé par les rumeurs de la veille ; le rêveur met en œuvre un moi dans le désordre, livré à des songes crépusculaires ou nocturnes, qui ne sont pourtant pas l'œuvre du hasard. L'intellectualisme dénonce le non-sens du rêve ; le romantisme voit dans le rêve la manifestation d'un sens plus profond que les évidences du jour. Si l'inconscient, comme l'affirme Carus, est la clef du conscient, le rêve déchire le voile, subite plongée, jusqu'aux sources et ressources de l'existence réelle ([38]).

Les traditions anciennes de l'humanité s'accordent pour reconnaître l'authenticité du rêve ; on y lit des interprétations du présent et des prophéties de l'avenir. Sentiments et désirs, aspirations confuses reprennent l'initiative dans l'ombre de la nuit pour engendrer un monde à notre image, si bien que la signification prophétique essentielle ne concerne pas le monde extérieur et ses événements passés ou futurs, mais la personnalité elle-même dans ses parties cachées, secrets inavoués, face nocturne de chaque individu. A la lumière du jour, la personnalité est captive de la loi des choses ; la nuit du songe lui rend l'initiative, elle assure la prépondérance de la présence à soi-même sur la présence au monde. La nuit est le lieu de la veille de l'être, où les nostalgies profondes trouvent leur accomplissement.

L'interprétation romantique du rêve n'a rien de commun avec la clef des songes proposée par Sigmund Freud, sinon en ce qui concerne l'importance accordée à l'inconscient, auparavant jeté dans les poubelles de la psychologie intellectualiste. Freud, homme des lumières, explique le rêve selon une méthode analytique, intellectualiste, si bien qu'en fin de compte il n'en reste plus rien, les mécanismes secrets étant dévoilés en

([37]) C. G. CARUS, *Briefe ueber Landschaftsmalerei*, 1831 ; 2e éd., 1835, p. 218.

([38]) Le beau livre d'Albert BÉGUIN, *L'âme romantique et le rêve*, 1937, nous dispense d'insister longuement sur l'expérience du rêve. Cf. G. H. SCHUBERT, *La Symbolique du Rêve* (1814), trad. Patrick VALETTE, Albin Michel, 1982.

vertu de principes simplistes. La doctrine romantique ne prétend nullement détruire la spécificité du rêve ; « ce qui est morbide à ses yeux, ce n'est pas l'influence du subconscient, c'est la conscience orgueilleuse des temps modernes, qui prétend tout ramener à elle au détriment de nos autres pouvoirs, de tous nos autres liens avec le réel, des angoisses métaphysiques comme des actes spontanés, des sentiments autonomes comme des rêves poétiques. Ne vivre que dans le conscient, c'est se simplifier jusqu'à l'absurde et réduire notre être, si riche de possibilités et d'avertissements voilés, à une série d'actes jamais compris : car cette conscience-là, tournée vers le dehors, et qui s'empresse de nier tout ce qui n'est pas d'elle, est le contraire de la véritable compréhension. Celle-ci tient de tout l'être et intéresse des pouvoirs d'appréhension beaucoup plus ténus et plus mystérieux que ceux de l'intelligence » ([39]).

Selon Steffens, la vigilance de la veille, ses censures subsistent dans le sommeil ; elles subissent un certain relâchement, mais demeurent à l'état de survivances qui font écran aux révélations de la nuit, condamnées à demeurer incomplètes. « C'est cette veille en rêve, souligne Steffens, qui empêche le véritable rêve intérieur, le profond retour de l'âme dans la plénitude de son existence intérieure, de même que le rêve en plein jour peut troubler la vérité. Ces troubles sont indissolublement liés, et ne permettent ni à la profondeur infinie du Tout de jeter sa lumière dans l'existence individuelle de la veille, ni à la richesse infinie de l'existence individuelle d'éclairer en retour la profondeur nocturne du sommeil. La signification profonde de l'existence s'en trouve étouffée, et nos rêves actuels sont des rêves de surface (...) Nous ne comprenons pas l'état de veille et, partant, pas davantage le sommeil » ([40]).

Le rêve ne lève pas le voile d'Isis ; entre l'état de veille et la totale nuit, où se réaliserait la libération de l'être, le rêveur n'a pas opéré complètement la traversée des apparences. Selon Ritter, « l'homme plongé dans le sommeil fait retour à l'organisme total. Sa volonté est immédiatement celle de la nature, et réciproquement. Les deux ne font maintenant qu'un. L'homme possède maintenant la toute-puissance physique ; il est un véritable enchanteur. Tout lui obéit, et sa volonté même obéit à tout le reste. Dès lors tout désir s'accomplit, car l'homme n'a pas d'autre désir que celui qu'il doit nécessairement avoir. Le rêve est un document attestant cette situation. Son contenu ne propose pas immédiatement l'unité avec l'organisme universel ; celui-ci en tant que tel ne pourrait pas par la suite devenir l'objet d'un souvenir. Le rêve est la voie d'accès, un état intermédiaire entre le sommeil et la veille : partiel retour à l'unité universelle, allant de pair avec une conscience de soi suffisante pour que le rêve paraisse et soit la propriété de l'individu. Ce qui n'en donne pas plus à l'homme l'apparence d'un enchanteur... » ([41]).

([39]) A BÉGUIN, *L'Ame romantique et le rêve*, 3e éd., Corti, 1939, p. 83.

([40]) H. STEFFENS, *Karikaturen des Heiligsten*, Leipzig, 1819-1821, t. II, p. 700 ; dans BÉGUIN, *op. cit.*, p. 83.

([41]) J. W. RITTER, *Fragmente aus dem Nachlass eines jungen Physikers*, Heidelberg, 1810, § 475, t. II, pp. 79-80.

Le rêveur hante la limite indécise entre l'en-deçà et l'au-delà. La rupture n'est pas complète avec l'intelligibilité du jour, puisque le rêveur, une fois éveillé, fait de son rêve, l'objet d'un discours ; il réintègre les données du rêve dans la conscience discursive. Le rêve ainsi récupéré se trouve dénaturé. Les poissons des grandes profondeurs, remontés à la surface de la mer, feraient explosion sous l'effet de l'énorme décompression, si l'on ne mettait pas en œuvre des dispositifs pour maintenir la pression qu'ils sont habitués à supporter. Les rêves n'accèdent à la conscience que corrigés, comprimés dans les limites du discours. Le rêve authentique, dont la réalité se cache aux profondeurs, ne peut émerger à la lumière de la conscience. Le domaine de la conscience rêveuse est un lieu d'où nul ne revient ; celui qui prétend, revenu, dire ce qu'il a vu, est un faux témoin.

Les rêves superficiels, s'ils marquent un relâchement du rapport au monde, se situent en pensée dans le même univers, prenant par rapport à lui certaines libertés, à la manière du poète ou du romancier interprétant le paysage. Plus le rêve s'approfondit, plus les évidences du sens interne l'emportent sur celles des sens externes ; la mort, disait Novalis, représente la limite où le « stimulus interne » devient prépondérant ; le sujet, complètement désapproprié, a rejoint « l'organisme universel ». La doctrine romantique du rêve expose la fascination d'une existence hantée par la mort, libération des servitudes matérielles. Le sommeil est une petite mort dont nous ressuscitons chaque matin ; la mort est le grand retour au sein de l'existence universelle en laquelle se dissout l'identité personnelle, un sommeil sans réveil, ou plutôt l'initiation à la vie sans limite dont nous sommes issus, à laquelle nous devons faire retour en fin de compte. La vie éveillée est un passage, la transition qui fait passer l'âme de l'inconscient d'avant à l'inconscient d'après.

La nuit, l'inconscient, le rêve suscitent entre la vie et la mort une zone des confins, à travers laquelle se proposent à l'âme des parcours familiers. L'anthropologie négative des romantiques retrouve dans l'absence apparente du sens une plénitude transnaturelle du sens. « Viens, ô douce mort ! », chantait Jean-Sébastien Bach. De là, la transvaluation qui situe hors du monde l'essentiel de toute réalité ; nous vivons notre vie éveillée à l'envers de la vraie vie, absente d'ici-bas. On peut lire en tête du grand roman de Jean-Paul : *Hespérus ou les quarante-cinq jours de la poste au chien* une épigraphe que l'auteur s'est empruntée à lui-même. « La terre est un cul-de-sac dans la grande Cité de Dieu, — la chambre noire pleine des images renversées et confuses d'un monde plus beau, — le rivage de la création (...), — le numérateur d'un dénominateur encore inconnu, — elle est, en vérité, bien peu de chose » ([42]).

Par la porte de la nuit se poursuit la circulation entre l'ici-bas et l'au-delà. L'âme n'est pas confinée dans sa prison terrestre, elle dispose de cette voie d'échappement, pour autant du moins qu'elle soit capable de refuser les fallacieuses évidences de la clarté du jour. « Si, dans la nuit

([42]) JEAN-PAUL, *Extraits des papiers du Diable*, p. 167 ; trad. BÉGUIN, *Hespérus*, t. I, Stock, 1930, p. 1.

même une lumière se levait, écrivait Schelling, si un jour nocturne et une nuit diurne pouvaient nous embrasser tous, ce serait enfin le but suprême de tous les désirs. Est-ce pour cela que la nuit éclairée par la lune émeut si merveilleusement nos âmes et jette en nous le frémissant pressentiment d'une autre vie toute proche ? » ([43]). La fusion, la confusion du jour et de la nuit déploient un univers où les yeux du corps ne sont plus distincts des yeux de l'âme. L'existence d'ici-bas, en proie à l'équivoque, ne connaîtra jamais que la demi-vérité d'une demi-réalité, conditionnée par l'incarnation, goulot d'étranglement de la conscience, sous la pression duquel toute présence au monde implique une absence à l'être, à Dieu.

Le 7 février 1809, Caroline, l'épouse aimée de Schelling, meurt du choléra dans la romantique abbaye de Maulbronn, en Forêt Noire, chez les parents de son mari. Evénement décisif dans la destinée intellectuelle de Schelling, dont l'œuvre ultérieure constitua une immense tentative pour s'adapter à son veuvage, pour surmonter, en la niant, la mort de Caroline ([44]). La pensée négative, et les spéculations gnostiques, désormais l'emporteront dans la pensée du fondateur de la *Naturphilosophie*, une pensée à tel point négative qu'elle se dérobe à l'expression. Schelling entreprend des œuvres qu'il n'achève pas et se refuse à publier. Son activité majeure désormais, écrivait Ernst Benz, consiste en « des spéculations incessantes sur la possibilité de continuer ses contacts avec la chère disparue. Dans cette situation, refusant la séparation forcée par la mort, les idées de Swedenborg qui insistait sur la continuation du vrai mariage après la mort et sur le perfectionnement de nos relations maritales et amicales dans le royaume céleste, lui servirent d'unique consolation dans l'affreuse douleur de la séparation » ([45]).

Ce travail du deuil destiné à convertir l'absence en présence, Schelling l'expose dans une lettre à un ami, deux ans après la disparition de Caroline : « Mes méditations continuelles et mes recherches incessantes ne m'ont servi qu'à confirmer la conviction que la mort, bien loin d'affaiblir la personnalité, l'élève plutôt en la libérant de beaucoup de contingences, et que le mot “ souvenir ” est une expression beaucoup trop faible pour désigner l'intimité tendre de la conscience que garde le défunt de sa vie passée et de ceux qu'il a laissés derrière lui, (...) et que nous restons unis avec eux dans le fond le plus intime de notre être, puisque dans notre meilleure part nous ne sommes rien d'autre que ce qu'ils sont eux-mêmes, des esprits, et que pour les âmes unies de sentiment et d'esprit, des âmes qui ont eu pendant toute leur vie un seul amour, une seule foi, une seule espérance, une réunion future est chose certaine. (...) Je reconnais de jour en jour davantage que tout est

([43]) SCHELLING, *Zusammenhang der Natur mit der Geisterwelt*, vers 1816-1817, *Werke*, Stuttgart, 1861, Bd. IX, p. 64 ; trad. BÉGUIN.

([44]) Schelling se remariera par la suite, comme Novalis s'était à nouveau fiancé. Mais cet engagement second n'abolissait pas le premier ; il se situait dans un autre ordre. Caroline elle-même avait contracté un premier mariage, de convenance, avec A. W. Schlegel.

([45]) Ernst BENZ, *Les sources mystiques du romantisme allemand*, Vrin, 1968, p. 23.

cohérent, d'une manière beaucoup plus personnelle et infiniment plus vivante que nous ne pouvions l'imaginer... » ([46]).

Schelling se réfère, dans cette même lettre, aux « promesses de notre religion chrétienne » pour confirmer son attente d'une immortalité personnelle. Mais il élabore en même temps une cosmologie gnostique, où l'ordre des choses et ensemble l'ordre des pensées apparaissent comme des incarnations de la présence divine. Le Dieu d'avant la Création est le Dieu de la théologie négative, dérobé aux prises de l'intelligibilité ; la création développe une incarnation de Dieu selon l'ordre de la finitude. « Mais c'est seulement pour lui-même que l'Eternel peut être fini. Lui seul est capable de saisir et de circonscrire son propre Etre ; il en résulte que la finitude extérieure du monde implique une intérieure infinité totale. Tout le Cosmos étendu dans l'espace n'est que l'expansion du cœur de Dieu, dont les pulsations ininterrompues, dues à des forces invisibles, produisent l'alternance des dilatations et des contractions » ([47]). Schelling évoque l'économie générale de la création, les « âges du monde », nature et esprit, en étayant sa doctrine de références bibliques, mais selon l'ordre d'une spéculation éloignée des us et coutumes de la théologie puérile et honnête.

Evoquant « les processus qui se déroulent dans le monde des esprits », Schelling, tout en reconnaissant les limites de la connaissance humaine, affirme que « d'une façon générale, tout doit s'y passer de la même manière que dans la nature, à une différence près, qui tient à ce que la force négatrice est extérieure à la nature, tandis qu'elle est immanente à l'être spirituel. De même que l'attraction a pour effet la spiritualisation, l'animation de la nature, elle imprime une corporéité au monde des esprits. Aussi peut-on dire que, dans la nature, la force négatrice subit une élévation et une intériorisation, tandis que dans le monde des esprits elle subit une extériorisation et un abaissement. Ce qui dans la nature est contraction, est expansion dans le monde des esprits et vice-versa... » ([48]). Impossible de suivre dans le détail les intuitions cosmologiques de Schelling ; les épousailles de la Nature et de l'Esprit dans le cérémonial de la Création, en leurs cycles rythmiques, racontent la gloire de Dieu dans l'histoire de l'univers.

Les Ages du monde incorporent les destinées des individus dans le devenir de l'histoire de l'univers, déploiement de la majesté divine. Au niveau de la Totalité, la mort est niée une seconde fois ; elle n'a pas de place au sein de cette liturgie cosmique déployant sous nos yeux la puissance et la gloire du Dieu vivant. Le souci des destinées individuelles paraît égoïste, et disproportionné avec l'enjeu réel de la Création. Il suffit de savoir que les âmes des défunts se rassemblent dans le devenir divin, auquel elles participent dès le commencement et jusqu'à la fin. La conscience individuelle, l'histoire de chacun, ne proposent que des

([46]) SCHELLING, lettre à Georgii, 19 mars 1811, dans Benz, *op. cit.*, pp. 23-24.
([47]) SCHELLING, *Les Ages du monde, L'Origine des mondes planétaires*, rédigé vers 1815, publication posthume ; trad. S. JANKÉLÉVITCH, Aubier, 1949, p. 167.
([48]) *Ibid.*, p. 177.

accidents insignifiants insérés dans l'écume des jours, seule importe la vie divine dans laquelle nous nous mouvons et nous sommes, de tout temps à jamais. Le *wishful thinking* de ceux qui ne cessent de célébrer les consolantes harmonies du Cosmos méconnaît l'essence réelle du drame cosmologique ; « s'ils étaient capables de pénétrer au-delà de la surface extérieure des choses, ils verraient que c'est justement l'effrayant et le terrible qui sont le fond substantiel de la vie et de l'existence » ([49]).

Il y a une discordance entre la conduite du deuil de l'inconsolable époux de Caroline, refusant la séparation, et la vision sondant « l'effrayant et le terrible » qui constituent « le fond substantiel de la vie ». La problématique romantique de la mort, si elle refuse l'anéantissement, hésite entre deux conceptions de l'immortalité, l'une qui conserve d'une manière ou d'une autre la forme personnelle, l'autre qui la laisse faire retour à la masse de l'esprit universel. Un va-et-vient s'établit entre ces positions extrêmes, entrelacées en des compromis où l'intelligibilité usuelle perd ses droits, dans un territoire qui n'est pas soumis au seul arbitrage de la raison.

Gérard de Nerval, familier des confins de la mort, fournit un exemple de ces ambiguïtés dans la préface à sa traduction du *Second Faust,* en 1840. Goethe ne s'est pas laissé rebuter, écrit Nerval, par « cet infini béant qui confond la plus forte raison humaine. (...) Pour lui, comme pour Dieu sans doute, rien ne finit ou du moins rien ne se transforme que la matière, et les siècles écoulés se conservent tout entiers à l'état d'intelligences et d'ombres, dans une suite de régions concentriques, étendues à l'entour du monde matériel. Là, ces fantômes accomplissent encore ou rêvent d'accomplir les actions qui furent éclairées jadis par le soleil de la vie et dans lesquelles elles ont prouvé l'individualité de leur âme immortelle. Il serait consolant de penser en effet que rien ne meurt de ce qui a frappé l'intelligence et que l'éternité conserve dans son sein une sorte d'histoire universelle, visible par les yeux de l'âme, synchronisme divin qui nous ferait participer un jour à la science de Celui qui voit d'un seul coup tout l'avenir et tout le passé... » ([50]).

Selon Nerval, commentant Goethe, mais parlant pour son compte, il existe un royaume des ombres, conservatoire des êtres et des événements, moyennant une sorte d'atténuation de la densité de la présence humaine, analogue à celle qui affectait les défunts dans le royaume souterrain des anciens Grecs. Nerval se plaît à rêver sur ce dédoublement du monde, qui autorise l'espoir d'une réincarnation. « S'il est vrai, comme la religion nous l'enseigne, qu'une partie immortelle survive à l'être humain décomposé, si elle se conserve indépendante et distincte, et ne va pas se fondre au sein de l'âme universelle, il doit exister, dans l'immensité, des régions ou des planètes où ces âmes conservent une forme perceptible aux regards des autres âmes et de celles mêmes qui ne se dégagent des liens terrestres que pour un instant, par le rêve, par le magnétisme ou par

([49]) *Ibid.*, p. 183.

([50]) NERVAL, Préface du *Second Faust,* 1840 ; dans Jean RICHER, *Expérience et création,* 2e éd., Hachette, 1976, p. 100.

la contemplation ascétique. Maintenant, serait-il possible d'attirer de nouveau ces âmes dans le domaine de la matière créée ou du moins formulée par Dieu, théâtre éclatant où elles sont venues jouer chacune un rôle de quelques années et ont donné des preuves de leur force et de leur amour ? Serait-il possible de condenser dans leur *moule* immatériel et insaisissable quelques éléments purs de la matière, qui lui fassent reprendre une existence visible plus ou moins longue, se réunissant et s'éclairant tout à coup comme les atomes légers qui tourbillonnent dans un rayon de soleil ? » ([51]).

Le commentateur du *Faust,* porté par sa rêverie, mêle, sans souci de cohérence, le thème de l'immortalité personnelle, sous la forme d'un double de la personnalité, qui conserverait son identité historique, et l'évocation d'une survivance réduite à l'essentiel, sous la « forme » d'un « moule immatériel », mais transférable du passé à l'avenir. L'éternité comme mémoire, conservatoire de ce qui fut, débouche sur une éternité à venir dans les cycles de la palingénésie, en vertu d'une biologie corpusculaire autorisée par la *Naturphilosophie ;* il est possible, ainsi, que l'âme individuelle ait à traverser pour un temps le passage obligé de l'âme universelle, où elle se perd avant de revenir à la vie. Une ouverture est faite aussi dans le sens du rêve, qui nous dégage « des liens terrestres (...) pour un instant ». *To die, to sleep,* mourir, dormir — mais aussi, en sens inverse, dormir, mourir ; le sommeil est une brève mort.

Nerval, proche de Novalis, a célébré les enchantements du rêve, issue vers un autre monde au cœur même de celui-ci. « Le rêve est une seconde vie. Je n'ai pu percer sans frémir ces portes d'ivoire ou de corne qui nous séparent du monde invisible. Les premiers instants du sommeil sont l'image de la mort ; un engourdissement nébuleux saisit notre pensée, et nous ne pouvons déterminer l'instant précis où le *moi,* sous une autre forme, continue l'œuvre de l'existence. C'est un souterrain vague qui s'éclaire peu à peu, et où se dégagent de l'ombre et de la nuit les pâles figures gravement immobiles qui habitent le séjour des limbes. Puis le tableau se forme, une clarté nouvelle illumine et fait jouer ces apparitions bizarres ; le monde des Esprits s'ouvre pour nous » ([52]).

Aurélia, dont ces lignes constituent l'ouverture, est la relation par Nerval de son expérience de la folie ; il se propose « de traverser les impressions d'une longue maladie qui s'est passée tout entière dans les mystères de mon esprit. » Le mot « maladie », ajoute-t-il, ne convient pas, car « jamais (...) je ne me suis senti mieux portant » ([53]). Le rêve, la folie, la mort proposent des aspects d'une même expérience du surréel, à la faveur de laquelle le vrai et le faux, la santé et la maladie échangent leurs significations. Nerval, poète, ne se propose pas de justifier l'inintelligible ; il raconte le voyage initiatique, l'odyssée intérieure des confins, en direction de ce point où s'abolit toute différence entre la vie et

([51]) *Ibid.*
([52]) *Aurélia,* début ; *Œuvres de* Gérard DE NERVAL, Bibliothèque de la Pléiade, 2e éd., t. I, p. 359.
([53]) *Ibid.*

la mort, entre le rêve et la réalité, entre la perception, la mémoire et l'imagination. Nietzsche aussi évoquait cette « grande santé » dont il jouissait tout au long de ce pèlerinage vers le lieu d'où le retour est impossible. L'itinéraire de Nerval, par la maison de santé du docteur Blanche, aboutissait à la grille, rue de la Vieille Lanterne, auquel son corps fut retrouvé pendu au matin du 26 janvier 1855 ; Gérard s'était absenté de ce monde.

Nerval, en ses voyages aux Allemagnes et en Orient, développe une errance aux limites du réel, une dérive onirique dont *Aurélia* fournit la relation, entrelaçant rêves et délires dans une célébration non de la mort, mais de la vraie vie. « Le sommeil occupe le tiers de notre vie. (...) Après un engourdissement de quelques minutes une vie nouvelle commence, affranchie des conditions du temps et de l'espace et pareille sans doute à celle qui nous attend après la mort. Qui sait s'il n'existe pas un lien entre ces deux existences, et s'il n'est pas possible à l'âme de le nouer dès à présent ? » ([54]).

Aurélia s'achève peu après par quelques réflexions du malade, provisoirement rapatrié dans le monde réel. « Toutefois, je me sens heureux des convictions que j'ai acquises, et je compare cette série d'épreuves que j'ai traversées à ce qui, pour les anciens, représentait l'idée d'une descente aux enfers. » Les derniers feuillets du manuscrit d'*Aurélia* se trouvaient dans la poche de Nerval, après son suicide, ce qui donne à ces lignes un relief particulier. Nerval a suivi jusqu'au bout le chemin des initiations, dont le *Voyage en Orient* et *Aurélia* proposent des paraboles mythiques.

Victor Hugo est profondément atteint par la disparition de sa fille Léopoldine, noyée à Villequier le 4 septembre 1843, peu après son mariage. Il y a une corrélation entre le deuil de Hugo et son passage d'un romantisme exotique, pittoresque et superficiel, à un romantisme des profondeurs, manifesté par un chant lyrique, tombeau dressé à la mémoire de la morte, dans le recueil des *Contemplations*. La conduite du deuil suscite la conversion au spiritisme, à laquelle l'exil sous le Second Empire, avec ses déchirements, fournissait un climat propice. L'initiation à ce commerce avec les morts eut lieu à Jersey, par le ministère de madame de Girardin, de septembre 1853 à juillet 1855. Le poète a été convaincu par les expériences de communication grâce aux tables tournantes avec les résidents de l'au-delà. Pendant des années, il a entretenu des relations étroites avec les grands défunts de la culture et de l'histoire, dont il sollicitait les conseils ([55]).

Dix ans après la mort de Léopoldine, le spiritisme n'est pas seulement un moyen d'assurer la survivance de l'enfant perdue. La communication avec les morts joue un rôle décisif dans la vie et l'œuvre du poète, dont ils confirment la vocation prophétique. L'œuvre de Hugo désormais rayonne dans les deux mondes ; la mission de l'écrivain n'est plus un

([54]) *Aurélia, in fine*, éd. citée, p. 414.

([55]) Cf. Gustave SIMON, *Les tables tournantes de Jersey*, Conard, 1923 ; Denis SAURAT, *La religion ésotérique de Victor Hugo*, La Colombe, 1948.

thème à métaphores concernant le caractère sacré de l'inspiration ; cette rhétorique traditionnelle devient certitude de fait à la lumière de l'eschatologie. Tel Moïse du haut du Sinaï, Hugo annonce aux peuples d'Occident la Nouvelle Loi spirituelle, morale et politique, sous le patronage des conseillers de l'au-delà. Les révélations d'en haut confirment l'intime conviction, dès longtemps établie. Hugo note en 1854 : « Les êtres qui habitent l'invisible et qui voient la pensée dans nos cerveaux savent que, depuis vingt-cinq ans environ, je m'occupe des questions que la table soulève et approfondit. Dans plus d'une occasion, la table m'a parlé de ce travail, l'Ombre du Sépulcre m'a engagé à le terminer. Dans ce travail, et il est évident qu'on le connaît là-haut, dans ce travail de vingt-cinq années, j'avais trouvé par la seule méditation plusieurs des résultats qui composent aujourd'hui la révélation de la table ; j'avais vu distinctement et affirmé quelques-uns de ces résultats sublimes. (...) Les êtres mystérieux et grands qui m'écoutent regardent quand ils veulent dans ma pensée, comme on regarde dans une cave, avec un flambeau... » ([56]).

La mort ne met pas fin à l'existence personnelle. Les témoins du passé subsistent à l'état d'ombres désincarnées, retenant leur personnalité terrestre. Hugo choisit ses répondants de préférence dans un *Who is Who* réservé à une élite ; Moïse et Luther, Esaïe, Molière, Byron, Galilée, Shakespeare, Jésus-Christ, Chateaubriand figurent à ce palmarès, avec des personnages plus abstraits, tels que l'Idée, ou l'Ombre du Sépulcre ; l'auteur des *Misérables* ne fréquente guère les humbles, qui, sans doute, n'ayant pas grand-chose à lui apprendre, ne sauraient être des interlocuteurs valables, bien qu'ils bénéficient également de la survivance. De sa communion avec les Invisibles, Hugo tirera la certitude qu'il est un élu, vicaire de Jésus-Christ pour annoncer aux hommes la religion de l'avenir, substance de ses œuvres maîtresses à partir des *Contemplations* (1856).

Denis Saurat résume cette évolution : « Le poète a fini par s'installer dans cette extase permanente, dans cette communion constante avec l'au-delà. (...) Victor Hugo, après une période de plusieurs années d'inspiration frénétique, est passé graduellement à l'état normal du prophète » ([57]). On ne côtoie pas sans danger les abîmes de l'au-delà ; Hugo renoncera à la fréquentation des tables tournantes, dans la crainte que sa raison ne finisse par succomber sous l'effet de tensions intolérables. Sa pensée et son lyrisme ont pris une envergure eschatologique ; l'écrivain tente désormais de révéler au monde les insondables mystères de la vérité. Cette ontologie est affirmée dans les grands poèmes : *Ce que dit la Bouche d'Ombre (Contemplations), Le Satyre (Légende des Siècles),* ainsi que dans les fresques posthumes : *Dieu, La fin de Satan,* que le poète ne publia pas, tant il était sûr de se heurter à l'incompréhension.

([56]) Dans Gustave SIMON, *op. cit.*, p. 304, à la date du 19 septembre 1854.

([57]) Denis SAURAT, *op. cit.*, p. 38 ; cf. p. 10 : ... « l'état permanent de Victor Hugo pendant les trente dernières années de sa vie ; il parle et agit non seulement en prophète mais, comme il le dit, en âme solaire, c'est-à-dire en fragment qui, par son rayonnement, touche le monde entier, est Dieu lui-même ».

En ce qui concerne la place et le rôle de la conscience humaine dans l'ensemble de la création, la doctrine de Hugo s'inspire de la Cabale, que le poète a pratiquée à partir de 1836. Selon Léon Cellier, « les romantiques ont été obsédés par un double problème : l'évolution de l'homme et la destinée de l'âme. Les deux évolutions ont tendance à se superposer dans leur esprit, en vertu de l'analogie formulée par Ballanche. (...) Non seulement l'âme du poète est représentative de toutes les âmes, (...) mais l'histoire de cette âme est analogue à celle de l'humanité. Car l'humanité, comme l'âme, passe par les phases de la chute, de l'expiation et de la réintégration, et cette vision, que la diffusion du martinisme a imposée, est à l'origine des grandes thèses hugoliennes. Le facteur commun aux *Contemplations,* à la *Légende des Siècles* et à *La fin de Satan* se résumerait en cette équation : Hugo sauvé — l'Homme sauvé — Satan sauvé... » ([58]). Parcours initiatique, la destinée de chaque âme est homologue à l'univers, contemporaine de la création tout entière, si bien que le problème de la mort et de la survivance n'a pas lieu de se poser.

Cette légende des siècles, ou plutôt cette légende de la création, ne se limite pas à l'histoire des générations humaines ; elle embrasse aussi l'histoire naturelle, le devenir de la vie sous toutes ses formes, selon le schéma d'une création progressive. Un poème en forme de vision donne la parole à la *Bouche d'Ombre,* qui confie au poète le secret de l'univers :

> Sache que tout connaît sa loi, son but, sa route ;
> Que, de l'astre au ciron, l'immensité s'écoute ;
> Que tout a conscience en la création ; (...)
> Tout parle, l'air qui passe et l'alcyon qui vogue ;
> Le brin d'herbe, la fleur, le germe, l'élément... ([59]).
> Tout parle ? Ecoute bien. C'est que vents, ondes, flammes,
> Arbres, roseaux, rochers, tout vit !
> Tout est plein d'âmes ([60]).

L'interprétation eschatologique du devenir englobe à travers les péripéties de la chute et de la rédemption non seulement la race des hommes, mais la totalité des êtres qui composent l'univers et que la vie a successivement déposés dans son sillage. Le thème traditionnel de l'échelle des êtres fait cause commune avec celui des métamorphoses de la vie, dont la présence se confond avec celle de l'âme. Si l'on considère cette courbe ascendante,

> L'homme qui plane et rampe, être crépusculaire
> En est le milieu ([61]).

Victor Hugo est attaché à cet animisme universel, qu'il se flatte, à tort, d'avoir découvert : « Dans ce siècle, je suis le premier qui ait parlé non

([58]) Léon CELLIER, « Chaos vaincu », *Victor Hugo et le roman initiatique ;* dans *Parcours initiatiques,* Neuchâtel, La Baconnière, 1977, p. 164.
([59]) *Les Contemplations,* livre VI, XXVI, vers 7-9 et 13.
([60]) *Ibid.*, vers 47-48.
([61]) *Ib.*, vers 392-393.

seulement de l'âme des animaux, mais encore de l'âme des choses ; dans ma vie, j'ai constamment dit, quand je voyais casser une branche, arracher une feuille : « laissez cette branche d'arbre, laissez cette feuille ; ne troublez pas l'harmonie de la nature » ; quant aux animaux, non seulement je n'ai jamais nié leur âme, mais j'y ai toujours cru... » ([62]). L'échelle des êtres peut être gravie dans les deux sens, de bas en haut et de haut en bas. L'épopée satanique du Mal vient faire obstacle à l'épopée positive du Bien. Pour que la Création soit menée à bonne fin, il faut que l'attirance vers le haut l'emporte sur l'attirance vers le bas. Mais le *happy end* ne fait pas de doute ; Satan même sera sauvé ; le combat cosmique se répète au sein de chaque âme particulière, appelée à triompher des pesanteurs qui font obstacle en elle au triomphe de la justice et de la vérité. Le succès final de la dynamique ascensionnelle est acquis d'avance :

> Cette échelle apparaît vaguement dans la vie
> Et dans la mort. Toujours les justes l'ont gravie (...)
> Ses échelons sont deuil, sagesse, exil, devoir ([63]).

Une existence ne suffit pas pour épuiser le cycle de l'âme ; rémunérations et sanctions ne s'inscrivent pas en entier dans une seule destinée. La mort marque le seuil d'une phase nouvelle, qui intègre en bien ou en mal l'influence de la phase précédente :

> Les tombeaux sont les trous du crible cimetière
> D'où tombe, graine obscure en un ténébreux champ,
> L'effrayant tourbillon des âmes ([64]).

Le mystère subsiste, et l'injustice, en ce que l'âme humaine, la forme humaine paraissent privilégiées... Le rocher, la plante, le crapaud ou la vache ne paraissent guère susceptibles des mérites ou démérites réservés à l'homme, en dépit de l'âme qui leur a été généreusement reconnue. L'anthropomorphisme demeure, même dans le domaine de l'eschatologie ; le raccord entre philosophie de la nature et philosophie de l'histoire ne se trouve pas réellement assuré. Les âmes infra-humaines, les consciences obscures paraissent servir, injustement, d'enjeux dans un drame qui les dépasse, en dehors de toute responsabilité de leur part.

Victor Hugo orchestre ces thèmes apparentés ou contradictoires, sans établir entre eux une parfaite cohérence. L'entreprise est vaine d'établir un système de Hugo, selon les normes d'une intelligibilité sourcilleuse. Toute pensée négative se fonde sur l'irréductibilité de l'Etre au discours ; le Dieu de Hugo, ou le divin, s'annonce sous les voiles d'une théorie apophatique ; la projection de cette intuition sur le plan de l'analyse discursive semble vouée à l'échec. Mais la mise en honneur du côté

([62]) UZANNE, *Propos de table de Victor Hugo en exil*, p. 54 ; cité dans Denis SAURAT, *op. cit.*, p. 115.
([63]) Vers 163-164 et 166.
([64]) Vers 253-255.

nocturne de la vie, autre domaine de l'âme, a pour effet de gommer la mort, lieu de passage, qui ne saurait être un point de destination. La décomposition de l'organisme, laissant intactes les particules du composé, ne fait pas obstacle à la permanence de la vie.

Lorsque meurt son amie très chère, madame Dumesnil, le 31 mai 1842, au chevet de l'agonisante, Michelet lit des traités de biologie et d'embryologie ; il en tire la conviction qu'existe dans le développement des générations et des individus, un « génie de la vie », orientant vers le mieux la métamorphose des formes. « Notre progrès sera certainement double ; d'une part nous serons plus haut dans l'échelle des êtres, c'est-à-dire plus individualisés, mais en même temps plus interprétatifs, c'est-à-dire que, voyant tout ce qu'il y a de différences, nous verrons aussi qu'elles sont généralement extérieures. Plus on voit au fond de la vie et plus on voit de ressemblances. La différence est à la peau ; l'organisation intérieure est fort analogue » ([65]).

Trois jours avant la mort de madame Dumesnil, Michelet s'engage ici dans la conduite du deuil, destinée à conserver pour lui celle qu'il va perdre. L'embryologie comparative autorise la foi dans une permanence des êtres, dont la destinée se poursuit selon la ligne de l'évolution. Et cette embryologie physiologique va de pair avec une embryologie spirituelle, dont la formule pourrait être la parole de Goethe, « mœurs et deviens *(stirb und werde)* ». « A mesure que j'ai vécu, note Michelet, j'ai remarqué que chaque jour je mourais et je naissais ; j'ai subi des mues pénibles, des transformations laborieuses (...). J'ai passé mainte et mainte fois de la larve à la chrysalide et à un état plus complet, lequel au bout de quelque temps, incomplet sous d'autres rapports, me mettait en voie d'accomplir un cercle nouveau de métamorphoses » ([66]). La dynamique linéaire du progrès tel que le concevait le XVIIIe siècle fait place à une évolution vitale indéfinie, orientée vers un mieux être de l'individu et de l'espèce. Si l'animal est « l'embryon permanent de l'homme » ([67]), l'homme est lui-même l'embryon d'un être supérieur dans les temps à venir. Madame Dumesnil peut mourir ; ce qu'il y a en elle de meilleur se conservera dans le mouvement de la vie biologique et spirituelle.

Le sens historique chez Michelet, sa légende des siècles, va de pair avec un sens biologique, lui aussi en progression vers le haut. Une douzaine d'années après la mort de madame Dumesnil, Michelet, remarié avec la jeune et redoutable Athénaïs Mialaret, inaugurera avec *L'Oiseau* (1856) la série des livres de nature, qui célèbrent non seulement l'insecte, la mer, la montagne, mais aussi *L'Amour* (1858) et *La Femme* (1859). Michelet, comme Hugo, mis en disponibilité par le Second Empire, cherche des consolations au malheur de l'histoire dans la pratique de la *Naturphilosophie*. On a voulu voir dans cette histoire naturelle une manière de hors-d'œuvre, une série d'excursus, inspirés, ou

([65]) MICHELET, *Journal*, 28 mai 1842, dans Gabriel MONOD, *La vie et la pensée de Jules Michelet*, 1798-1852, Champion, t. I, 1923, p. 69.
([66]) MICHELET, *L'Insecte* (1857), pp. 74-75.
([67]) MICHELET, *Journal*, 16 mai 1842, dans G. MONOD, *op. cit.*, p. 69.

même directement influencés, par la nouvelle épouse. En réalité, ces textes, nullement insignifiants, manifestent une fidélité d'outre-tombe à l'amie perdue, jamais oubliée, commémorée par ce prodigieux hymne à la vie, la *Bible de l'Humanité* (1864) proposant une synthèse mythique de ces inspirations.

Un autre témoin, inattendu, de la négation romantique de la mort pourrait être Auguste Comte (1798-1857). Le fondateur du positivisme, l'ancien de Polytechnique, le disciple de Saint-Simon, ne paraît pourtant pas pouvoir être compté, homme des Lumières s'il en fut, au nombre des champions du surnaturel. Pourtant, après la publication du *Cours de philosophie positive* (1830-1842), l'itinéraire intellectuel de l'auteur subit une inflexion si radicale que certains disciples de stricte observance, tel Littré, plus positivistes que le maître, considérèrent cette conversion injustifiable comme une séquelle de la maladie mentale dont Comte avait souffert. La seconde pensée du Fondateur, la religion positiviste, était à leurs yeux nulle et non avenue.

Entre les deux époques de la pensée de Comte se situe la liaison passionnée et platonique avec Clotilde de Vaux (1845-1846), brève rencontre, union des âmes et des pensées, clôturée par la mort de Clotilde, victime de la phtisie, le 5 avril 1846. Comme Michelet, comme Novalis, Comte ne peut accepter la mort de l'aimée ; la suite de son œuvre sera la célébration de la disparue à laquelle il entreprendra d'assurer l'immortalité. Sa vie privée devient une commémoration liturgique de Clotilde. Huit jours après la mort de celle-ci, il entreprend la rédaction du *Système de politique positive*, dont les quatre volumes achèvent de paraître en 1854. La Sociologie devient une religion, dont toutes sortes d'initiatives viennent parachever le rite ; on a pu dire qu'il s'agissait d'un catholicisme sans le christianisme. Clotilde, canonisée, est mise sur les autels ; elle bénéficie de l'adoration perpétuelle de l'église positiviste qui lui confère l' « immortalité subjective », dans la mémoire de l'humanité reconnaissante. La conduite romantique du deuil, négation de la mort par une surcompensation eschatologique, est parfaitement reconnaissable. On relève seulement chez Comte la prépondérance reconnue à la philosophie de l'histoire, dans l'esprit des Lumières, sur la philosophie de la nature. L'affectivité est rétablie dans ses droits, le sentiment *(Gemüt)* vient orienter la marche de l'entendement ; mais le sens de l'évolution biologique immanente à la Nature, porteuse de valeur, n'apparaît pas dans la religion positive ([68]).

Chez les poètes, les penseurs, la conduite du deuil et les théories de la survivance ont leur origine dans une confrontation directe avec la mort d'un être cher. Chez les philosophes de la nature, les problèmes sont

([68]) C'est J.-P. LACASSAGNE qui a attiré mon attention sur le cas de Comte et de Clotilde. Quant à la théorie de l'immortalité subjective, elle apparaît déjà chez Pierre LEROUX, *De l'Humanité*, Perrotin, t. I, l. VI, ch. I, p. 291 : « Tous les peuples qui ont le sentiment de la vie future ont eu primitivement et fondamentalement l'idée que cette *vie future* se passait dans l'humanité. » Leroux estime que les paradis dans l'au-delà ont été imaginés par des peuples qui ne connaissaient pas la « perfectibilité » sur terre (*ibid.*, p. 294).

évoqués d'une manière impersonnelle, même si la construction idéologique revêt l'aspect d'un témoignage, comme il arrive chez un G. H. von Schubert. L'évolutionnisme biologique pose la question de la situation de l'homme dans la nature, non pas seulement dans une perspective rétrospective, où l'être humain apparaît comme le couronnement prédestiné de la création, mais aussi dans un sens prospectif, où l'homme, dernier venu, jalonne l'aboutissement provisoire d'une série qui ne s'arrête pas à lui. Le schéma biblique de la *Genèse,* en dépit de son échelonnement dans le temps, garde un caractère statique ; rien ne permet de penser que le Créateur prévoyait un devenir de l'espèce humaine au-delà d'Adam, qui semble marquer le point culminant du projet divin, puisque Dieu lui-même s'estime satisfait du résultat obtenu.

La temporalisation de la chaîne des êtres, au XVIIIe siècle, s'impose même à des esprits qui font sincèrement profession de christianisme. La *Genèse* n'expose pas une doctrine scientifique, mais un fil conducteur d'intelligibilité pour des simples, qui ont besoin d'images, de formules appropriées à un âge mental encore peu avancé. Depuis l'initiative de Galilée, dont l'œuvre a prévalu en dépit des condamnations romaines, une meilleure compréhension du mythe, non pas forgerie et mensonge, mais présentation figurative d'une vérité transrationnelle, laisse la place libre à une explication scientifique, libérée de l'obéissance à la lettre du texte sacré.

Une biologie évolutionniste, créatrice de formes vivantes de plus en plus parfaites, ne saurait considérer l'être humain comme un point d'arrivée. L'homme, dans sa présente condition, ne propose pas un abrégé de la plénitude de l'être. Le mythe judéo-chrétien de la chute fournit là-dessus les justifications nécessaires ; la nature en sa perfection originaire a été dénaturée par la faute de l'homme, dont l'initiative intempestive entraîna une perversion, étendue d'Adam à sa race entière, mais qui a pu se communiquer à la nature dans son ensemble, compromise par la faute de l'intendant du jardin d'Eden. L'interprétation cosmologique du péché originel ouvre la voie à l'idée d'une réhabilitation cosmologique, en chemin jusqu'à la fin des temps. De nouvelles dimensions s'offrent à l'existence des âmes, dont le devenir ne peut prendre un essor dans une carrière bloquée d'une manière aberrante par l'accident de la mort, survenant à n'importe quel moment. Les doctrines évolutionnistes débouchent sur les thèmes de la survivance des âmes et de la palingénésie, jumelées avec une dynamique ascensionnelle, en marche vers une fin des temps qui serait ensemble une apothéose de la création et du Créateur.

Les variations sur ces thèmes laissent apparaître des principes communs d'intelligibilité. Ricarda Huch résume cette perspective : « L'homme ne peut être la forme dernière que Dieu ait pensée et que la nature s'efforce de réaliser, mais l'évolution doit forcément dépasser le stade de l'homme. Si l'homme est sorti des mains de Dieu dans une perfection divine et s'il est tombé par la suite, son but doit être à n'en pas douter de retrouver un jour ce premier état. Et même en faisant abstraction de cette idée, il est impossible de concevoir que la nature dût s'en tenir à une forme aussi défectueuse que l'homme. C'est Georg Friedrich Daumer, romantique tard venu (...) qui a trouvé sous sa forme la plus claire l'idée du « surhomme ». Daumer a été inspiré par quelques propos du romantique français Charles Nodier : l'homme a tellement soif de perfection qu'il ne saurait être le summum de la création. Et Nodier de rêver d'une humanité supérieure pourvue de nouveaux organes, qui supplanterait l'humanité actuelle, de la même façon que de nouvelles générations d'animaux se sont élevées au-dessus des générations abolies » ([69]). Daumer appelait cet homme de l'avenir « l'ange du futur », sorte de nouvel Adam, réhabilité de la chute de l'ancien, et qui tend à se confondre avec le modèle du Christ. « Les romantiques croyaient presque tous en ce surhomme, avec la différence que les uns arrivaient à cette conception en partant des sciences naturelles, les autres d'un point de vue religieux et mystique » ([70]).

Observation exacte, à ceci près qu'il ne s'agit pas là vraiment d'une alternative. Ce sont souvent les mêmes qui obéissent conjointement à l'inspiration des sciences naturelles et à celle des spéculations eschatologiques ; la marque romantique se trouve dans cette cohabitation en un même esprit des exigences du savoir et de la foi, l'un éclairant l'autre sans discordance. Gottfried Heinrich Schubert (1780-1860), dans son traité : *Vues sur le côté nocturne de la science de la nature* (*Ansichten von der Nachtseite der Naturwissenschaft*, 1808), reprend les thèses d'un spiritualisme génétique appliqué au devenir du cosmos, dont il présente la grandiose synthèse dans son *Histoire de l'Ame* (*Geschichte der Seele*, 1830). La totalité du Cosmos, comme c'était le cas pour les *Ideen* de Herder, expose l'épopée de la vie, qui coïncide avec l'expansion naturelle de l'âme en progression avec la succession des espèces. La structure des plantes manifeste l'anticipation de celle des animaux. Esquissant « le cheminement de la création à travers les métamorphoses », Schubert estime que « l'essence de la plante est travaillée du dedans et comme enveloppée, sans qu'elle en ait conscience et puisse les contempler, par les forces et la tension vivifiante d'un monde supérieur de lumière et de vie. Le monde animal échappe à cette captivité et à cet enveloppement ; une analogie de la vie supérieure s'est assurée une zone d'action invisible, avec l'activité des sens vers le haut et vers le bas, sur des espaces du monde » ([71]). La dynamique ascensionnelle de la vie conduit de l'animal à l'homme. La douzième leçon des *Vues sur le côté nocturne de la Nature* est intitulée « Sur les forces d'une existence à venir qui sommeillent dans l'existence présente ». La certitude de notre survie repose sur une expérience intime qui annonce l'avenir au cœur même du présent ; toute démonstration rationnelle est inutile : on ne démontre pas la lumière ou la chaleur. « Le

([69]) Ricarda HUCH, *Les Romantiques allemands*, trad. J. BRÉJOUX, Pandora, Aix-en-Provence, t. II, 1979, p. 53.

([70]) *Ibid.*, p. 54 ; cf. Georg Friedrich DAUMER, *Der Tod des Leibes kein Tod des Lebens*, Dresden, 1865 ; *Der Zukunftidealismus der Vorwelt*, Regensburg, 1874.

([71]) G. H. VON SCHUBERT, *Die Geschichte der Seele* (1830) ; 6e éd., Stuttgart, 1878, Bd. I, § 7, p. 59.

germe d'une vie future (semblable à l'embryon) est présent dans la vie antérieure d'une manière distincte » ([72]). La poésie, les arts, les religions proposent des aperçus d'un monde qu'il n'est pas possible de domicilier entièrement sur cette terre ; nous sentons émerger en nous, en certaines occasions, des forces dont l'affirmation dépasse les limites de nos capacités, et ne saurait prendre place dans le contexte usuel de notre vie. Ces propriétés profondes de notre âme *(Gemüt)* indiquent « le commencement d'une vie plus haute, supérieure à la vie terrestre. L'homme a été nommé un être à deux vies *(ein zweilebendes Wesen)* qui, parvenu au sommet de la nature terrestre, possède aussi les premières dispositions de la nature supraterrestre. Nous apercevons en lui la tendance à la perfection spirituelle, à peine développée, mais jamais parvenue à son accomplissement pendant la courte durée de sa vie. C'est ainsi que dans toute la nature, au sein du devenir de l'existence imparfaite, intervient une existence supérieure à venir, se manifestant parfois comme un pressentiment, et parfois sous la forme précise d'un premier commencement de vie » ([73]).

La forme humaine cesse d'apparaître comme l'aboutissement du plan divin ; elle jalonne un point d'inflexion, nouveau départ dans la création. L'échelle des êtres telle que la concevaient les Anciens, pour joindre la terre et le ciel, intégrait, dans sa partie supérieure, des créatures surnaturelles dont les variétés avaient été décrites par la mythique judéo-chrétienne ; anges et archanges, trônes et dominations, libérés des pesanteurs terrestres, assuraient la liaison de la nature avec la surnature. L'âge des Lumières renvoie au magasin des accessoires mythologiques ces fantasmes imaginés par des prêtres, exploiteurs de la crédulité publique. Anges et démons sont démobilisés par la révolution galiléenne ; le ciel des astronomes est expurgé des résidus accumulés des anciennes eschatologies ; le « silence éternel » des « espaces infinis » se substitue à l'espace enchanté, vibrant des harmonies que faisaient retentir jusqu'au trône de Dieu les légions célestes.

Le triomphe de la physique mathématique est de courte durée. Le nouveau vide eschatologique se trouve bientôt envahi par une contre-offensive angélique. Un nom symbolise ce retournement de la situation, celui d'Emmanuel Swedenborg (1688-1772), compatriote et contemporain du glorieux Linné (1707-1778). Pieux naturaliste, génial classificateur, Linné exclut les anges de la science naturelle en voie de constitution. Swedenborg, savant, physiologiste, ingénieur responsable d'inventions multiples, est gratifié en son âge mûr de révélations divines, dont il entend faire bénéficier l'humanité grâce à la publication des secrets qui lui ont été communiqués par les anges du Seigneur. Les *Arcana coelestia* (1741-1758) et de nombreux ouvrages exposent la chronique de ses visions, et l'économie du monde surnaturel, aussi familière à Swedenborg que le monde naturel, auquel il avait consacré

([72]) SCHUBERT, *Ansichten von der Nachtseite der Naturwissenschaft,* XII (1808); 3e éd., Dresden, 1827, p. 244.
([73]) *Ibid.*, p. 250.

son *Œconomia regni animalis* (1740-1741), bréviaire d'anatomie et de physiologie scientifiques.

Les œuvres eschatologiques de Swedenborg ont connu une considérable diffusion à travers l'Europe, au point que Kant lui-même, riverain de la Baltique, s'est cru obligé de consacrer un livre à la réfutation du Suédois (*Les rêves d'un visionnaire élucidés par les rêves de la métaphysique*, 1766). Mais le philosophe de Kœnigsberg n'est pas parvenu à barrer la route à ce retour offensif des anges et des démons. Swedenborg est, avec Boehme et Saint-Martin, l'un des pères spirituels de la nouvelle école. L'œuvre prophétique de William Blake (1757-1827), chronique céleste d'un surnaturel quotidien, est grouillante de présences angéliques ou démoniaques. Balzac, si proche des réalités terrestres, écrit à la demande de Madame Hanska l'évangile swedenborgien de *Seraphita* (1835). Les œuvres maîtresses du romantisme européen ont un arrière-plan eschatologique ; la chute des anges et la rédemption des démons représentent l'un des enjeux essentiels de l'imaginaire romantique.

La communication rétablie entre l'homme et les anges présuppose une communauté de nature ; le drame de la chute et de la rédemption des anges expose une analogie de destin avec le sort de l'humanité, elle aussi fautive et rachetée. Ces spéculations ne correspondent pas à des jeux gratuits de fantasmes inconsistants ; elles projettent dans les espaces célestes des soucis, des remords, des espérances qui sous-tendent notre présence au monde ; angélologie et anthropologie déploient à deux niveaux différents d'existence et d'analyse les mêmes soucis existentiels. L'ange est l'avenir de l'homme, et peut-être son passé ; le royaume des démons n'est pas sous la terre, mais aussi parmi nous. L'irréalisme ouvre une voie d'approche vers un réalisme de la spiritualité, qui découvre dans chaque individu les horizons du ciel et de l'enfer.

Le romantisme relie jusqu'à les confondre le surnaturel et le naturel. La poétique des *Märchen*, genre merveilleux, fantastique, abolit les limites du réel et du possible. Le « conte » peut se réaliser en forme de poème ou de roman ; rapport au monde et style de vie qui prétend refuser les parcours obligés du bon sens puéril et honnête, prisonnier d'une axiomatique physique et bourgeoise. La vérité humaine, métaphysique par essence, ne peut se déployer qu'une fois abolies les limites de la mort. Le ciel et l'enfer, miroirs des choses de la terre, sont dégagés des enrobements et pesanteurs d'ici-bas. Miroir grossissant où les significations et aboutissements apparaissent plus clairement.

Selon Schubert, la dynamique de la survivance ne peut adopter qu'une perspective ascensionnelle ; l'idée que l'être humain pourrait, même à titre de sanction, se réincarner dans un être inférieur paraît inadmissible. « On considère à juste titre comme indigne et impossible en fonction de toutes les lois de la nature, l'illusion selon laquelle notre essence éternelle, après la mort, pourrait aller s'égarer dans une nature inférieure, dans un animal par exemple, ou même pourrait toujours de nouveau revenir dans la forme limitée qu'elle a abandonnée. Au sommet de l'accomplissement terrestre, la mort a le pouvoir de supprimer toute dépendance à l'égard des planètes. Seulement la majeure partie des hommes ne semble pas atteindre avant la fin de la vie cette perfection dont notre nature est capable, et donc la pleine maturité terrestre. Cette maturité, cette floraison de notre nature, est constituée par la religion. Néanmoins, chaque nouveau pas ne peut que nous mener vers le haut, et non vers le bas... » ([74]).

La dynamique ascensionnelle ne concerne pas seulement les âmes des hommes. La « dépendance à l'égard des planètes » met en cause les forces physiques, présentes dans le cosmos, la gravitation, mais aussi le magnétisme, les polarités à l'œuvre dans l'univers. L'odyssée des âmes ne commence pas avec la conscience humaine ; la « substance éternelle » se déploie « depuis l'existence des lichens (et même plus bas) jusqu'à celle des hommes ». « Le temps est venu où bien des choses qui, jusqu'à présent, demeuraient à l'état de pressentiment, s'élèvent au niveau de certitudes de fait ; et nous nous proposons, une fois que les rapports numériques dans la vie organique nous auront frayé un chemin jusqu'à présent négligé, d'exposer certaines données qui élèvent la thèse de ce devenir à un niveau supérieur à celui d'une simple hypothèse » ([75]).

Schubert rejette les accusations de matérialisme ; les mots de « matérialisme » et d' « idéalisme » sont vides de sens ; « ce que vous appelez matière n'est pas moins divin que ce que vous nommez esprit » ([76]). Reste à donner une idée de ce que peut être la modalité de la survivance après la mort. Le côté nocturne de la vie, l'inconscient, proposent leurs facilités. Selon Schubert, « après la mort, nous nous rapprochons, sur un mode supérieur, de cet état dans lequel nous nous sommes trouvés dans le sein de notre mère » ([77]). Le sens commun souligne les analogies entre les maladies de l'enfance et celles de la vieillesse ; le vieillard retombe en enfance ; la décomposition du cadavre le ramène à un état qui rappelle celui du fœtus ; « comme jadis, inconscients et paisibles, dans le sein de notre mère, nous rêvons et nous sommeillons dans un sein maternel d'un ordre supérieur » ([78]). La mort assure une réintégration à la vie tellurique, elle-même partie de la vie universelle. L'homme reconnaît dans l'existence des astres la même loi, la même succession qui, dans le cours de sa vie brève, détermine les temps du sommeil et de la veille, et enfin ceux de la vie et de la mort. Ces rythmes, que certains tiennent pour inaltérables, doivent comme nous croître et décroître, rajeunir et vieillir, et en dernier lieu s'enfoncer dans l'immobilité de la mort, afin d'être prêts pour un nouvel enfantement... » ([79]).

Pour Schubert, comme pour d'autres théoriciens, la confusion entre l'anthropologie et la cosmologie ne joue pas dans le sens exclusif d'une subordination de la première à la seconde, mais bien en sens inverse,

([74]) G. H. SCHUBERT, *Ahndungen einer allgemeinen Geschichte des Lebens*, 1806-1807, Bd. II, 1, pp. 403 sqq, dans *Romantische Wissenschaft*, hgg. W. BIETAK, *Deutsche Litteratur*, Reihe Romantik, Bd. XIII, 1940, Leipzig, Philipp Reclam, pp. 251-252.
([75]) *Ibid.*, p. 252.
([76]) *Ibid.*
([77]) *Ib.*, p. 253.
([78]) *Ibid.*
([79]) P. 255.

comme si la destinée du cosmos devait subir la loi de la destinée spirituelle des hommes. Alors que chez des docteurs en occultisme, Saint-Martin et Ballanche, la doctrine de la palingénésie revêt la forme d'un progrès de l'humanité selon une chaîne d'initiations successives, les théoriciens de la *Naturphilosophie* ont tendance à prolonger l'incarnation individuelle propre à l'espèce humaine et aux êtres vivants en une incarnation cosmique intéressant la création tout entière. Inspiration qui retrouve celle du cantique franciscain des créatures, qui n'oublie pas le « frère soleil » et la « sœur eau ».

Le problème est celui du rapport de l'éternité avec l'espace-temps au sein duquel cette éternité doit prendre place. L'âme éternelle de l'homme s'accorde mal avec la finitude d'un individu qui naît et qui meurt ; elle ne peut se déployer qu'à une autre échelle, où l'identité individuelle n'entre plus en ligne de compte. La pensée négative s'applique à l'anthropologie, qui, dépouillée de ses caractéristiques passagères, acquiert une signification transpersonnelle. Carus s'est aventuré sur ces rivages ; « on pourrait dire, en un certain sens, que le monde lui-même ne devient monde qu'à partir du moment où il se reflète dans la liberté spirituelle d'un être éternel ; à peu près comme on peut dire que la lumière n'apparaît que grâce à la présence d'un œil, qui la perçoit comme lumière, ou, d'une manière plus expressive : ce n'est pas le soleil qui éclaire le monde, c'est l'œil ! » ([80]). Le monde expose le mystère de Dieu. Notre éternité ne peut intervenir que comme une participation à ce mystère, qui excède la mesure de notre compréhension.

De là le caractère singulier de notre participation à l'infinité divine. « L'idée de Dieu qui se manifeste dans notre tête n'est pas, en toute circonstance, informée de sa nature, consciente de soi en tout sens. Elle se manifeste comme un inconscient dans la mesure où, conformément à son modèle éternel et divin, elle conditionne et appelle à l'existence une copie temporelle et périssable du corps. Dans cette mesure, elle est donc en vérité quelque chose d'éternel, mais qui ne sait rien de son éternité » ([81]). Le développement de l'embryon fait éclore une conscience de soi, commune à l'ensemble infini des âmes humaines. Mais le sens dernier de l'éternel devenir des âmes en Dieu nous échappe. Notre existence propose un milieu entre une conscience éternelle et libre et un inconscient absolu dans une absolue dépendance. Nous évoluons entre les deux, au long d'une destinée orientée en direction du mystère de Dieu. La conscience humaine en évolution, au-delà de la série animale, autorise l'espérance d'une réintégration plénière de l'homme fini dans l'unité de Dieu, moyennant la dissolution de la conscience finie dans l'infini de l'inconscient divin.

Il existe une différence considérable entre ces doctrines eschatologiques et les spéculations auxquelles se complaisent les docteurs du romantisme français, adeptes de la palingénésie, dont il a été question

([80]) Carl Gustav CARUS, *Psyche* (1849), 2e éd., Stuttgart, 1860, p. 520.
([81]) *Ibid.*, p. 524.

dans notre ouvrage : *Du Néant à Dieu dans le savoir romantique* ([82]). Les conceptions de Ballanche, dans *La Ville des Expiations* (1831-1835), fragment des *Essais de palingénésie sociale* inachevés, ne proposent pas une doctrine vitaliste de l'économie cosmique, mais une vision historique et morale des destinées humaines, où les références scientifiques n'entrent pas en ligne de compte. Ainsi du traité d'Esquiros : *De la vie future au point de vue socialiste* (1850), ou de celui du saint-simonien Raynaud : *Philosophie religieuse : Terre et Ciel* (1854) : ces théoriciens se contentent de projeter vers l'avenir leurs utopies sociales; ils ne prétendent pas proposer une synthèse de la physique et de l'histoire naturelle, domaines dans lesquels ils ne possèdent aucune compétence. Le souci des expiations et des récompenses au long du cycle des réincarnations attribue à l'existence individuelle une importance excessive, dans la perspective d'une pensée négative, préoccupée de l'infini bien plus que du fini, de l'inconscient plutôt que du conscient. Nos mérites et nos démérites, et la comptabilité des plaisirs et des peines dont ils font l'objet dans l'eschatologie du christianisme et du socialisme vulgaires, ont un caractère puéril, mesurés à l'échelle de l'éternité divine; ils n'entrent pas en ligne de compte lorsque la conscience individuelle est appelée à se dissoudre en réintégrant le sein maternel de l'inconscient divin. Les directeurs de conscience et confesseurs du catholicisme, en instituant un calcul des peccadilles, ont faussé le sens religieux de leurs ouailles; ils leur ont barré l'accès de l'infini.

Parmi les théoriciens romantiques de la vie et de la mort, il faut compter Gustav Theodor Fechner (1801-1887), le maître de Leipzig, fondateur de la psycho-physique. Les praticiens de la psychologie expérimentale, qui l'ont adopté comme père putatif, seraient horrifiés s'ils lisaient ses œuvres, consacrées à l'eschatologie de la conscience. Défenseur de l'animisme universel, la nature étant vivante dans son ensemble, Fechner publie en 1848 *Nanna oder das Seelenleben der Pflanzen (La vie spirituelle des plantes);* suit, en 1851, *Zend Avesta, oder ueber die Dinge des Himmels und des Jenseits (Sur les Choses du Ciel et de l'au-delà),* traité d'eschatologie générale étendue jusqu'aux limites de l'univers, puisque les astres eux-mêmes sont vivants. La psychophysique et la loi mathématique de Weber-Fechner doivent être comprises dans le contexte de cet animisme conjugué avec l'arithmologie romantique. Le projet divin de la création adoptait les voies et moyens d'un néo-pythagorisme; les harmonies mathématico-musicales expriment la présence immanente des nombres nombrants, constitutifs de la structure de l'univers.

Fechner a publié sans nom d'auteur, en 1836, *Le petit livre de la vie après la mort,* où il développe sa doctrine de la survivance. « L'homme vit sur la terre non pas une fois, mais trois fois. Le premier degré de la vie est un sommeil continu; le second, une alternance de sommeil et de veille, le troisième un éveil éternel. Dans la première étape, l'homme vit seul dans l'obscurité; dans la seconde, il vit parmi d'autres, mais séparé, à côté et

([82]) Editions Payot, cf. pp. 379 sqq.

parmi d'autres, dans une lumière qui éclaire seulement la superficie des êtres ; dans la troisième étape, son existence se confond avec celle d'autres esprits, pour atteindre à une vie supérieure au sein de l'esprit universel ; alors il peut contempler l'essence des choses finies » ([83]). Un développement progressif du germe divin inhérent à l'esprit de l'individu, dans son obscurité première, s'oriente vers les lumières de l'au-delà, sous l'influence des pressentiments de la foi, du sentiment et de l'instinct, qui jouent le rôle de principes d'orientation. « Le passage du premier stade au second est la naissance ; le passage du second au troisième s'appelle la mort » ([84]). La naissance ouvre les yeux de l'homme sur le monde extérieur, la mort les ouvre sur le monde intérieur. La croissance de l'enfant permet une ouverture progressive à la présence du monde, présence encore incomplète, parce qu'elle exclut le surnaturel. « La mort n'est qu'une seconde naissance, qui permet la libération de l'être ; l'esprit fait sauter son enveloppe étroite, il l'abandonne avec toutes ses exigences, comme fait l'enfant lors de la première naissance » ([85]). Alors l'homme parviendra à la communication immédiate et complète, les âmes participeront les unes aux autres. La mort n'est qu'une « maladie de passage *(Stufenkrankheit)* » ([86]).

Transfert de signification : le sommeil et la mort, considérés comme des états négatifs, se voient reconnaître une valeur positive ; la vie consciente apparaît, sinon comme un état négatif, du moins comme un stade imparfait et restrictif, un goulot d'étranglement opposé à la plénitude du sens. L'existence terrestre représente un stage précaire entre la nuit d'avant et la nuit d'après, mais il y a dans la nuit plus de lumière que dans l'horizon limité et clair-obscur de l'existence en condition humaine, ainsi que le donnaient à comprendre les mythes de la caverne ou du cachot. « C'est seulement dans la mort que l'homme parviendra à la pleine conscience de son influence spirituelle sur les autres ; de même, c'est aussi dans la mort qu'il parviendra à la pleine conscience et à la mise en œuvre de ce qu'il a réalisé en lui-même. Les trésors spirituels rassemblés sa vie durant, les acquisitions de sa mémoire, tout ce qui a pénétré sa sensibilité, les produits de son entendement et de son imagination, lui appartiennent à jamais. Mais l'ensemble de ce patrimoine demeure obscur ici-bas. (...) C'est ainsi qu'il demeure un étranger dans le domaine de son propre esprit. Mais, à l'instant de la mort, où une nuit éternelle recouvre l'œil de son corps, le jour commencera à se lever dans son esprit. Alors le centre de l'homme intérieur s'enflammera jusqu'à devenir un soleil, brillant à travers tout ce qu'il y a de spirituel en lui et, ensemble, le contemplant à la manière d'un œil intérieur avec une surnaturelle clarté. Tout ce qu'il avait oublié ici-bas, il le retrouvera là-bas ; il ne l'avait oublié que parce que ce souvenir

([83]) Gustav Theodor FECHNER, *Das Büchlein vom Leben nach dem Tode* (1836) ; 3ᵉ éd., Hamburg, Leipzig, 1887, p. 1.
([84]) *Ibid.*, p. 2.
([85]) P. 3.
([86]) P. 11.

l'avait précédé dans l'au-delà... » ([87]). Une vision globale instantanée rassemblera dans son unité tout ce qu'il y a eu de significatif dans l'existence.

Fechner insiste sur les aspects positifs de l'existence dans le temps et dans l'éternité, à l'exclusion des péchés et peccadilles qui, dans d'autres contextes eschatologiques, conduisent l'intéressé à l'enfer ou au purgatoire. La vie dans l'au-delà est marquée par une totale convivialité, par une transparence de chacun à chacun, une communication « sans médiation de la main, de l'oreille ou de la bouche » ([88]) ; les cloisons qui séparent ici-bas les hommes les uns des autres sont abolies ; rien ne demeure caché, et ceux qui durant leur existence terrestre furent méconnus obtiendront enfin une reconnaissance plénière.

L'exaltation de l'éternité n'aboutit pas à une dépréciation de la vie. Fechner marque fortement la validité du domaine d'ici-bas, dont le sens doit être intégralement conservé. Rien ne sera perdu. « Même si un enfant n'avait vécu qu'un instant, de toute éternité, il ne pourrait mourir. Le moindre moment de vie consciente fait retentir autour de lui une onde d'effets, comme le ton le plus bref, qui paraît instantanément s'éteindre, rayonne pareillement alentour ce son par-delà les auditeurs les plus proches jusqu'à l'infini. Car aucun effet ne s'épuise de lui-même, chacun engendre à l'infini de nouveaux effets du même genre... » ([89]). Choc en retour du temps sur l'éternité, un droit d'initiative qui excède la mesure de notre entendement et de notre imagination, mais s'accorde avec la signification concrète de l'infinité. « Les travaux et les œuvres, les pensées des millions d'hommes qui sont morts, ne sont pas morts avec eux ; ils ne seront pas détruits par les travaux, les œuvres, les pensées des millions d'hommes qui leur succèdent ; cet acquis continue à faire œuvre à travers eux, développe en eux sa vie, et les pousse vers un but grandiose qu'eux-même n'aperçoivent pas » ([90]).

Il y a donc une continuité de la vie, de génération en génération, une croissance de la vie de l'homme à l'homme et même dans l'homme, constituant le destin de l'humanité. « Déjà du vivant de Goethe, des millions de ses contemporains portaient en eux des étincelles de son génie, qui allumaient de nouveaux foyers. Déjà du temps de Napoléon, la puissance de son génie se communiquait à l'époque presque entière. La mort de ces deux hommes n'a pas fait mourir ces rameaux de vie qui avaient poussé dans le monde contemporain... » ([91]). Survivance immanente qui ne correspond pas exactement à ce que Comte devait appeler « l'immortalité subjective », restreinte à la mémoire de l'humanité reconnaissante. « Goethe, Schiller, Napoléon, Luther vivent toujours parmi nous, en tant qu'individus conscients d'eux-mêmes, plus développés dès à présent qu'au moment de leur mort ; ils pensent et œuvrent en

([87]) P. 41.
([88]) P. 44.
([89]) P. 41.
([90]) P. 7.
([91]) P. 8.

nous, créent des idées et les développent. Ils ne sont plus prisonniers d'un organisme limité, mais répandus à travers ce monde que, durant leur existence, ils ont instruit, réjoui, dominé; l'influence de leur présence se fait sentir bien au-delà des effets que nous pouvons soupçonner » ([92]). Le meilleur exemple d'une telle survivance, estime Fechner, est celui de Jésus-Christ, présent et agissant en chaque chrétien.

Les aspects idéalistes de cette doctrine ne doivent pas dissimuler son caractère réaliste; l'éternité n'existe pas seulement dans la mémoire des hommes; l'au-delà est réel; le monde où nous vivons n'est qu'une image obscure, fragmentaire et inversée de la réalité divine. La commémoration des grands hommes les intègre au devenir ontologique et axiologique de la création. Mais l'irradiation négative exercée par les méchants, qui œuvrent pour le mal, exerce une contagion sur leur entourage. Le système des compensations leur vaut un traitement conforme à la justice de Dieu. Leur punition sera de demeurer plus longtemps prisonniers des générations terrestres, alors que depuis longtemps les justes reposent en Dieu. Mais le mal s'atténue peu à peu; il sera à la longue absorbé dans l'éternité divine. « La partie éternelle et impérissable de l'homme, c'est seulement ce qu'il y a en lui de vrai, de beau et de bon » ([93]).

Une section du *Zend Avesta* traite « des anges et des créatures supérieures en général ». L'éther, l'élément le plus pur et le plus lumineux au sein duquel la Terre nage (*schwimmt*), ne peut être vide de créatures destinées à vivre dans un tel séjour. « Si le Ciel est vraiment la demeure des anges, seuls les astres peuvent être les anges du Ciel, car le Ciel n'a pas d'autres habitants » ([94]). La révolution galiléenne a expulsé de la voûte céleste les messagers ailés de la tradition judéo-chrétienne; mais les astres sont toujours là; or, estime Fechner, les astres sont des vivants. On n'a pas voulu voir en eux les anges du Seigneur parce que leur signalement ne s'accorde pas avec celui de la mythologie traditionnelle, caractérisé par un anthropomorphisme infantile. Les anges planétaires, rétablis dans leurs droits, sont préposés par Dieu non à la surveillance des individus mais à une sorte de patronage des communautés; leur présence invite au respect de Dieu, à la célébration de sa grandeur. Mais « les anges eux-mêmes ne sont pas encore des êtres parfaits; ils sont en recherche et en effort, ils cherchent, ils luttent avec nous et à travers nous; ils sont seulement plus parfaits que nous » ([95]). Relais entre l'humanité et la divinité, ils pourraient dans la perspective de la vie montante s'identifier avec l'âme des justes morts, qui bénéficieraient à titre de récompense de cette flatteuse promotion.

Si les anges, qui résident dans l'au-delà, peuvent accomplir des missions ici-bas, il existe des moyens de communication entre les deux

([92]) P. 9.
([93]) P. 13.
([94]) FECHNER, *Zend Avesta oder ueber die Dinge des Himmels und des Jenseits* (1851), 4e éd., Leipzig, 1919, Bd. I, p. 144.
([95]) *Ibid*., p. 148.

mondes. Fechner admet l'existence des esprits qui peuvent hanter notre univers ; le somnambule, qui s'absente d'ici-bas, tout en continuant à résider physiquement dans notre monde, participe à l'autre monde, sans pouvoir au réveil se souvenir de ce qu'il a vu ; il bénéficie en quelque sorte d'une avance sur l'avenir, mais ne peut la révéler. Les apparitions des esprits doivent également être prises au sérieux ; les hallucinations correspondent à une réelle manifestation des esprits des morts. Ces idées, déjà présentes dans *Le Petit livre de la vie et de la mort* (1836), sont développées dans un livre de 1879 : *L'intuition du jour opposée à l'intuition nocturne (Die Tagesansicht gegenüber die Nachtansicht),* manifeste en faveur du spiritisme.

Le spiritisme, en voie de systématisation à partir du milieu du XIXe siècle, regroupe un ensemble de données expérimentales et d'interprétations qui aboutissent, dans le domaine anglo-saxon, à la formation de sectes religieuses. Cette question contestée agite l'opinion à travers l'Occident, le débat se poursuivant parallèlement selon l'ordre des faits, dont on s'efforce de vérifier l'authenticité, et selon l'ordre de l'interprétation. Victor Hugo devint un adepte passionné de ce genre de recherche, dont il admettait la signification surnaturelle. Le penseur américain William James devait accorder beaucoup d'intérêt aux questions de fait, l'une des parties constituantes de ce qu'on devait appeler par la suite la parapsychologie, discipline positive. Spiritisme et spiritualisme sont des termes apparentés. Bergson, spiritualiste, *Naturphilosoph* à la française, fut attiré par cette catégorie d'indications trans-naturelles. Avant lui, Fechner, prédestiné par ses travaux antérieurs à découvrir dans les révélations du spiritisme la confirmation expérimentale de ses idées.

« Le domaine du spiritisme dans son ensemble, estime Fechner, appartient à la face ombreuse *(Schattenseite)* du monde », mais il appartient à la partie claire de l'au-delà. Les phénomènes spirites font apparaître « que l'homme, dès ici-bas, est entouré d'un monde d'esprits de l'au-delà, que ces esprits peuvent agir sur les hommes d'ici-bas et entrer avec eux dans un commerce de pensées, que les esprits de l'au-delà ne sont plus soumis aux limitations spatiales qui règnent ici-bas ; sans yeux et sans oreilles, ils possèdent une capacité de perception supérieure à la nôtre ; ils ont le pouvoir d'apparaître sous leur forme corporelle antérieure, exceptionnellement, même dans notre monde d'ici-bas... ([96]) ». Néanmoins, le plus souvent, leur intervention demeure imperceptible aux habitants de la terre. Fechner estime ces faits confirmés par l'expérience. Ainsi se prolonge, dans la dernière partie du XIXe siècle, en synchronisme avec la grande offensive scientiste, le débat sur les apparitions, relancé par Swedenborg et illustré par les occultistes Lavater et Jung Stilling, dans le contexte du romantisme, avec l'appui des doctrines magnétiques, et du regain de curiosité dont bénéficient l'hypnotisme, le somnambulisme.

Tous ces phénomènes seront regroupés, à la fin du XIXe siècle, par le concept de l'hystérie, mot nouveau appliqué à un contenu qui attirait

([96]) FECHNER, *Die Tagesansicht gegenüber die Nachtansicht,* 1879, p. 253.

depuis toujours l'attention des spirituels et des médecins. Swedenborg a fait des études d'anatomie et de physiologie ; Jung Stilling (1740-1817), ami et protégé de Goethe, possède une compétence médicale et chirurgicale, qui va de pair avec une foi piétiste inaltérable. En 1795-1801, Stilling publie des *Scènes du domaine des esprits (Szenen aus dem Geisterreich)*, puis, en 1808-1809, une *Théorie de la connaissance des esprits (Theorie der Geisterkunde)* ; en 1784-1785 avait paru déjà un roman, *Theobald ou les visionnaires (Theobald oder die Schwärmer)*, qui esquissait une attaque contre cette exaltation religieuse à laquelle pourtant Stilling allait s'intéresser de plus en plus, tout en gardant un certain degré d'esprit critique, préoccupé de contrôler les données, en vue de retenir ce qu'il y a en elles d'incontestable. Tous comptes faits, le résidu est positif. Comme Fechner, Jung Stilling estime que les esprits sont parmi nous ; ils nous apportent de précieuses informations sur notre destinée après la mort. Tout en réprouvant les excès du fanatisme visionnaire, l'auteur de la *Théorie de la connaissance des esprits* demeure fidèle à l'enseignement biblique, confirmé selon lui en tous points par les apparitions authentiques. Un demi-siècle plus tard, Fechner, lui aussi, se réclame de la tradition judéo-chrétienne, en élargissant le champ de ses références à l'histoire des religions dans son ensemble.

CHAPITRE III

L'ANDROGYNE

La tradition philosophique, associant la conscience claire à la raison, reconnaît à la connaissance de soi, sous l'autorité de la vérité universelle, un droit de contrôle sur la totalité de l'espace mental. Une fois rejetées les composantes suspectes, opinions, sentiments, croyances non justifiables en rigueur, la conscience, lieu propre de la connaissance valable, regroupe sous son regard clair le patrimoine des certitudes. Achevé le grand tour de l'encyclopédie, le philosophe tend à rejoindre le point de vue de Dieu. La conscience est l'observatoire privilégié, et ensemble le conservatoire des vérités et des valeurs, sous le patronage de la divinité. La conscience humaine peut être illuminée par le rayonnement de la vérité transcendante du platonisme ou par le Dieu des chrétiens, elle peut être cautionnée d'En Haut, ou bien se cautionner elle-même, comme il arrive chez les empiristes du XVIIIe siècle ; elle demeure en position centrale, point de départ et point d'arrivée, même si elle n'est qu'un relais, une instance médiatrice entre la vérité de Dieu et celle des hommes. Le champ de la conscience délimite le domaine de l'épistémologie.

Le romantisme procède à une relative déchéance de la raison. Le champ de la conscience évoque l'espace que découpe au sein de la nuit un projecteur puissant. La pensée classique, rationaliste ou intellectualiste, postule que toute la vérité concevable se trouve contenue dans le champ du projecteur, quitte à augmenter cet espace grâce à d'ingénieux dispositifs susceptibles d'élargir ce petit domaine, ainsi doté d'un privilège exclusif. La pensée romantique se préoccupe de l'immensité qui s'étend autour de la zone éclairée ; celle-ci n'est qu'un asile de sécurité, protégé contre les récurrences de l'obscurité d'alentour, d'au-dessus et d'au-dessous. Rien ne permet de croire que cet îlot est le lieu exclusif de l'intelligibilité ; ses normes s'arrêtent court, là où commence la nuit. La philosophie rationaliste affirme que là où la raison perd ses droits, il n'y a plus rien. Attitude absurde, car la raison désigne des systèmes de pensée fabriqués par l'homme en vue de ses propres fins. La limite de portée de ces instruments épistémologiques ne définit pas la limite du réel.

L'univers des astronomes s'est agrandi depuis l'invention de la lunette de Galilée, puis à la faveur du perfectionnement croissant des télescopes. L'univers était là de tout temps, il est encore là, au-delà de la portée de nos instruments les plus perfectionnés. L'univers est resté le même, c'est la mesure de notre savoir qui a varié.

La conscience humaine, selon les romantiques, éclôt dans la nuit comme un point lumineux, irradiant une clarté à brève échéance dans l'espace et dans le temps. Il y a une énorme disproportion entre l'infini du réel et le petit domaine dont s'empare la conscience entre le moment où elle naît à elle-même dans un individu et celui où elle se perd, déduction faite de la partie de l'existence consacrée au sommeil. Le romantisme rétablit l'inconscient dans ses droits, ou plutôt il l'établit ; l'inconscient ne se situe pas dans les marges du conscient, c'est la conscience qui est marginale par rapport à l'inconscient. La conscience devient une instance subalterne au sein du réel total, un bouchon flottant à la surface d'un océan inconnu, au gré de courants et de vents ignorés. Nous nous figurons être les maîtres du sens ; en fait, le sens réel passe à travers nous sans même que nous nous en rendions compte.

Nos motivations claires sont des phénomènes de surface, des rationalisations. Notre conscience émerge de notre organisme, dans le contexte de l'organisme du monde, incluse dans des rythmes qu'il ne nous est pas donné de percevoir. Le magnétisme, l'électricité, les influences occultes ont révélé certains aspects, insoupçonnés jusque-là, de ces dynamismes cosmiques. Notre physique, notre biologie s'épuisent à déchiffrer des phénomènes de surface et à les ordonner, sans mettre en cause leur essence véritable. Le grand Newton se comparait à un enfant jouant avec des galets sur la plage de l'Océan inconnu. Nous nous imaginons posséder la vérité ; c'est elle qui nous possède, sans nous laisser pénétrer ses secrets. L'excentricité de la conscience humaine par rapport à la vérité authentique constitue l'un des dogmes de l'anthropologie romantique.

La conscience demeure un instrument de connaissance et d'action à notre échelle, l'instrument de notre vouloir vivre individuel, comme disait Schopenhauer, subalterne par rapport au vouloir vivre universel de la Nature dans son ensemble. Illusoire ou non, cette conscience doit être mise à sa place, qui n'est pas la place d'honneur, dans le schéma de la création. La clef de la conscience, répète Carus, se trouve dans l'inconscient. La position du philosophe devient inconfortable, sinon intenable ; son discours ne peut avoir la prétention d'embrasser la réalité, puisqu'il se prononce du sein même de la réalité, d'une manière nécessairement incomplète et suspecte. Le philosophe se présente en homme de raison ; son discours révèle l'ordre d'un univers réduit aux normes rationnelles. La raison cessant d'être la mesure des choses, la vérité s'étend hors de ses prises ; ou bien le philosophe, ou prétendu tel, est un faux témoin — ou bien sa parole n'a plus la signification qu'elle revêtait dans la philosophie traditionnelle.

De là les réquisitoires des adversaires du romantisme, de Hegel et Heine à Charles Maurras et Lukacs. Les penseurs romantiques sont coupables de haute trahison envers la cause de la lucidité, qui était leur raison d'être. Que reste-t-il à dire, si la vérité est incommensurable avec un exposé rationnel ? Schelling semble avoir tiré les conséquences de cette incrimination puisque, à partir de la mort de Caroline, il a écrit de moins en moins, de plus en plus difficilement, sans achever ce qu'il entreprenait, sans publier ce qu'il avait rédigé. Recul devant la parole ; celui qui s'enferme dans le silence, ce n'est pas qu'il n'ait rien à dire, c'est que son dire excède la mesure de la parole. On ne peut exprimer une vérité qu'on ne maîtrise pas, qui vous étreint dans son déferlement comme une vague de fond au bord de l'Océan.

Une autre attitude, qui ne se résigne pas au silence, modifie les prétentions de la parole philosophique. Steffens, Baader, Carus, Schubert, Fechner et autres ne renoncent pas à se présenter comme des savants et ensemble des maîtres spirituels, investis d'une mission médicale et pédagogique. Leurs écrits, renonçant au système et à ses fausses symétries, adoptent souvent la forme du fragment (Schelling lui-même, Ritter, Novalis, Oken, Troxler, Steffens, etc.). Le fragment n'expose pas la vérité en long et en large ; dans sa briéveté, il veut être une étincelle qui éclaire un pan de la nuit, une indication, un doigt tendu vers une révélation. Seul le langage de la communication indirecte, de l'allusion, du symbole, ou encore de l'ironie, du *Witz*, qui procède par division pour affirmer la contrepartie de ce qu'il nie, permet de mettre en jeu l'Etre qui se prononce au-delà des limites du savoir. Les œuvres de la science et de la pensée romantiques sont moins des exposés d'un savoir que des introductions à un savoir par delà le savoir.

Cette plénitude qui se dérobe revêt souvent la forme du mythe. Le mythe indique au-delà de ce qu'il montre ; il dit plus et mieux qu'il ne dit, annonçant une vérité cachée, en forme de parabole, dont le sens se réfère non pas aux événements d'une histoire située dans un lointain passé, mais aux fondements mêmes, aux exigences constitutives de notre être, qui inspirent nos orientations spontanées, nos inspirations transrationnelles. La fonction majeure du mythe est une fonction d'intégration à une vérité englobante, impossible à maîtriser en raison raisonnante. Le mythe situe l'être humain dans le sein d'une vérité, sur le parcours d'une vérité qui passe à travers lui, qui le met en cause, mais dont les circuits se perdent dans les lointains de l'eschatologie — intelligibilité irrécusable, mais injustifiable, aussi forte que la vie parce qu'elle est donatrice de sens, par la vertu d'une autorité qui a commencé d'être avant nous et subsistera après nous.

Fondement existentiel, la fonction mythique assure l'insertion de l'individu dans une totalité et communauté de signification. La conscience intellectuelle est fermée sur elle-même ; il lui faut recourir à toutes sortes d'artifices pour que son autonomie ne se confine pas dans un solipsisme sans issue. Tout idéalisme construit le mur de sa prison. La vérité mythique fait éclater la conscience en direction des autres et du monde ; la clôture de l'intellect se trouve abolie ; le savoir mythique vient à l'âme du dehors, mais aussi du dedans ; il ne peut être le fruit d'une génération arbitraire. En son authenticité, le mythe s'affirme en nous comme la résonance d'un rapport au monde, non pas spéculation, connaissance au sens vulgaire, mais co-naissance au monde et à soi-même, participation aux rythmes de la vie unitive qui assurent la cohésion de la réalité spirituelle.

Tout éveil à la vie, toute présence au monde impliquent la souffrance d'une rupture, l'équivoque d'un malentendu. Situation injustifiable ; celui qui vient au monde, au moins dans les commencements, n'a rien à se reprocher. Il faut trouver une justification à cette conscience de manque, à cette nostalgie de l'être qui marque d'incomplétude la conscience humaine dès ses commencements. D'où l'immense floraison des mythes de la faute et de la chute, sous des formes diverses dans les religions et les spiritualités de l'univers. Les mythes du péché rétablissent l'équilibre existentiel en évoquant des transgressions originaires ; les données mythiques bouchent les trous, remplissent les blancs de la connaissance grâce à des révélations qui échappent au contrôle de la logique positive. Les théologiens tenteront des rationalisations après coup, pour rendre admissible la culpabilité humaine. Le scandale n'en demeure pas moins ; un élément étranger à la conscience fait autorité pour la conscience. Quelque chose en nous plaide pour la soumission à cette sentence, nous y reconnaissons un sens qui nous habite ; le mythe expose une similitude de notre être, une dimension de l'espace du dedans. Face à une situation obscure, ambiguë, la conscience, en état de confusion, devient transparente à elle-même ; le mythe est un chiffre des profondeurs.

La conscience psychologique immédiate, et même la conscience intellectuelle, soumise aux normes de la logique euclidienne, se trouvent subordonnées, dans leur exercice usuel, à une conscience plus secrète, sensible aux exigences et valeurs émergeant de la nuit de l'inconscient. C'est d'elle que dépend notre adhésion aux révélations du mythe, le consentement à ce qui nous dépasse, et ensemble nous constitue dans notre identité. L'anthropologie romantique gravite autour de ce lieu ontologique, noyau mystérieux de notre existence. Ici se prononce un sens de la vie, qui met en question non seulement l'analyse discursive, mais tous les soubassements de la présence au monde, y compris le domaine organique de l'être personnel.

L'insuffisance congénitale de l'être humain, et le vœu de restauration d'une intégrité perdue, trouvent leur expression dans l'un des mythes de la conscience romantique, le mythe de l'*androgyne,* de l'homme-femme, être complet et parfait, dont la dissociation, à l'origine des temps, aurait donné naissance à l'opposition des sexes, avec les tensions et équivoques, félicités et tragédies qui affectent la vie des individus. L'expérience contradictoire de l'amour, son vœu toujours déçu d'une restauration de la parfaite unité dans la réconciliation des corps et des âmes, ne se comprend qu'en fonction de cette référence à une brisure fondamentale de l'authentique forme humaine. L'*Urbild,* l'archétype mythique de l'androgyne, rend compte, par son évidence eschatologique, de toutes les angoisses et contradictions de l'expérience vécue de l'amour humain ; l'intelligibilité dont il nous fait bénéficier ne pratique pas le séparatisme dualiste de l'âme et du corps ; elle restitue l'unité de l'être selon l'exigence d'une spiritualité unitaire, où la réalité humaine, si souvent désarticulée par l'analyse des philosophes, retrouve son intégrité vécue sous le régime de l'incarnation. La métaphysique rationaliste refuse d'assumer la sexualité, refoulée dans les poubelles de l'esprit pur ; l'esprit n'a pas de sexe et le sexe du philosophe demeure aussi problématique que le sexe des anges. Le domaine organique dans son ensemble fait l'objet d'une suspicion systématique. L'esprit s'éveille à lui-même en condition charnelle ; ce n'est là qu'une mésalliance, conséquence d'un fâcheux accident, à propos duquel il convient de ne pas épiloguer. L'acte de naissance du métaphysicien ne dépend pas de la rencontre fortuite de deux individus de sexe opposé et complémentaire, il remonte au *Cogito,* acte réflexif désincarné qui n'a rien de commun avec un *coïto.*

Le thème de l'androgyne est présent dès les premières traditions mythiques de l'humanité. Dès le moment où les humains se posent des questions à propos de leurs origines, la nécessité s'impose de restaurer un sens disparu. L'individu humain prend conscience de soi comme d'un être fondamentalement incomplet. Cette incomplétude, inscrite dans sa chair, dicte certaines des inspirations prédominantes de la vie mentale. La sexualité est le lieu du désir ; la femme pour l'homme, l'homme pour la femme focalisent la plupart des vœux clairs ou confus, la plupart des manques qui demandent à être comblés. L'autre n'est pas l'Enfer, mais le Ciel. L'unité de la chair et de l'esprit en chaque être, l'unité entre les êtres doivent être compris, en dernière instance, comme des phénomènes symboliques. L'insuffisance d'être appelle, en compensation de sa propre carence, un supplément d'être, ou plutôt un complément, sous forme d'une grâce qui la comble ; et c'est la grâce de la rencontre d'amour ; celui qui en bénéficie la donne à l'autre en même temps qu'il la reçoit. La mutualité de l'expérience, liée à la propagation de l'espèce, en fait un carrefour de valeurs, qui irradie ses significations à travers le domaine humain. C'est par le commerce de l'homme que la femme devient femme, par le commerce de la femme que l'homme devient homme. Féminité et masculinité sont liées par la réciprocité du sens.

La sexualité, l'amour, en leur indissociation, proposent l'un des foyers de la réalité humaine. Freud, soulignant l'importance de la libido, s'est approché de ce foyer ; mais en accordant une priorité aux données physiologiques, il a pris la sexualité au mot sans en reconnaître l'esprit. Le romantisme a fait de l'expérience de l'amour une de ses préoccupations, alors que les philosophes traditionnels se contentaient de contourner un lieu mal famé, terre inconnue sur laquelle leurs réductions conceptuelles semblaient n'avoir aucune prise. Une tacite division du travail abandonnait ce domaine aux basses œuvres de la poésie et de la littérature, moyennant une diminution capitale du sens. La rhétorique de l'amour évoquait les sentiments, nobles ou non, suscités par cette passion de l'âme, rejetant dans une obscurité propice les aspects charnels, inconvenants, des passions amoureuses.

Le romantisme, abolissant les cloisons entre poésie, littérature en général et philosophie, facilite une approche non discriminatoire, influencée par la philosophie de la nature, qui répudie le dualisme de l'âme et du corps et adopte une perception moniste du phénomène humain ; il n'est pas question d'amputer la réalité de tel de ses aspects pour cause d'impudeur ou d'impudence. Il faut accepter la vie sous toutes ses faces, dans son évidence aussi insistante qu'indéniable. Les bien-pensants, qui entendaient maintenir les réalités charnelles dans le second rayon de la littérature érotique, crièrent au scandale devant les révélations, pourtant bien allusives, de la *Lucinde* de Frédéric Schlegel (1799), qui trouva un défenseur en la personne du jeune théologien Schleiermacher. En France, certains textes de George Sand, en particulier sa *Lélia* (1833), soulevèrent la réprobation pour leur évocation concrète de la passion d'amour et de ses prolongements moraux et sociaux. Les romantiques furent accusés d'immoralisme parce qu'ils professaient, avec quelque aggressivité, le non respect des conventions régnantes et se permettaient de dévoiler ce que tout le monde avait sous les yeux depuis toujours.

La critique de l'institution du mariage et les revendications en faveur de la liberté dans l'amour ne sont que des conséquences subalternes des intuitions fondamentales. La pensée romantique prend au sérieux l'amour et la sexualité et leur donne une importance considérable dans le champ métaphysique. Mutation de l'anthropologie [1] ; jusque-là l'expérience amoureuse était dépouillée de ses aspects charnels et maintenue dans les limites de bienséances bien tempérées ; faute de quoi, on versait dans le domaine de la pathologie, et l'on plaignait avec réprobation les victimes des égarements de la passion. La *Naturphilosophie* rompt avec cette façon de voir, en réunissant anthropologie et cosmologie. Schopenhauer intitule un chapitre de son grand ouvrage, *Le Monde comme volonté et comme représentation* (1819-1844), « Métaphysique de l'amour des sexes » *(Metaphysik der Geschlechtsliebe) :* innovation scandaleuse ; la métaphysique n'avait pas l'habitude de se commettre avec la sexualité. Schopenhauer réintègre l'amour humain sur le parcours de l'évolution de la nature vivante ; les blandices du sentiment et de la passion ne sont que des épiphénomènes de la Volonté cosmique à l'œuvre dans la nature pour asservir à ses fins propres les individus, entraînés à contribuer à la propagation de l'espèce, enjeu réel de ce théâtre d'ombres que constitue la conscience humaine, prisonnière d'une finalité qui lui échappe.

La dévaluation de l'amour par Schopenhauer demeure un cas extrême, lié au développement des études indiennes, ferments de pensée négative. En règle générale, l'amour et la sexualité sont l'objet d'une appréciation positive associée à la célébration de la création évolutive. Masculin et féminin ne sont pas des caractères propres à l'humanité, ni même spécifiques de l'animalité, en y ajoutant même le règne végétal. Il s'agit de catégories cosmiques, à l'œuvre dans le réel en sa totalité. L'opposition des complémentaires, et la tension qui s'ensuit entre les deux,

[1] Cf. Paul KLUCKHOHN, *Die Auffassung der Liebe in der Literatur des 18. Jahrhunderts und der deutschen Romantik*, 2. Auflage, Niemeyer, Halle, 1931.

propose un cas particulier de la polarité universelle, dont la loi s'impose au Cosmos, y compris les planètes, dotées d'un pôle nord et d'un pôle sud, générateurs d'irradiations qui suscitent à la surface de la sphère un champ de forces spécifiques. Magnétisme et électricité proposent d'autres aspects de cette polarité, immanente à la nature entière.

L'attraction que la femme exerce sur l'homme, l'homme sur la femme, est, selon Carus, un aspect du magnétisme universel, émanant des profondeurs de l'inconscient. Cette opposition « constitue une relation qui pénètre et met en mouvement l'histoire entière de l'humanité » ; c'est un « irrationnel » en vertu duquel « chaque sexe apparaît à l'autre comme un mystère qui ne peut être rendu compréhensible qu'en de rares occasions et tout au plus à la faveur de l'amour le plus accompli ». Quels que soient les efforts de l'homme pour pénétrer dans l'univers spirituel de la femme et ressaisir le principe de ses sentiments, de sa pensée et de sa volonté, il finit toujours par se heurter à un « incommensurable », et pareillement la femme lorsqu'elle cherche à pénétrer l'intimité de l'homme (2). L'algèbre et le calcul infinitésimal opèrent avec succès sur des grandeurs inconnues, des x, dénommées sans être identifiées. Pareillement, il faut accepter la diversité des sexes comme une inconnue, telle quelle, utilisable avec fruit dans le domaine de l'anthropologie. Il faut décrire masculin et féminin sans chercher à les justifier ; le comment importe, à défaut du pourquoi ; de tels concepts opératoires, inintelligibles en eux-mêmes, peuvent être utilisés comme des instruments d'intelligibilité.

G. H. Schubert a proposé lui aussi une métaphysique de l'amour des sexes, sur le mode de la célébration et non de la dépréciation. La reproduction des espèces ne peut être comprise à partir des seuls dispositifs organiques ; « car c'est seulement ce qui a une âme *(das Beseelte)* qui porte dans le sein de son être la semence féconde d'une nouvelle existence. Seul ce qui a une âme peut enfanter ». L'histoire de l'âme est celle d'un élan analogue à celui du printemps de la vie et dont l'appel d'être féconde la nature. « L'élan qui meut la poitrine amoureuse est plus puissant que la croissance du chêne, plus rapide que le mouvement des nuages dans le ciel ; son désir *(Sehnen)* s'étend plus haut et plus loin que le vol des nuages, (...) plus haut et plus loin que le ciel bleu. Ce que nous appelons aimer, c'est un avant-goût de cette souffrance, un avant-goût de cette jouissance que l'âme éprouve lorsqu'elle rentre chez elle, lorsque les liens oppressants et illusoires de l'être corporel sont dénoués ; lorsque le ravissement, qui ne s'émeut en nous dans cette vie que comme en un rêve, se transforme en une béatitude claire et éveillée... » (3). Dans cette expérience, le courant magnétique animant la terre entière se trouve sublimé, porté à la plénitude de son sens, attestation dès ici-bas d'une immortalité présente.

(2) Carl Gustav Carus, *Psyche, zur Entwicklungsgeschichte der Seele* (1846) ; 2e éd., 1860, p. 281.

(3) G. H. Schubert, *Die Geschichte der Seele* (1830) ; 6e éd., Stuttgart, 1878, Bd. I, § 21 : *Von der Liebe der Geschlechter und von der Zeugung*, p. 254.

Cette doctrine se retrouve, à quelques variations près, chez Novalis, chez Gœrres et chez Baader, les thèmes de l'occultisme se mêlant avec les acquisitions de la science. La polarité des sexes, forme de la polarité cosmique, est une source d'énergie indispensable, à l'origine du dynamisme universel. Sans l'attraction mutuelle des complémentaires, l'univers se figerait dans l'immobilité de la mort. L'union réalisée du masculin et du féminin, engendrant des êtres nouveaux, contribue au développement de la création selon le plan divin. La conscience individuelle, lorsqu'elle s'abandonne aux délices et tourments de l'amour, ignore le dynamisme providentiel dans lequel elle se trouve impliquée. La norme du sens se trouve dans l'inconscient; l'individu, qui n'a pas accès à l'essence même de la réalité, ne perçoit en sa conscience que de lointains échos de ce devenir de la vie, pour son bonheur ou son tourment. Carus, Schubert et Schopenhauer sont d'accord sur ce point.

La conscience mythique propose un sens pour cette inconnue fondatrice de l'intelligibilité humaine. Le mythe de l'androgyne, dont les commencements se perdent dans la nuit des temps, invoque une unité originaire des sexes, perdue par accident ou par faute, et qui suscite à travers les générations humaines, la quête par chacune des deux parties de la partie complémentaire, en vue de la restauration de la bienheureuse intégrité initiale. Nous sommes avertis par une évidence intuitive que le couple est l'unité, l'organisme complet, dont chacun des deux sexes ne propose qu'un élément incomplet. Les Anciens appelaient *symbole* un signe de reconnaissance constitué par un tesson de poterie cassé en deux; les porteurs des fragments pouvaient s'identifier mutuellement en vérifiant l'exacte complémentarité des deux moitiés à nouveau assemblées. Le couple formé par l'homme et la femme a valeur de « symbole » au sens étymologique du terme. La mutualité du couple, instituant une unité d'ordre supérieur, n'est pas de nature physiologique seulement, avec la faculté d'engendrer; elle est psychologique et spirituelle, chacun apportant à l'autre un nouveau sens de la vie, lui ouvrant l'accès à des valeurs, marquées de féminité ou de virilité, qui lui étaient étrangères. L'unité du couple affirme un mystère ontologique, voie d'accès à l'être, négligée par les tenants des métaphysiques asexuées, par excès de rationalité.

Ces significations échelonnées, directement liées à la densité existentielle de la sexualité, justifient l'importance de la figure de l'androgyne, qui se rencontre déjà dans la mythique hellénique; Platon y fait allusion dans le *Banquet*. L'être bisexué, avant sa division, est un emblème de l'immortalité, car il est capable de s'engendrer lui-même indéfiniment. La sexualité marque d'insuffisance la réalité humaine, apportant avec elle l'engendrement, l'enfantement et les maux de la temporalité, y compris la mort. Cet arrière-plan mythique se retrouve en filigrane dans le récit de la Création selon la *Genèse*, où la femme est donnée comme le produit d'un prélèvement organique opéré sur l'homme, division de l'être originel. Adam, à son réveil, se trouve appauvri d'Eve, et prédestiné à la poursuivre indéfiniment pour récupérer ce qu'il a perdu. Mais, alors même qu'il s'unit à elle, selon le plan divin, le résultat de cette union ne sera que la procréation d'un enfant, aussi incomplet que ses parents, voué à poursuivre à son tour la même quête insatisfaite. Telle est la signification du mythe de l'androgyne, dont on trouve une formulation sous la plume d'un écrivain contemporain qui semble passer, sans la voir, à côté de la tradition mythique. « Notre mort est liée à la dualité des sexes. Un homme qui serait à la fois mâle et femelle, et capable de se reproduire seul, ne mourrait pas, son âme se transmettrait sans mélange à la postérité. La haine instinctive que les sexes ont l'un pour l'autre vient peut-être de la connaissance obscure de ce fait que la mortalité est due à la différenciation des sexes. Rancune violente, balancée par la tendance à l'unité — seul chiffre de vie — qu'ils tentent de satisfaire par le coït » (4).

Le récit biblique de la séparation des sexes a attiré l'attention des commentateurs juifs, et leurs interprétations dans les livres de la Cabale ont suscité des traditions occultes que l'on retrouve en sous-œuvre tout au long du développement de la conscience occidentale. La sagesse hébraïque applique le symbolisme sexuel à la dynamique de la création, en Dieu lui-même. « Le mariage divin *(hieros gamos)*, l' « union sacrée » entre le Roi et la Reine, l'Epoux céleste et la céleste Epouse, pour ne nommer qu'un petit nombre de symboles, est le fait central dans toute la chaîne des manifestations divines, dans le monde secret. Il y a en Dieu une union de l'activité et de la passivité, de la procréation et de la conception, d'où procède toute vie et toute béatitude en ce monde. L'imagerie sexuelle est employée inlassablement, dans toutes les variations possibles » (5). De la divine procréation procèdent les dons de la sagesse et de l'esprit, qui illuminent le monde.

Henri Serouya, résumant le recueil du *Zohar*, note qu'il « commence par formuler le principe général suivant : « La forme sexuelle est la forme primordiale de la création. » « Lorsque l'Ancien, ajoute le Zohar, voulut former toutes choses, il les forma sur le type mâle et femelle. » (...) Encore présentement, Dieu ne fait qu'opérer des unions sexuelles, réaliser des mariages, et c'est ce qu'il appelle créer. » Le *Zohar* va jusqu'à dire que, si le principe femelle manque, le Saint n'établit pas sa demeure et sa bénédiction. Il ne descend pas là où les deux principes ne sont pas unis, formant un corps entier. En ce sens, « la forme mâle seule et la forme femelle seule ne constituent que des moitiés de corps ». Le Talmud et la Midrasch avaient dit : « Quand l'homme et la femme sont réunis, la Schekina (la gloire) réside parmi eux. Le *Zohar* tire de cette assertion un heureux développement : il remarque que l'homme n'est considéré comme pleinement complet que quand il est uni à la femme. Le sabbat, qui doit être objet de sanctification pour l'homme, ne l'est que par le mariage des deux éléments. Ces derniers ne doivent pas se quitter ce jour-là. Le *Zohar* voit se réaliser de la manière la plus pure dans la forme humaine « l'union des deux faces de l'être ». Cette forme humaine,

(4) Michel LEIRIS, *La Règle du jeu*, II, *Fourbis*, N.R.F., 1955, p. 63.

(5) Gershom G. SCHOLEM, *Major trends in Jewish mysticism*, New York, Schocken Books, 2nd ed., 1946, p. 227. Trad. franç. *Les grands courants de la mystique juive*, Payot, Paris.

choisie ainsi, constitue la base même du tout. (...) Si l'on considère comme un tout l'ensemble des choses, à savoir : Dieu en soi et l'univers, le tout est assimilé par le *Zohar* à un grand androgyne... » ([6]).

Par l'archétype mythique de l'androgyne, le paradigme de la sexualité remonte du conditionné au conditionnant, de la créature au Créateur. La distinction et l'unité de l'homme et de la femme éclairent l'espace épistémologique en direction de la transcendance, mais aussi dans celle de l'immanence ; le cosmos participe de ce principe binaire de la distinction entre mâle et femelle. Cette union de l'homme, être supérieur à toutes les œuvres de la création, avec sa femme, devrait, dit le *Zohar*, être modelée sur la nature. « Aussi n'est-ce que quand l'union du ciel et de la terre a eu lieu pour la première fois, union qui se manifeste par la pluie, que l'union de l'homme avec la femme eut lieu face à face. » Le *Zohar* considère que « tant qu'Eve n'était pas encore créée, l'homme était un être inachevé ; l'homme n'est devenu complet qu'après la création d'Eve. (...) Quand ils sont unis, ils paraissent absolument n'être qu'un seul corps. De là on peut déduire qu'un homme seul n'est considéré que comme un demi-corps. « Le désir qu'éprouve la femelle pour le mâle ressemble aux nuées qui s'élèvent d'abord de la terre vers le ciel ; et après avoir formé les nuages, c'est le ciel qui arrose la terre. » Ce sont en quelque sorte « les eaux d'ici-bas qui appellent celles d'en haut, telle une femelle appelant le mâle ; car les eaux d'en haut sont mâles et celles d'en bas sont femelles » ([7]).

La Cabale est une composante majeure des traditions occultes de l'Occident, avec l'inspiration néo-platonicienne, les deux écoles ayant été liées par des interférences, dans le milieu nourricier de la culture alexandrine, où judaïsme et platonisme se fécondent mutuellement. Entre les origines judéo-chrétiennes et le mouvement romantique, aucune solution de continuïté. Dans la mémoire culturelle de l'Occident, en dépit de certaines censures, la symbolique sexuelle ne cesse pas d'être appliquée au déchiffrement des phénomènes de l'univers ; la synthèse astrobiologique, biologie universelle, fait entrer la sexualité dans les jeux planétaires de l'intelligibilité et l'alchimie célèbre les noces entre les éléments qu'elle tente d'apparier en vue d'engendrements fructueux. Les manipulations des devins, chimistes et médecins mettent en œuvre des circuits d'intelligibilité où se propagent les symbolismes des commentateurs hébreux. Le savoir romantique consacre le retour des modèles traditionnels du macrocosme et du microcosme.

Les études hébraïques avaient connu un nouveau départ en Occident à l'époque de la Renaissance, qui restaure ou instaure la recherche philologique, et dans le contexte de la Réformation, retour aux textes originaux de la révélation biblique. Initiateur de ce renouveau, le Badois Johannes Reuchlin (1455-1522) publie des manuels d'initiation à la langue hébraïque, et un *Art de la Cabale* (*De Arte cabalistica*, 1517) dont le retentissement à travers l'Europe sera durable, bientôt relayé par le

([6]) Henri SEROUYA, *La Kabbale*, Grasset, 1947, pp. 264-265.
([7]) *Op. cit.*, pp. 363-364.

traité d'Agrippa de Nettesheim (1486-1535), *De occulta philosophia*. Les interprétations de la Cabale s'incorporent à la pensée chrétienne non officielle, science de Dieu, science du monde qui répudie les voies et moyens de la scolastique. Paracelse (1493-1541), réformateur des études médicales *(Lutherus medicorum)*, développe une alchimie rénovée par le retour aux sources hébraïques. L'école secrète des Rose-Croix reprend l'étude des mystères de l'Ecriture, qui apportent le salut des âmes en même temps que la santé des corps.

La spiritualité romantique s'enracine dans cette tradition par la médiation de Jacob Boehme (1575-1624), l'un de ses principaux intercesseurs ([8]). Le visionnaire autodidacte de Goerlitz a recréé une lecture des Ecritures dans l'esprit de la Cabale ; entre les lignes des textes sacrés, en chaque mot, en chaque lettre s'éveille la transparence des significations cachées qui introduisent le fidèle dans la familiarité du mystère divin, grâce au fourmillement des symboles qui disent la gloire de Dieu. La figure mythique de l'androgyne s'applique dans ce contexte au premier Adam, nature complète, en lequel la Sagesse éternelle incarnait le principe féminin. Mais l'être archétypal a laissé son imagination s'égarer sur les voies de la tentation charnelle ; alors la Sophia s'est retirée de lui. Le premier acte de la création de l'homme est antérieur à l'invention de la femme. Eve est formée à partir de l'homme pour restaurer une unité déjà perdue lors de la séparation d'Adam et de Sophia. Le péché originel de la Genèse devient une seconde chute, qui soumet l'esprit à la chair. L'expulsion du Jardin sanctionne la rupture définitive avec la Sophia divine, Eve éternelle, à laquelle se trouve désormais substituée une Eve charnelle ([9]).

L'existence humaine déchue se voit offrir une nouvelle chance en la personne du Christ. La Sophia céleste se manifeste en lui ; ce qui confère au Christ, nouvel Adam, le caractère androgyne qui s'affirmait déjà dans l'Adam primitif. La vocation humaine, à travers l'imitation de Jésus Christ, consiste à obtenir la réconciliation avec la Sophia perdue, grâce à une union mystique. De là un débat indéfiniment repris dans la tradition spirituelle, car la Sophia divine, en sa virginité, risque d'entraîner la condamnation ou la réprobation de l'Eve de chair, et de la vie charnelle en général. Les noces mystiques convainquent d'obscénité la sexualité trop humaine, réduite à concevoir ses enfants dans le péché. Mais cette même sexualité, sous sa forme sublimée, se trouve à l'origine d'une immense littérature érotico-religieuse, d'autant plus riche en évocations concrètes qu'elles sont *a priori* considérées comme innocentes. Le piétisme, le quiétisme se situent dans cette pespective, qui permet de comprendre la dévotion de Novalis pour la Vierge Marie, et le regain de faveur dont celle-ci bénéficie auprès de certains protestants, la

([8]) Sur les rapports du romantisme avec Jacob Boehme, cf. *Du Néant à Dieu dans le Savoir romantique*, Payot, 1983, pp. 127 sqq.

([9]) Je suis ici l'exposé de P. KLUCKHOHN, dans *Die Auffassung der Liebe in der Literatur des 18. Jahrhunderts und der deutschen Romantik*, 2. Auflage, Halle, 1931, pp. 121 sqq.

figure évangélique laissant apercevoir en transparence la divine Sophia.

Les tensions internes de la chair et de l'esprit caractérisent la conception romantique de l'amour, dont les excès même, la complaisance pour l'égarement passionnel et l'apparent immoralisme, dans les œuvres de Byron et de George Sand par exemple, pourraient bien constituer l'envers ou la contrepartie d'un angélisme refoulé. Boehme a été l'un des maîtres de Saint-Martin, qui l'a découvert et pratiqué à Strasbourg ; par lui, sa découverte a été communiquée aux romantiques de France et d'ailleurs. En Allemagne, Baader publie des commentaires des écrits du cordonnier de Goerlitz. « Le secret de la Cabale, écrit Baader, tourne autour du rapport entre l'enfantement androgyne et l'enfantement à partir de deux sexes séparés, ou encore entre la nature indivise et la nature divisée. » Tout effet en ce monde est le résultat d'une fécondation, qui met en œuvre un principe masculin et un principe féminin. « L'œil, en tant que pouvoir féminin, aspire au rayon de lumière qui le fécondera ; le rayon recherche cette aspiration comme le fiancé les bras ouverts de la fiancée. (...) Le mot le plus ancien pour désigner le péché est adultère ou prostitution, et celui qui n'a pas perçu le caractère féminin de son désir sexuel lorsqu'il jouit d'un plaisir coupable, celui-là n'a pas assez réfléchi ni observé à son propre sujet » ([10]).

Baader, qui se réfère à Boehme et à Saint-Martin, estime que la parole de la Genèse : « Il n'est pas bon que l'homme soit seul », signifie que Adam, à cet instant d'avant la création d'Eve, avait déjà perdu sa première compagne intérieure et se trouvait réduit à un isolement qui dut être comblé par une épouse de chair, substitut de la Sophia perdue. Or « Adam ne faisait qu'une seule créature avec l'Eve intérieure, la femme de sa jeunesse, comme dit l'Ecriture ; avec l'Eve extérieure, il fait deux créatures ; d'où le propos de Jacob Boehme, selon lequel la Sagesse (Sophia) est l'épouse de Dieu et pourtant ne fait qu'un avec lui (la Parole est auprès de Dieu et Dieu est la Parole). Car Eve, créature indépendante, est née d'une division — d'un partage de l'essence ou de la nature d'Adam — et non d'une reproduction de type primitif, dont Adam, de par sa nature androgyne, aurait été capable ; dans ce dernier cas en effet Eve elle-même aurait été androgyne comme Adam. » Aussi bien peut-on faire intervenir ici, d'après Baader, une sorte d'adultère, dont Adam se serait rendu coupable en compagnie de Sophia, légitimement unie à Dieu, et qu'il aurait désiré rendre mère, fût-ce d'une maternité toute spirituelle ([11]).

Cette étrange histoire fournit un échantillon de la manière dont fonctionne l'imagination gnostique, dans les marges de la révélation biblique librement interprétée. L'œuvre de William Blake est faite d'extrapolations, paraphrases, prolongements et déviations visionnaires d'une eschatologie où des êtres symboliques mettent en œuvre les

([10]) BAADER, lettre à F. H. Jacobi, 19 novembre 1796 ; *Werke*, Bd. XV, Leipzig, 1857, p. 169.

([11]) BAADER, *Religionsphilosophische Aphorismen*, 4 : *Ueber die Androgyne, Werke*, Leipzig, 1855, Bd. X, p. 295.

destinées de l'humanité sous des formes allégoriques. La chute des anges et leur réhabilitation, le commencement et la fin de Satan, la comédie divine venant redoubler et justifier la comédie humaine, forment la matière d'un immense répertoire épique, caractéristique du romantisme européen. Le légendaire romantique se situe aussi bien dans le ciel que sur la terre, la terre et le ciel se servant mutuellement de miroir pour approfondir la perspective ontologique, en vers, en prose, en peinture ou en musique.

Ces dimensions eschatologiques ne mettent pas seulement en cause le domaine humain et le domaine divin ; elles concernent la création entière, à dater du premier jour, et non seulement du dernier, où Adam apparaît. La séparation de la terre d'avec le ciel équivaut à une chute dans l'ordre du macrocosme, imitée selon l'analogie du microcosme par la mésaventure d'Adam, destitué de sa dignité céleste pour déchoir au rang de la nature terrestre. Tous les phénomènes terrestres se justifient par l'intervention de principes opposés, mâle et femelle, qui opèrent les transmutations, équivalents de véritables engendrements, dans l'alchimie traditionnelle et encore dans la pensée de Paracelse. Celui-ci appelle *Rebis* l'être bisexué, l'hermaphrodite qui correspond à l'aboutissement du processus de transmutation. Ces thèmes se retrouvent dans la pensée du théosophe Eckartshausen (1752-1803) dont les spéculations mêlent les évocations gnostiques et les éléments d'une science de la nature renouvelée de la magie naturelle des opérateurs du moyen âge.

Lorsque la matière solaire en suspension dans l'eau se concentre, sous l'effet d'une loupe, dans un récipient de marbre, on voit apparaître une terre fixe, ignée, blanche et pure, la *terra virginea*, ou Vesta des Anciens. Les alchimistes voient dans cette matière originelle « le mariage du roi et de la reine ; elle est de nature androgyne, comme l'était Adam avant la Chute. L'androgynéité de cette matière consiste en ceci que son énergie et sa substance sont intimement unies ; de plus le *Reiz* (excitation) et l'*Erregbarkeit* (excitabilité) (...) s'y trouvent à l'état de repos. C'est la matière carbonique qui est la vraie matière de toutes choses, l'androgyne de la nature, unissant *Reiz* et *Erregbarkeit*, féminin et masculin. Ce sont les deux colonnes sur lesquelles repose le temple d'Hermès et qui correspondent aux nombres 7 et 8. Cet androgyne contient le commencement et la fin de la nature, le principe des phénomènes matériels. Mais dans la matière actuelle, l'androgyne se dissocie ; un homme est engendré quand la substance ignée l'emporte, une femme lorsque c'est la substance lumineuse... » ([12]).

Ces considérations se conjuguent chez Eckartshausen avec les thèmes de l'Eve originelle, identifiée à la Sophia, et du premier Adam qui se reproduisait par émanation spirituelle. Avant son sommeil Adam « était une vierge masculine et angélique » ([13]) ; malheureusement, il fut pris du désir charnel de se reproduire d'une manière animale. D'où la création de

([12]) Antoine FAIVRE, *Eckartshausen et la théosophie chrétienne*, Klincksieck, 1969, p. 411.
([13]) Cité *ibid.*, p. 280.

l'Eve de chair, telle qu'elle est rapportée dans la Genèse. Théosophe cabaliste, fervent de la mystique des nombres, Eckartshausen pratique l'alchimie et une science fertile en inventions fantastiques, qu'il propose au monde savant, tout en se réservant le secret. Membre de l'Académie de Bavière, il fait de grands efforts pour être admis dans la classe des sciences qui, non sans raison, ne le voit pas d'un très bon œil. Ce mélange de science expérimentale et d'occultisme est caractérisque de l'époque. Joseph Görres, qui a pratiqué la *Naturphilosophie* avant de se consacrer aux études mythologiques et historiques, observe, dans son *Organomie* (1803) : « C'est seulement dans le Tout que le principe masculin et le principe féminin se confondent dans l'infinité sans différence de polarité en forme d'hermaphrodite. Dans les parties subordonnées, les pôles se manifestent en tant que sexes ; ils ne peuvent parvenir à ce niveau qu'à une indifférenciation subalterne » ([14]). L'hermaphrodisme, au sens plein du terme, abolition de toute tension suscitée par la polarité, représente pour Görres la plénitude de la vie organique, à laquelle fait échec par exemple l'opposition polaire du jour et de la nuit, qui divise les forces, les empêche de s'accomplir dans le temps. Masculin et féminin représentent selon leur ordre une scission de l'activité créatrice originaire ; toutes nos activités s'inscrivent dans le champ de cette disjonction ; si elle cessait de s'exercer, si les extrêmes se confondaient, ce serait pour la créature l'immobilité de la mort.

Johann Wilhelm Ritter (1776-1810), auteur de découvertes majeures dans le domaine de l'électro-magnétisme, partage les convictions issues de la Cabale en ce qui concerne la distinction des sexes. « Eve était un Christ féminin ; elle a assuré le rachat des animaux, elle a péché en tant qu'être humain. — Toute naissance est un péché, toute mort une rédemption. (...) Un jour viendra un Christ, qui sera androgyne. Eve était née de l'homme sans l'aide d'une femme, Christ d'une femme sans l'aide d'un homme ; l'androgyne naîtra des deux à la fois. Tous deux se dissoudront totalement dans une gloire de lumière ; ce sera le miracle, et cette lumière prendra la forme d'un corps asexué et donc immortel — semblable à l'or transmué en chair... » Ritter ajoute que « toute l'alchimie consiste à porter le deuil de l'existence terrestre et sa finalité particulière ; elle est un élixir de vie, une boisson de jouvence, l'annonciation du règne céleste, la prophétie de l'androgyne » ([15]).

Le paradigme de l'androgyne désigne, à l'horizon eschatologique de la création, le passage de l'Un au Multiple, origine du mal de vivre, et le passage inverse du Multiple à l'Un, solution et résolution des ambiguïtés du devenir. Ce schéma existentiel s'applique conjointement au devenir du Cosmos, à la réalité humaine, et même à l'évolution communautaire de l'humanité selon l'axe d'une histoire du salut éclairée par la révélation gnostique. La sexualité expose un cas particulier de la polarité univer-

([14]) Joseph GOERRES, *Aphorismen ueber die Organomie, Gesammelte Schriften*, hgg. von der Goerresgesellschaft, Köln, 1926 sqq., Bd. II, p. 257.

([15]) J. W. RITTER, *Fragmente aus dem Nachasse eines jungen Physikers*, Heidelberg, 1810, Bd. II, § 602, pp. 188-189.

selle, condition de production de toute réalité au sein d'un monde conçu sur le mode biologique ; la différenciation sexuelle s'étend par extrapolation à la totalité de l'être. Le mythe de l'androgyne figure la résolution des tensions dans une synthèse impossible — figure de vie et figure de mort à la fois, objet de la visée du désir par-delà l'horizon possible, aboutissement lointain d'une anthropologie transcendante — d'une trans-anthropologie, qui met en cause la figure même de la divinité.

Ce schéma travaille du dedans l'imagination et la sensibilité romantiques. Ainsi du mystérieux Séraphitus-Seraphita, héros du roman swedenborgien de Balzac (1835). « L'union qui se fait d'un esprit d'amour et d'un esprit de sagesse met la créature à l'état divin pendant lequel son âme est *femme* et son corps est *homme,* dernière expression humaine où l'esprit l'emporte sur la forme, où la forme se débat encore contre l'esprit divin ; car la forme, la chair, ignore, se révolte et veut rester grossière. Cette épreuve suprême engendre des souffrances inouïes que les cieux voient seuls, et que le Christ a connues dans le Jardin des Oliviers. Après la mort le ciel s'ouvre à cette nature humaine purifiée » ([16]). Ces rêveries théosophiques connurent une diffusion dans le romantisme français tardif, où un original, nommé Ganneau, fonda un culte de l'androgyne, dont les sectateurs se dénommaient Evadamistes, commémorant ainsi le couple originel. Quant au fondateur, il se proclamait le *Mapah* de cette chapelle ésotérique, en vertu d'une contraction des mots *maman* et *papa...* Le poète fantastique Aloysius Bertrand fut attiré quelque temps par ce groupuscule.

On peut enfin évoquer les idées du saint-simonien Jean Reynaud (1806-1863), qui publia un système de théologie non confessionnelle sous le titre *Philosophie religieuse. Terre et Ciel* (1854). Il accorde une importance grande à la sexualité, soulignant « les différences vitales qui séparent le caractère masculin du caractère féminin, différences dont celles du corps ne sont sans doute qu'une correspondance, ou même qu'une répercussion. » La différenciation sexuelle revêt une validité ontologique ; la dualité des sexes engendre une complémentarité « dont le jeu essentiel consiste à vous faire apercevoir dans autrui les prédominances inverses de celles qui nous caractérisent. » D'où résulte la nécessité d'une nouvelle approche du concept d'« homme ». « Ne cherchez pas dans l'homme solitaire cette miniature de l'univers dont parlait le philosophe antique : elle n'y est pas. C'est dans le couple androgynique et non dans l'individu que se trouve le divin abrégé, car les antinomies ne se résument et ne s'accordent que dans une telle dualité ; et c'est donc par la dualité, et non par la simplicité que l'on s'élève à la plénitude de la vie. Tel est le fond du mystère de l'androgyne qui ne fait que poindre sur la terre et qui, malgré les développements qu'il ne cesse d'éprouver d'âge en âge, à mesure des progrès du genre humain, ne nous est sans doute enseigné jusqu'ici que par des ombres » ([17]).

Reynaud fondait sur ces prémisses une critique de l'institution

([16]) BALZAC, *Seraphita* (1835), ch. III, Jonquières, 1922, p. 77.
([17]) Jean REYNAUD, *Philosophie religieuse. Terre et Ciel,* 2e éd., 1854, p. 309.

catholique, réprouvant en particulier le célibat ecclésiastique et la vie monacale. La régénération de l'humanité passe par la primauté reconnue au schéma de l'androgyne. « Non seulement c'est au sein du couple androgynique que nous venons contracter alliance avec cette planète où l'arrêt de la destinée nous envoie, et que nous nous élançons dans la vie, propriétaires du corps que nous allons développer et conduire, mais c'est dans le secret berceau des entrailles maternelles que nous trouvons l'aliment et l'abri dont nous avons besoin dans nos premiers moments » ([18]). De là une réhabilitation de la femme, et le projet d'une éducation bisexuelle, renonçant à l'idéal purement masculin qui préside à la formation en vigueur ; au sein de la famille nous sommes « simultanément initiés à l'ordre moral par le type viril et le type féminin » ([19]).

Les disciples de Saint-Simon, dans l'expérience communautaire tentée à Ménilmontant, avaient introduit une forte dose de féminisme, qui, par certains aspects apparemment scandaleux, contribua à les désigner à la vindicte publique. « Le saint-simonisme a prévu un culte où la fonction sacerdotale à chaque échelon, pontificat y compris, serait exercée par un couple ; et il a cherché longtemps une Mère suprême pour l'Eglise nouvelle. Mais la question se pose aussi au niveau théologique, puisque la croyance chrétienne, comme la juive, exclut le féminin de la divinité : Dieu est unique et Père ; on ne pourrait s'aviser sans sacrilège de l'invoquer comme Mère. (...) Le Féminin n'entre que de façon seconde, et si l'on peut dire subalterne, dans le christianisme par la Vierge Marie. Mais le saint-simonisme, quoique relativement peu théologien, aime à invoquer le Dieu Père et Mère... » ([20]).

Les saint-simoniens, n'ayant pas pratiqué la Cabale et Jacob Boehme, corrigeaient à leur façon la pensée chrétienne, qui n'a pas su, en dépit des honneurs reconnus à la Vierge Marie, mettre la féminité sur les autels, à égalité avec le principe masculin. Le féminisme romantique, sous ses formes banales, suppose cet arrière-plan d'une ontologie sexuelle, en révolte contre la neutralité, dans ce domaine, de la métaphysique classique, neutralité qui dissimule mal la prépondérance abusive reconnue au principe masculin. Il y avait eu des précédents, en particulier le singulier Guillaume Postel (1510-1581), philosophe, orientaliste érudit, lecteur au collège royal et jésuite occasionnel, auteur d'une doctrine érotico-mystique grâce à laquelle il prétendait remédier aux insuffisances de la théologie établie. *Les Très merveilleuses victoires des femmes* (1553) développent une apologie de la féminité, qui fait feu de toutes références, y compris celle à Jeanne d'Arc, et débouche sur l'affirmation du rôle messianique reconnu à la femme. La perspective de l'Evangile éternel laisse espérer une Nouvelle Alliance qui vaudra au principe féminin une reconnaissance de plein droit. « La révélation prophétique, écrit un commentateur, se fera par une *double* lignée — mâle et femelle — de

([18]) *Ibid.*, p. 313.
([19]) *Ib.*, p. 315.
([20]) Paul BENICHOU, *Le temps des prophètes, Doctrines de l'âge romantique*, N.R.F., 1977, pp. 426-427.

prophètes et de sibylles et s'opérera non par l'intermédiaire d'un Dieu-homme, mais d'un Dieu-couple uni en une personne. Dieu lui-même prend donc la forme de l'androgyne » ([21]). Comme les saint-simoniens, Postel a entrepris d'appliquer ses principes : « La lignée des prophètes orientaux aboutit à Jésus, la lignée des prophétesses occidentales aboutira à une rédemptrice. (...) Cette rédemptrice doit être un verbe incarné, un être de chair comme le Christ. Postel croit l'avoir reconnue : il s'agit de la Mère Jeanne, la vierge vénitienne » ([22]). Malade à Venise, Postel a été soigné par cette infirmière providentielle, qu'il transforme en une thaumaturge. « L'épopée mystique s'achève par une nouvelle Pentecôte, une descente de l'esprit de sa « Mère » après son Ascension, en son propre esprit, « tellement, dit Postel, que c'est elle et non point moi qui vis en moi » ([23]).

Les contemporains de Postel ne manquèrent pas de dénoncer chez lui les extravagances mêmes qui valurent aux saint-simoniens des poursuites judiciaires. Postel évita le pire ; il prenait des précautions, et il passait pour fou. Ces doctrines pourtant dévoilent les fondements eschatologiques du féminisme romantique, d'où procèdent les formes du féminisme contemporain, y compris les plus aberrantes. L'exaltation de la femme, dans la pensée de Postel comme dans celle des saint-simoniens, de Ganneau et même d'Auguste Comte, s'enracine dans les présupposés dont la forme mythique de l'androgyne propose un accomplissement eschatologique. Les archétypes de cet ordre, explicitant les insuffisances de la condition humaine, permettent une prise de conscience dont l'effet est de réconcilier l'individu avec lui-même. Le romantisme tente de fonder un nouvel équilibre ontologique de soi à soi. Ce recul jusqu'aux confins eschatologiques, dénoncé par les positivismes, qui prétendent s'en tenir aux faits, apparaît nécessaire chaque fois que l'être humain se remet vraiment en question. Tant il est vrai que la philosophie n'a jamais cessé d'être la servante de la théologie.

Cassirer soulignait la corrélation entre l'anthropologie et la théologie ; la pensée humaine projette d'abord ses acquisitions sur Dieu avant de les reconnaître à l'homme. La bonté, la charité ont été des attributs divins avant de devenir des vertus humaines. La réhabilitation de la féminité intervient dans la figure divine avant de prendre pied parmi les hommes. La conscience romantique en sa généralité se trouve éclairée par la dualité-unité du masculin-féminin. L'être humain complet serait bisexué ; les êtres en condition humaine se trouvent incomplets du fait de la séparation des sexes. Chaque sexe porte en soi la nostalgie de l'unité première, que l'union charnelle des individus parvient à combler d'une manière passagère seulement, et insuffisante. Subsiste donc chez la femme une virilité insatisfaite et chez l'homme une féminité en état de manque. Les psychanalyses et psychologies des profondeurs nous ont

([21]) Claude Gilbert DUBOIS, *Et Dieu créa le couple, Essai sur le mysticisme érotique de Guillaume Postel*, Nouvelle Revue Française, juin-juillet 1968, p. 1067.
([22]) *Ibid.*, p. 1068.
([23]) *Ib.*, p. 1069.

familiarisés avec ces refoulements, ces faces d'ombre, que le romantisme justifiait sur le mode mythique. Freud, Jung et leurs confrères ne font que reprendre, chacun à sa manière, le trésor des mythes de l'humanité.

Les analyses de Descartes, de Locke ou de Condillac, curieusement asexuées, évoquent une conscience en général, c'est-à-dire une conscience mâle, la différenciation sexuelle devant être considérée comme un accident secondaire, d'ordre physiologique et anatomique, sans rapport avec la vérité de la raison universelle. Dans la conscience romantique, marquée par la différence des sexes, l'inconscient étend son domaine au détriment du conscient, la restriction sexuelle n'introduit pas seulement une division entre ombre et lumière, mais ensemble une récurrence du mystère. La lumière même se trouve sous l'influence de l'ombre qui polarise son champ. La conscience féminine est polarisée par l'attraction masculine, et réciproquement, non pas seulement dans le cas d'une présence extérieure, mais aussi en fonction d'une présence, impossible à éliminer, dans l'espace du dedans. Ainsi toute prétention de la conscience à l'autonomie se trouve mise en défaut ; la conscience usagère au jour le jour, et même la conscience réfléchie, ne peuvent se désolidariser d'une instance première, inaccessible à toute prise directe, clef inconsciente de tous les aspects conscients de la présence au monde.

L'anthropologie romantique se fonde sur le présupposé de l'excentricité de la conscience par rapport à l'être personnel, alors que la pensée classique traditionnelle admettait, sans critique, la transparence de l'être à la conscience. L'intelligibilité de l'entendement ne peut projeter l'unité humaine, en sa présence concrète, dans l'enclos des axiomatiques rationnelles. Ce qui justifie les attitudes et comportements, les sentiments des femmes et des hommes, échappe à l'analyse logique ; l'ombre et la nuit, le mystère recèlent des instances plus décisives que la lumière artificielle des idées claires. Il faut tenter d'autres approches pour parvenir à la compréhension des vivants humains.

CHAPITRE IV

GANGLIONNAIRE ET CÉRÉBRO-SPINAL

L'anthropologie romantique se donne pour objet le phénomène humain total, corps, esprit, âme – conscient et inconscient – pensée et comportement – réflexion et sentiment – raison et déraison – santé et maladie – en dépit des difficultés d'analyse suscitées par le rassemblement d'éléments disparates. Une approche globale doit regrouper ce qui se trouve uni au sein de notre expérience, et dissocié seulement pour les besoins de nos descriptions et élucidations. La conscience se découvre engagée dans le contexte global de la présence au monde, qui met en jeu l'organisme tout entier. Ce dont nous pouvons être conscients en un moment donné n'est pas un simple reflet de la situation existante, comme si le monde venait s'inscrire sur le miroir de notre cerveau ; la conscience, toujours fragmentaire, constitue une composante de la situation. Nous sommes présents au monde avec l'ensemble de notre organisme ; la sensorialité, la capacité perceptive, s'étend à l'ensemble de la superficie corporelle, sensible au toucher, à la pression ; notre faculté de mouvement ou d'immobilité, notre équilibre nous fournissent aussi des informations sur la réalité, ils sous-tendent notre rapport avec l'univers ; la respiration, plus ou moins aisée, contribue à la formation d'une présence au monde, qui n'est pas seulement une image du monde, mais une expérience vécue selon la plénitude de son relief existentiel.

La philosophie traditionnelle réduisait notre connaissance du monde à l'étude de la fonction perceptive, constituée par le regroupement des données sensorielles. Ainsi se constituait une image quasi photographique de l'environnement, où prédominait l'information visuelle, complétée par quelques données tactiles et auditives. Les autres sens, le goût et l'odorat, entachés de subjectivité, ne bénéficiaient que d'une attention subalterne. La théorie de la connaissance, telle que la développait l'âge des Lumières, privilégiait le système nerveux central, constitué par les appareils sensoriels, et le cerveau chargé de regrouper et d'organiser les données des sens sous l'autorité de la réflexion. Certains penseurs, dès le XVIIIe siècle, soulignent que l'ensemble cérébro-spinal correspond à la seule politique extérieure de l'organisme, au rapport théorique et pratique avec l'environnement. Or la conscience humaine, conscience du monde, est aussi conscience de soi. Le foyer d'irradiation de l'attention vers l'extérieur est sous-tendu, par une relation fondamentale à l'espace du dedans. L'exercice des sens externes est influencé par des régulations internes, auxquelles les Anciens donnaient le nom de tempéraments ou d'humeurs. Selon que nous serons de bonne ou de mauvaise humeur, mélancolique ou joyeux, fatigué ou reposé, nous verrons et entendrons d'une manière différente, notre image du monde et de l'humanité ne sera pas la même. La régulation des humeurs ne met pas en cause seulement le métabolisme de certains fluides organiques, comme l'imaginaient les Anciens ; elle est liée à l'état global de l'affectivité, à cette climatologie du dedans, qui faisait dire à Amiel : « Chaque âme a son climat et est un climat ; elle a sa météorologie particulière dans la météorologie générale... » ([1]).

En réaction contre la psychologie analytique et discursive régnante se développe l'étude de ce que l'abbé de Lignac (1710-1762) appelait *Le Témoignage du sens intime* (1760) ([2]). Ce témoignage que la conscience se rend à elle-même, au profond de son intimité, fournit une autorité que l'illuminisme oppose à celle des Lumières. Hemsterhuis, Saint-Martin évoquent et invoquent la lumière intérieure. L'affirmation romantique développe cette manifestation de l'inversion des priorités qui donne le pas à l'*invidence* sur l'*évidence*. Ces conceptions, demeurées vivantes dans la neurobiologie contemporaine, occupent une place centrale dans l'anthropologie romantique, dont elles définissent l'une des polarités fondamentales.

Gustav Theodor Fechner (1801-1887), l'un des derniers des *Naturphilosophen*, a consacré un livre à défendre l'existence d'une vie spirituelle chez les plantes : *Nanna oder ueber das Seelenleben der Pflanzen* (1848). L'attribution d'une conscience au règne végétal se heurte à l'objection que les plantes ne possèdent pas de système nerveux analogue au nôtre, jusqu'à présent considéré comme la condition nécessaire d'un psychisme, si rudimentaire soit-il. Les animaux supérieurs présentent une innervation reliée à un cerveau qui reçoit les informations sensorielles et contrôle les réactions et comportements. La plante n'offre rien de pareil. Fechner répond à cette objection : « Les nerfs ne sont qu'un moyen pour organiser, dans certaines conditions, les impressions sensibles ; le même résultat peut être obtenu par d'autres moyens dans des conditions différentes » ([3]). Il doit exister dans la plante un équivalent des régulations nerveuses. « Nous voyons que chez les animaux la respiration, la circulation des humeurs, le métabolisme des matières, la nutrition ne peuvent se réaliser qu'avec l'aide de nerfs, ceux que nous

([1]) H. F. AMIEL, *Fragments d'un journal intime*, 5 février 1853, p. p. Bernard BOUVIER, Stock, 1931, t. I, 60.

([2]) Sur l'avènement du sens intime, cf. *Naissance de la conscience romantique au siècle des Lumières*, Payot, 1976, pp. 285 sqq.

([3]) Gustav Theodor FECHNER, *Nanna oder ueber das Seelenleben der Pflanzen*, Leipzig, 1848, p. 40.

appelons nerfs ganglionnaires (*Gangliennerven*). Chez les plantes, il n'existe pas de nerfs de ce genre, et pourtant la respiration, la circulation, le métabolisme des matières, la nutrition se développent aussi bien que chez l'animal. (...) Si la plante est capable, sans l'aide de nerfs, de respirer et de se nourrir, pourquoi ne serait-elle pas également capable de sentir ? » ([4]).

Il existe chez la plante une centralisation organique et une unité fonctionnelle, tout comme chez les animaux. Le végétal est constitué par l'accumulation de cellules, qui doivent relever d'une organisation sous une forme ou sous une autre. Les animaux inférieurs ne possèdent pas de système nerveux, ce qui ne les empêche pas de subsister. Si les animaux possèdent une constitution monarchique, à la manière des abeilles soumises à un gouvernement royal, la plante a une constitution républicaine, comme une fourmilière. « Une république a son unité aussi bien qu'une monarchie » ([5]). A défaut d'un organe central régissant la totalité organique, on peut se contenter d'un réseau de centres secondaires. Le fait se rencontre dans le règne animal, où certains êtres élémentaires survivent après avoir été coupés en deux. Le règne végétal participe de l'organisme universel (*Gesamtorganismus*) de la nature, tout autant que l'animal ([6]).

La perspective évolutive de la création, conjuguée avec une biologie générale de caractère animiste, conduit Fechner à une conception hiérarchique de la vie spirituelle. Les animaux attestent un minimum de conscience de soi ; les plantes, privées de toute capacité de prospection dans le temps, possèdent encore moins de conscience, ou plutôt celle-ci, privée des conditions de son développement, n'est pas encore éveillée. Nous nous trouvons dans une situation analogue pendant notre sommeil, et c'est aussi le cas du petit enfant, aux premiers stades de son développement. Un jour le règne végétal s'éveillera à la conscience ; en attendant, les plantes ne possèdent pas une individualité comparable à celle de l'homme. Les âmes des plantes et des animaux peuvent être considérées « comme des aspects subordonnés de l'âme divine » ([7]) ; en Dieu se rassemblent les éléments dispersés de l'arbre de la vie ; les plantes exposent un « degré de spiritualité qui prend place dans le plan général d'un règne des âmes » ([8]).

La logique du panvitalisme romantique entraîne à son tour un panspiritualisme. Si tous les êtres de la nature sont vivants, la question se pose de savoir si la conscience n'est pas un caractère de la vie à tous ses degrés. Dans le cas contraire, à quel moment la conscience intervient-elle dans la série des vivants, et pourquoi ? La réponse est fournie d'ordinaire par la coexistence entre la conscience et un système nerveux, que les plantes ne possèdent pas. Mais l'instance neurologique elle-même se démultiplie à l'analyse. La vie végétale met en œuvre des régulations

([4]) *Ibid.*, p. 44.
([5]) *Op. cit.*, p. 293.
([6]) P. 308.
([7]) P. 322.
([8]) *Ibid.*

complexes, relatives à la fonction respiratoire, à la nutrition, au métabolisme des échanges avec le milieu. Chez l'animal, ces fonctions sont coordonnées par une instance neurologique de la vie végétative, désignée comme le « système ganglionnaire ». Le végétal, dépourvu de ce système, doit posséder une régulation susceptible d'assurer les mêmes effets. De plus, si la plante est apparemment inconsciente, si l'animal ne possède qu'un minimum de conscience, c'est un fait que l'homme ne se maintient pas constamment en état d'éveil conscient. L'enfance, la vieillesse échappent plus ou moins au contrôle de la conscience éveillée; l'inconscient ne cesse de manifester sa présence récurrente tout au long de la vie; il reprend le dessus dans le sommeil, où l'individu semble faire retour à la vie végétative, réglée par les instances non volontaires de l'organisme. D'autres phénomènes normaux ou pathologiques, rêves, hallucinations, délires, somnambulisme, et états parapsychologiques, attestent ces retombées de la conscience à des niveaux où le contrôle cérébral ne s'exerce plus régulièrement.

La régulation « ganglionnaire », formule souvent employée par la neurophysiologie romantique, met en cause le domaine des régulations étrangères au système cérébro-spinal, qui assure notre insertion dans le milieu extérieur. La vie *végétative,* expression significative, obéit à des dispositifs que l'anatomie devait explorer au cours du XIXe siècle; il s'agit des systèmes sympathique et parasympathique, mais aussi d'organes, qui, par la sécrétion de certaines humeurs, contribuent à l'équilibre général, ou au déséquilibre, de la vie organique. Le mot « ganglion » désigne ces instances que nous appelons aujourd'hui glandes endocrines. Certains centres, à la base du cerveau, semblent jouer un rôle important dans l'administration générale, dans la coordination de l'économie interne de l'individualité organique. Descartes avait situé dans cette région la glande « pinéale », à laquelle il attribuait une fonction dans l'union de l'âme et du corps, grâce à une divination en l'absence de connaissances précises. La mythologie du cerveau a résisté longtemps à toutes les investigations scientifiques, encore loin d'être achevées à l'heure qu'il est.

La spéculation romantique tient compte des résultats obtenus par la neurophysiologie de son temps, illustrée en particulier par les recherches de Gall, de Johannes Müller, de Helmholtz, en attendant celles de Broca. Mais ces travaux concernent le système nerveux central ou cérébro-spinal; les appareils sensoriels, les conductions nerveuses, les lobes du cerveau sont plus aisés à localiser; l'expérimentation se déploie dans une géographie nettement délimitée. Le système végétatif ou ganglionnaire met en œuvre des configurations et dispositifs dissimulés dans la totalité du territoire organique. Gall et les phrénologistes dispersent sur la boîte crânienne les « facultés » mentales; le système des localisations cérébrales perfectionnera cette distribution dans l'espace, satisfaisante pour l'esprit. Au contraire, le système végétatif est présent partout sans être centralisé nulle part, présence diffuse, vague, globale; les actions et influences se réalisent à distance, souvent sans respect pour l'anatomie puérile et honnête.

L'opposition polaire entre le système cérébro-spinal et le système neuro-végétatif, domine l'anthropologie et l'épistémologie du romantisme. Selon G. H. Schubert, l'ordre ganglionnaire « est le seul organe adapté à toutes les connaissances qui excèdent les étroites limites de la sensorialité usuelle. Chaque fois que, dans certains états très particuliers, même dans notre présence au monde actuelle, nous parvenons à deviner, à connaître clairement les pensées et les dispositions intimes d'autrui, dans le domaine spirituel le plus élevé ou bien dans le secret le plus intime, le plus caché d'un cœur étranger, — cela n'est possible que parce que notre âme retrouve l'usage d'un organe adapté à une connaissance plus haute et plus spirituelle, organe dont le contrôle lui a échappé la plupart du temps dans une vie prisonnière de basses occupations... » ([9]). Chantre des aspects nocturnes de la vie, Schubert évoque une hiérarchie de la connaissance. La pratique de la vie quotidienne, réglée par l'instance cérébro-spinale, a éclipsé la connaissance supérieure de la vie par la vie, la communication immédiate que rend possible « l'organe » du sens intime. Hemsterhuis, dans sa *Lettre sur l'homme et ses rapports* (1773), avait lui aussi évoqué un « organe » d'une vérité différente, transempirique, identifié au *cœur* de Pascal, sens des valeurs et non des faits. Les romantiques mettent cet organe en relation avec le système ganglionnaire ; ils lui assignent une identité anatomique et physiologique, en rapport avec la biologie et la médecine. Hemsterhuis était un maître spirituel ; les romantiques expriment l'état de la science de leur temps.

Ricarda Huch a mis en lumière cet aspect fondamental de l'anthropologie romantique. « On pourrait appeler les ganglions (système végétatif) le système romantique, et l'histoire du romantisme une révolte du système ganglionnaire contre le système cérébral (...). Le système ganglionnaire, c'est le domaine des exaltations, de l'amour, de la religion, mais aussi de la volupté, de la cruauté, de l'instinct meurtrier ; c'est le champ de bataille des bons et des mauvais démons, c'est là que naissent les grandes choses et les pires, le péché et la mort y dominent l'homme. C'est avant tout la *Terra incognita*, l'inconscient qui émerge dans l'organisme et que l'homme ne peut dominer parce que son centre n'est pas en lui, mais à l'extérieur, quelque part dans l'univers » ([10]). La théorie romantique de la connaissance, la présence au monde romantique ne sont intelligibles qu'en fonction de ces prolongements anthropologiques de la *Naturphilosophie*.

L'âge des Lumières avait concentré l'humanité de l'homme à la périphérie de l'individualité, dans la zone de contact avec le monde extérieur. Le romantisme découvre le terroir neurobiologique des émotions et des sentiments, des aspirations confuses. L'opposition polaire entre extéroceptivité et intéroceptivité, entre la projection centrifuge vers le monde extérieur et le mouvement centripète d'attention aux indications de l'intimité, n'a pas originairement une signification

([9]) G. H. von SCHUBERT, *Symbolik des Traumes*, Bamberg, 1814, p. 152.
([10]) Ricarda HUCH, *Les romantiques allemands*, t. II, trad. J. BRÉJOUX, Pandora, Aix-en-Provence, 1979, pp. 85-86.

de valeur. La fuite hors de soi comporte à la limite un danger d'aliénation par perte de l'identité, mais l'exclusif repli sur soi expose au danger de l'*autisme,* la conscience coupée du monde se noyant dans ses propres profondeurs. Johann Christian Reil (1759-1813) proposait en 1794 le néologisme *cénesthésie* pour désigner la tonalité affective globale qui exprime à la conscience la présence du sens interne et la régulation de l'humeur. Le mot figure dans le journal de Biran en 1823 ; Biran, philosophe romantique, atteste tout au long de sa vie la primauté du sens interne. « La coenesthèse de sensibilité affective affecte premièrement l'âme ou saisit immédiatement le moi au réveil. Si le corps n'est pas dans l'état sain, ou seulement si ces impressions ne sont pas en harmonie avec les dispositions ou les tendances propres de l'âme, il y a *trouble, malaise, tristesse* sentie au moment du réveil. C'est ce qui m'arrive depuis quelque temps, chaque fois que je m'éveille, après un sommeil plus ou moins long et assez tranquille » ([11]). Pour Biran, il s'agit là d'un état à la limite du morbide. Reil, l'un des fondateurs de la pathologie mentale (on lui doit aussi le néologisme *psychiatrie*), explique la folie par la prépondérance exclusive du système ganglionnaire, échappant à l'instance cérébro-spinale. Il existe des degrés entre le contrôle intellectualiste de soi et l'aliénation dans une introversion morbide. Maine de Biran, lorsqu'il décrit ses états crépusculaires, les domine en les analysant. Son témoignage est corroboré par le médecin romantique, son contemporain, Johann Karl Passavant, théoricien du magnétisme animal : « Le début de la journée se passe comme tant des meilleures heures de ma vie dans toutes sortes de rêveries. Cette maladie vient sûrement d'une faiblesse d'esprit. Elle marque une diminution de l'énergie, suivie d'une excitabilité accrue. J'espère en guérir lorsqu'une occupation professionnelle précise aura fixé mon esprit et que le choix lui aura été prescrit par la volonté ou la nécessité » ([12]).

Passavant et Biran évoquent une zone médiane entre la conscience lucide et active et une perte du contrôle intellectuel, à la faveur de laquelle l'esprit risque de s'absorber dans ses songes, en une région indécise où l'état du corps, confusément ressenti, captive et détourne la pensée libre. La rêverie est l'une des expériences maîtresses du romantisme, depuis Rousseau au moins, jusqu'à Biran, Guérin, Amiel et d'autres dans la suite, y compris les surréalistes. Nous avons décrit ces états intermédiaires ([13]), que nous retrouvons ici dans leurs soubassements organiques. La rêverie, le rêve et les états apparentés estompent les limites entre le moi et le monde ; l'identité personnelle se dissout dans l'environnement, l'âme se confond avec le paysage. Cette coalescence du sens a suscité contre les romantiques l'accusation de panthéisme, mal justifiée dans la mesure où il s'agit d'une expérience bien plutôt que

([11]) BIRAN, *Journal,* 28 juin 1823 ; éd. H. GOUHIER, Neuchâtel, La Baconnière, t. II, 1955, p. 373. Cf. REIL, *Rhapsodien ueber die Anwendung der psychischen Curmethode auf Geisteszerrütungen,* 1803.
([12]) Cité dans R. HUCH, *Les Romantiques allemands,* éd. citée, t. II, p. 110.
([13]) Cf. plus haut, pp. 82 sqq.

d'une doctrine métaphysico-religieuse. Dans l'instant même de cette dépossession de soi, on ne sait trop si c'est le paysage qui absorbe le sujet, ou si ce n'est pas le moi lui-même qui envahit le monde.

Depuis Francis Bacon, prophète de la modernité, la tâche de l'homme a été définie par un programme de conquête de la réalité matérielle. Nous devons devenir maîtres et possesseurs de la nature, a répété Descartes ; après lui, les Encyclopédistes et Karl Marx ont repris à leur compte ce programme de la civilisation technologique, soucieux de soumettre le domaine naturel aux utilités de l'homme. Cette fuite en avant, dont nous sommes aujourd'hui les bénéficiaires ou plutôt les victimes, a soulevé des objecteurs de conscience, dont le premier porte-parole influent fut Rousseau, le rêveur solitaire, remettant en question les prétendus progrès des sciences et des arts, le mot *arts* désignant à l'époque ce que nous nommons aujourd'hui *techniques*. Les tenants des Lumières, préoccupés de maîtriser le règne des objets, se perdent eux-mêmes dans l'entreprise ; ils mettent en équation l'ordre des choses et même le règne de l'humanité. Il n'y a de vérité qu'objective et impersonnelle ; les revendications de la subjectivité, y compris la poésie, représentent une instance émotionnelle, confuse et lyrique, irréductible aux normes de l'intellect et donc sans valeur de vérité.

Le programme des Lumières n'est réalisable qu'au prix d'un refoulement systématique de toutes les voix intérieures qui attestent la non-conformité irréductible d'individus non interchangeables. La conscience romantique voit là une mutilation de la réalité humaine ; elle autorise le retour du refoulé. Du même coup, l'attention se porte sur les infrastructures des parties cachées de la conscience. Le progrès du savoir ne procède pas en vertu d'une nécessité interne autonome, d'une impulsion indépendante du contexte général de la culture ; dans l'espace du savoir se projettent les questions et les soucis de l'être humain en quête d'un meilleur accord avec soi-même. La prise en charge du domaine neuro-végétatif par les biologistes et les médecins n'est pas un accident de parcours, ou le résultat d'une conquête raisonnée. C'est parce que leur attention se trouvait sollicitée dans cette direction par le *Zeitgeist*, par l'esprit du temps, que les savants ont tenté d'élucider l'anatomie et la physiologie d'un territoire difficile d'accès.

Par rapport à l'espace clair de l'ordre cérébro-spinal, le domaine « ganglionnaire » apparaît comme un espace crépusculaire ou nocturne, le royaume des ombres et des fantasmes, où la conscience éveillée perd sa priorité au profit du rêve, du cauchemar, de l'indifférenciation affective, du sentiment et du pressentiment sous un régime de clair-obscur, où seules varient les proportions respectives du clair et de l'obscur. Les *Naturphilosophen* appliquent dans ce domaine leur catégorie de la polarité. « On appelait pôles de l'homme le système cérébral et le système ganglionnaire (ou sympathique) qui englobe le plexus solaire. (...) Le système cérébral a son centre dans le cerveau, par contre le système ganglionnaire se compose de centres nerveux d'égale valeur, dont les rayons, si l'on peut dire, ne sont rassemblés nulle part pour être projetés à nouveau, et dont l'action est par conséquent inconsciente et involontaire. Selon la théorie de Reil, les deux systèmes sont reliés par certains nerfs. Reil comparait le système cérébral à une monarchie, le système ganglionnaire à une république ; d'autres appelaient le cerveau le « régent » que le peuple nourricier (le système ganglionnaire) choisit dans son sein et entretient, pour qu'il gouverne. (...) Très souvent les pôles de l'homme sont simplement désignés par la tête et le ventre. A côté de cela, il existe d'autres analogies : l'homme et la femme (la polarité n'est rien d'autre que le sexe, dualisme sorti de l'unité), le conscient et l'inconscient, la lumière et la pesanteur » ([14]).

La connaissance scientifique en voie de développement applique à l'espace du savoir les thèmes dominants de la pensée. Platon avait procédé à une tripartition de l'âme humaine, opposant à l'âme cérébrale, la plus noble, une âme ventrale, foyer des cupidités et désirs vulgaires, et une âme pectorale, siège des aspirations généreuses. Ce schéma répondait à une division du travail social, la constitution de la cité se trouvant projetée, avec sa hiérarchie de castes, dans le domaine organique : les artisans voués aux basses besognes sont dotés d'une âme ventrale ; les guerriers portent leur âme sous leur cuirasse et les sages, les régents de la cité bénéficient de l'âme cérébrale. Quelques millénaires plus tard, avec l'apport d'un langage anotomo-physiologique renouvelé, le schéma bipolaire des romantiques répond également à des préoccupations axiologiques. Si l'on part de l'androgyne, en tant que constituant la plénitude primitive de l'identité humaine, la nature féminine est caractérisée par la prédominance du système ventral ; elle explicite l'être instinctif par excellence, le plus proche de la nature, le plus étroitement associé à la propagation de la vie.

D'où le propos d'Oken, cité par Ricarda Huch : « L'animal originel, c'est la femme. (...) L'homme dépasse la femme de toute une classe animale ([15]) ». Justinus Kerner décrète : « La femme se trouve en relation plus intime que l'homme avec la nature, aussi est-elle beaucoup plus exposée aux maladies ; elle va plus rapidement que l'homme vers l'union complète avec la nature, c'est-à-dire vers la mort. » On reconnaît là le type des somnambules, commente Ricarda Huch : la femme est l'être aux nerfs irritables et c'est grâce à eux qu'elle prend conscience de sa propre nature ainsi que de la nature extérieure. Quant à l'homme, il est l'être inconscient dans la mesure où beaucoup moins d'excitations parviennent à sa conscience ; il est conscient dans la mesure où celles qu'il ressent sont aussitôt éclairées par son cerveau » ([16]). La femme, être pensant, émerge de l'inconscient, mais ne parvient pas à s'en arracher complètement ; elle serait plutôt « subconsciente », observe R. Huch, « car la nature pénètre bien davantage ses sens, mais seulement ses sens intérieurs ; elle ne pense pas avec son cerveau ; elle a des intuitions, des pressentiments, grâce à ses nerfs ganglionnaires... » ([17]).

([14]) R. HUCH, *op. cit.*, p. 81.
([15]) *Ibid.*, pp. 82-83.
([16]) *Ibid.*, pp. 82-83.
([17]) *Ib.*, p. 83.

La connaissance scientifique, ou prétendue telle, est utilisée en vue d'une mythique de la réalité humaine, dominée par des préjugés traditionnels. Les arbitrages proposés en faveur de la virilité se trouvent en contradiction avec un messianisme de la féminité, qui s'affirme également, nous l'avons vu à propos de l'androgyne, dans le domaine romantique. De là certains éléments pour une physiologie et une psychologie différentielle du féminin et du masculin. L'être humain est marqué dans son être par la spécialisation sexuelle ; les savants romantiques ont résolument tenté d'en explorer les fondements physiologiques. Conformément à la suggestion implicite du paradigme de l'androgyne, la polarité sexuelle se situe également dans la constitution de chaque individu particulier : l'homme possède un système ganglionnaire, la femme est dotée d'un système cérébral. Les deux instances se combinent en proportions variables dans chaque personnalité. Il existe des types féminins plus ou moins virils et des types masculins plus ou moins efféminés ; un homme dépouillé de toute composante féminine, « ganglionnaire », serait un infirme mental et spirituel, et réciproquement. La vraie différence est une question de degré et non de nature — sans quoi les femmes et les hommes seraient incapables de se comprendre.

La dualité des systèmes nerveux se manifesterait plutôt sous la forme d'une alternance des influences régulatrices de la vie personnelle, selon les âges de la vie, et selon les moments du temps. Le thème de l'alternance est proposé par Reil ; « le plexus solaire, qui joue un rôle prédominant dans le « tissu labyrinthique » du système ganglionnaire, et qui est en quelque sorte un second cerveau *(cerebrum abdominale)*, reste d'ordinaire inconscient et sous la domination du système cérébral ; mais dans l'état de sommeil, son activité augmente, celle du système cérébral au contraire diminue ; dans certains états maladifs, les rapports peuvent même être totalement inversés ; il s'agit d'un échange entre les pôles des courants électriques du système nerveux, en sorte que le pôle positif devient négatif et inversement » ([18]). Toutes sortes d'aspects du psychisme normal et pathologique peuvent être interprétés en fonction de ces présupposés, en particulier dans le domaine du somnambulisme, du magnétisme animal et des phénomènes parapsychologiques. Les femmes paraissent plus douées pour ce genre d'expériences que les hommes, conséquence du principe d'intelligibilité dévoilé par la dualité des appareils nerveux.

Cette dualité comporte d'abord un aspect génétique dans le dynamisme des formes vitales. Le système cérébro-spinal n'existe pas dans les espèces dites inférieures — par exemple chez les mollusques, chez les vers ; il est absent du règne végétal. On le voit se former peu à peu dans les espèces supérieures, vertébrés et mammifères ; mais c'est dans l'espèce humaine qu'il atteint à son plus parfait développement ; le cerveau humain préside à l'épanouissement du langage et de la pensée, signes de la primauté de l'être humain. Les espèces dépourvues de système nerveux central en sont réduites à assurer la coordination de

([18]) Pp. 84-85.

leurs fonctions vitales grâce au seul système ganglionnaire. Dans le cas de l'individu humain, les savants romantiques soupçonnent le principe selon lequel l'ontogenèse répète la phylogenèse. Le système cérébro-spinal se constitue lentement au cours des phases du développement embryonnaire ; il n'est pas encore entièrement formé au moment de la naissance ; sa maturation se poursuit au cours de l'apprentissage de l'équilibre, de la marche, du langage, etc.

Le système neuro-végétatif, premier venu, est le système archaïque ; il doit l'emporter chez les êtres inférieurs, en particulier chez la femme, en laquelle prédomine de toute évidence l'âme ventrale. Le mot d'Oken : « l'animal originel c'est la femme », se trouve ainsi justifié par référence à l'ordre génétique de l'évolution. Premier à s'affirmer, le système neuro-végétatif est aussi le dernier à subsister. Schubert souligne que « l'on doit reconnaître au système ganglionnaire une durée de vie plus longue qu'au système cérébro-spinal » ([19]). Chez les mourants, une certaine conscience se conserve dans le domaine neuro-végétatif, alors que le système cérébro-spinal ne donne plus signe d'activité. Les derniers éléments de vie se réfugient dans la région ganglionnaire. Première venue, dernière à disparaître, l'instance végétative régit, tout au long de l'existence, une durée plus étendue que le système nerveux central. Le plein éveil de l'esprit n'est pas la règle de la vie humaine, mais plutôt l'exception. La majeure partie de nos journées relève de l'inconscient ou du subconscient ; le sommeil, y compris ses rêves et fantasmes, les états crépusculaires de toute espèce, rêveries et distractions d'une conscience qui s'abandonne au fil de ses sentiments et de ses émotions, échappent au contrôle de l'ordre cérébral ; nous sommes instinctifs et émotifs, nous nous laissons porter par nos humeurs bien plus que nous n'obéissons à l'esprit critique de la raison analytique. Le paradigme de l'homme conscient et organisé, qui ordonnerait sa vie selon les indications de la droite raison, sans rien accorder aux sollicitations des puissances obscures, est une fiction qui aurait à la limite quelque chose de satanique. Lucifer, l'ange déchu, prétend imposer partout la lumière de la lucidité.

La prédominance de l'ordre cérébro-spinal n'est donc pas la règle, mais l'exception. L'esprit d'analyse rappelle à l'ordre une conscience menacée de divagation, et fascinée par les ombres. Affirmation majeure du romantisme, en rupture avec la psychologie et l'anthropologie intellectualistes, dominées par un idéal d'intelligibilité discursive. La tradition de Descartes, de Locke ou de Kant impose à la vie mentale une conception discriminatoire de la vie mentale, privilégiant certains aspects au détriment du reste, invalidé en tant que non conforme au modèle adopté. Une psychologie authentique, connaissance de la réalité humaine telle qu'elle est, n'est possible qu'une fois rejeté le voile d'illusion de cette dogmatique. La neurobiologie romantique, en dépit du caractère simpliste des connaissances anatomiques et physiologiques mises en œuvre, se trouve à l'origine de la psychologie moderne ; les théoriciens de la

([19]) G. H. SCHUBERT, *Die Geschichte der Seele,* § 23 (1830), 6e éd., 1877, Bd. I, p. 307.

Naturphilosophie ont déblayé le terrain pour les conceptions révolutionnaires de l'avenir. En France, la psychologie demeure en ce temps prisonnière d'un spiritualisme d'inspiration cartésienne, imposé à l'enseignement universitaire par les soins de Victor Cousin. Dans les Iles Britanniques se maintient la tradition d'un empirisme intellectualiste issu de Locke et de Hume, passé dans le moule du sens commun. La psychobiologie romantique est en avance d'un âge mental sur le reste de l'Occident, les plus hardis inventeurs de l'époque contemporaine, les génies à la mode, n'ayant fait souvent que reprendre des indications que personne n'aurait l'idée d'aller chercher dans les œuvres des *Naturphilosophen*.

En vertu de l'antique analogie entre le microcosme et le macrocosme, la polarité des systèmes nerveux opposés s'étend à la totalité du monde, au *Gesamtorganismus* anthropocosmomorphique. Ce grand axe de la philosophie de la nature a été mis en évidence par Schelling dans son traité *Von der Weltseele* (1798) et les essais qui l'accompagnent. Deux principes opposés président à l'organisation du monde, le principe obscur de la pesanteur et le principe éclatant de la lumière ; l'opposition polaire entre ces forces cosmiques sous-tend la réalité dans son ensemble, y compris la présence humaine. La différenciation même des sexes est soumise à l'influence de ces forces opposées ; il y a une correspondance entre la pesanteur et la féminité, entre la virilité et la lumière. Contrairement à ce qu'affirmera Goethe, l'éternel féminin ne nous attirerait pas vers le haut, mais vers le bas, domaine de la terre, monde souterrain, régi par les formes telluriques de l'inconscient. L'étude du magnétisme terrestre attire l'attention sur les forces secrètes qui animent notre planète, en rapport avec le magnétisme animal qui, sous l'invocation de Mesmer (1734-1815), fascine l'opinion éclairée ([20]).

Dès 1789, Eberhard Gmelin, dans ses *Nouvelles recherches sur le magnétisme animal* (*Neue Untersuchungen ueber den tierischen Magnetismus*), émet l'hypothèse qu'il pourrait exister chez l'homme deux systèmes nerveux spécifiquement différents, l'un présidant à l'existence éveillée, l'autre aux formes nocturnes de la vie : sommeil et rêves, somnambulisme sous toutes ses formes, considérés comme des états régressifs et quasi-morbides sous l'influence du magnétisme cosmique. Le centre d'opération de ces forces se situerait dans la zone abdominale, alors que la vie éveillée dépend du centre cérébral. En situation d'infériorité, cette conscience tellurique possède néanmoins d'importantes fonctions épistémologiques ; elles confèrent à certains êtres humains une présence cosmique. Chacun connaît les capacités divinatoires des sourciers, dont la baguette, sensible aux inspirations des profondeurs, détecte la présence des eaux souterraines. D'autres sujets sont doués pour découvrir dans le

([20]) J'utilise dans les développements qui suivent les travaux de M. M. Tatar, *Romantic Naturphilosophy and Psychology, a study of G. H. Schubert and the impact of his works on Heinrich von Kleist and E.T.A. Hoffman*, Diss., Princeton, 1971 ; Heinrich Straumann, *Justinus Kerner und der Okkultismus in der deutschen Romantik,* Diss., Zurich, 1928.

sein de la terre des veines et filons métalliques. Certaines séries d'expériences attirent l'attention générale. J. W. Ritter est chargé de mission par le gouvernement bavarois pour étudier les capacités d'un Italien, nommé Campetti, spécialisé dans cette divination tellurique ; les expériences de Ritter (1807) n'aboutissent pas à des résultats précis ; il en reste quelques échos dans le roman de Goethe, *Les affinités électives* (*Die Wahlverwandschaften*, 1809).

La polarité du cérébral et de l'abdominal s'applique au cosmos dans sa totalité. Selon Steffens, « le jour, dans une situation de tension totale, est soumis à la prédominance de l'animalisation ; (...) la nuit, dans une situation de tension totale, est soumise au principe végétatif » ([21]). L'opposition entre la loi du jour et la passion de la nuit, pour reprendre la formule de Karl Jaspers, vaut de la planète entière, dans sa mystérieuse économie interne ; la terre aussi est un vivant, au sein duquel se poursuivent des germinations insoupçonnées. L'empire nocturne s'identifie avec celui de l'involontaire ; toute croissance répond à une régulation interne immanente. « Le système ganglionnaire et le système cérébral ont leur origine dans une force organique et une finalité, écrivait Kluge, celle d'embrasser le dynamisme de la totalité. Il y a néanmoins une différence, c'est que dans la croissance, l'activité de la nature s'épuise dans son produit ; l'idée non consciente s'objective seulement dans la structure. Au contraire, dans la vie animale (cérébrale), l'idée apparaît toujours plus libre, sous la forme d'un mouvement volontaire ; elle gagne progressivement en puissance jusqu'à la pleine conscience » ([22]). Le système végétatif, qui préside à la vie nocturne, sous-tend l'incessante activité de la croissance organique ; chez l'homme et chez l'animal, c'est lui qui met en œuvre, comme disait Bichat, « l'ensemble des fonctions qui résistent à la mort » ([23]).

Les *Naturphilosophen* conçoivent la conscience comme émergeant de l'activité inconsciente à l'œuvre dans l'organisme de la nature. La conscience cérébrale couronne la dynamique de la création ; l'être humain parvenu au sommet est capable de reconnaître le chemin parcouru. En lui, le grand œuvre de la création parvient à la conscience de soi. Situation dominante, menacée de rechute dans le règne des ombres : sommeil, somnambulisme, folie exposent certaines variétés de l'échappement au contrôle. Les fonctions volontaires et perceptives de la pensée claire représentent un luxe, une éclosion de la réalité humaine à

([21]) H. STEFFENS, *Grundzüge der philosophischen Naturwissenschaft*, Berlin, 1806, p. 141.

([22]) C. A. F. KLUGE, *Versuch einer Darstellung des animalischen Magnetismus als Heilmittel*, 1811, p. 271 ; dans Heinrich STRAUMANN, *op. cit.*, p. 33.

([23]) Formule inaugurale des *Recherches physiologiques sur la vie et la mort* (1800) de Xavier BICHAT (1771-1802). La distinction établie par Bichat entre *vie organique* et *vie animale* n'est pas sans analogie avec celle des deux systèmes nerveux dans la biologie romantique. La « vie organique » répond à l'ordre de l'involontaire et du ganglionnaire dans la *Naturphilosophie*. Disparu trop jeune, Bichat possédait une intelligence du domaine biologique supérieure à celle de la plupart de ses contemporains et successeurs français.

son niveau le plus élevé. Cette émergence présuppose l'accomplissement d'un ensemble de régulations organiques soumises au système neuro-végétatif, lequel peut se développer en dehors de toute influence cérébro-spinale ; mais l'inverse n'est pas vrai : le domaine ganglionnaire peut se soustraire à la récurrence de la conscience intellectuelle. Dans la vie normale, le sommeil consacre une régression à la vie végétative ; c'est le cas d'un certain nombre d'expériences pathologiques : somnambulisme, délires, folies, possessions diverses. L'inconscient supporte l'emprise du « cerveau abdominal », bien que les fantasmes qui parasitent alors la conscience soient des échos, des reflets arrachés à l'expérience lucide, détournés de leur sens originaire, en fonction d'une intelligibilité non plus discursive et rationnelle, mais instinctive et affective, soumise au jeu des angoisses, à la fascination des ténèbres, terreau inavoué de la présence au monde. Selon Goya, le sommeil de la raison enfante les monstres. Témoins les dessins et gravures de Goya lui-même ou les peintures de Füssli, les *Veilles de Bonaventura* et tout ce que déchaîne de démons, de puissances fantastiques, le romantisme noir, libre théâtre où se déchaîne la passion de la nuit.

Chaque expérience personnelle est un territoire contesté entre les polarités qui s'exercent à travers la réalité humaine. Il n'existe pas de degré zéro de la conscience cérébrale, sauf insuffisance mentale complète, dans le cas par exemple d'enfants hydrocéphales, à peu près dépourvus d'hémisphères cérébraux ; il n'existe pas non plus de degré zéro de l'existence végétative, puisque l'ordre végétatif est l'indispensable support de la vie. L'existence concrète se déploie entre les irradiations opposées qui se disputent la prédominance. Selon Schubert, la culture moderne est caractérisée par la prédominance des influences cérébro-spinales, au détriment de l'ordre vital, qui nous maintenait au contact des influences telluriques. Tel était aussi l'enseignement de Rousseau. « Dès que, dans certains états à la fois organiques et spirituels, la nature propre du système ganglionnaire commence à s'éveiller, nous la voyons reprendre son activité archaïque et originaire, tout au moins sous forme d'ombres légères. Le rêve, le somnambulisme, l'enthousiasme et tous les états supérieurs de notre nature créatrice nous conduisent dans de belles régions encore jamais vues, dans une nature neuve spontanément créée, riche et sublime, dans un monde plein d'images et de formes... » ([24]).

L'opposition des régulations nerveuses dépasse le cadre de l'anatomie et de la physiologie. Système végétatif et système cérébral ont une signification culturelle et spirituelle ; chacune des deux inspirations s'efforce d'acquérir la prédominance sur l'autre, tout en utilisant ses possibilités. La fonction cérébrale est à l'origine du langage, médiateur de toute expression et communication des données de la vie intérieure. L'ordre végétatif propose la source et ressource des émotions et des passions ; sans ce fondement de toutes les valeurs humaines, les mots et les phrases seraient vides de signification ; nos discours se réduiraient à

([24]) SCHUBERT, *Die Symbolik des Traumes,* ch. VI, Bamberg, 1814, p. 155 ; trad. française, *La Symbolique du Rêve,* par Patrick VALETTE, Albin Michel, 1982.

des formulaires abstraits sur fond de néant. L'univers du discours ne peut subsister que sur l'arrière-plan d'un espace vital, auquel il ne cesse de renvoyer. L'attention se reporte sur le sens intime, dont on essaie d'explorer la configuration. L'abbé de Lignac désignait sous ce nom une perception intuitive de l'espace du dedans, sans spéculer sur les rapports du physiologique et du spirituel ; il ne soupçonnait pas les dimensions du règne de l'inconscient, ni leurs ambiguïtés. Le sens intime est pour lui une faculté d'orientation ontologique, un principe d'échappement à l'impérialisme de l'intellect. Les théoriciens de la *Naturphilosophie*, compétents en matière de physiologie et de médecine, explorent les confins entre la vie organique et l'inconscient ; le système végétatif, outre des régulations nerveuses, englobe des organes comme le cœur et le foie, le système digestif, le plexus solaire, le concert des organes qui sous-tendent l'état de santé et de maladie. L'ordre ganglionnaire atteste en nous le sens vécu de l'incarnation, alors que l'ordre cérébro-spinal s'efforce d'assurer le désengagement charnel de l'esprit, et de faire prévaloir l'universalité du concept sur la personnalité concrète.

Carl Gustav Carus insiste sur l'importance de la circulation sanguine, condition inconsciente de l'équilibre psychique. Le système circulatoire a son centre dans le cœur, tout comme le système nerveux son centre dans le cerveau ; chaque système organique est l'expression d'un aspect de la Psyché, les rapports entre les divers systèmes constituant, dans leur harmonie ou leur discordance, l'état général de l'organisme. La circulation du sang, en laquelle se manifeste l'activité créatrice de l'âme, énonce une basse continue, où se dit l'agrément ou le désagrément global d'une vie. Toute atteinte de ce sens commun, de ce sentiment fondamental *(Gemeingefühl)*, se traduit par des troubles de l'accord ou du désaccord de l'homme avec lui-même et avec le monde. Ces harmonies psychophysiologiques, stationnées dans l'inconscient, donnent à la vie personnelle sa coloration, sa saveur ([25]). Schubert, pour sa part, voit dans le foie le siège abdominal des passions violentes, haine, colère, passion, orgueil ; l'irradiation du foie soumet l'ordre ganglionnaire à des pulsions extrêmes qui peuvent aller jusqu'à la folie. Le foie joue un grand rôle dans la genèse des cauchemars ([26]).

Les rythmes de l'organisme humain se trouvent en consonance avec les pulsations de l'univers. Le *Gemeingefühl* de chaque individu, les *Stimmungen* qui l'animent, traduisent les harmonies du cosmos, les magnétismes du grand corps de l'univers. Schubert, après Novalis, Steffens et Alexandre de Humboldt, a été l'élève, à Freiberg, du grand géognoste Werner. Il sait que l'être humain se trouve à tout instant soumis à l'influence des forces telluriques, corps et âme en interdépendance avec le corps et l'âme du monde. La vision romantique de l'univers interprète le réel en continuité ; la réalité humaine fait corps avec le paysage, elle « fait âme » aussi. La civilisation technique a rompu le pacte

([25]) C. G. Carus, *Vorlesungen ueber Psychologie* (1829-1830), ch. XIII, Leipzig, 1831, p. 253.
([26]) G. H. Schubert, *Die Symbolik des Traumes, op. cit.*, 113-114.

d'alliance, l'adhésion tacite de l'homme des premiers temps à l'ordre de la nature en sa sagesse millénaire, désétablissement dommageable autant pour la société que pour l'individu, en proie à un désordre moral et spirituel, dont les troubles de l'époque révolutionnaire ont mis en lumière la gravité.

Le remède à l'anarchie serait de se mettre à l'écoute des forces naturelles oubliées, grâce à la restauration de la sensibilité cosmique. L'individualisme des Lumières opposait l'homme à l'homme et à la nature ; il faut redécouvrir les liens de l'homme au monde et à l'homme, principes de l'unité des êtres au sein de l'organisme universel. Les mediums, les somnambules, les voyants, dont l'âge romantique fait une grande consommation, attestent cette sensibilité cosmique, capable d'agir à distance pour relier des individus séparés. Le physiologiste Karl Friedrich Burdach (1776-1847) soutient la thèse d'un espace mental transpersonnel rassemblant, en dépit de la distance, des individus séparés. « Les organismes animaux entretiennent des relations mutuelles, sans contact immédiat, grâce à l'action à distance de leur système nerveux ; c'est ce qu'on appelle l'atmosphère sensible *(sensible Atmosphäre)*. Dans la cure magnétique, les systèmes nerveux de deux individus se confondent d'une manière dynamique de manière à former un tout ; c'est une neurogamie. Grâce à ses manipulations, le magnétiseur *(Neuander)* soude les extrémités périphériques de son système nerveux à celles du magnétisé *(Neurogyne)*. » Tout se passe comme si le couple magnétiseur-magnétisé restaurait l'androgyne primitif — bien que Burdach n'utilise pas le mot dans ce contexte. Le magnétisé, sous la dépendance de son propre système ganglionnaire, adopte en quelque sorte le système cérébro-spinal du magnétiseur, ce qui lui permet d'accéder à une plus claire conscience de soi-même ([27]).

Le système ganglionnaire, pour Burdach comme pour Schubert et Carus, est donc le médiateur des actions à distance, pour les influences magnétiques et les forces telluriques du Cosmos. L'inconscient intervient comme un éther transmettant les messages qui ne transitent pas par l'univers du discours analytique. Un mot, emprunté à la langue de l'alchimie, désigne la force de cohésion assurant l'unité universelle des êtres *(Allverbundenheit)*, le mot *sympathie*, qui ne s'applique pas seulement à l'attachement mutuel entre les individus, mais désigne aussi les forces invisibles reliant l'homme à sa terre. Schelling souligne l'inquiétude, l'angoisse observée chez les animaux à l'approche des cataclysmes naturels, comme s'ils percevaient la perversion imminente de l'ordre et de l'équilibre cosmiques. Une sympathie universelle assure notre intégration à l'univers, ou suscite le cas échéant un désaccord existentiel de caractère pathologique ([28]).

([27]) K. F. BURDACH, *Blicke ins Leben*, Bd. IV : *Rückblick auf mein Leben*, Leipzig, 1848, p. 156 ; Burdach résume ici les thèses de son ouvrage : *Die Physiologie*, Leipzig, 1810.

([28]) Cf. Adalbert ELSCHENBROISH, *Romantische Sehnsucht und Kosmogonie, eine Studie von* G. H. SCHUBERTS *Geschichte der Seele*, Tübingen, 1971.

Friedrich Hufeland a étudié cette dimension, à la fois supra- et infraconsciente, de l'existence dans son traité *Ueber Sympathie* (1811), peu de temps après le livre de Schubert sur les révélations de la nuit (*Ansichten von der Nachtseite der Naturwissenschaft*, 1808). La conscience claire, soumise à la régence du cerveau, tend à isoler l'individu, égoïstement retranché en lui-même dans une autonomie illusoire. A l'opposé, les puissances végétatives soulignent l'appartenance de chacun à la réalité du Tout. La prépondérance de la polarité cérébro-spinale refoule l'indispensable contact avec la nature. « Si la tendance à l'unité avec le tout, exprimée par les manifestations de la sympathie, tendance présente en chaque individu, ne peut être pleinement satisfaite au cours de l'existence, alors on doit considérer que la mort seule permet d'atteindre réellement ce but » ([29]). La mort, moment négatif de la vie, revêt l'aspect positif d'une réintégration, dissipant un malentendu. Cette transmutation des valeurs confère à la force nocturne de la vie une priorité d'honneur sur l'intelligibilité diurne, comme si l'apothéose dans l'homme de la liberté rationnelle n'avait fait que consacrer un malentendu, détournant l'espèce humaine de son origine et de sa fin. Le traité de Hufeland reprend, selon la dimension de la sympathie, l'odyssée de la vie tout au long de l'échelle des êtres. La sympathie consacre la dépendance de l'existence individuelle par rapport à la vie du Tout ; ce lien, à l'origine très étroit, ne cesse de se détendre, à mesure que les individus gagnent en indépendance. Les plantes adhèrent au sol de toutes leurs racines, et les forces telluriques circulent librement à travers elles avec les sucs nourriciers empruntés à la terre. Les animaux sont déliés de cette obéissance immédiate par leur capacité de se mouvoir dans l'espace ; mais la nature leur impose des rythmes de vie, des exigences instinctives, forces obscures à l'emprise desquelles il leur est impossible d'échapper. Plus on s'approche de l'espèce humaine, et plus la polarité de la lumière l'emporte sur celle de la pesanteur ; le contact avec les forces assurant la cohésion de l'univers se détend jusqu'à presque se rompre sous le régime de la conscience intellectuelle. Seuls le sommeil, le somnambulisme et les états où s'affirme la défaillance de l'ordre volontaire maintiennent les liens de la sympathie universelle.

L'anthropo-cosmologie dans l'esprit de Schelling, Schubert et Carus, débouche sur une appréciation générale des destinées de l'humanité. Les premières communautés humaines, proches encore de l'état de nature, vivaient sous l'influence des sympathies cosmiques. Le livre de la Genèse évoque la faute originaire, suivie de l'expulsion du Jardin édénique, comme une suite de la tentation suscitée par l'arbre de la connaissance. Les ancêtres du genre humain ont dénoncé la première alliance avec la nature ; ils ont voulu s'approprier la raison, ils ont pris leurs distances par rapport à l'harmonie universelle dont ils bénéficiaient dans l'amitié avec Dieu. La destinée humaine s'orientera désormais vers la reconquête du paradis perdu, vers la réinsertion dans la grande circulation du magné-

([29]) Fr. HUFELAND, *Ueber Sympathie*, Weimar, 1811, p. 138.

tisme vital. La restauration de l'harmonie devient le thème dominant, promesse de la vie à venir inscrite au cœur de la vie d'ici-bas.

Schubert développe cette thèse dans ses *Aperçus sur le côté nocturne de la Science de la Nature* (1808), célébration de l'intelligibilité ganglionnaire, appuyée sur des données psycho-physiologiques, mais aussi sur les traditions mythiques de l'humanité, sous l'invocation de la nuit révélatrice : « Ce monde paisible des astres, authentique et sublime, face nocturne de la Nature, est un témoin prophétisant le lointain passé comme l'avenir de l'Etre, qui a existé avant le temps et subsistera après le temps... » ([30]). Les révélations de la nuit ont été éclipsées par les enseignements du jour; on a oublié les témoignages millénaires des sagesses de l'Orient moyen et extrême. La chute individuelle d'Adam est un analogue d'une chute collective du genre humain dans l'histoire de la civilisation. Chez les hommes des premiers temps le système ganglionnaire et le système cérébral ne faisaient qu'un ; ils obéissaient aux forces de la vie végétative, qui assuraient l'harmonieuse intégration de la communauté humaine dans les rythmes de la vie universelle. Mais les facultés intellectuelles se sont développées; elles ont revendiqué et obtenu leur autonomie, à la faveur d'une disjonction entre l'ordre mental et l'ordre vital. L'instance végétative s'est trouvée refoulée dans les bas-fonds de l'inconscient, où elle aura désormais pour fonction de contrôler la croissance de l'organisme. L'ordre intellectuel assurera la présence au monde, dans les limites conventionnelles d'un univers du discours, oublieux de ses origines et de sa fonction; une conscience déracinée préside à l'organisation d'une réalité artificielle ; les accords harmoniques reliant l'homme à l'univers se trouvent donc faussés. L'orientation ontologique des individus n'est plus assurée par une conscience immédiate ; les hommes en état d'errance se regroupent dans des agrégats de société, qui ne sont pas d'authentiques communautés.

La nostalgie du paradis perdu se retrouve, sous des formes diverses, dans les traditions mythiques de l'humanité. La condition de la réintégration, dont nous ne pouvons nous empêcher de formuler le vœu, est l'unité restaurée entre les deux dimensions de la connaissance, dans le silence imposé aux récriminations de l'intellect. La nuit, le rêve, la voyance, la mort elle-même sont des ouvertures en direction de ce mystère d'unité et d'intégrité qui définit pour nous la plénitude de la vie. Aventure chanceuse, car il existe aussi des formes pathologiques de l'abandon aux puissances des ténèbres ; Satan est un prince de la nuit. Il n'y a pas de salut sans un combat dont chacun est pour soi-même l'enjeu ; les révélations promettent la victoire à ceux qui gardent la foi. La folie peut avoir une face positive qui nous échappe. La mort, passage à la limite, annonce une réintégration dans la totalité du sens. Selon Schubert, nous portons en nous le pressentiment d'une existence à venir, supérieure à celle-ci ; la religion dit le sens de ce monde qui confine au nôtre, et dont, dès ici-bas, pour ceux qui savent voir et entendre, portent

([30]) G. H. SCHUBERT, *Ansichten von der Nachtseite der Naturwissenschaft* (1808); 3e éd., Dresden, 1827, p. 2.

témoignage les arts, la science et la religion. La sainte alliance du ganglionnaire et du cérébral permet ainsi à Schubert de s'avancer jusqu'aux confins de l'eschatologie ; mais, à la différence de Schelling, il ne pénètre pas dans ce domaine. Sa vocation est celle du maître spirituel et du psychothérapeute, non pas celle du gnostique, acharné à poursuivre les révélations interdites.

La dualité du système cérébral et du système ganglionnaire semble particulière à l'espace germanique. La distinction entre les deux formes du rapport au monde et à soi-même n'apparaît guère dans le reste du domaine occidental, où, d'ailleurs, le souci pour une compréhension globale de l'homme concret est beaucoup moins marqué qu'en Allemagne. En France, seul, dans l'école idéologique régnante, Bichat reconnaît l'importance de la distinction entre *vie organique* et *vie animale.* Condillac, maître à penser des Idéologues, niait l'existence des instincts ; l'instance cérébro-spinale était seule reconnue en droit et en fait. Néanmoins l'inspiration vitaliste, maintenue par l'école de Montpellier, retenait la tradition de l'ancienne doctrine des sympathies. Cabanis, en dépit de Condillac, et bien qu'il affirme la prépondérance du système nerveux central, admet l'existence d'un homme intérieur, qui échappe au contrôle de la conscience claire ([31]). La vie embryonnaire prénatale, l'expérience du rêve, les récurrences de la sensualité attestent l'existence d'une sensibilité, d'une sensualité autonomes. Mais la prépondérance doit revenir à l'activité cérébrale, qui assume la responsabilité dans l'ensemble du domaine humain.

Destutt de Tracy (1754-1836) a traversé l'âge romantique en témoin impuissant et rageur d'une révolution culturelle à l'opposé de ses préférences personnelles. Etranger à la physiologie et à la médecine, il se contente de reprendre les vues de son ami Cabanis, dans la dernière partie de ses *Eléments d'Idéologie*, rédigés aux environs de la période critique de 1815 et laissés inachevés. Il existerait ainsi deux formes de vie, la vie « organique ou intérieure » et la vie « animale » ou « extérieure », la première assumant les fonctions de conservation de l'existence (respiration, sécrétions, digestion, circulation, etc.), et la seconde dirigeant la vie de relation (mouvement, langage, reproduction). La vie organique semble « exister seule ou presque seule dans les végétaux et dans les animaux très imparfaits... » ; elle a pour foyer principal le grand sympathique, « espèce de cerveau particulier ». C'est le domaine de l'involontaire et de l'instinctif, opposé à l'ordre intellectuel qui prédomine dans la vie de relation, et suscite les idées de personnalité et de propriété ([32]).

Tracy souligne l'existence de la sympathie, qui nous porte à communiquer avec les autres êtres. « Le sentiment de *sympathie* dérive aussi nécessairement de notre vie de relation que le sentiment de *personnalité*

([31]) Cf. Sergio MORAVIA, *Il pensiero degli Idéologues*, Firenze, La nuova Italia, 1974, pp. 231 sqq.
([32]) Destutt DE TRACY, *Eléments d'idéologie,* V, *Traité de la volonté,* II, 2e éd., 1818, pp. 507 sqq.

dérive de notre vie de *conservation* » ([33]). La vie organique, qui justifie une conscience confuse du moi, nous confinerait dans un égoïsme vital, replié sur lui-même. C'est la vie de relation, réglée par l'appareil cérébral, qui se trouve au principe de la morale raisonnable, grâce à l'ouverture de la sympathie. Tracy nourrit une méfiance persistante à l'égard des puissances obscures, de la fascination de la nuit. Aux valeurs archaïques et obscurantistes du romantisme, il oppose un rationalisme tempéré et vite essoufflé. Disciple de Tracy, Maine de Biran opérera un repli sur l'intériorité, rejetant les artifices de la conscience intellectualisée ; il restaurera pour son compte la foi religieuse et sera l'un des penseurs romantiques français ; mais la France, pas plus que le reste de l'Europe, ne possède rien de comparable au vaste mouvement de la psychobiologie germanique.

L'intelligibilité romantique forme un ensemble cohérent. Mais les diverses provinces de l'Occident ont vécu l'expérience romantique d'une manière plus ou moins complète. En Angleterre, en France comme dans les pays européens du Sud et de l'Est, l'esthétique et la poétique attestent cette forme nouvelle de la conscience de soi et du rapport au monde. La révolution culturelle trouve ses justifications profondes et inapparentes dans la biologie et l'anthropologie, domaines explorés par les savants germaniques. Leurs inductions et intuitions permettent de ressaisir le sens des œuvres d'art et de littérature produites par les maîtres européens en vertu d'une exigence dont ils ignoraient les soubassements organiques.

([33]) *Ibid.*, p. 516.

CHAPITRE V

LA MÉDECINE ROMANTIQUE

La médecine romantique, spécialité germanique, est généralement traitée par le mépris par les historiens, ou prétendus tels, qui, s'inspirant d'un positivisme à courte vue, et d'un nationalisme inconscient, font de leur ignorance une loi de l'histoire. Selon Michel Foucault (*Naissance de la clinique,* 1963), rien ne mérite considération en dehors de ce qui se passe sur la rive gauche de la Seine. On traversera toute l'ère romantique sans respirer l'air du temps. Or l'école de Paris, héritière de la tradition idéologique, s'en tient à un positivisme au petit point ; la méthodologie anatomo-clinique réduisait l'espace médical à une mosaïque de phénomènes reliés par des mécanismes associatifs, comme Hume constituait le psychisme au détail, sans rencontrer la réalité humaine. Un histologiste, disait Henri Poincaré, qui aurait examiné l'une après l'autre toutes les cellules d'un éléphant découpé en tranches microscopiques, n'aurait pas la moindre idée de ce que peut être l'éléphant réel, en sa vivante spécificité. Lésions et symptômes cachent le malade comme les arbres cachent la forêt. Le matérialisme médical entraîne la méconnaissance de ce qui n'apparaît pas inscrit dans la réalité organique. L'anatomie pathologique empêchait la divagation de l'intelligence ; à la limite elle mène à ne croire que ce qu'on voit.

Un tableau clinique, si complet soit-il, ne restitue pas la maladie, expérience vécue par un homme qui souffre et dont la vie est menacée. La médecine romantique, subdivision de la *Naturphilosophie,* veut être une médecine de la totalité, aux antipodes de cette médecine de la particularité à quoi se borne l'école de Paris. L'organisme humain est solidaire de l'organisme total, du *Gesamtorganismus* de l'univers. La catégorie de l'organisme, dans le contexte d'une doctrine de la totalité, soumet à une intelligibilité commune les phénomènes corporels, et les réalités psychiques, non comme deux ordres séparés, liés par une correspondance plus ou moins lâche, mais comme un seul ensemble cohérent, dont la communauté de signification est posée en principe. La conception moniste de l'univers confond dans ses rythmes l'homme et le monde, le corps et l'âme, identifiés l'un à l'autre. L'idée d'organisme fait autorité aussi bien dans le champ de la physiologie que dans l'ordre de la pensée ou dans la région de l'art. L'*organisme* remplace le *système;* au thème d'une construction artificielle, il substitue une croissance vivante, obéissant non à des règles arbitraires, mais à une inspiration immanente qui traduit l'épanouissement de la vie avec sa spontanéité imprévisible, défiant l'esprit de géométrie, déductions rigides et axiomatiques fermées qui tentent de faire obstacle à la libre création des formes selon l'exigence d'une nécessité intime.

« La notion d'organisme apparaît vraiment comme la notion romantique la plus élevée dans tous les ordres du savoir, et pas seulement dans les sciences naturelles. C'est le terme de l'époque, inauguré par Herder, défini par Kant, bien entendu pas au sens herderien, appliqué par Kielmeyer, marqué de son sceau par Schelling, et superbement élaboré par Goethe. Sans ce terme, il est impossible d'exposer le romantisme ; il est valable dans tous les domaines, et tout particulièrement dans l'historiographie, où il apparaît aujourd'hui, appliqué à l'étude des diverses cultures. « Forme incarnée, en vivant développement (*Geprägte Form, die lebend sich entwickelt,* Goethe) ». L'époque romantique, avec ce mot « organisme », a embrassé l'unité de la forme en mouvement » ([1]).

Appliquée au domaine humain, l'idée d'organisme implique l'obligation de respecter la forme globale de l'individu en état de santé ou de maladie. L'être humain, corps et pensée, compose un domaine unitaire, qui ne peut être abordé comme un agrégat de parties exclusives les unes des autres, traitées en cas de maladies par des thérapeutiques distinctes. Ce n'est pas un organe qui souffre, c'est l'individu dans son ensemble ; même si l'atteinte paraît localisée, comme dans le cas d'une blessure, l'organisme réagit globalement, sous la forme de résonances ou de compensations, qui mettent en cause de proche en proche la totalité du territoire personnel. Le thème du champ unitaire est un signe distinctif de la pensée romantique. Michelet, *Naturphilosoph* à la française, et romantique de plein exercice, ne s'y était pas trompé. « Hérodote, écrit-il, conte que les Egyptiens, dans l'enfance de la science, avaient des médecins différents pour chaque partie du corps, l'un soignait le nez, l'autre l'oreille, tel le ventre etc. Il leur importait peu que leurs remèdes s'accordassent ; chacun d'eux travaillait à part, sans déranger les autres ; si, chaque membre étant guéri, l'homme mourait, c'était son affaire. J'ai eu, je l'avoue, un autre idéal de la médecine. Il m'a paru qu'avant tout remède extérieur et local, il ne serait pas inutile de s'informer du mal intérieur qui produit tous ces symptômes » ([2]).

Le paradigme de l'organisme, selon Michelet, vaut aussi bien dans l'ordre de la pathologie sociale, où l'on s'efforce de soigner les misères une par une. « Les remèdes spéciaux n'ont pas manqué, ce semble. Nous

([1]) Ernst HIRSCHFELD, *Romantische Medizin; Kyklos,* Jahrbuch für Geschichte der Medizin, III, Leipzig, 1930, p. 27 ; cette étude fournit une bonne vue d'ensemble des orientations de la médecine romantique. Cf. aussi *Fondements du savoir romantique,* Payot, 1982, pp. 427 sqq., sur la notion d'*Organisme.*

([2]) MICHELET, *Le Peuple* (1846), 2e partie, ch. II ; rééd. Julliard, 1965, p. 175.

en avons quelque cinquante mille au Bulletin des lois ; nous y ajoutons tous les jours et je ne vois pas que nous en allions mieux. Nos médecins législatifs traitent chaque symptôme, qui apparaît ici et là, comme une maladie isolée et distincte, et croient y remédier par telle application locale. Ils sentent peu la solidarité du corps médical et celle de toutes les questions qui s'y rapportent... » ([3]). S'il existe, comme l'imaginait Auguste Comte, une « physiologie sociale », il y aura nécessairement une « pathologie sociale », et donc une thérapeutique à l'échelle de l'ensemble.

Appliqué au domaine de la santé, le paradigme de l'organisme commande de ne pas dissocier la médecine du corps de la médecine de l'esprit. Toute maladie corporelle doit s'exprimer aussi par des troubles correspondants au niveau de la conscience ([4]). De même, la pathologie des maladies psychiques met en cause le domaine organique. Selon la nouvelle intelligence pathologique, les symptômes sont liés par des relations de correspondance et de réversibilité, qui échappent aux interprétations mécanistes à courte vue. Le paradigme du champ unitaire, organique et mental, a pour conséquence la reconnaissance de la relativité mutuelle des signes cliniques ; en dehors même de leur apparence phénoménale, ils revêtent une valeur figurative, du fait de la mutualité des significations dans l'ensemble d'une vie personnelle. Les maladies de l'âme peuvent s'inscrire dans l'organisme sous une apparence matérielle et, réciproquement, les épreuves du corps peuvent avoir des corollaires dans l'espace mental. Rien là qui nous étonne depuis les révélations des psychologies des profondeurs et de la psycho-somatique. Ces découvertes, ou prétendues telles, attribuées à des génies de notre temps, remontent aux intuitions romantiques, qui ont mis en évidence l'importance décisive de l'inconscient dans la réalité humaine.

La médecine romantique est une médecine du sujet humain, une médecine de la totalité. Selon un historien, « l'opposition abrupte, pendant les quatre premières décennies du XIXe siècle, entre les médecines française et anglaise d'un côté, et la médecine allemande de l'autre, oblige aussi à traiter à part, nation par nation, la problématique historique de la force médicatrice de la nature. Chez les auteurs français et anglais dominent les observations de faits isolés ; chez les Allemands, ce sont des discussions plus générales, et en partie purement spéculatives » ([5]). Les tenants de la *Naturphilosophie*, victimes de leur audace, ont pensé et songé au-delà de ce qu'ils savaient ; leurs doctrines furent bientôt démenties par la découverte de nouvelles voies d'approche qui remettaient tout en question. La découverte des agents microbiens en matière de pathologie, avec les conséquences qui s'ensuivent en matière d'asepsie et d'antisepsie, bouleversera l'intelligence médicale et la

([3]) *Ibid.*, pp. 174-175.

([4]) Cf. NOVALIS, *L'Encyclopédie*, Wasmuth § 1182 : « Toute maladie peut être appelée maladie psychique » (trad. GANDILLAC, éd. de Minuit, 196, p. 276).

([5]) Max NEUBURGER, *Die Lehre von der Heilkraft der Natur im Wandel der Zeiten*, Stuttgart, 1926, pp. 127-128.

pratique thérapeutique, ouvrant des perspectives que la biologie romantique ne pouvait soupçonner. Mais la médecine anatomo-clinique et positiviste n'était pas plus avancée. Les romantiques ont imposé à la médecine un visage humain ; elle est devenue grâce à eux une anthropologie appliquée au domaine pathologique.

Bon nombre de philosophes ont une compétence médicale, à commencer par Schelling ou Novalis, et la plupart des médecins possèdent une formation philosophique. Dans le domaine français, les maîtres de l'école de Paris, Corvisart, Laennec, Dupuytren, Magendie, Hallé, Récamier et autres, sont d'honorables praticiens dont la curiosité ne déborde guère les marges du tableau clinique ou du champ opératoire. Et quand l'un d'entre eux s'aventure dans la spéculation, comme Broussais, l'étroitesse de ses vues, jointe au fanatisme théorique, produit une impression d'indigence intellectuelle ; l'idée d'une anthropologie médicale semble intraduisible en français, alors qu'il existe en allemand une abondante littérature, objet d'un enseignement dans les facultés de médecine. Heinroth (1773-1843), qui fut professeur à Leipzig, prononce en 1806 un discours d'ouverture sur le thème *De la nécessité de l'étude de l'anthropologie médicale*. En 1810, Gruithuisen (1774-1852) publié à Munich une *Anthropologie ou de la nature de la vie et de la pensée de l'homme, à l'usage des futurs philosophes et médecins ;* l'année suivante, le même théoricien propose à ses lecteurs une *Organozoonomie*, présentée comme une « propédeutique à l'anthropologie ». Leupoldt (1794-1874) donne en 1834 un traité d'*Anthropologie complète sur le fondement nouveau de la Biosophie générale*, qui se fait fort de réconcilier la science médicale allemande avec le christianisme. L'*Anthropologie* de Henrich Steffens paraît en 1821 ; on pourrait multiplier les références de cet ordre, en y adjoignant même des revues dont les intitulés attestent le souci de joindre médecine et anthropologie dans un même programme d'investigation ([6]).

La médecine romantique est une médecine de la personne. Davantage, l'inspiration cosmomorphique de la *Naturphilosophie* n'accepte pas d'enfermer la santé individuelle dans les limites de l'organisme ; la personnalité humaine n'est pas prisonnière dans le sac de la peau. Elle rayonne alentour, en réciprocité d'influence avec le paysage, l'environnement, et, de proche en proche, elle se trouve en communication avec l'univers entier. La tradition hippocratique du traité *Des airs, des eaux et des lieux* asseoit l'équilibre du microcosme sur l'ordre du macrocosme, au sein de l'économie générale de la création ; la physiologie individuelle s'inscrit dans l'économie générale des forces telluriques. Le magnétisme animal se trouve compris dans les circuits du magnétisme terrestre ; la force vitale est une affirmation des puissances cosmiques, dont il faut tenter de capter les effets bénéfiques. Les romantiques ont réhabilité Paracelse et Van Helmont ; ils retrouvent les inspirations sidérales ou telluriques des antiques pharmacopées, dont l'efficacité met en œuvre des sympathies, des correspondances présentes dans le grand corps de

([6]) J'emprunte ces indications à Ernst HIRSCHFELD, *Romantische Medizin, op. cit.*, pp. 31 sqq., qui donne une bibliographie plus complète.

l'univers. Les naturismes contemporains, les végétarismes, les diététiques théosophiques perpétuent certaines inspirations qu'on trouve déjà dans la *Macrobiotik* de Christoph Wilhelm Hufeland (1762-1836), art de prolonger la vie, dont la première édition, encouragée par Goethe, paraît vers 1793. Troxler donne en 1807-1808 ses *Elemente der Biosophie;* Leupoldt son *Eubiotik* en 1828, et Heinroth en 1839 en *Orthobiotik*.

La médecine romantique veut être une médecine de l'homme bien ou mal portant, considéré dans son rapport avec lui-même, avec les autres et avec le monde. La doctrine homéopathique, proposée par le Saxon Samuel Hahnemann (1755-1843), propose une expression caractéristique de l'idée de totalité, horizon de l'organicisme romantique. Le principe des similitudes se place sous le patronage d'Hippocrate et de Paracelse, selon lesquels ce qui rend un individu malade peut aussi le guérir. Traduisant en allemand la *Materia medica* de l'Ecossais William Cullen, en 1790, Hahnemann est frappé par le fait que la quinine administrée à un individu sain produit sur lui des effet identiques à ceux que la même quinine guérit chez un malade. Généralisant cette observation, Hahnemann étudie sur lui-même et sur des familiers les effets du mercure, de la digitale, de la belladone et autres drogues de la pharmacopée, en diminuant considérablement les doses administrées aux malades. Le changement d'échelle quantitative, loin de diminuer les effets du médicament, semble au contraire en augmenter la puissance. En produisant des symptôme analogues à ceux de la maladie, on supprime la maladie, au lieu de l'exalter.

De là le traité *Organon der rationellen Heilkunde* (*Organon de l'art rationnel de guérir*, 1810), et la *Reine Arzneimittellehre* (*Exposé de la pure pharmacopée*, en 6 volumes, 1811-1821), étude systématique des drogues et de leurs effets en fonction de la constitution individuelle. Hahnemann est un expérimentateur, son influence, génératrice d'une pharmacopée spécifique, lui valut haine et persécution de la part de la corporation des pharmaciens traditionnels, au point qu'il préféra, en 1821, chercher refuge en France. Le contexte mental de l'homéopathie est nourri de représentations relatives aux rapports entre microcosme et macrocosme, aux forces telluriques et à leurs effets sur l'idiosyncrasie individuelle. Hahnemann n'est pas un membre à part entière de l'école des *Naturphilosophen*, mais son œuvre s'inscrit dans la mouvance romantique, et ses idées sont souvent associées au traitement des malades. Influence qui réagit utilement contre les excès quantitatifs de la cure traditionnelle (saignée, purgation, émétique) et l'administration massive de drogues dangereuses. L'homéopathie professe le respect de la force vitale, qu'il faut aider à triompher par ses propres moyens de l'agression pathologique. Cette thérapeutique de la totalité et de la similitude peut être mise en rapport avec les découvertes de la vaccination et de l'immunité acquise.

L'école romantique intègre dans sa synthèse culturelle les arts, les sciences et la religion. La médecine, compréhension d'ensemble de l'équilibre humain et prescription d'un art de vivre, est une théorie et une pratique de la présence au monde, de l'incarnation ; elle met en œuvre des méthodes expérimentales en vue de proposer les plus efficaces procédures d'intervention. Elle ne se contente pas de fournir une théorie des valeurs. La santé et la maladie ne peuvent être considérées comme des états empiriques, associés à une vague impression de bien être ou de mal être organique. Les penseurs romantiques prétendent parvenir à une connaissance de ce qui conditionne cette satisfaction, ou cette insatisfaction, du corps et de l'esprit dans leur essentielle unité.

En France, on parle longtemps de l'Ecole de Médecine plutôt que de la Faculté ; ce qui donne à entendre un enseignement tourné vers la pratique plutôt que vers la théorie, et qui, dans l'Université, occupe un rang modeste, sur le même plan que l'Ecole de Droit, appelée à fournir des praticiens utiles, plutôt que des esprits spéculatifs. La Sorbonne, c'est d'abord le groupement des Facultés de Théologie, des Lettres et des Sciences, dans le schéma napoléonien, triste dégénérescence de la structure ancienne, où droit et médecine possédaient le statut de « facultés supérieures ». Ce statut, on le trouve mentionné en 1798, au début de l'ère romantique, dans le traité de Kant *Le Conflit des Facultés*. Cet écrit, consacré au droit de préséance entre les composantes de l'Université, souligne le lien entre la Faculté de Médecine et la Faculté de Philosophie, où sont enseignées conjointement les lettres et les sciences. « Le médecin est un artiste, toutefois, parce que son art est emprunté directement à la nature et doit, pour cette raison, être dérivé d'une science de la nature, il dépend comme savant, de quelque Faculté où il a dû faire ses études et au jugement de laquelle il doit rester soumis (...). C'est pourquoi originairement ses doctrines devraient dépendre de la Faculté de Philosophie, considérée au sens le plus large » ([7]). La Faculté de Philosophie détient les fondements scientifiques de l'art de guérir. Car « la Faculté de Philosophie peut revendiquer toutes les disciplines pour soumettre à l'examen leur vérité » ([8]). Droit de regard confirmé par le fait que Kant annexe au *Conflit des Facultés* sa réponse au professeur Christoph Wilhelm Hufeland, d'Iéna, qui a soumis à son appréciation sa *Macrobiotique, sur l'art de prolonger la vie humaine*, récemment parue. Kant, en dépit de sa culture encyclopédique, n'a pas fait d'études de médecine ; Hufeland sollicite le jugement du vieux maître, lui donnant ainsi l'occasion d'exposer les principes de sa diététique personnelle. Kant, pendant une bonne partie de sa carrière, a professé un cours d'anthropologie, où la recherche du bon usage de la vie passe par des considérations d'hygiène, médecine appliquée.

Kant demeure fidèle à l'esprit de l'*Aufklärung*. En 1802, quatre ans après la publication du *Conflit des Facultés*, le jeune Schelling, qui a obtenu, grâce à la protection de Goethe, un poste à l'université d'Iéna, prononce des conférences *Sur la méthode des études académiques*, publiées l'année suivante (*Vorlesungen über die Methode des akademischen Studiums*, 1803). Ce manifeste de l'université moderne passe en revue le programme encyclopédique des études, dans l'esprit nouveau de l'épistémologie

([7]) KANT, *Le Conflit des Facultés* (1798) ; trad. GIBELIN, Vrin, 1935, p. 24 et p. 25.
([8]) *Op. cit.*, p. 28.

romantique. La médecine y trouve sa place, non pas en parent pauvre de la connaissance, vouée aux basses besognes d'un savoir faire empirique, mais en science de synthèse et synthèse de sciences, embrassant l'ordonnancement du domaine humain dans sa totalité.

« De même que, selon les vues les plus anciennes, l'organisme n'est rien d'autre que la nature en abrégé et dans une auto-intuition accomplie, de même la science de l'organisme doit réfracter et concentrer comme dans un foyer tous les rayons de la connaissance de la nature et les conduire à l'unité. Presque à chaque époque, la connaissance de la physique générale fut considérée au moins comme une étape nécessaire et un accès au sanctuaire de la vie organique. Mais quel modèle scientifique la doctrine de la nature organique pouvait-elle emprunter à la physique qui, étant elle-même dépourvue de l'idée universelle de la nature, ne pouvait que l'encombrer de ses propres hypothèses et la défigurer ?... » ([9]). De Kant à Schelling, à quatre années de distance, est intervenue une coupure épistémologique. Schelling, formé selon l'inspiration kantienne, s'est détaché de son maître dans les années 1790 ; de là une conception de la nature en rupture complète avec celle que Kant exposait en 1786 dans les *Premiers principes métaphysiques de la science de la nature*. Un siècle après les *Philosophiae naturalis principia mathematica*, Kant demeurait fidèle au paradigme newtonien ; il ajoutait seulement à la construction « mathématique » de Newton un soubassement « métaphysique », conforme à la *Critique de la raison pure*. Schelling a été l'un des meneurs de la révolution non newtonienne. La philosophie de la nature a pour conséquence l'instauration d'une médecine de la nature, annoncée dans les *Vorlesungen* de 1802-1803.

Il ne s'agit pas là seulement d'un nouveau langage, ou d'une nouvelle problématique, reprenant les mêmes thèmes avec d'autres mots. Kant, dans ses *Premiers principes*, affirme qu'il n'y a de science digne de ce nom que celle qui peut se dire sous la forme mathématique. La physique de Newton étant une science véritable, la chimie qui, vers 1780, n'a pas encore revêtu la forme d'une théorie mathématique, n'est pas une science, et encore moins la psychologie. La médecine, dès lors, art pratique, fondé sur des investigations empiriques, ne peut prétendre à la dignité épistémologique suprême ; le médecin soigne ses malades tant bien que mal, homme de l'art bien plus qu'homme de science. Tout autre le point de vue de Schelling et des romantiques, lesquels substituent au modèle newtonien du savoir physico-mathématique un modèle biologique, fondé sur l'unité organique de la connaissance. Au lieu de faire figure de laissée pour compte de la science rigoureuse, la médecine devient le couronnement du savoir anthropologique, parce que la perspective moniste de l'incarnation, fondée sur l'unité indissoluble de l'âme et du corps, entraîne la nécessité pour la vérité d'être elle-même incarnée. La connaissance n'est pas dissociable de l'action ; les valeurs une fois reconnues s'affirment comme des règles de vie, dont le respect

([9]) SCHELLING, *Leçons sur la méthode des études académiques*, XIII ; trad. COURTINE et RIVELAYGUE dans *Philosophies de l'Université*, Payot, 1979, p. 148.

assure l'équilibre individuel, et dont l'ignorance entraîne une dégénérescence pathologique de l'esprit et du corps.

La médecine devient une science de plein exercice, peut-être la science souveraine. L'art de guérir présuppose la totalité du savoir et la met en œuvre. Selon Schelling, « la formation particulière en vue d'une branche spécialisée doit être précédée de la connaissance de la totalité organique des sciences » ([10]). A plus forte raison, la médecine. « Que la médecine doive être, au premier chef, la science générale de la nature organique, dont les parties, ordinairement séparées, ne seraient toutes ensemble que les diverses branches, et que, pour lui donner aussi bien cette étendue et cette unité supérieure que le rang de science, les premiers principes sur lesquels elle repose doivent être non point empiriques, ni hypothétiques, mais certains par eux-mêmes et philosophiques : tout cela a, certes, été depuis quelque temps ressenti et reconnu plus universellement que ce n'est le cas à l'égard des autres parties de la doctrine de la nature » ([11]).

De ce renouvellement de l'esprit, Schelling a été le principal artisan. « Si quelqu'un en particulier a inauguré une médecine dans l'esprit de la *Naturphilosophie,* estime Hirschfeld, c'est Schelling » ([12]). Cette nouvelle orientation se trouve affirmée dès les essais de 1797-1799 sur la dynamique interne de la nature vivante. En 1805-1806, Schelling assure la direction, avec le docteur Markus, des *Annales de la médecine scientifique (Jahrbücher der Medizin als Wissenschaft),* dont le nom a valeur de slogan ([13]). Schelling présente l'entreprise : « Un bonheur particulier de notre époque a voulu qu'il devînt possible de manifester par l'intermédiaire de ce périodique ce que bien des siècles n'ont pas été capables de faire apparaître — à savoir le rassemblement pour un travail en commun du philosophe, du savant de toute catégorie, du chimiste et de l'anatomiste, du zoologiste et du thérapeute, le but étant de faire progresser et de développer jusqu'à la perfection dont elle est susceptible la science de l'organisme et par là l'art de guérir. (...) La science des médications est le couronnement et la floraison de toutes les sciences de la nature, tout de même que l'organisme en général, et l'organisme humain en particulier, est le couronnement et la floraison du monde. » Les *Annales de la médecine scientifique* portaient en épigraphe la formule d'Hippocrate : « Le médecin philosophe est égal aux dieux. »

La connaissance médicale au XVIIIe siècle, dans l'espace germanique, avait été dominée par deux grandes figures. D'abord Georg Ernst Stahl (1660-1734), le maître de l'université piétiste de Halle et l'initiateur du renouveau vitaliste moderne. Stahl affirme, face au mécanisme triomphant, la spécificité irréductible de la vie. La médecine commence où

([10]) *Sur la méthode des études académiques,* I, *op. cit.*, p. 45.
([11]) *Ibid.*, XIII, p. 149.
([12]) Ernst HIRSCHFELD, *Romantische Medizin, Zu einer künftigen Ära, Kyklos,* Jahrbuch für Geschichte der Medizin, III, Leipzig, 1930, p. 6.
([13]) 1805 ; cité *ibid.*

s'arrête la physique *(ubi incipit medicus, ibi desinit physicus)* ; à la doctrine mécaniste, Stahl oppose la doctrine de l'*organisme* (nous dirions aujourd'hui « organicisme ») ; il a mis en honneur le terme dont les romantiques feront leur mot d'ordre. Après Stahl, l'autre grand témoin de la conscience médicale sera le Suisse Albrecht von Haller, lui aussi profondément religieux, qui illustra l'université de Göttingen, de 1736 à 1753. Haller donne un nouvel essor à la physiologie en définissant la catégorie de l'*irritabilité*, propriété des tissus vivants, qui réagissent en se contractant à une excitation extérieure. L'irritabilité atteste la présence de la vie ; elle doit être distinguée de la *sensibilité*, propre aux fibres nerveuses, capables d'éveiller dans l'âme une impression de plaisir ou de peine. L'irritabilité, qui appartient au domaine de l'involontaire, non conscient, permet d'expliquer un certain nombre de phénomènes normaux ou pathologiques, par hypotonie ou hypertonie ; les fièvres, les inflammations, mais aussi les paralysies, sont justifiées par un seul concept dont l'importance se trouve parfois mise en parallèle avec celle de l'attraction newtonienne.

Organisme et *irritabilité* joueront un rôle majeur dans la synthèse romantique. A ces influences s'en ajoutera une autre, venue d'Ecosse, celle de John Brown (1735-1788), élève à Edimbourg du grand William Cullen (1710-1790), réformateur de la nosologie. Cullen avait élaboré la notion d'irritabilité, appliquée au système nerveux. Le tonus des organes régulateurs de la santé lui apparaissait comme oscillant entre les deux extrêmes du *spasme*, trouble par excès, et de l'*atonie*, trouble par défaut. John Brown déduit de cette opposition une doctrine théorique, et ensemble une thérapeutique. Ses *Elementa medicinae* (1780) bénéficient de deux traductions allemandes ; la seconde, en 1796, par C.H. Pfaff, attire l'attention de l'opinion éclairée, au moment même de l'éclosion romantique. Par les soins des médecins Markus et Röschlaub, qui pratiquent à Bamberg, en Bavière, l'anthropologie médicale romantique, Schelling compris, va être conquise par les idées de celui qui passe pour un Newton de la médecine.

Souffrant de la goutte, suscitée par un excès de bonne chère, Brown se soignait, sans résultat, par la diète et la saignée. Il eut l'idée d'essayer une thérapeutique inverse, à base de stimulants, et s'en trouva mieux ; sa conclusion fut que l'inhibition pathologique du système neuro-musculaire doit être traitée non par des moyens débilitants qui aggravent le mal, mais par des excitants, destinés à compenser la carence de la force vitale. L'équilibre de cette force, dont l'essence nous est inconnue, est la condition globale de la santé. La propriété fondamentale de la vie organique est l'*excitabilité* (*Erregung*), dont le niveau moyen doit être maintenu entre les écarts, par excès ou par défaut, que représentent les troubles *sthéniques* ou *asthéniques ;* la médication utilisera les effets compensateurs des calmants et des excitants. Ce principe permet une nouvelle organisation des tableaux cliniques, une réforme de la nosologie et de la pharmacopée. D'où une nouvelle intelligibilité médicale, qui enchante conjointement les penseurs et les praticiens. La phtisie, mal romantique par excellence, étant une « maladie de langueur », fera l'objet d'une thérapeutique où l'opium, drogue romantique, aura une place d'honneur.

Cette doctrine simple séduit les jeunes romantiques, en dépit de l'absence de dispositions à la métaphysique, ou à la poésie, chez son auteur. L'importance reconnue à la force vitale, dans ses excès et ses insuffisances, s'accorde avec leur tempérament souvent maladif et toujours passionné. Novalis mentionne le médecin écossais dans une lettre à Frédéric Schlegel, le 25 décembre 1797. Miné par la phtisie qui l'emportera, il est en quête de sa propre ligne de vie. D'où cette note qui résume sa découverte : « Brown est le médecin de notre époque. La constitution qui domine est la délicate, la constitution asthénique. Le système curatif est le produit naturel de la constitution dominante, pour cette raison qu'il lui faut changer avec elle » ([14]). Les cahiers de notes du poète attestent qu'il a réfléchi dans les marges de la doctrine brownienne, prenant peu à peu ses distances par rapport à une manière de voir qu'il juge trop empirique.

Novalis admet comme un postulat le présupposé du médecin écossais : « Les éléments constitutifs de la santé sont la sthénie et l'asthénie » ([15]). Ailleurs encore : « Le seul objet de l'algèbre ou analyse médicale est le philosophisme organique ou l'organisme philosophique (Brown a tenté d'en représenter les principes fondamentaux) » ([16]). L'opposition polaire entre sthénie et asthénie entre en composition avec le mathématisme d'inspiration pythagoricienne et les notions de résonance et d'harmonie musicale, corrélatives d'une tension variable des forces de l'être. Un fragment intitulé *Physiologie mathématique* extrapole la réflexion par-delà les limites du champ brownien. « La fonction vitale décrit dans ses diverses oscillations une *courbe régulière*, presque une figure comme le contour oscillatoire d'une *corde vibrante*. Sa tendance est *sthénique*, jusqu'à l'âge intermédiaire, ensuite *asthénique* jusqu'à la vieillesse. La somme locale, temporelle et individuelle, des stimuli extérieurs, ainsi que leur *économie*, leur répartition, déterminent la longueur de la vie. La vie la plus amincie est la plus longue. On peut ainsi prouver a priori le grand âge des patriarches » ([17]). Novalis ne pouvait se cantonner dans l'horizon du médecin écossais, préoccupé avant tout de soigner sa goutte.

Désenchantement inévitable ; « le médecin de notre époque » n'était pas capable d'irradier le champ spirituel du romantisme en sa totalité. « Les principes généraux de Brown restent vrais sous un certain aspect — à condition de les universaliser encore bien davantage, et d'éliminer tout le spécial. Sa pharmacopée, sa sémiotique, sa pathologie spéciale, sa thérapeutique spéciale ne valent rien, par exemple sa théorie de l'opium est purement empirique — aveugle... » ([18]). Il ne reste pas grand-chose

([14]) NOVALIS, *Œuvres complètes*, p. p. Armel GUERNE, t. II, *Fragments*, N.R.F., 1975, p. 116.
([15]) NOVALIS, *L'Encyclopédie, Fragments*, classement WASMUTH, tr. GANDILLAC, éd. de Minuit, 1966, § 883, p. 215.
([16]) *Ibid.*, § 1041, p. 249.
([17]) § 890, p. 217.
([18]) *Ib.*, § 883, p. 214.

du premier enthousiasme ; le défaut de Brown est d'être imperméable à la métaphysique. « Les indices s'accumulent qui me font voir la théorie brownienne de l'irritation sous un jour moins favorable qu'autrefois. On ne peut absolument expliquer la vie que par la vie, l'irritation que par l'irritation. Si toute matière a le même rapport avec la force que l'objet avec le sujet — matière et force ont donc une même origine et sont unies dans leur principe comme elles sont ensuite séparées. (...) Le système de Brown est un système scientifique peu consistant. Il a les apparences de l'authenticité, mais ses bases sont erronées » ([19]). John Brown a fourni une approche et un langage premier qui irradiait une fascinante intelligibilité dans le champ de l'anthropologie médicale. Mais ce tremplin est insuffisant pour une pensée qui prétendait atteindre, par-delà le champ du savoir empirique, l'ontologie. Novalis éprouvait le besoin de sonder des mystères dont Brown ne se souciait nullement.

Schelling, préoccupé de construire une doctrine a priori de la nature, découvrit dans l'œuvre de l'Ecossais un des concepts à partir desquels construire sa dialectique. Les conférences de 1802, postérieures à la mort de Novalis, malgré certaines réserves, font encore de Brown le génie de la médecine : « Quand bien même la doctrine de Brown ne se distinguerait par rien d'autre que parce qu'elle est pure de toute explication empirique et de toute hypothèse, qu'elle reconnaît et applique le grand principe de la différence simplement quantitative de tous les phénomènes, et parce qu'elle conclut de manière conséquente à partir d'un unique principe premier, sans se faire accorder autre chose ni s'écarter de la voie de la science — alors son auteur serait déjà pour cela unique dans l'histoire de la médecine jusqu'à nos jours, et le véritable créateur d'un nouveau monde dans cette région du savoir » ([20]). La fascination newtonienne joue au profit de l'Ecossais ; il a permis une réduction axiomatique du savoir médical à partir d'un principe simple.

Sur la bonne voie, Brown n'a pas été assez loin. « Il en reste au concept d'excitabilité sans avoir de ce dernier une connaissance scientifique ; mais il en refuse en même temps toute explication empirique et prend garde de ne pas s'engager dans la recherche incertaine des causes, qui est la ruine de la philosophie. Sans aucun doute, il n'a point nié par là qu'il n'y ait une sphère supérieure du savoir, où ce concept lui-même puisse entrer à son tour à titre de concept à déduire, et être construit à partir de concepts plus élevés, à la façon dont lui-même fait naître de ce concept d'excitabilité les formes dérivées de la maladie. Le concept d'excitabilité est un simple concept d'entendement, par lequel on détermine certes la chose organique individuelle, mais non l'essence de l'organisme » ([21]).

John Brown rend intelligible le domaine neuro-musculaire et sa pathologie spécifique. Mais ce regroupement de la connaissance demeure lié à la réalité empirique. Lorsque Schelling évoque « une sphère

([19]) § 934, p. 228.
([20]) SCHELLING, *Leçons sur la méthode des études académiques*, XIII ; éd. citée, p. 149.
([21]) *Ibid.*

supérieure du savoir », à laquelle Brown n'a pas accès, il songe à cette « physique supérieure », dont se préoccupe la *Naturphilosophie*, et qu'elle oppose aux physiciens du modèle courant. Le but du théoricien est de construire une « médecine supérieure », par la vertu de laquelle « l'absolument idéal veille sur l'unité de la forme et de l'essence dans l'organisme » ([22]). Schelling, comme Novalis, a subi l'ascendant de l'idéalisme absolu, de toute la hauteur du génie fichtéen. Brown n'est pas un empiriste pur qui s'en tiendrait à un relevé, d'inspiration baconienne, des faits observés ; il a proposé une organisation rationnelle, une théorie rassemblant et contrôlant l'expérience. Le fondateur de la *Naturphilosophie* ne se contente pas de cette intelligibilité à mi-parcours entre la raison et l'empirisme ; il prétend construire une science a priori de l'organisme en état de santé et de maladie. Dès 1799, il a présenté une esquisse de ses vues dans le *Premier projet d'un système de la philosophie de la nature*. On y apprend que « la construction des concepts d'*excitabilité (Erregbarkeit)* et d'*excitation (Erregung)* en tant que grandeurs variables fournit les conditions nécessaires à la construction de la maladie en tant que phénomène naturel » ([23]). Toute maladie suppose une excitation extérieure ; si la puissance de l'agression s'accroît, la sensibilité diminue, ce qui exige en contrepartie une élévation compensatrice de l'excitabilité, énergie propre au sujet. Schelling oppose ses vues à celles de Brown, selon lequel la maladie est suscitée par la seule disproportion entre excitation externe et irritabilité interne ; il distingue dans l'irritabilité deux facteurs différents, sensibilité et irritabilité proprement dite, qui, confondus dans l'état de santé, se trouvent en discordance dans la situation pathologique. Brown considère le facteur externe, l'excitant, comme un élément de la maladie, alors qu'il n'en représente que l'occasion. Il n'y a maladie que lorsque l'organisme présente des modifications objectives. On devra donc distinguer entre les troubles par excès de sensibilité (réceptivité) et insuffisance d'irritabilité (capacité de réaction) — et d'autre part les troubles par insuffisance de sensibilité et excès d'irritabilité ([24]).

Schelling prétend réduire à une discipline simple l'ensemble du domaine pathologique. La notion d' « irritabilité » fait intervenir la spontanéité organique de la vie immanente au sujet et la discordance entre la passivité, la réceptivité du sujet devant l'agression, et sa capacité de compenser cette agression par une mobilisation de ses ressources intimes. La recherche empirique, indispensable, n'est pas suffisante. Les *Annales de la médecine en tant que science* (1805-1806) exposent une conversion épistémologique fondée sur la reconnaissance de l'organisme en général et de l'organisme humain en particulier comme centre de la nature, et lieu de rassemblement des forces à l'œuvre dans l'univers. La

([22]) *Ibid.*
([23]) SCHELLING, *Erster Entwurf eines Systems der Naturphilosophie,* 1799 ; dans W. LEIBBRAND, *Heilkunde, eine Problemgeschichte der Medizin,* Sammlung Orbis, Freiburg, München, 1953, p. 343.
([24]) Cf. *op. cit.*, pp. 343-344.

Naturphilosophie appliquée à la médecine séduit par sa nouveauté, bénéficiant du prestige qui s'attache à toute mode nouvelle, mais aussi par sa prétention à une intelligibilité radicale. Le praticien, qui faisait de son mieux pour s'orienter dans le chaos des nosologies et des pharmacopées, se sent investi d'une dignité supérieure ; il lui est désormais possible de passer du multiple à l'un, et de déchiffrer la présence de l'essence sous la diversité des accidents.

Dans la synthèse élaborée par Schelling, l'économie de la nature met en œuvre les forces régulatrices : magnétisme, électricité et processus chimique, qui constituent « l'essence de la matière même » ([25]). Brown s'est intéressé à la « relation naturelle » dans l'organisme, rapport quantitatif entre les facteurs internes de la vie dans le corps et la nature extérieure ; mais il n'a pas envisagé la « relation divine », celle « qui indique la perfection avec laquelle l'organisme est image de l'univers, expression de l'absolu » ([26]). Dans cette région supérieure de la connaissance, « l'expérience n'est d'abord rendue possible que par la théorie » ([27]). Le médecin doit être un métaphysicien, conscient des principes qui règlent souverainement l'organisme du monde.

« Les mêmes lois, qui déterminent les métamorphoses de la maladie, déterminent aussi les transformations universelles et durables dont se sert la nature dans la production des diverses espèces. Celles-ci aussi reposent uniquement sur la perpétuelle répétition d'un seul et même type fondamental *(Grundtypus)*, avec des relations constamment modifiées. La médecine ne se résoudra parfaitement dans la doctrine générale de la nature organique que si elle construit les familles des maladies, ces organismes idéaux, avec la certitude avec laquelle l'histoire naturelle authentique construit les familles des organismes réels *(realen)*, en quoi toutes deux doivent nécessairement manifester leur correspondance » ([28]). La *Naturphilosophie*, science absolue, jamais entièrement incarnée dans la réalité empirique du monde, met en évidence les modèles idéaux qui président à l'intelligibilité universelle. Schelling est proche ici de la doctrine de l'*Urbild*, plus vrai que le réel, cher à son protecteur Goethe. L'idée que la maladie est un organisme vivant sera souvent reprise par la médecine romantique.

Schelling propose une réforme des études médicales. La séparation de l'anatomie et de la physiologie est contraire à l'ordre de la vie. L'anatomiste doit poursuivre ses investigations selon la perspective du dynamisme organique ; il doit connaître « le côté symbolique de toutes les configurations » ([29]) ; car elles ne sont pas fermées sur elles-mêmes ; elles expriment le caractère global de la vie. Il faut que l'anatomiste « ait continuellement en vue l'idée de l'unité et l'affinité intime de toutes les organisations, de leur origine à partir d'un unique archétype *(Urbild)*,

([25]) *Leçons sur la méthode des études académiques*, XIII, éd. citée, p. 151.
([26]) *Ibid.*, p. 152.
([27]) *Ib.*, p. 153.
([28]) *Ibid.*, les traducteurs donnent *réals* pour *realen ;* je ne crois pas devoir les suivre.
([29]) P. 154.

dont le côté objectif seul est variable, mais non le côté subjectif; et qu'il tienne la présentation de cette idée comme son unique et véritable affaire. Qu'il s'efforce avant tout de trouver la loi selon laquelle cette variabilité a lieu : il reconnaîtra que, puisque l'archétype demeure en soi toujours le même, cela aussi, par quoi il s'exprime, ne peut être variable que selon la forme, et qu'ainsi une égale somme de réalité est affectée à toutes les organisations et seulement utilisée de façon différente : que le retrait d'une forme est compensé par l'avancée d'une autre, et la prépondérance de celle-ci par le refoulement de celle-là. A partir de la raison et de l'expérience, il se tracera l'ébauche d'un schématisme de toutes les dimensions intérieures et extérieures dans lesquelles la pulsion créatrice peut s'élancer et, par là, il obtiendra pour l'imagination un prototype *(Prototyp)* de toutes les organisations, lequel est immuable dans ses limites extérieures, mais capable de la plus grande liberté de mouvement à l'intérieur de celles-ci » ([30]).

L'archétype, l'*Urbild* de l'organisme dans l'unité rationnelle de son fonctionnement, va de pair avec une pathologie de la totalité et avec une thérapeutique préoccupée non pas d'appliquer à chaque symptôme le médicament approprié, mais d'interpréter les symptômes comme des « symboles » d'une situation d'ensemble à laquelle il faut porter globalement remède. Schelling demeure tributaire de l'état des connaissances en son temps, mais le souci qu'il exprime d'une compréhension globale de la vie organique demeure valable. Pour ne citer qu'un seul exemple, l'ouvrage de Kurt Goldstein (1878-1965), publié en 1934, *La structure de l'organisme, introduction à la biologie à partir de la pathologie humaine* ([31]), développe pour l'essentiel la thèse formulée par Schelling, avec l'aide des apports de la science contemporaine; la neurologie ne peut être comprise par la seule analyse des faits et signes de détail; elle présuppose la forme humaine. Cette exigence d'une interprétation globale, ou holistique, du phénomène humain, en réaction contre les tendances mécanicistes, se manifeste aussi dans l'approche phénoménologique du malade. La médecine de la personne s'affirme aussi bien en pathologie mentale qu'en pathologie organique.

L'influence de Schelling, diffusée par les théoriciens de la *Naturphilosophie,* a été considérable. Schelling lui-même n'a pas hésité à appliquer ses principes, et cet exercice de la médecine est lié à un épisode douloureux de sa vie. Etroitement uni à Caroline Schlegel, mariée à August Wilhelm Schlegel, la femme de sa vie, qu'il épousera après son divorce, Schelling soigne, en juillet 1800, la jeune Auguste, fille d'une ancienne liaison de sa compagne. Auguste souffre de dysenterie. Schelling, en accord avec le clinicien Röschlaub, administre à l'adolescente de l'opium. Auguste meurt, et cette mort suscite un scandale, par les bons soins de Frédéric Schlegel et de sa femme, qui accusent le philosophe d'avoir donné à la malade des doses exagérées de médicament. L'incident illustre la propension des romantiques à gérer eux-

([30]) P. 155.
([31]) Traduction française par E. Burckhardt et J. Kuntz, N.R.F., 1951.

mêmes leurs maladies, en profitant de la liberté du commerce des drogues. L'opium, sous la forme de laudanum, joue un grand rôle dans la pharmacopée des intellectuels. Si Novalis accorde une telle importance, dans ses papiers, à la médecine, c'est qu'il entend trouver par ses propres moyens un remède aux maux dont il est affecté.

Caroline Schlegel mourra du choléra en 1809 ; cette mort jalonne un tournant dans la carrière philosophique de Schelling. Il se détourne de la philosophie de la nature, et de la médecine, pour s'absorber dans des spéculations ontologiques et eschatologiques. Mais l'impulsion est donnée ; la médecine théorique et pratique est devenue l'un des enjeux de la culture romantique. A l'âge des lumières, le médecin avait acquis un relief social en tant que porte-parole de la raison, appliquée à la nature selon l'esprit de la philanthropie à la mode ; il se pose en homme de science, alors que jusqu'au XVIIe siècle il avait trop souvent maintenu contre vents et marées l'obscurantisme scolastique. Dans le contexte romantique, les nouvelles ressources de la *Naturphilosophie*, le magnétisme, l'inconscient, forces occultes à l'œuvre dans l'organisme, font souvent du praticien un thaumaturge, magicien entouré du respect et de l'espérance des patients. Il évoque par anticipation la figure moderne du psychanalyste entouré de la vénération de ses fidèles, et fournissant aux philosophes subjugués par son verbe des concepts et surtout des mots, à toutes fins utiles et inutiles. L'aspect sacerdotal du personnage, estompé de nos jours, est plus fort dans le contexte romantique, médecine et religion communiquant au sein d'un espace spirituel imprégné de piétisme.

La catégorie de l'organisme domine la théorie médicale pendant un demi-siècle au moins. Un premier exemple peut être fourni par l'œuvre de Karl Friedrich Burdach (1776-1847), professeur d'anatomie et de physiologie à Dorpat, puis à Koenigsberg. Issu d'une lignée de pasteurs, il a été influencé par les idées de John Brown, mais aussi par la morphologie goethéenne, qui s'apparente avec la doctrine de l'organisme selon Schelling. Son œuvre considérable inclut une *Physiologie*, traité dont de nombreux volumes sont publiés à partir de 1810, pendant plus de vingt ans. Une *Histoire de la vie* (*Geschichte des Lebens*, 1839 et suiv.) comporte une série de volumes. Signalons aussi une *Anthropologie à l'usage du public éclairé* (*Anthropologie für das gelehrte Publikum*, 1837). Burdach, pionnier de la psychologie comparée, a laissé des mémoires : *Retour sur ma vie* (*Ruckkehr auf mein Leben*, 1848) ; les médecins romantiques et les *Naturphilosophen* ont en effet une propension à l'autobiographie, attestée par Ringseis, Carus, Schubert, etc. Cette littérature de la première personne manifeste la volonté d'une connaissance qui se reconnaît elle-même comme une fonction de la situation vécue.

Dans un ouvrage publié en 1842, Burdach propose la définition de l'Organisme : « une totalité composite assemblant en soi des parties en réciprocité d'action, et qui subsiste en vertu d'activités continues, fixées par elle et dirigées vers certaines fins. L'organisme embrasse la vie et le principe vital, le corps *(Leib)* et l'organisation. Sous le nom de vie, nous entendons l'ensemble des activités propres à l'organisme. Le principe vital est le fondement suprasensible, spirituel, de la vie. Le corps est la manifestation extérieure de l'organisme, la production matérielle de la vie, au sein de laquelle celle-ci s'affirme et grâce à laquelle elle se maintient... » ([32]). Le principe vital suprasensible est une providence immanente. « Tout, dans la vie, est harmonique : chaque organe, chaque activité s'accorde avec les autres et l'ensemble coopère en vue d'un but commun. L'instinct étant la voix du principe vital telle que l'âme la perçoit, se trouve aussi en accord avec la forme de vie particulière à chaque espèce, avec sa constitution, ses forces en général, ainsi qu'avec chaque organe en particulier » ([33]).

L'organisme, doté d'une relative autonomie, s'inscrit dans le *Gesamtorganismus* de l'univers. « Le corps organisé s'affirme en fait comme un microcosme au sein duquel tout ce qui est dispersé dans la réalité inorganique se trouve concentré, et qui expose en forme de noyau un extrait de l'univers. (...) C'est ainsi que la vie organique se trouve en étroite liaison avec la totalité du monde ; en tant que membre de ce monde, elle est conditionnée par lui » ([34]). Le schéma analogique du microcosme et du macrocosme s'applique de plein droit. Burdach précise ailleurs son panspiritualisme : « Il résulte de l'observation expérimentale des signes distinctifs de la vie organique que celle-ci repose sur des fondements spirituels et qu'elle est constituée par la réalisation de pensées. Or l'univers, considéré dans son ensemble, possède les mêmes caractéristiques, à ceci près, à la différence de la vie organique, qu'elles ne se trouvent pas contenues dans certaines limites et sous conditions, mais existent absolument. Le monde est l'organisme absolu, dans lequel s'exprime l'Esprit originaire *(Urgeist)*, la révélation éternelle et infinie de Dieu. La matière est la forme extérieure et finie sous laquelle la pensée se manifeste. Là où elle n'est qu'une simple partie de l'univers, elle est inorganique ; mais là où elle se trouve rassemblée et ordonnée de manière à susciter une image du monde, reproduisant ses caractéristiques d'une manière finie, sous une certaine forme et dans une certaine mesure, alors se produisent les corps organiques... » ([35]). Hermann Lotze (1817-1881), biologiste et philosophe, publiera encore en 1856-1864, sous le titre *Mikrokosmos, Idées concernant l'histoire naturelle et l'histoire de l'humanité, Essai d'une Anthropologie,* un traité en trois volumes destiné à combattre la montée du matérialisme scientiste.

Burdach est un personnage très officiel, comblé d'honneurs, un animateur de la pensée scientifique. Les volumes successifs de sa *Physiologie* contiennent des contributions de savants du premier rang, tels K. E. von Baer, Johannes Müller, Rudolphi et autres, ce qui signifie

([32]) K. F. BURDACH, *Blicke ins Leben, Bd. I : Comparative Psychologie,* 1re partie, Leipzig, 1842, p. 27.

([33]) *Blicke ins Leben,* dans *Romantische Naturphilosophie,* hgg. von C.H.R. BERNOULLI und H. KERN, Iena, 1926, p. 208.

([34]) *Op. cit. ;* ibid., p. 198.

([35]) BURDACH, *Blicke ins Leben,* Bd. IV, *Ruckkehr auf mein Leben,* Lpz, 1848, p. 444.

à tout le moins que ces collaborateurs n'étaient pas hostiles à l'esprit du promoteur de l'entreprise. Au témoignage de Burdach, homme du Nord, on peut ajouter celui de Johann Nepomuk Ringseis (1785-1880), Bavarois, comme son prénom l'indique, et patriarche de la médecine dans une région où la culture romantique a suscité un brillant essor culturel ; il faut citer Markus et Röschlaub, liés d'amitié avec Schelling qui, lui-même, passe en Bavière une partie de sa vie ([36]). Personnage officiel, médecin personnel et compagnon de voyage en Italie du futur Louis Ier de Bavière, Ringseis est l'un des animateurs de la nouvelle université de Munich, où se regroupent à partir de 1827 les meilleures têtes du pays. Il est dès lors le familier de Schelling, de Görres, de Baader et de Döllinger, après avoir été l'ami de Sailer et de Jacobi.

Ringseis est un catholique fervent, tenté par un piétisme de tradition fénelonienne, qui marque profondément sa conception de la médecine. D'une exceptionnelle longévité, il a laissé des souvenirs, publiés en 1889, attestant qu'il a continué jusque dans les années 1880 le combat contre le matérialisme médical. L'*Introduction* au *Système de médecine* (1841) affirme bravement la thèse non-galiléenne selon laquelle « la médecine, comme toutes les sciences, a ses principes dans la doctrine traditionnelle de la Révélation » ([37]). D'où un infléchissement de la doctrine romantique de l'organisme dans le sens du dogme du corps mystique de l'Eglise. « L'émancipation de la raison par rapport à la Révélation a conduit à l'émancipation de l'Eglise par rapport à l'Etat, de l'homme par rapport à Dieu, de la femme par rapport à l'homme, de chacun par rapport à chacun, de la chair par rapport à l'esprit, de l'atome par rapport à l'atome ; elle a conduit par voie de conséquence aussi à l'émancipation de la médecine par rapport à l'Eglise, au culte, aux sacrements et aux rites ; cette émancipation est entièrement semblable à l'émancipation des muscles par rapport aux nerfs, ou, comme dans la fable d'Agrippa, des membres par rapport à l'estomac. Emancipés du service des nerfs, les muscles en sont assurément débarrassés, mais pour tomber en pourriture et sombrer sous la dépendance et l'analogie des réalités naturelles les plus basses, alors qu'auparavant ils se trouvaient sous la dépendance et selon l'analogie de la vie organique la plus haute » ([38]).

Cette profession de foi demeure pour Ringseis le cadre de son activité théorique et pratique. L'organisme propose le concept clé, étant entendu qu'il n'est pas soumis à des lois aussi rigoureuses que celles de l'astronomie, et que son fonctionnement n'est pas celui d'une machine. Les normes prédominantes, « chez les gens bien portants comme chez les

([36]) On trouvera de précieuses indications sur la géographie médicale de l'Allemagne romantique dans Ernst HIRSCHFELD, *Romantische Medizin, Kyklos,* Jahrbuch für Geschichte der Medizin, III, Leipzig, 1930, pp. 43-45. Ricarda HUGH consacre un chapitre de ses *Romantiques allemands,* trad. française, t. II, pp. 221-246, à l'évocation de certaines figures du romantisme médical.

([37]) Johann Nepomuk RINGSEIS, *System der Medizin,* t. I, 1841, Vorrede, § 19 sq. ; reproduit dans *Erinnerungen des* Dr J. N. RINGSEIS, hgg. von Emilie RINGSEIS, Regensburg und Amberg, Bd. III, 1889, p. 186.

([38]) *Op. cit., ibid.*

malades, ce sont les puissances supérieures de la vie, qui ne sont pas accessibles au calcul et varient à tout instant dans leur modalité et leur force. » D'où l'impossibilité de fonder une diététique ou une pratique médicale sur le modèle de la science exacte. « Les mêmes choses ont des effets différents dans le domaine inorganique, chez la plante, chez l'animal ou chez l'homme, chez l'homme bien portant ou chez le malade ; d'où les effets désastreux suscités par l'application des lois d'un domaine à un domaine différent. Les erreurs de la pratique médicale, si souvent et si douloureusement déplorées dans l'histoire de l'humanité, résultent la plupart du temps de l'application au domaine de la pathologie, auquel elles ne conviennent pas du tout, de lois mécaniques, physiques, mathématiques, chimiques et physiologiques, pourtant valables dans leur domaine propre » ([39]). Sans doute le praticien doit-il posséder une formation scientifique, mais « ce qui doit d'abord le guider, c'est le don de voir clair dans la somme des processus qui se déroulent chez le malade. » Il faut se demander « qu'est-ce qui est malade chez le malade ? comment est-il malade, par quels processus ? (....) Qu'est-ce qui est encore sain chez le malade ? » ([40]). Le diagnostic du médecin ressemble à la perception de l'artiste, peintre ou sculpteur, saisissant d'un coup d'œil spirituel le sens et la valeur d'une situation d'ensemble. Le médecin romantique bénéficie du statut d'exception reconnu au poète-devin. « Il existe une voyance et un sens de la découverte propres à l'intériorité, sans observation préalable de la réalité extérieure. Mais cela n'a absolument aucun rapport avec les spéculations arbitraires des rationalistes. » On doit tenir compte de toutes les forces spirituelles, ce qui renvoie dos à dos les doctrines simplistes de gens comme Brown et Broussais, le patriarche de l'erreur étant le « satanique » Descartes ([41]).

« La science moderne de la nature (...), en dépit de l'énorme accumulation des matériaux sur un champ indéfini, à force de multiplier les chercheurs, est devenue sourde, aveugle, plate et idiote, grâce à une non-philosophie vide de pensée, grâce à une superstition pauvre d'esprit, confinée dans quelques formules misérables, étirées en fibres fragiles, d'une sous-philosophie » ([42]). Il s'agit de retrouver une vision authentique de la création. La restauration du sens passe par le dogme de la Chute, appliqué à la réalité matérielle comme à la réalité humaine. « Il est vrai que la Nature est une image de Dieu, même dans ses aspects les plus extérieurs, mais comme dans le cas de l'homme, une image troublée et défigurée par le péché. La Nature n'est pas autonome, elle n'a pas de lois éternelles ; elle ne mérite ni la vénération des uns ni le mépris des autres. Si la Nature était en elle-même aussi sage et divine que veut le faire croire l'enthousiasme creux de certains, alors il n'y aurait ni maladie ni crime ; il serait injuste de lutter contre ces maux » ([43]).

([39]) *Ibid.*, p. 199.
([40]) Ib., p. 200.
([41]) Pp. 193 et 194.
([42]) P. 195.
([43]) P. 196.

Ringseis refuse d'admettre l'existence d'une connaissance objective et neutralisée de l'ordre naturel, dégagée de toute allégeance à la Révélation. L'ordre des phénomènes n'a pas de cohérence propre ; seul peut l'interpréter celui qui lit, en filigrane, à travers le devenir naturel, l'intelligibilité immanente de l'histoire du salut. Une telle épistémologie commande une thérapeutique appropriée, selon l'esprit chrétien ; le traitement de la maladie doit être en même temps cure d'âme. Tout ceci paraîtra délirant aux esprits positifs — lesquels pourtant se précipitent chez le psychanalyste (ou le psychothaumaturge) lorsqu'ils se heurtent à certains syndromes rebelles. Les médecines contemporaines insistent sur l'importance du rapport personnel entre le médecin et le malade, considéré comme un important facteur du guérison. Mais les initiés assurent à qui veut les entendre que la mythologie freudienne est une science rigoureuse, au moins pour les convertis.

A l'intérieur de ce cadre de spiritualité, Ringseis développe la doctrine de l'organisme, fondée sur une intelligibilité intensive de l'être vivant. Alors que les phénomènes extérieurs s'inscrivent, *partes extra partes,* dans un univers de dispersion et de juxtaposition, selon les dimensions de la géométrie dans l'espace, un organisme est constitué selon une perspective d'emboîtement, de compénétration mutuelle des intériorités, méconnue par les matérialistes. Le microscope a révélé la proximité spatiale à une puissance infinie ; de même il faut reconnaître les dimensions de l'intériorité, qui se démultiplient jusqu'à presque l'infini *(ein fast unendliches Ineinander).* Du dehors au dedans de l'organisme se succèdent une série de régions, sphères concentriques, qui échappent de plus en plus aux lois de l'espace et du temps à mesure qu'on se rapproche du centre. De là la possibilité pour l'esprit humain d'abriter des pensées et des mouvements volontaires sans nombre en un même foyer. « Un organisme complexe n'est possible que grâce à une intériorité multiple, qui s'accroît et s'affine avec le degré d'intériorité atteint. Chaque degré d'intériorité se comporte par rapport au degré extérieur comme le principe actif par rapport à la reproduction, à la structure passive, comme le principe du mouvement par rapport à ce qui est mû. (...) Toute forme est l'expression d'un principe intérieur, moteur et formateur » ([44]).

La définition de la santé résume l'ordre dans le microcosme. « L'état de perfection accessible à l'homme se trouve là où toutes les sphères, les régions et leurs parties s'accordent à l'unisson pour constituer une vie individuelle, si bien que rien ne fasse défaut, et que rien d'étranger n'intervienne dans le corps, l'âme ou l'esprit. (...) Il en va d'une manière analogue pour l'organisme universel et ses divers membres. » L'idéal d'un fonctionnement régulier s'applique au microcosme comme au macrocosme. « La parfaite santé, avec la possibilité de son altération, existait jadis dans le Paradis ; elle existera dans l'avenir, consolidée et

([44]) RINGSEIS, *System der Medizin,* 1841, Propädeutik, § 3-4, dans *Errinerungen, op. cit.,* Bd. III, pp. 426-427.

sans altération possible après la Résurrection ; mais pour le moment, la parfaite santé ne règne dans aucune partie visible de l'organisme universel. La terre, l'eau, l'air, les plantes et les animaux manifestent constamment des interférences et des activités qui les détournent de leur norme » ([45]). La sécheresse et les gelées, les tempêtes, les inondations, les tremblements de terre et autres cataclysmes, les éruptions volcaniques, les invasions d'insectes et d'animaux nuisibles sont signes d'une pathologie cosmique.

Dès lors « aucun homme ne jouit d'une santé absolue ; chez aucun, en aussi bonne santé soit-il, ne règne la hiérarchie normale des sphères, régions et membres ; chez aucun n'existe une intériorité mutuelle, une liaison organique de la multiplicité donnée ». L'économie générale des individus communément reconnus comme sains comprend des aberrations par excès ou défaut, des éléments étrangers. L'unité, jamais parfaite, demeure menacée de régression, mais les aberrations relatives par rapport à l'ordre organique ou psychique ne sont pas considérées comme des maladies. « Nous appelons relativement sain celui chez lequel l'harmonie de l'état présent, tant spirituel que psychique ou organique, n'est pas troublée d'une manière apparente » ; les écarts pathologiques ne sont pas notables. Seulement, « les individus relativement sains sont, en tant que tels, exposés aux maladies » ; ils se portent bien aussi longtemps que les dispositions morbides demeurent latentes. « La santé relative dans l'organisme individuel équivaut à ce que sont la paix et la tranquillité dans l'Etat ; celles-ci existent en l'absence de guerre et de sédition ouverte, même si l'état d'esprit général ne traduit pas la plus grande intimité et la plus grande unité, même si l'équilibre des forces demeure loin de la perfection » ([46]).

D'où une conception de l'existence humaine : « L'organisme individuel, en tant que totalité unifiée, même s'il ne bénéficie que d'une santé relative, est animé par la tendance constante, indissociable de son être, à se développer et se conserver selon son individualité propre ; à tout ce qui se trouve dans son rayon d'action, et pénètre en lui, que ce soit d'ordre matériel, psychique ou spirituel, il doit imposer sa marque » ([47]) ; ce que l'organisme ne peut pas assimiler, il tentera de le rejeter, afin de conserver son intégrité. Ces vues de Ringseis, après la lame de fond du scientisme médical, ont été redécouvertes un siècle plus tard ; on les redécouvre tous les jours, avec l'enthousiasme naïf du génie contemporain. Hans Selye, l'inventeur du concept de *stress*, l'explorateur des réactions globales de l'organisme aux agressions extérieures, est un lointain continuateur de la problématique romantique.

Burdach et Ringseis sont à la fois des théoriciens et des praticiens de la médecine. Nombre de leurs confrères mériteraient d'être cités à côté d'eux, par exemple Dietrich Georg Kieser (1779-1862), professeur à Halle, exemple assez rare d'un *Naturphilosoph* formé indépendamment

([45]) *Ibid.*, p. 427.
([46]) *Ib.*, p. 428.
([47]) *Ibid.*, § 213 ; loc. cit., p. 429.

de Schelling. Son *System der Medizin* et son *System des Tellurismus oder thierischer Magnetismus* (1821-1826) développent une perspective originale sur les thèmes communs de la biologie romantique. Le domaine de la vie est soumis aux polarités opposées de la terre et du soleil foyers d'inspiration du conscient et de l'inconscient ; l'alternance du jour et de la nuit manifeste cette polarité dans la vie humaine. A l'opposition de la terre et du soleil se trouve accordée la polarité du système végétatif et du système cérébral. La thérapeutique s'appuie sur la mise en œuvre de la force vitale de la nature dont la spontanéité seule, imposant sa loi aux influences extérieures, peut assurer une véritable guérison. Le système de Kieser fournit aussi les éléments d'une pathologie mentale. Praticien réputé, l'auteur de la doctrine tellurique est un personnage officiel, l'une des figures dominantes du premier Congrès des savants allemands.

La médecine romantique, médecine de l'homme malade, et non agrégat de techniques, impose un état d'esprit et un système de valeurs. Elle n'est pas à l'origine de trouvailles sensationnelles en matière d'anatomie pathologique et de pratique thérapeutique. Les progrès majeurs de la connaissance scientifique interviendront dans la deuxième partie du XIXe siècle ; sans doute existe-t-il une pharmacopée romantique, privilégiant certains médicaments, tels l'opium, mais dans l'ordre organique, le médecin romantique n'en sait pas plus que les praticiens d'esprit positiviste. Les techniques chirurgicales, avant l'antisepsie et l'asepsie, avant l'anesthésie, sont dans l'enfance. La médecine romantique, médecine de l'humain, situe la pathologie dans la perspective d'une compréhension globale des rapports de l'être humain avec lui-même, avec le monde et avec Dieu. L'interprétation de la santé et de la maladie comme significations de la condition humaine demeure une acquisition permanente, contre la fascination récurrente du scientisme sous toutes ses formes. La médecine authentique doit être une médecine en première personne, et non une médecine impersonnelle, en troisième personne, qui prétend traiter les symptômes, les entités pathologiques et non pas les hommes souffrants. Rappel à l'ordre indispensable, en médecine organique comme en médecine mentale. Si c'était là la seule acquisition de l'école romantique, elle demeurerait d'une immense importance.

La médecine cesse d'être un ensemble de techniques visant à corriger les altérations de la machine organique. Si l'homme entier est malade, et non pas seulement le corps, la pathologie pose la question inéluctable de l'identité humaine. L'anthropologie devient la voie d'accès à la métaphysique. La pensée traditionnelle correspond à une hygiène mentale de l'homme sain de corps et d'esprit ; le sujet métaphysique jouit d'une bonne santé ; la maladie, si elle intervient, n'est qu'un fâcheux accident, sans incidence aucune sur l'ordre des pensées. La phtisie de Spinoza ne saurait être prise en considération par la pensée de Spinoza ; ce n'est même pas un grain de sable dans la mécanique du système. Le romantisme confère à la maladie une dignité ontologique ; tout ce qui concerne la conscience de soi et le rapport au monde, tout ce qui affecte la subjectivité, énonce une composante de l'humanité de l'homme. Pour le malade, et chaque homme est un malade en puissance, la maladie constitue une voie d'approche de la vérité. L'apprentissage de la vie revêt le sens d'un voyage initiatique, la souffrance physique et morale est vécue en tant que moment d'initiation, non pas au figuré, comme dans les liturgies chrétiennes évoquant les souffrances du Christ, ou dans les épreuves maçonniques, mais au sens direct de la douleur qui ronge la chair et menace l'esprit.

La pathologie s'inscrit dans le champ métaphysique. De là l'intérêt des philosophes pour la médecine ; les médecins sont aussi des penseurs. Avant le romantisme, la maladie, pour celui qui en parlait, c'était la maladie des autres, une entité nosologique décrite dans les livres, et parfois dans la chair des patients. Désormais, pour le théoricien ou le praticien, la co-naissance de la maladie suppose une approche personnelle qui tente de vivre le mal avec le malade. La médecine de la sympathie suppose de la part du thérapeute un véritable charisme. Implication mutuelle de l'organique et du spirituel ; les maladies du corps sont ensemble des affections de l'âme ; la cure doit faire intervenir les forces spirituelles. Il n'y a pas de maladies strictement organiques. Ce qui va de soi si l'on admet que l'être humain est un être incarné, non pas seulement les dimanches et jours de fête, mais dans la quotidienneté de son existence, de la naissance à la mort, avec des questions subsidiaires pour son identité en deçà de la naissance et au-delà de la mort. La médecine traditionnelle abandonnait aux philosophes une âme désincarnée, donnant ses soins à un ensemble de schémas projetés sur les pages des atlas anatomiques. Au lit du malade, le médecin fidèle à la problématique anatomo-clinique spécule sur les altérations des tissus qu'il découvrira à l'examen *post-mortem*. L'inspiration romantique ne remet pas en question les acquisitions positives du savoir organique, mais elle les utilise dans la perspective d'une médecine de la vie, alors que l'inspiration anatomo-clinique débouche sur l'anatomie pathologique, médecine des cadavres.

L'approche romantique de la pathologie garde sa vérité, face à la prolifération des technologies tendant inexorablement à empiéter sur l'image de l'homme. La protestation romantique évoque un contre-pouvoir, indispensable pour préserver l'intégrité de la forme humaine contre les menaces de déshumanisation engendrées par les prétentions des sciences de la matière, annexant la science de la vie. Novalis, éveillé par Brown à la réflexion, puis volant de ses propres ailes, vit dans sa propre expérience le rapport du médecin et du malade. A l'école de Schelling, qui rêvait d'une « physique supérieure » à la physique des physiciens, Novalis évoque une médecine de l'avenir, dans ses cahiers de notes. « La médecine ordinaire est un métier. Elle ne vise qu'à l'utilité pratique », c'est-à-dire qu'elle se contente de restaurer passagèrement l'équilibre organique. Mais il existe une vocation d'un autre ordre : « L'artiste de l'immortalité pratique la médecine supérieure : la médecine infinitésimale. Il pratique la médecine comme un art supérieur, un art de synthèse... » Ainsi le médecin « supérieur » doit être un « artiste », dont l'activité évoque une conception du monde propre au poète des *Hymnes à la nuit :* « Maintenant aussi la profession savante apparaît sous un nouveau jour. Mon idéalisme magique » ([48]).

Le médecin supérieur, le magicien opère la transmutation des significations naturelles. « Toute maladie est un problème musical — la guérison une *résolution musicale*. Plus courte, et cependant complète, est la résolution — plus grand le talent musical du médecin » ([49]). L'idée d'harmonie s'impose, harmonie interne de l'espace du dedans, harmonie externe du rapport au monde. Novalis rêve, pour la science de la nature, d'un idéal d'unité : « il faut qu'elle soit une histoire unique, un *continuum*, une croissance organique, — le devenir d'*un* arbre, ou d'*un* animal, ou d'*un* homme » ([50]). La formule s'applique de plein droit à la médecine, dans son rapport avec la croissance de l'homme : « Les maladies, en particulier les maladies de longue durée, sont les années d'apprentissage de l'art de vivre et l'école de l'être intérieur. Il faut tâcher de s'en servir en s'appliquant à des remarques de chaque jour. La vie de l'homme cultivé n'est-elle pas une perpétuelle application à l'étude ? L'homme de culture vit essentiellement pour l'avenir. Sa vie est un combat, l'art et la connaissance sont le but et l'aliment de cette existence (...). Chaque tourment de la nature, chaque souffrance est un rappel d'une patrie plus haute, le souvenir d'une nature plus noble et d'une parenté plus proche » ([51]).

La maladie doit être vécue comme un destin dont le sens, non formulable dans les limites de l'existence d'ici-bas, requiert, pour s'accomplir, une dimension eschatologique. « Les maladies sont certainement un sujet de suprême importance pour l'humanité, vu qu'elles sont tellement innombrables et que chaque homme a tant à se battre avec elles. Et encore ne connaissons-nous que très imparfaitement l'art de nous en servir, de les utiliser (...) Si j'allais devenir le prophète de cet art... » ([52]). S'il existe une possibilité pour chacun de se servir de ses maladies, un bon usage de la pathologie, c'est que le déterminisme morbide n'est pas fatal. Il est possible de l'inverser, de le contrôler pour aboutir à une guérison qui soit ensemble un salut. « Le système de la morale doit devenir le système de la nature. Toutes les maladies sont analogues au péché par cela qu'elles sont des transcendances. Nos maladies sont toutes le phénomène d'une sensation sublimée, qui veut se transformer en forces supérieures, passer à des forces au-dessus. Comme, lorsque l'homme voulut devenir Dieu, il pécha. — Les maladies des plantes sont des animalisations, celles des animaux des rationalisations, celles des pierres des végétalisations. Chaque plante aurait-elle un animal

([48]) NOVALIS, *Œuvres complètes*, t. II, *Les Fragments*, p. p. Armel GUERNE, N.R.F., 1975, p. 271 ; avec une allusion possible à la méthode homéopathique de Samuel Hahnemann (1755-1843).

([49]) NOVALIS, *Encyclopédie*, fragments, classement WASMUTH, § 1072, tr. GANDILLAC, éd. de Minuit, 1966, p. 257.

([50]) *Fragments*, tr. A. GUERNE, *op. cit.*, p. 454.

([51]) *Ibid.*, p. 422.

([52]) *Ibid.*, p. 414.

et une pierre qui lui correspondraient ? — Les plantes sont des pierres mortes, les animaux des plantes mortes » ([53]).

Dans la perspective spiritualiste, toute maladie revêt la signification d'un rappel à l'ordre naturel. La pathologie, déviation de l'ordre, est l'expression du mal qui vient parasiter la création divine, péché qui atteint la réalité cosmique, et non pas le domaine humain seulement. C'est le péché qui a introduit la mort dans l'univers ; or « les maladies sont des morts apparemment vivantes (...) ; des morts qui présentent le caractère de la vie »... Ces récurrences démoniaques, acharnées à nier l'œuvre du Créateur, revêtent les formes les plus diverses : « Polypes, champignons, exostoses, cancer, gangrène sont des *parasites* (ou zoophytes) complets ; ils croissent, sont engendrés, engendrent, ont leur organisation, sécrètent, mangent... » ([54]). La biologie romantique s'est beaucoup intéressée à ces formes vivantes de nature inférieure, jusque-là dédaignées ; la signification métaphysique a pu servir de vecteur orientant vers ce domaine l'intérêt scientifique proprement dit. Les propos de Novalis évoquent un mouvement de recherche qui va renouveler la connaissance des mousses, lichens et champignons, moisissures, et par analogie celle de certaines formes de la vie animale.

Mais l'apport majeur de Novalis et de son idéalisme magique concerne l'analogie du corps et de l'esprit, qui suscitera dans les psychologies des profondeurs, au XXe siècle, l'apparition de la médecine psychosomatique, fondée sur la remise en honneur par les romantiques d'une compréhension globale de l'incarnation, la réalité humaine étant considérée comme un champ unitaire. L'homme, être incarné, doit apprendre à se contrôler lui-même. « De la même manière que nous mouvons à notre gré notre organe mental, en modifiant à notre guise le mouvement, (...) exactement de la même manière, il faut aussi que nous *apprenions* à mouvoir les organes intérieurs de notre corps, à les inhiber, les unir et les isoler. Notre corps tout entier est absolument susceptible de recevoir de l'esprit n'importe quel mouvement. (...) Alors chacun sera son propre médecin, et pourra acquérir de son corps un sentiment parfait, sûr et exact, alors, pour la première fois, l'homme sera vraiment indépendant de la nature, peut-être en état de restaurer des membres perdus, de se tuer par sa seule volonté et par là, pour la première fois, de se procurer de véritables renseignements sur le corps, l'âme, le monde, la vie, la mort et le monde des esprits. Alors il ne dépendra peut-être que de lui d'animer une matière. Il contraindra ses sens à *produire* pour lui la forme qu'il désire. (...) Alors il sera capable de se séparer de son corps, s'il le juge bon ; il verra, entendra et sentira ce qu'il veut, de la manière qu'il veut et dans le contexte qu'il veut » ([55]). La filiation par rapport à l'idéalisme de Fichte est reconnue : « Fichte a enseigné et découvert l'usage actif de l'organe mental, ajoute Novalis. A-t-il découvert les lois de l'usage actif des organes en général ? L'intuition n'est rien d'autre » ([56]). L'idéalisme de

([53]) *Ibid.*, p. 432.
([54]) *L'Encyclopédie, op. cit.*, WASMUTH, § 1066 ; tr. citée, p. 256.
([55]) *Op. cit.*, § 1681, p. 369.
([56]) *Ib.*, p. 370.

Fichte mobilise l'ordre des idées, mais la pensée fichtéenne n'embrasse pas l'incarnation dans sa totalité. Les organes du corps sont des composantes du non moi. L'idéalisme absolu est corrélatif d'un réalisme absolu ; le moi doit revendiquer un droit d'intervention étendu à la totalité du domaine humain. La maladie sanctionne un échappement au contrôle, une infidélité du sujet à lui-même. Il doit récupérer la souveraineté perdue, par suite de manquements de la créature, et revenir à l'état d'innocence où s'affirmait l'unité sans discordance de l'esprit et du corps.

« Nous disposons de deux systèmes de sens qui, tout différents qu'ils paraissent, s'entrelacent de la façon la plus intime. On appelle l'un le corps, l'autre l'âme. L'un dépend de stimuli externes, dont l'ensemble forme ce que nous nommons la nature ou le monde extérieur. L'autre dépend originairement d'un ensemble de stimuli internes, que nous nommons l'esprit ou le monde des esprits. (...) A proprement parler les deux systèmes devraient se trouver dans une parfaite relation de réciprocité. (...) Comme les deux systèmes, les deux mondes doivent constituer une libre harmonie. (...) Dans la période où règne la magie, le corps est au service de l'âme ou du monde des esprits. (...) Notre corps serait alors en notre pouvoir et constituerait une partie de notre monde intérieur, de la même façon qu'aujourd'hui notre âme... » ([57]).

Novalis explore les possibilités d'une expérimentation de pensée aux limites de la condition humaine. Aux confins de l'incarnation, il se comporte comme un thaumaturge opérant dans la région où s'accomplit la jonction de l'ordre spirituel et de l'ordre matériel. Ce domaine est en poésie le monde merveilleux des *Märchen*, de l'appréhension féerique capable de transfigurer la nature ; en religion, c'est le monde du miracle, qui lève la loi de la nécessité. La « médecine supérieure » unit les efforts de la science, de la poésie et de la religion ; elle re-spiritualise le corps et le rend transparent aux entreprises de l'esprit ; elle remonte la pente de la dégradation qui a soumis l'ordre naturel à la loi du péché. La médecine se fait thaumaturgie, avec ce caractère supplémentaire que l'initiateur et l'initié sont un seul et même individu ; médecin et malade ne font qu'un. Encore cette médecine supérieure n'a-t-elle pas pour unique objectif de restaurer la santé matérielle du corps ; la santé supérieure peut être dissociée de la guérison pure et simple. La victoire sur la mort peut être obtenue au prix même de la mort, réconciliation suprême, dans la restauration d'un équilibre eschatologique, où la cessation de l'existence prend la valeur d'un accomplissement. Ainsi mourut Novalis lui-même, dans la plénitude retrouvée. Lorsque meurt Achim von Arnim, le 21 janvier 1831, à l'âge de cinquante ans, sa veuve, Bettina Brentano, confie à des intimes : « Sa mort n'est pas un événement terrible, mais un bel événement bienfaisant pour moi et pour ses enfants, et elle passe à mes yeux pour le signe que Dieu lui voulait du bien » ([58]). Le miracle

([57]) *Op. cit.*, § 1668, pp. 363-364.
([58]) Lettre aux frères Grimm, 1er février 1831 ; dans *Romantiques allemands*, Bibliothèque de la Pléiade, t. II, p. 1610.

peut être non pas la guérison du malade, mais sa mort heureuse, comme chantait Jean Sébastien Bach. La religion catholique a une formule à l'usage de ceux qui meurent « en odeur de sainteté », au sens propre et au sens figuré ; formule valable de plein droit pour la mort romantique comme accomplissement.

Une telle attitude se trouve en contradiction radicale avec la médecine traditionnelle, aux yeux de laquelle la mort, qui sanctionne l'échec de la thérapeutique, ne peut revêtir qu'une signification négative ; elle a valeur de fin, et non de commencement. La médecine romantique ne considère pas la mort comme le non-sens absolu. Elle s'efforce de la faire entrer dans son champ épistémologique, ce qui devient possible à partir du moment où l'individu ne se perçoit pas comme un être qui se suffit à soi-même et s'oppose à la réalité dans son ensemble. L'homme romantique vient au monde sous les espèces de l'incarnation organique au sein d'une nature qui définit aussi pour lui une deuxième zone de sa présence, un second ordre d'incarnation. La vie humaine peut changer de sens à la mort, mais elle n'est pas brusquement coupée pour autant, elle figure un seuil d'initiation.

Le médecin souabe, Justinus Kerner (1786-1862), écrivain et poète, figure représentative du romantisme en Allemagne du Sud, écrit en 1812 : « J'appelle mort l'union la plus étroite avec l'esprit de la nature ; la maladie est l'aspiration à cette union. La mort est la plus haute apothéose à laquelle l'homme parvienne dans sa vie. Le sommeil magnétique, l'épilepsie, la catalepsie, la convulsion, le sidérisme et la destruction organique de certaines parties du corps, les vieilles cicatrices qui prédisent les changements atmosphériques, — tous ces phénomènes sont des états grâce auxquels l'homme se rapproche de l'esprit de la nature. Le sommeil magnétique, comme la mort, est une extase momentanée de l'esprit hors du corps, une approche du monde spirituel ou naturel, comme on voudra l'appeler. (...) Cette union, cette alliance intime du corps avec la nature ne peut avoir lieu là où le corps est un solide bastion, est le plus fort, est sain. Il y faut une certaine dissolution, qu'on appelle cette dissolution maladie, ébranlement ou mort » ([59]).

La santé, la maladie et la mort ne peuvent se comprendre que dans le contexte d'un métabolisme qui inclut la réalité naturelle dans l'économie conjointe de la nature et de la surnature. Kerner est un praticien connu en son temps et ensemble un écrivain lié aux grands noms du romantisme : « Après avoir été guéri, en 1797, d'une maladie d'estomac grâce à une cure magnétique, Kerner se croit doué de pressentiments et de rêves prémonitoires. Il peut en outre accélérer les battements de son cœur, et agrandir sa pupille. Il se penche de plus en plus sur l'étude des aspects nocturnes des sciences, des états mystérieux de l'âme. Le mesmérisme, l'hypnose, le somnambulisme le passionnent et sa qualité de médecin lui permet de faire de nombreuses expériences. (...) La plus célèbre de ses « malades », Friederike Hauffe, une neurasthénique de

([59]) Justinus KERNER, lettre à Uhland, 21 novembre 1812, dans *Romantiques allemands*, Pléiade, t. II, pp. 1696-1697.

Prevorst, souffre de convulsions pendant lesquelles elle pressent la mort de certaines personnes. (...) Kerner essaie de la guérir par le magnétisme et par des moyens homéopathiques, tout en observant sa maladie avec une curiosité insatiable. Görres, Schelling, le naturaliste G. H. Schubert, le théologien D. F. Strauss viennent la voir. Kerner lui consacre une œuvre importante, *La Voyante de Prevorst* (1829) (...), aux confins de la littérature et de la philosophie romantique de la nature... » ([60]).

Erika Tuner considère ici les patients de Kerner comme des malades entre guillemets, des malades « imaginaires »; permanence du préjugé tenace selon lequel les seules maladies « vraies » sont les maladies organiques, curables par des moyens matériels. La philosophie romantique de la nature a découvert l'inconscient et l'aspect nocturne de la réalité humaine. La jonction se fait tout naturellement entre cette inspiration et l'influence de Mesmer (1734-1815), premier grand explorateur du monde du somnambulisme, de l'hypnose, du rêve, et plus généralement de ce qu'on appellera, un siècle après, les phénomènes hystériques. Le magnétisme, en relation avec les influences telluriques et l'électricité, propose de nouvelles dimensions d'intelligibilité, en même temps que de nouvelles formes de traitement. Evoquant l'œuvre de Justinus Kerner, Werner Leibbrand estime qu'on peut parler d'une « heure de naissance de la psychothérapie » ([61]). G. H. Schubert, passé des études de théologie à celles de médecine, s'intéresse à cet immense domaine et contribue à la description de l'épilepsie, qu'il décrit comme un échappement au contrôle cérébral de l'appareil perceptif et de la fonction volontaire.

L'avènement de la psychopathologie n'est pas une péripétie quelconque dans l'histoire de la médecine mentale, mais la mise en place, dans l'ensemble de la nosologie, d'une nouvelle entité morbide. La psychopathologie représente aussi une perspective ouverte sur le territoire médical dans son ensemble; car il y a un choc en retour du moral sur l'organique, quel que soit le domaine considéré. Victor Hugo note un jour dans ses carnets qu'un médecin de Bicêtre est en train de devenir fou. « La contagion de la folie a ceci de remarquable que, ne se communiquant pas par le toucher, comme la peste, la rage, la vérole, etc. — ne se communiquant pas par l'air respirable comme le typhus, le choléra, la fièvre jaune, etc., la maladie se communique évidemment par l'imagination, troisième agent morbide, troisième véhicule de contagion, auquel les médecins n'ont pas pensé. Plus on ira, plus on reconnaîtra que les maladies peuvent naître, empirer, guérir par l'imagination. Beaucoup de remèdes, beaucoup de systèmes médicaux sont efficaces par cela seul que le malade y croit. En médecine comme en autre chose, la foi sauve. Ceci n'est qu'une vue jetée de côté sur une immense question. J'y reviendrai » ([62]).

([60]) Erika TUNER, dans *Romantiques allemands*, t. II, *op. cit.*, p. 1695.
([61]) Cf. W. LEIBRAND und A. WETTLEY, *Der Wahnsinn, Geschichte der abendlandischen Psychopathologie,* Sammlung Orbis, Freiburg-München, 1961, p. 474.
([62]) Victor HUGO, *Choses vues* (1847-1848), 16 décembre 1847; p. p. Hubert JUIN, Collection Folio, N.R.F., 1972, p. 190.

Une médecine sans frontière ne doit pas établir de démarcation entre le domaine organique et le domaine mental. La pathologie constitue un champ unitaire, ce qui condamne toute médecine spécialisée dans un seul des deux aspects du phénomène humain, et davantage encore la spécialisation à outrance qui affecte les études médicales contemporaines. Le combat de la médecine romantique est toujours à reprendre, contre le matérialisme médical ; il est repris de génération en génération, sous des noms différents et qui font illusion, aux yeux de ceux qui les proposent sans savoir qu'ils ne font que répéter ce que d'autres ont dit avant eux. Victor Hugo, lorsqu'il utilise le mot « imagination », ne songe pas à cette imagination créatrice, faculté romantique par excellence, selon l'analogie de la création divine ; de même, il est probable qu'il emploie le mot « foi » en un sens banal, sans recours à la transcendance chrétienne. Dans la plénitude romantique de leur signification, foi et imagination renvoient à l'idéalisme magique de Novalis, à la possibilité ouverte à l'homme d'acquérir la souveraineté sur son propre corps.

Si la médecine est affaire de foi, le médecin doit être un homme de foi, et l'exercice de la médecine doit être vécu, au sens propre du terme, comme un sacerdoce. Ainsi pense Franz von Baader, théoricien du gnosticisme romantique, catholique fervent, quoique d'humeur indépendante. « Docteur en médecine, Baader se tourna de bonne heure vers la science des mines, puis vers la spéculation, mais sans se désintéresser jamais de ses études premières et sans abandonner entièrement la science et même, en un certain sens, la pratique médicale. L'importance qu'il attachait aux phénomènes du magnétisme animal impliquait qu'il suivît de près les somnambules ; à toutes les époques de sa vie, nous le voyons expérimenter le domaine de l'anatomie et de la médecine, et des médecins de grand renom le tenaient pour une autorité » ([63]). Ce fervent de Jacob Boehme s'est également nourri de Paracelse, patriarche de la médecine inspirée. « Comme Windischmann, il ne saurait tracer de frontière exacte entre la médecine et la théologie. Le médecin, dit-il, dans sa lettre à von Stransky du 5 octobre 1812, doit tendre la main au prêtre » ([64]). Même rappel à Passavant : « Demeurez donc extérieurement médecin et devenez intérieurement théologien. Vos malades apprendront alors que le vrai remède, c'est le médecin lui-même » ([65]). (...) Le vrai médecin est toujours une espèce de mage, de magnétiseur, de faiseur de miracles ; tel Jésus qui guérit en vertu de la force rédemptrice qu'il possède, beaucoup plus que par la science ou l'expérience qu'il a acquise » ([66]).

([63]) Eug. SUSINI, *Franz von Baader et le romantisme mystique,* t. II, Vrin, 1942, p. 376.

([64]) Lettre à Von Stransky, *Werke,* hgg. v. HOFFMANN, t. X, p. 246.

([65]) A Passavant, 25 août 1815, *Werke,* t. XV, p. 271.

([66]) SUSINI, *op. cit.*, p. 377 ; Cf. la lettre à Boris von Yxküll, du 8 janvier 1826, citée *ibid.* : « Baader le conjure de continuer sa cure homéopathique et de ne pas planter là son médecin dans un accès de mélancolie. Ces sortes de cures, dit-il, ont ceci de commun avec l'hygiène morale et religieuse qu'elles amènent tout d'abord le pécheur à prendre conscience de lui-même, et lui font sentir sa faiblesse et la banqueroute de sa

Baader cite Paracelse : « La sainteté du médecin fait le salut du malade *(Wo der Arzt heilig, der Kranke selig)* ». La référence chrétienne implique un champ de vision élargi à la réalité humaine dans son ensemble, la reconnaissance de l'humanité de l'homme et le respect fraternel pour la souffrance d'autrui, à contre-sens de la déshumanisation suscitée par le recours à des technologies qui réduisent l'individu à l'état d'objet. La perception religieuse du malade sauvegarde le relief humain d'une créature de Dieu, qui ne peut être réduite sans sacrilège au statut d'un pur produit organique de la nature. La plus sûre garantie des droits de l'homme est le respect du droit de Dieu. Témoin les monstrueux traitements infligés aux victimes du système concentrationnaire dans les Etats athées, ou encore les barbares expérimentations sur l'homme pratiquées dans les camps nazis.

Carl Gustav Carus, qui évoquait lui aussi « le médecin authentique dans sa signification quasi sacerdotale (...) et aussi poétique » ([67]), définissait en concordance avec cette vision religieuse un humanisme médical. « Le médecin doit avant toute chose posséder une connaissance de l'homme, mais pas seulement d'ordre physiologique, anatomique et pathologique. Il doit le connaître selon toutes les dimensions de sa vie, dans ses faiblesses et dans ses forces, dans sa sagesse et dans sa folie. Sans aucun doute, nous pouvons tirer dans ce domaine plus de profit des livres des poètes qui, avec un authentique regard de voyant, pénètrent dans les profondeurs de la nature humaine, que des livres d'anthropologie » ([68]). Dietrich Georg Kieser distingue la simple guérison *(Genesung)*, processus physiologique, de la cure *(Heilung)*, restauration à la fois matérielle et spirituelle de l'équilibre humain. Il peut y avoir guérison sans cure, mais la cure implique la guérison comme condition préalable » ([69]).

Selon le *Naturphilosoph* Troxler : « Toute religion authentique est médecine divine, et toute médecine authentique est religion naturelle » ([70]). Parmi les revendications actuelles de la critique de la civilisation, l'une des plus insistantes concerne ce qu'on appelle « l'humanisation de la médecine » ; on dénonce un peu partout le caractère concentrationnaire des hôpitaux et la pratique d'une médecine en grande série, dont l'attention se concentre sur la maladie et non sur le malade. La biologie romantique, biologie de la totalité, suscite une médecine de la totalité.

Dès lors, les théoriciens romantiques n'accordent qu'une importance

---

vie organique et de son économie vitale, avant même de lui porter secours à proprement parler. Dès lors l'hypochondrie, dit-il, est un symptôme nécessaire et un moment intermédiaire dans l'anéantissement de la vie fausse » (cf. *Werke*, t. XV, p. 433).

([67]) C. G. CARUS, *Lebenserinnerungen und Denkwürdigkeiten*, Leipzig, 1865-1866 ; rééd. Iéna, 1927, Bd. III, p. 103.

([68]) CARUS, in *Historisches Taschenbuch*, hgg. V. RAUMER, 1845, p. 199, cité dans Erwin WASCHE, *C. G. Carus und die romantische Weltanschauung*, Diss., Köln, 1933, p. 4.

([69]) D. G. KIESER, *System der Medizin*, Halle, 1817, Bd. I, ch VII, § 189 sq.

([70]) Ignaz Vital TROXLER, *Blicke in das Wesen des Menschen*, 1812, p. 259.

secondaire à la nosologie, toutes les affections particulières n'étant qu'un des aspects d'une pathologie d'ensemble. L'esprit d'analyse est supplanté par la synthèse. L'apport original est l'effort pour définir l'état de santé et de maladie. Une approche est proposée par Baader dans l'esprit de l'illuminisme chrétien. « La maladie d'un organisme ne peut être considérée que comme l'impossibilité pour cet organe de distinguer le bien du mal » ([71]). L'existence corporelle de l'homme est l'enjeu d'un combat, dont le dénouement ne peut intervenir que dans une perspective eschatologique ; « toute vie, vie organique, vie de l'esprit ou vie du cœur, n'a pour fonction que d'opérer un choix, une discrimination entre le bien et le mal. (...) La maladie d'un être vivant n'est donc et ne peut être autre chose qu'un trouble introduit dans ses fonctions de discrimination. La maladie n'a pu revêtir une substance, acquérir une nature que du fait que le corps a renoncé à sa fonction d'isolateur » ([72]). Baader cite Saint-Martin et Joseph de Maistre pour souligner cette connexion entre la dégénérescence morbide du corps et le péché de l'âme. Il y a dans toute maladie « un phénomène de parasitisme, c'est-à-dire de vie qui tend à se rendre autonome, tels par exemple, dans le monde animal, les vers intestinaux etc. et dans le monde végétal les cryptogames » ([73]). Cette idée, d'inspiration théologique, se retrouve souvent dans la spéculation médicale du temps.

La lutte entre le bon principe et le mauvais, aux yeux de Baader, c'est le combat entre Dieu et le démon. La puissance du Sauveur doit l'emporter sur celle de l'esprit du mal. « C'est en vertu de ce principe que le magnétiseur agit sur le somnambule et que le remède agit sur la maladie. Le remède n'est autre chose qu'un rédempteur matériel » ([74]). Le Christ est le grand magnétiseur qui met en fuite les forces du mal. La lumière l'emportera sur les ténèbres, et dans les lointains de l'eschatologie le corps matériel, pétri de ténèbre, fera place à un corps spirituel, promis à la vie éternelle. A Jung-Stilling, qui souffre de maux d'estomac, Baader confie que, pour les vrais fidèles du Christ, « toute maladie terrestre (...) est une anticipation de la mort terrestre et ensemble une anticipation de la vie éternelle. La déclinaison terrestre de l'aiguille aimantée de notre cœur se trouve ainsi rectifiée par chaque maladie » ([75]).

L'économie de la grâce, au premier plan de la réflexion de Baader, demeure présente, sous des formes atténuées, chez les autres théoriciens, même si le langage théologique n'est pas directement employé. La présence ou l'absence de l'harmonie jouent le même rôle que les catégories du divin et du démoniaque. Aux yeux de Carus, la santé est « l'harmonie de toutes les fonctions d'un tout organique au sein de l'unité du développement qui lui est approprié ». Quant à la maladie, elle est

([71]) Eug. SUSINI, *Franz von Baader et le romantisme mystique,* t. II, Vrin, 1942, p. 377, citant une lettre du 5 octobre 1812 ; *Werke,* éd. HOFFMANN, t. XV, p. 243.
([72]) SUSINI, *op. cit.*, pp. 377-378.
([73]) *Ibid.*, p. 378.
([74]) *Ib.*, p. 379.
([75]) BAADER, *Werke,* Bd. XV, 1857, p. 295.

définie comme « la dysharmonie de certaines fonctions, ou de toutes, au sein de l'unité d'un développement étranger à la totalité organique » ([76]).

Le processus pathologique procède d'un échappement au contrôle, une partie de l'organisme se libère de la loi du tout. Le mal, selon Baader, c'est l' « isolement » *(Vereinzelung)* d'une composante, d'une fonction par rapport à l'équilibre général. Henrich Steffens estime que « les maladies ne peuvent être comprises qu'à partir de la tension globale de l'organisation » ([77]), l'équilibre d'ensemble mettant en cause les tensions externes du milieu et les tensions internes du domaine organique. « La maladie est l'effort d'une fonction particulière pour soumettre à sa puissance la forme totale de l'organisation » ([78]) ; la multiplicité des maladies procède de la variété des composantes de la réalité individuelle, chacune tentant d'imposer à la totalité son rythme propre. « L'organisation maladive est l'instrument de mesure le plus sensible aux oscillations de la tension organique totale. L'observation pathologique peut découvrir à partir de là ce qui demeure caché à tous les moyens d'observation scientifiques » ([79]).

Baader propose une admirable formule : « La santé est la transparence du corps à l'âme, la parfaite identité de l'âme et du corps » ([80]). Mais cette transparence représente un idéal inaccessible de translucidité, esprit et corps en parfaite consonance dans une harmonie qui semble incompatible avec la condition humaine. J. W. Ritter observe : « Dans le cas d'une santé parfaite, très probablement nous ne vivrions plus ; nous serions morts. Ce serait l'absolue unité, sans confrontation, sans limitation ; seulement une activité toute idéale. Ainsi on pourrait mourir d'un excès de santé ; la vie comporte toujours quelque degré de maladie » ([81]). La condition humaine suppose un pacte d'alliance avec la maladie, qui trouve son fondement dans la liberté humaine. « Le mauvais usage de cette liberté est le principe de la maladie. Toutes les maladies sont d'origine humaine. (...) Les bêtes sauvages sont toujours en bonne santé ; elles suivent la droite ligne de la naissance à la mort. Le principe morbide est ensemble le principe de l'individualisation. La spéculation est une maladie. La spéculation chez l'homme correspond dans la nature à l'individualisation... » Le bon usage de l'individualisation correspond à l'expression esthétique, laquelle représenterait la grande santé. « L'homme demeurerait en bonne santé s'il restait constamment artiste... » ([82]). La santé, affirmation de valeur, transcende le domaine organique dans le sens du spirituel ; la création d'art, sublimation de la vie, permet de remonter la pente de la dégradation organique.

([76]) C. G. Carus, *Vorlesungen ueber Psychologie*, Leipzig, 1831, pp. 195, sq.
([77]) Henrich Steffens, *Grundzüge der philosophischen Naturwissenschaft,* Berlin, 1806, p. 198.
([78]) *Ibid.*, p. 198.
([79]) *Ib.*, p. 202.
([80]) *Ibid.*
([81]) J. W. Ritter, *Fragmente aus dem Nachlass eines jungen Physikers*, Heidelberg, 1810, t. II, § 407, p. 30.
([82]) *Ibid.*, § 487, pp. 101-102.

La biologie romantique développe une perspective évolutive. Ritter voit dans la maladie un risque de l'humanité, à partir du moment où elle émerge de l'animalité à la liberté. Carus, dans une optique différente, voit dans la maladie une régression. « Toute maladie organique, en tant que suppression de la saine harmonie de l'organisation, est une sorte de retour en arrière, une déconstruction de la vie ; l'organisme se trouve replacé dans l'état de faiblesse initiale et d'impuissance, avec des variations en plus ou en moins, bien qu'il ait depuis longtemps abandonné cet état » ([83]). L'organisme revient à l'état d'enfance, abandonné aux soins des autres membres de l'humanité, qui doivent prendre soin de lui jusqu'au moment de la guérison, à moins que la régression, l'involution ne l'emporte ; la mort consacre alors le retour dans le sein maternel de la terre.

Selon Paracelse, la maladie serait un organisme invisible qui vient parasiter l'organisme sain, en se développant à ses dépens. Cet organisme adventice, en conflit avec l'organisme proprement dit, tente de le supplanter, dans une lutte dont la santé du patient est l'enjeu. Le processus morbide se trouve ainsi personnifié, doté d'une identité propre, comme un être naturel. Paracelse s'opposait à la théorie humorale, en vigueur depuis l'Antiquité, selon laquelle la maladie avait pour cause la corruption ou le déséquilibre des humeurs. Sydenham tendait lui aussi à admettre une telle personnification des entités morbides : il y avait selon lui des espèces de maladies comme il y a des espèces de plantes. Van Helmont, le théoricien de l'animisme, attribuait la régulation de l'organisme à des esprits, des *archées,* présidant au bon développement des fonctions particulières. La maladie est le fait d'un *archaeus insitus,* principe dégénéré qui s'insinue dans l'organisme sain et se développe à ses dépens, selon ses propres lois : la maladie n'est pas un accident, mais un être. On explique ainsi les phénomènes de contagion : un germe, une semence venue de l'extérieur pénètre dans un corps sain et prend peu à peu possession de lui, au détriment de ses forces vitales ([84]).

Ritter évoque cette théorie, sur le mode interrogatif : « Est-ce que les miasmes, le poison de la variole etc. ne seraient pas une sorte de matière organique, se reproduisant organiquement, que l'on pourrait mettre en parallèle avec les parasites des plantes ? » ([85]). Un même corps peut ainsi héberger deux organismes vivants ; la maladie est un organisme second, en conflit avec le premier, une ombre maléfique jalouse de s'approprier sa proie. Il convient de restituer à ces conceptions la plénitude de leur sens, qui risque d'être masquée par l'expression mythologique. Dans l'état de maladie, le patient donne l'impression de résister à une agression, de « lutter contre la maladie », mobilisant ses forces pour « résister à la maladie », en un combat qui à la limite devient une

([83]) C. G. Carus, *Vorlesungen ueber Psychologie* (1829-1830), XIII, Leipzig, 1831, p. 255.
([84]) Je m'inspire ici du suggestif travail de B. Wehnelt, *Die Pflanzenpathologie der deutschen Romantik,* Bonn, 1943, qui déborde largement du cadre de la botanique.
([85]) Ritter, *Fragmente..., op. cit.,* t. II, § 403, p. 27.

« agonie ». On dit que la maladie « suit son cours », ce qui prouve qu'elle a une croissance régulière, comme tout être vivant. Elle peut être considérée comme un vivant parmi les vivants, soumis aux lois de la vie au sein de l'organisme universel.

Ces représentations, en un âge encore préscientifique de la médecine, portent témoignage d'une phénoménologie de la maladie vécue ; de là leur caractère mythique, mais le mythe maintient, par-delà la connaissance étroite, l'horizon plus large de la configuration humaine. Le héros de la *Lucinde* de Frédéric Schlegel, en un moment difficile de son aventure, tombe gravement malade, « mais, dit-il, j'aimais ma maladie, et même la souffrance était la bienvenue. (...) Elle devint pour moi le symbole de la vie universelle ; je croyais sentir et voir l'éternelle discorde par qui tout devient et existe. (...) Ce sentiment étrange avait fait de la maladie un monde propre, ayant en soi sa perfection et sa forme. Je sentais que sa vie mystérieuse était plus pleine et plus riche que la santé vulgaire des somnambules qui vraiment rêvent autour de moi. Et je conservais aussi ce sentiment avec cet état maladif qui ne m'était pas du tout désagréable ; il me mettait complètement à part des autres hommes. (...) Tout était bien ainsi et la mort nécessaire n'était qu'un doux réveil après un sommeil léger... » ([86]).

La mentalité romantique parvient à une expérience nouvelle de la maladie dans la perspective de la conversion à l'intériorité. La maladie est propre au malade, débat interne qui met en cause son identité ; dialogue de lui à lui-même dont il doit sortir renouvelé. En luttant contre son ombre, dans ce combat avec l'ange, le malade subit une initiation, épreuve de vérité. Novalis et Gérard de Nerval, Hölderlin, Schumann, Nietzsche sont témoins de ce combat, gagné même s'il est perdu. Une connaissance mystérieuse se dévoile au long du chemin, connaissance non directement transmissible, sinon par la médiation d'une œuvre qui peut être les *Hymnes à la nuit* ou *Aurélia*.

La pathologie, par la voie de l'auto-analyse, peut conduire à une psychothérapie de soi à soi, qui devient quelquefois la matière d'un chef-d'œuvre. Le révérend Thomas Burton a ainsi doté la littérature anglaise d'un de ses classiques, en faisant de la dépression chronique dont il souffrait la matière d'un gros traité, *The Anatomy of Melancholy* (1628), à la fois encyclopédie de la mélancolie et confessions d'un mélancolique qui tente de se guérir de son mal en le dominant par la pensée. Thomas Burton est un isolé en son temps. L'attitude romantique rompt avec l'attitude objectiviste aux yeux de laquelle le syndrome morbide n'est qu'un accident organique, sans rapport avec l'individualité vécue, et qui doit être traité par des moyens organiques. La personne n'est qu'un support, indépendant des phénomènes adventices dont elle est le théâtre. Tout ce que le malade peut penser de sa maladie, sa façon de s'y adapter, de la combattre ou de s'y soumettre, tout cela représente seulement une

([86]) Frederic SCHLEGEL, *Lucinde*, trad. J. J. ANSTETT, Aubier, 1944, pp. 193 et 195.

superstructure mythique, un ensemble de représentations sans réalité objective et sans signification ([87]).

Cette vision scientiste et matérialiste, qui sépare la maladie du malade, pour se contenter de déchiffrer des processus pathologiques selon la norme du vrai et du faux, représente l'un des aspects de la déshumanisation de la médecine. Les textes romantiques, rédigés ou non dans le langage de la spiritualité chrétienne, tentent de réinsérer la maladie dans la ligne d'une vie. Chaque individu a droit à un destin personnel; la maladie s'inscrit dans la courbe de ce destin. La tuberculose, la maladie mentale ne sont pas seulement un coefficient de plus dans les statistiques de la santé sociale; ils représentent une épreuve frappant une personne à laquelle il importe au plus haut point de comprendre ce qui lui arrive et d'en prendre son parti. Le malade doit apprendre à vivre avec son mal, à le dominer ou à en mourir. Consentement ou révolte, résignation ou lutte corps à corps, diverses options sont possibles, mais il faut choisir. Et celui qui s'abandonne et sombre choisit aussi à sa manière.

L'existence de chaque homme est une tâche qui lui est imposée; il s'agit pour lui de prendre acte de ce qu'il est, et de se créer lui-même à sa propre ressemblance. Poésie, art, religion sont des approches pour cette création de soi par soi, qu'il importe de mener à bonne fin, en affrontant les difficultés comme autant d'initiations sur le chemin de la vie. Tout obstacle peut devenir un tremplin, un moyen pour aller plus loin. D'où l'opinion de Ritter et de Baader selon lesquels l'homme sans problème matériel ou organique, en état de parfaite santé, figé dans une immobilité stationnaire, serait un mort vivant. La vie humaine, en sa spécificité spirituelle, morale, esthétique, ne peut progresser qu'à force de difficultés vaincues, de défis surmontés; la maladie, en première analyse atteinte négative des facultés vitales, revêt une signification positive, en tant que provocation, ou plutôt vocation à l'existence. Non pas diminution de la vitalité, mais exaltation par la mobilisation des énergies latentes. Celui qui se contente de se laisser vivre sans que son corps ni son âme soient jamais mis en question, mis à la question, celui-là n'a plus qu'à s'endormir du sommeil de l'injuste.

La validation romantique de la maladie comme heuristique vitale incite à explorer des confins que les braves gens, confits dans leur bonne santé, ne soupçonnent pas. La pathologie, en première analyse, propose un aspect nocturne de l'anthropologie; mais le romantisme découvre dans les approches de l'ombre une lumière neuve. L'expérience de Nerval dans la maison des fous a la même valeur décapante, révélante, que l'expérience de Dostoïevski dans la maison des forçats. La maladie ouvre les portes d'une santé supérieure, de la « grande santé » que Nietzsche a célébrée. Ouverture de l'anthropologie en direction de la pathologie, l'une des acquisitions majeures de la pensée romantique. Le rationalisme, sous toutes ses formes, de l'ontologie triomphante à l'intellectua-

([87]) Exemple de cette démystification scientiste, qui est sans doute la pire des mystifications, le livre de Susan SONTAG, *La maladie comme métaphore*, éditions du Seuil, 1979.

lisme empirique, célèbre l'apothéose de la santé organique et mentale. Toute atteinte morbide est une menace pour l'ordre dû, et se trouve rejetée dans les poubelles de l'immaculée véritée. Malédiction sur qui s'aviserait de voir dans l'*Ethique* une entreprise de psychothérapie, le moyen que Spinoza a utilisé pour vivre avec sa maladie, pour triompher de sa maladie.

Cette sublimation de la pathologie, est exposée, selon l'esprit du romantisme, dans une lettre de Paul Claudel, destinée à des malades gravement atteints. Le poète se veut porte-parole de la foi chrétienne, partagée par la quasi-totalité des théoriciens romantiques. « L'homme qui souffre n'est pas inutile et oisif. Il travaille et il acquiert par sa collaboration avec la main bienfaisante et cruelle qui est à l'œuvre sur lui, non pas des biens périssables et relatifs, mais des valeurs absolues et universelles dont il a la disposition. (...) Quelque chose se passe à quoi son corps et son âme ou, disons d'un seul mot, sa présence est indispensable, et qui ne pourrait exister sans lui. (...) Son travail est d'être travaillé, c'est lui-même qui fournit la matière de cette élaboration mystérieuse » ([88]). L'ascèse dompte le corps par un exercice corporel ou spirituel qui plie l'organisme aux exigences de l'âme. La maladie impose une ascèse non voulue, mais à laquelle le malade peut consentir afin de parvenir à une conscience de soi supérieure.

Claudel appelle les malades des « invités à l'attention » ; il leur propose de considérer leur mal non pas comme un destin fatal, mais comme une chance à saisir, afin de parvenir à un nouveau sens de la vie. « Tous ces gens debout et bougeants et agissants que vous enviez, êtes-vous sûrs qu'ils vivent autant que vous ? Est-ce que la vie pour eux n'est pas un rêve où l'engrenage de l'idée et de l'acte, de l'habitude et du geste, s'opère pour ainsi dire de lui-même et presque sans aucune intervention de la pensée ? » ([89]). Chose curieuse, Nietzsche, l'Antéchrist, lui aussi mainteneur de la tradition romantique, parvient par des voies analogues à une validation positive de la maladie, à laquelle il s'est heurté, à travers laquelle il a dû frayer le chemin du sens de sa vie. Selon Nietzsche, observe Karl Jaspers, « la maladie en tant qu'événement naturel, n'a pas une origine propre, ni une origine purement naturelle. Il faut procéder autrement que par intellection, par voie causale ». Dès lors se manifeste « un sens existentiel, étranger au devenir purement naturel, sans prétendre affirmer une causalité magique et superstitieuse. Quelque chose qui veut parler à l'intériorité produit la maladie en vue de ce message, en vue d'agir existentiellement par elle. Nietzsche est reconnaissant à la maladie de la coopération décisive qu'elle apporte à son itinéraire spirituel. (...) Rétrospectivement, il lui apparaît que l'unité de sa vie a été faite par la maladie. C'est elle, dit-il, « qui m'amena à la raison » ([90]). »

([88]) Paul CLAUDEL, *Les Invités à l'attention*, lettre à mademoiselle Simone Fouché, septembre 1928 ; dans *Toi qui es-tu ?*, N.R.F., 1936, p. 113.
([89]) *Ibid.*, p. 115.
([90]) Karl JASPERS, *Nietzsche, Introduction à sa philosophie*, trad. française, N.R.F., 1950, p. 115.

La fonction initiatrice de la maladie s'inscrit dans la perspective de l'intelligibilité romantique de l'existence comme totalité. Le positivisme, séparant le processus morbide de l'individualité qu'il met en question, aboutit à une dissociation de la condition humaine qui la rend inintelligible. Chrétienne ou pas, la pratique médicale moderne reconnaît la nécessité d'une pathologie de la totalité, aussi bien dans le domaine des maladies de l'organisme que dans celui des maladies mentales, la ligne de démarcation entre les deux domaines tendant à s'estomper. Le romantisme a institué la reconnaissance du fait primitif de l'incarnation, attirant l'attention sur les passages et confins, les implications mutuelles de l'esprit et du corps.

L'inscription anatomique et physiologique de la maladie, dans le contexte d'une pathologie de l'incarnation, relève d'une médecine des significations, laquelle met en cause de proche en proche une anthropologie et une sociologie. L'anatomie et la physiologie, la pathologie, la thérapeutique ne constituent pas un ordre idéal de vérités, déposées dans les entrepôts de la rationalité scientifique. Ce sont des composantes de la culture dont la définition et le sens varient à travers le temps, dans le devenir global de la connaissance. La maladie mentale, la tuberculose ont changé de signification et de valeur, en même temps que s'enrichissait le savoir que nous en avons. Fléau social, la phtisie a perdu, dans le deuxième tiers du XXe siècle, le caractère effrayant qu'elle présentait lorsqu'elle était perçue comme la dévoreuse de la jeunesse. Depuis que nous possédons les moyens d'enrayer le processus morbide, cette affection est rentrée dans le rang de la nosologie banale, qui ne mobilise aucune surdétermination métaphysique. Il serait pourtant absurde d'en conclure que ceux qui, il y a un siècle, atteints d'une affection alors mortelle, se posaient des questions à propos de ce mal, étaient dans l'erreur, puisque leur organisme était le siège d'une série de phénomènes naturels, selon la norme d'une intelligibilité dont il serait un jour possible de rendre raison. Autant dire qu'un condamné à mort n'a pas à se poser de questions, puisque son prochain décès sera la conséquence inéluctable d'un processus naturel.

Il y a un écart irréductible entre la maladie comme entité nosologique décrite dans les traités spécialisés, et la maladie vécue en première personne par le malade qui en est atteint. Preuve en est l'incompétence bien connue des médecins les plus avertis, lorsqu'ils sont affectés eux-mêmes par un mal qui leur est pourtant familier. Capable de soigner les autres, ils sont souvent incapables de remédier à cette atteinte de leur propre chair. Selon Heidegger, une question devient métaphysique à partir du moment où elle met en question celui qui pose la question. La maladie des autres est, pour le médecin, un problème de savoir positif, sa maladie propre est une question métaphysique, surimposée au problème positif. L'entité nosologique devient un élément dans une situation humaine globale ; l'homme souffrant fait de son mal ce qu'il veut ou ce qu'il peut.

Davantage le concept nosologique se trouve lui-même solidaire du contexte culturel. Nous n'avons pas le droit d'imaginer une vérité idéale de la phtisie sous toutes ses formes ou une nosologie générale de l'aliénation mentale, telles que nous les comprenons aujourd'hui, tableaux cliniques et thérapeutiques, et de projeter rétrospectivement ces « vérités » dans les espaces mentaux du XVIe ou du XIXe siècle, en déplorant l'ignorance des pauvres gens, qui ne savaient pas ce que nous savons. La « vérité » d'aujourd'hui a force de loi pour aujourd'hui, en attendant des découvertes nouvelles qui relativiseront le savoir de notre temps. Pour les malades de l'âge romantique, notre « tuberculose » est nulle et non avenue, tout autant que la navette spatiale, dont nous ne songeons pas à leur reprocher de ne pas avoir entrepris la construction. Les romantiques vivaient leur phtisie ou leur folie avec les moyens de leur temps, moyens matériels et moyens spirituels disponibles dans la culture de l'époque. Le cancer demeure aujourd'hui une maladie redoutable dans bien des cas. Un jour, peut-être, nous aurons les moyens de triompher de cette affection, ce qui réduira la menace qu'elle représente au même rang que celle du bacille de Koch. En attendant, un individu atteint d'une forme grave de cancer est en droit de vivre sa maladie dans l'angoisse d'une mort probable, qui remet toute sa vie en question. On serait mal venu de lui dire qu'il a tort de s'inquiéter, puisque le processus morbide du cancer est « naturel ».

Il est absurde de comptabiliser, pour une époque antérieure à la nôtre, les éléments du savoir scientifique qu'elle détient, généralement en médiocre quantité, ce qui permet de porter sur ces temps obscurs une condamnation par défaut — et par ailleurs, de faire l'inventaire des erreurs, préjugés, représentations aberrantes et mystifiantes, grâce auxquelles l'époque en question s'efforce de combler son déficit de connaissances. Cette méthode, pratiquée par les « philosophes » du XVIIIe siècle dans la lignée de Fontenelle, Voltaire et Condorcet, ne propose elle-même qu'un asile d'ignorance, et une mystification. Le domaine humain ne se déploie pas au niveau des « vérités objectives », mais selon les dimensions de la représentation. Les êtres humains ne sont pas des systèmes anatomo-physiologiques, équipés de dispositifs sensori-moteurs fonctionnant à la manière d'appareils de mesure destinés à fournir un relevé de l'environnement matériel aussi mathématiquement exact que possible, en conformité avec le dernier état de la science, lequel, au surplus, ne cesse de se modifier.

L'être humain vit dans un monde de significations et non dans un univers de faits objectivement déterminés. Il prend conscience de lui-même grâce à la médiation des signes, symboles et représentations, institués dans le milieu auquel il appartient, l'ensemble constituant un espace culturel et un style de vie dont il lui faut prendre acte, avant même de se développer par ses propres moyens. Son adhésion aux normes de conformité établies peut n'être pas entière ; il a la possibilité de s'écarter plus ou moins des modèles en vigueur, d'autant que ceux-ci sont multiples et polyvalents, ce qui laisse au sujet une certaine liberté de choix. Néanmoins il existe, pour une époque donnée, une unité du langage, même à travers la différence des milieux sociaux. De même, pour l'unité relative des mœurs et coutumes, des genres de vie, qui marque les individus d'un signe distinctif. Les sociologues et historiens français se sont intéressés à l'évolution du sens de la mort, en tant que phénomène social, pendant les derniers siècles. Ils ont mis en évidence une transformation de cette expérience de la fin de la vie, pour l'intéressé lui-même, pour ses proches, et pour la communauté. La pratique de la mort s'est renouvelée, dans sa phénoménologie et dans sa sociologie ; par exemple la mort, jadis événement public, est devenue un fait privé. Il serait absurde de porter un jugement de valeur sur cette transformation des significations, en accord avec le climat global de la société ; on peut préférer les usages d'un siècle ou d'un autre, mais il faut bien s'accommoder des usages de son temps.

De même que se modifie la pratique de la mort, de même la pratique de la maladie. Le romantisme, mise en honneur de la subjectivité, fixe son attention sur les situations-limites où l'existence se trouve en question ; il verra dans la maladie une épreuve, une mise en cause de l'existence, à laquelle l'individu souffrant, indépendamment des médications disponibles, doit répondre par une réaction d'ensemble, intégrant la maladie à son univers mental et spirituel. Dans la perspective d'une biologie de la totalité, une maladie des poumons, du cœur ou des yeux n'est pas seulement la maladie d'un organe ; elle atteint l'être incarné dans son ensemble, par le biais de telle localisation particulière. Au défi de l'atteinte pathologique, le patient répond par une adaptation globale, mobilisant les ressources de son être, selon le langage et le style de vie de l'époque, y compris le savoir médical disponible.

La biologie et la médecine romantiques proposent un modèle romantique de la maladie, illustré par certaines figures caractéristiques. Ce modèle ne s'impose pas à tous les individus ayant vécu dans la sphère d'influence romantique pendant le premier tiers ou la première moitié du XIXe siècle. De même que le sens romantique de l'amour ou de la foi est illustré par des penseurs, des écrivains animés d'un génie spécifique, de même le sens de la maladie en son essence idéale, telle que nous avons essayé de la représenter, expose l'exception plutôt que la règle. L'homme de la rue, dans la majorité des cas, subissait l'agression pathologique, sans se soucier des interprétations et sublimations propres de Novalis, Baader ou Johann Nepomuk Ringseis ; les paysans souabes, assistés par Justinus Kerner, souffraient sans doute et mouraient dans la fidélité aux traditions ancestrales de leur village, sens des valeurs et système de représentation en vigueur dans leur milieu. On aurait tort d'opposer la « vérité » pathologique d'un côté, et la « mythologie » des interprétations populaires ou romantiques de l'autre. A ce compte, le « réalisme » scientifique ou le « scientisme », en tant que systèmes de représentations, ne proposent eux aussi qu'une mythologie, réservée à quelques pharmaciens de province, disciples de M. Homais.

On a voulu voir dans l' « idéalisation » romantique de la maladie une mystification propre à la classe bourgeoise et capitaliste. « La tuberculose n'a été, en cette affaire, que l'objet d'une sorte de malentendu. Le mythe n'a jamais visé sans doute la vérité des poitrinaires, ni celle de la maladie ; il a fait, et radicalement, l'économie de cette référence ponctuelle pour en prendre occasion et, à son propos, comme à d'autres, exprimer des significations qui regardent l'économie générale de la pensée et de l'imaginaire occidentaux. La tuberculose est donc un objet parmi d'autres et quasi indifférent à ce discours » ([91]). Autrement dit, la bourgeoisie capitaliste jetterait sur le syndrome tuberculeux bien connu le voile du malentendu, constitué par le mal du siècle, cependant que le prolétariat vivrait dans sa misère une maladie démystifiée. « Le poète, la femme, — le poète tuberculeux, la femme tuberculeuse, — revendiquent la transgression de leur classe d'origine en se parant de cette nouvelle " aristocratie ", l'aristocratie de la déviance, la noblesse du fantôme » ([92]).

La critique postérieure projette sa propore mythologie — ici la mythologie marxiste saupoudrée de freudisme — sur la réalité vécue d'une époque différente. L'époque romantique ne falsifie pas la phtisie, dont elle ne connaît pas l'essence. Elle assume cette épreuve selon la spécificité de sa vision du monde ; elle en tire parti selon le sens propre qu'elle donne à sa destinée. La maladie n'est d'ailleurs qu'un cas particulier parmi d'autres. Il y a une manière romantique de vivre le bonheur ou le malheur, d'utiliser l'argent ou la misère, l'amour, la guerre, la révolution. Le romantisme met en œuvre un rapport au monde, à soi-même et à Dieu, qui ne déforme pas la réalité, en seconde lecture, mais qui est donateur du sens de la réalité, en première lecture. La signification ne vient pas se superposer à la réalité, comme le beurre sur la tartine ; c'est elle qui suscite la réalité conformément au vœu de valeur dont elle est messagère. Reste que les modèles culturels proposés par les penseurs, les écrivains, les poètes ne sauraient prétendre à une validité universelle. Jean Valjean et Mgr Myriel, Marius et Fantine ne courent pas les rues, pas plus que l'infâme Thénardier, à l'âge romantique français ; Frédéric Schlegel, Novalis ou Hölderlin ne représentent pas le type moyen de l'humanité allemande de leur temps ; l'intention novatrice qui s'affirmait à travers eux n'a été perçue comme représentative que parce qu'elle faisait scandale. Le modèle culturel ouvre une voie. L'interprétation qu'il propose est la solution trouvée pour une difficulté vitale, le moyen de faire face à un défi. D'autres se reconnaissent, selon les voies de l'analogie, dans cet exemple, où ils trouvent une allégorie de leur propre vie et éventuellement de leur mort.

Lorsqu'il y a ainsi rencontre entre un poète, un théoricien, un savant et un nombre suffisant d'individus de son époque se constitue, par le rassemblement d'indices convergents, un type idéal caractéristique du moment culturel. La médecine romantique ne propose pas seulement une nosologie et une thérapeutique ; elle met en œuvre une certaine manière de vivre l'expérience morbide, d'affronter la souffrance, l'angoisse et la mort, éléments constituants de la destinée humaine. Les

([91]) Odile MARCEL, *Sens et non-sens des représentations sociales de la maladie, réflexions sur quelques avatars de la phtisie romantique*, Psychanalyse à l'université, t. VI, n° 21, décembre 1980, p. 138.
([92]) P. 139.

connaissances positives disponibles sont une partie intégrante de cette synthèse ; si elles se suffisaient à elles-mêmes, si elles fournissaient une explication complète du processus morbide et le moyen de rétablir la santé, alors les considérations existentielles passeraient au second plan et se résorberaient dans la thérapeutique proprement dite. Une appendicite, en règle générale, ne pose plus aujourd'hui de question métaphysique ; le chirurgien opère, le malade se rétablit. Mais dans l'insuffisance du savoir et l'impuissance de la thérapeutique, ce sont les ressources personnelles de l'individu qui doivent combler le vide, en imposant un sens humain au processus pathologique.

Même s'il est vrai que nous donnons aujourd'hui plus d'importance à la thérapeutique positive, et moins à l'interprétation personnelle, il demeure que la maladie, pour peu qu'elle soit sérieuse, pose toujours pour le malade un problème humain. Ce n'est pas seulement un organe, ce ne sont pas seulement les tissus qui sont malades ; c'est un être humain qui souffre, et qui doit affronter sa souffrance. Il n'est pas possible de cantonner le mal dans le seul domaine organique. Preuve en est, alors que nous nous flattons d'avoir réalisé d'immenses progrès techniques, chirurgicaux, pharmacologiques, scientifiques, la prolifération contemporaine des psychanalyses, psychothérapies, parapsychologies et parathérapeutiques. Les guérisseurs, brevetés ou non, jamais n'ont eu autant de patients ; de nouvelles entités morbides se constituent aux confins de l'esprit et du corps. Les médecins positifs et positivistes ont beau dénoncer l'exploitation de la crédulité publique, celle-ci ne manque pas de clients, qui doivent s'estimer satisfaits de ses services, puisqu'ils ne cessent d'y avoir recours.

L'histoire de la médecine, plus encore que celle d'aucune autre discipline de la connaissance, ne peut être dissociée de l'histoire de la culture. L'anthropologie pathologique met en jeu la réalité humaine dans son ensemble solidaire, non pas quelques cellules seulement, ou une fonction entre toutes les autres. Exemple privilégié d'une mort romantique, celle de Byron à Missolonghi, le 19 avril 1824, après une subite aggravation de son mauvais état de santé, qui l'emporte en une dizaine de jours. Le malade a succombé à des « fièvres » comme on disait alors, et sans doute aussi au traitement appliqué en pareil cas, qui consistait à saigner à blanc le patient déjà épuisé par les crises subies. Sous ce terme global de fièvre, il faudrait entendre aujourd'hui une infection généralisée, aidée par des conditions d'hygiène déplorables, peut-être le typhus, peut-être la dysenterie, ou encore une hépatite virale, affections qui tuaient, au cours des campagnes du XIXe siècle, plus de monde que les combats. Aujourd'hui, Byron aurait été tiré d'affaire par les antibiotiques ; si l'hôpital militaire de Missolonghi avait disposé de ces médicaments, toute cette histoire se serait soldée par l'inscription du nom de ce patient sur la longue liste des malades traités par l'établissement.

Reste que le certificat de décès, avec diagnostic rétrospectif et observation clinique, dressé par le médecin des morts, ne rendrait pas un compte fidèle de l'événement, tel que Byron lui-même et ses compagnons l'ont vécu, tel que l'Europe romantique l'a ressenti. La vie de Byron est une fuite en avant, à la poursuite de son ombre, une aventure sans issue et qui, cherchant désespérément une issue, finit par en inventer une à la mesure de son rêve. La cause de la liberté grecque est une des causes majeures de l'Europe romantique ; la liberté réclame ses héros et ses martyrs. Le glorieux poète meurt dans une apothéose qui fait de lui un emblème de l'époque, un modèle. Sur quoi de bons esprits viendront dénoncer les mystifications abusives. Le docteur Freud dénonce le frère incestueux, bourré de complexes au point d'être obligé de fuir la famille et le pays natal à la recherche d'une impossible psychothérapie, aussi anachronique en son temps que les antibiotiques. Le docteur Marx démystifie le patricien en rupture de classe, et qui transfère en sa propre individualité le drame sans solution possible de la lutte des classes ; le noble lord passé à la révolution ne sera jamais qu'un révolutionnaire suspect d'amateurisme et d'aventurisme, voué à échouer dans les poubelles de l'histoire. La mort de Byron se réduit à un agrégat d'élaborations « mystifiantes », énorme opération de propagande sans aucun rapport avec la « réalité », laquelle se borne à une affaire de microbes, bacilles ou virus, se développant sur le terrain douteux d'un organisme débilité par des surmenages, fatigues et abus en tous genres.

Autant vaudrait soutenir que l'œuvre poétique de Byron se réduit à un fonctionnement cérébral, au jeu combiné d'un certain nombre de cellules nerveuses qui, sous l'impulsion des déterminismes qui les font agir, produiraient des effets linguistiques en noir sur blanc sur le papier. Mystification pour mystification, celle-ci paraît bien être la plus pauvre de toutes ; elle ne nous apprend rien sur la vie et la mort romantiques de Byron. On ne voit pas de quel droit, sous le prétexte d'une « vérité scientifique » tout à fait vide de sens, on pourrait priver Byron d'une mort à son image, telle qu'il la pressentait et la désirait, achèvement d'une impossible existence. Et cette image mythique d'un accomplissement en apothéose au service de la cause philhellène a été reconnue et acceptée par l'Occident romantique. Les hommes et les peuples vivent de légendes plutôt que de vérités « scientifiques » abstraites. La mort de Byron est un événement européen, non pas le décès d'un militaire parmi d'autres à l'ambulance de campagne. Byron est mort à jamais, dans l'histoire de la culture européenne, à Missolonghi, le 19 avril 1824. Ce fait « historique » aux immenses et lointaines répercussions atteste l'incommensurabilité de la réalité humaine, en tant que présence de l'homme à l'homme, incluant le domaine organique sans pouvoir se réduire à lui. La représentation sociale de la maladie et de la mort n'est pas un fantasme surajouté à la « réalité matérielle et objective », seule vraie ; cette vérité prétendue est un fantasme ; l'événement réel, c'est le vécu, dans sa présence charnelle, dans sa signification pour celui qui est en cause et pour les témoins, parties prenantes dans ces significations.

Un siècle et demi de découvertes, d'investigations de toute espèce et dans tous les domaines, ont mis plus de distance entre les médecins d'aujourd'hui et les médecins de Byron qu'il n'y en avait entre les médecins de Byron et ceux du XIIIe siècle, ou même ceux de l'âge hellénistique. En ce qui concerne la science exacte et rigoureuse, la médecine romantique est solidaire de son temps. L'école de Paris peut être fière du stéthoscope de Laennec ou du speculum du bon docteur Récamier. Ces accessoires, s'ils figurent encore dans la panoplie du praticien de campagne, ne sont rigoureusement rien à côté des appareillages monstrueux qui équipent les établissements hospitaliers d'aujourd'hui. La médecine du XXe siècle a bénéficié d'une révolution technologique sans précédent.

Mais en ce qui concerne la médecine de la personne, l'apport du romantisme prend aujourd'hui le sens d'un rappel à l'ordre, dans la mesure où l'inflation galopante des technologies, des spécialisations et des pharmacopées entraîne un dangereux oubli de l'être humain, centre d'intérêt et point d'application de l'arsenal thérapeutique. La localisation du processus pathologique dans telle ou telle partie du corps ne doit pas faire oublier qu'il s'agit d'une atteinte de la réalité humaine globale. L'intégrité humaine peut être atteinte soit dans sa face psychique, soit dans tel ou tel de ses aspects organiques ; dans tous les cas de perturbation, l'équilibre général doit être restauré. Une maladie organique, si elle est assez grave, et si elle dure assez longtemps, entraîne un réaménagement de l'individualité. C'est ce qui incitait les romantiques à considérer la maladie comme une initiation, c'est-à-dire une restructuration de la personne. Constatation banale parmi les familiers de quelqu'un qui vient de souffrir d'une atteinte grave de sa santé : « depuis sa maladie, il n'est plus le même ».

Il peut s'agir d'une simple altération du caractère, liée à l'angoisse suscitée par l'épreuve, ou encore aux séquelles organiques et morales qui en résultent. On ne peut parler d'initiation, au sens propre, que lorsque le patient ne se contente pas de subir l'épreuve imposée, mais s'efforce de l'assumer, de lui donner un sens dans la perspective de son existence personnelle. Pour la médecine positive, le processus morbide se limite aux signes cliniques et aux inscriptions anatomiques et physiologiques ; seul l'organisme se trouve en question. Le médecin observe la maladie sans voir le malade ; toute la vérité du cas se trouvera contenue dans les constatations, après décès, de l'anatomie pathologique. Comme si la maladie n'appartenait pas au malade, comme si chaque malade ne faisait pas sa maladie à sa façon, comme si elle ne trouvait pas son sens dans la perspective d'une destinée. Les praticiens le savent, qui exercent instinctivement une psychothérapie rudimentaire, et ne manquent pas d'en appeler au moral du malade, à son courage, à sa patience, à sa résignation devant l'inévitable. Mais le plus souvent, il ne s'agit pour le médecin traitant que d'un accompagnement en mineur, destiné à enrober la réalité fondamentale du trouble organique.

Le magnétisme animal sous ses aspects divers et dans ses multiples applications joue un rôle central dans la philosophie romantique de la nature et dans la médecine romantique. La célébrité européenne de Franz Anton Mesmer (1734-1815) assura à ses expériences un relief social extraordinaire, à Vienne et dans les Allemagnes aussi bien qu'à Paris. Mesmer et ses disciples suscitèrent une curiosité passionnée et des résistances non moins acharnées, à tel point que le gouvernement français décida, pour en avoir le cœur net, de confier une expertise à deux commissions, l'une formée de membres de l'Académie des Sciences et de la Faculté de médecine, l'autre de membres de la Société royale de médecine (1784). Parmi les experts ainsi désignés : Bailly, Lavoisier, Jussieu, Guillotin, Franklin, entre autres, essayèrent de mettre à l'épreuve, avec sagacité, les doctrines du thérapeute germanique. Ces esprits positifs, habitués aux méthodologies rigoureuses du laboratoire, ne parvinrent pas à détecter des déterminismes de type mécaniste dans les expériences qui leur furent soumises ([93]). Les tenants du mesmérisme affirmaient l'existence d'un fluide magnétique, apparenté à l'électricité, et responsable des effets constatés. Or il était impossible de mettre en évidence la réalité physique d'un tel « fluide » ; dès lors, les phénomènes attribués au magnétisme animal devaient être tenus pour des effets de l'« imagination » ; irréels, imaginaires, c'étaient des fantasmes sans consistance. Malebranche, à propos des phénomène suspects de démonisme ou de sorcellerie, mettait déjà en cause la « contagion des imaginations fortes ». Entre la rationalité mathématique des mécanismes physiques et la rationalité intellectuelle de la pensée exacte, il n'y a place que pour un règne intermédiaire et suspect de ce qui n'est ni matière, ni esprit. Descartes avait prononcé que tout ce qui touche à l'union de l'âme et du corps relève de la pensée confuse, qui joue un certain rôle dans la pratique, mais ne concerne ni la science ni la philosophie.

La doctrine de Mesmer et de ses disciples relève de la mythologie spéculative. Quant aux Messieurs des Académies, leur science rigoureuse fait sourire aujourd'hui ; la chimie de Lavoisier demeure infantile, et l'électricité de Franklin évoque la physique amusante à l'usage des écoles primaires. Les physiciens et les médecins de stricte observance positive avaient tort de taxer d'aberration tout ce qui se dérobait aux prises des critères d'intelligibilité, dont ils se figuraient qu'ils étaient indéfiniment valables. Le magnétisme animal, dans ses prolongements et ses aberrations, a fourni au savoir romantique l'une de ses perspectives maîtresses pour la compréhension de l'homme et du monde.

La thèse de doctorat en médecine soutenue par Mesmer à Vienne en 1766 traite de l'influence des planètes sur le corps humain *(De influxu planetarum in corpus humanum)* ; et le fameux *Mémoire sur la découverte du magnétisme animal* (1779) se réfère à ce premier travail, fondant la doctrine magnétique sur les rapports entre le microcosme et le macrocosme. A Paris, dans les années 1783-1784, Mesmer institue une Société de l'Harmonie, mi-publique, mi-secrète, influencée par l'illuminisme maçonnique ; l'utilisation du glas-harmonica, instrument que Mesmer a découvert à Vienne dans le cercle de la famille Mozart, et qu'il introduit

([93]) Cf. la mise au point récente de François AZOUVI, *Sens et fonction épistémologiques de la critique du magnétisme animal par les Académies*, Revue de l'Histoire des Sciences, 1976. Plus généralement H. F. ELLENBERGER, *The Discovery of the Unconscious*, New York, Basic books, 2nd printing, 1970. Hans GRASSL, *Aufbruch zur Romantik, Bayerns Beitrag zur deutsche Geistesgeschichte*, München, 1968. Ernst BENZ, *Theologie der Elektrizität*, Akademie der Wissenschaften und der Literatur, Mainz, 1970.

dans ses mises en scène thérapeutiques, est aussi un signe de romantisme. Le glas-harmonica, comme la harpe éolienne, capte les harmonies de la nature dont il révèle le chant profond. Le magnétisme animal expose dans le règne humain certaines phases du magnétisme terrestre, inscrit dans l'économie générale de la création en son unanimité dynamique. Ces spéculations s'appuient sur les découvertes de l'époque en matière d'électricité atmosphérique, elles invoquent les recherches concernant l'électro-magnétisme et l'électricité animale. Ces mêmes forces telluriques paraissent seules capables de justifier les étranges observations de la parapsychologie : somnambulisme, rêves, prémonitions, phénomènes médiumniques, etc. ; les faits de possession, de délire, d'aliénation mentale paraissent relever d'interprétations du même ordre. Partout où la conscience claire se trouve en défaut, dans une partie, jusque-là négligée, de l'expérience humaine, prévaut une autre loi que celle du nombre et de la géométrie extensive. Le magnétisme animal, avec ses déviations, a l'immense mérite de fixer l'attention des hommes de savoir et des gens cultivés sur cet espace négligé. Seule la détermination de nouvelles formes d'intelligibilité pourra conférer à la pensée un droit de regard sur cet ensemble immense de phénomènes protégés par le voile de l'inconscient.

Nous sommes redevables au romantisme de l'occupation de ces terres vierges du savoir. Les essais et les erreurs, les extravagances des pionniers ne doivent pas dissimuler l'immense intérêt de leur entreprise, qui a renouvelé l'anthropologie et la médecine. De cette réévaluation globable, on peut trouver la formule chez Carl Gustav Carus, entre bien d'autres : « Notre vie dans sa signification la plus haute est la vie de l'âme ; de même, en ce sens, nous ne pouvons penser à aucune autre maladie qu'à la maladie de l'âme. Pour la même raison, bien entendu, il n'y a pas d'autre santé que la santé de l'âme. Ces deux concepts se conditionnent mutuellement. Seul ce qui peut tomber malade peut revendiquer aussi l'attribut de la santé. De Dieu et de ce qui est immédiatement divin, et aussi de ce qui est absolument inconscient, une pierre par exemple, il est impossible de dire qu'ils sont malades et aussi peu qu'ils sont en bonne santé. Pour la même raison l'essence monadique la plus intime de l'être, en tant qu'elle est un principe divin, se trouve nécessairement exempte de ces deux condition » ([94]). La maladie ne peut atteindre que les phénomènes de l'âme, sa projection dans le domaine vital de l'existence incarnée.

Selon Carus, la clef de la vie consciente se trouve dans l'inconscient. Cette idée riche d'avenir propose l'une des définitions significatives du romantisme. Le domaine humain se trouve pris entre l'inconscient supérieur de la divinité et l'inconscient inférieur de la réalité charnelle. La vie consciente se déploie dans l'entre-deux ; elle peut souffrir des compromissions introduites nécessairement par l'incarnation. « La santé du domaine entier de la vie inconsciente de l'âme, enseigne Carus, est la

([94]) Carl Gustav CARUS, *Psyche, zur Entwicklungsgeschichte der Seele*, 2e éd., 1860, p. 460.

condition première pour le développement d'une vie consciente parfaitement saine » ([95]). Or la majeure partie de l'existence corporelle se développe dans l'inconscient, sous forme de mouvements et de processus involontaires : circulation du sang, respiration, fonction sexuelle, digestion, assimilation, excrétion, mouvements volontaires et activité des sens. La santé du corps suppose la bonne marche de cette économie complexe. De même qu'il y a une diététique du corps, pour la bonne marche d'ensemble de ses opérations, de même il faut tenter de mettre au point une diététique de l'âme, appropriée à sa croissance, depuis les premiers stades du développement embryonnaire jusqu'à la maturité et la mort. La mauvaise santé de l'inconscient pervertit la santé de la conscience supérieure. D'un autre côté, les maladies de l'âme, qu'elles siègent dans la conscience ou dans l'inconscient, peuvent pervertir les fonctions organiques (digestion, circulation, respiration, etc.); dans ce cas la restauration de l'ordre spirituel entraînera le retour à l'ordre des fonctions organiques.

Carus expose aussi une autre thèse romantique selon laquelle « la maladie est quelque chose de nouveau, une réalité qui se produit et se développe sous une forme organique selon ses propres lois, comme suite des conflits entre la vie personnelle et la vie extérieure du monde; ce trouble se manifeste à l'occasion des phénomènes vitaux concernant les fonctions corporelles aussi bien que spirituelles. Ce principe nouveau, ce quelque chose, cette idée de la maladie, comme une sorte de parasite qui se développe entre l'idée de la vie et l'idée du monde, croît, manifeste sa vitalité, se multiplie et meurt de lui-même, à moins qu'il ne tue l'organisme selon des lois déterminées et des principes tout à fait remarquables... » ([96]). Les naturalistes et les médecins romantiques, en l'absence de connaissances précises sur l'étiologie des syndromes morbides, relèvent une analogie entre les parasites et moisissures, les champignons qui affectent les plantes et les proliférations et dégénérescences pathologiques des organismes animaux, à l'intérieur ou à l'extérieur du corps; boutons, pustules, chancres, tumeurs sont les signes d'une vie pernicieuse qui tente de se substituer à la vie propre du patient. La contagion se justifie par la propagation de la semence d'un organisme à un autre; un grain de matière animée suffit pour transmettre le mal d'un organisme malade à un organisme sain, sur lequel il se greffe à son tour ([97]).

Ces conceptions attestent un état rudimentaire du savoir, avant la découverte des microbes et bactéries et les travaux de Pasteur. Les « miasmes » fournissent une explication des phénomènes pathologiques, en attendant mieux. La reproduction des êtres vivants s'explique par un schéma de ce genre; la semence masculine suscite dans l'organisme

([95]) *Ibid.*, p. 463.
([96]) *Ibid.*, p. 475.
([97]) Cf. B. WEHNELT, *Die Pflanzenpathologie der deutschen Romantik*, Bonn, 1943, avec référence en particulier à Franz UNGER, *Die Exanthemen der Pflanzen*, Wien, 1833.

féminin l'apparition d'un nouvel organisme qui, après une évolution normale, accédera à une existence autonome. Pareillement, bon nombre de formes d'aliénation mentale évoquent une existence étrangère venant du dehors parasiter l'existence personnelle ; un autre moi tente de se substituer au moi normal. De là l'intérêt manifesté par la pensée romantique pour le phénomène du *double ;* cette hallucination spéculaire, où le sujet se voit à distance, et comme séparé de lui-même, dans une existence excentrée, a été souvent évoquée dans les contes fantastiques. Les délires et obsessions, les dédoublements de la personnalité évoquent aussi une existence seconde surchargeant la vie du sujet. L'inconscient évoque une vie secrète refoulée, inscrite au cœur de l'être, et qui se manifeste dès que le moi conscient baisse sa garde. De là les récurrences du rêve, de l'hallucination, des fantasmes attestant que « je est un autre ». L'unité rationnelle de la conscience est une construction artificielle, maintenue au prix d'une constante vigilance. Dès que cette discipline relâche sa tension, l'espace mental est envahi par les fantômes ; si le sujet ne dispose plus des ressources nécessaires pour conjurer ces ombres, il devient leur proie et se laisse emporter par eux au royaume de la folie. C'est l'aventure que raconte Nerval dans *Aurélia.*

La nouvelle anthropologie propose les moyens d'une compréhension neuve de l'aliénation mentale ([98]). La folie, jusque-là considérée comme le lieu du non-sens, et jugée par défaut, devient susceptible d'un sens. Le psychiatre recherche l'intelligibilité immanente aux délires, aux comportements aberrants. Au lieu d'aborder la maladie mentale par des contraintes physiques ou des médications arbitraires, qui agissent sur les troubles d'une manière extrinsèque et mécanique, une voie d'approche s'offre par la subjectivité, au niveau des significations vécues par le patient. L'Eglise catholique, traditionnellement, avait suivi cette voie, par la direction de conscience et la pratique sacramentelle des exorcismes. La psychopathologie moderne se substitue peu à peu, avec ses procédures propres, au clergé défaillant. L'exploration de l'inconscient enrichit la connaissance de la personnalité et des fondements latents de ses équilibres et déséquilibres. Au bout de ce cheminement, avec des fortunes diverses, interviendront les initiatives de Charcot et de Bernheim, de Freud, de Pierre Janet, de Jung et Adler et de leurs continuateurs, promoteurs d'une nouvelle approche de la réalité humaine ; les points de départ se situent dans l'anthropologie romantique, où s'affirment les catégories modernes de la subjectivité et de l'inconscient.

Le traitement des maladies mentales, enfin reconnues comme telles, a progressé, au cours du XIXe siècle, par deux voies au moins. La première est la voie de l'extériorité, elle met en œuvre l'institution asilaire, sous la forme architecturale quelque peu carcérale mise au point par les travaux de Pinel et d'Esquirol, codifiée par la loi française de 1838, très remarquable pour l'époque. Cette même inspiration suscite les actions

([98]) Cf. W. LEIBRAND und A. WETLEY, *Der Wahnsinn, Geschichte der abendlandischen Psychopathologie*, Sammlung Orbis, Freiburg-München, 1961.

thérapeutique des médicaments chimiques de toute espèce, successivement essayés avec des succès variables, et des interventions physiques ou chirurgicales, dont l'électrochoc et la lobotomie proposent de célèbres et douteux exemples. La deuxième possibilité d'intervention pour le traitement des malades mentaux est la psychothérapie, qui aborde le patient dans un effort de compréhension en première personne, non comme un objet mais comme un sujet. Sans doute ne doit-elle pas être considérée comme parfaitement sûre, ni comme inoffensive. Une psychanalyse peut produire des effets aussi désastreux qu'une cure d'insuline ou une lobotomie. Du moins s'agit-il d'une médecine de la personne, dont le principe est la reconnaissance de l'homme par l'homme, le respect pour la souffrance d'autrui et le souci de l'intégrité individuelle. C'est la voie ouverte par l'anthropologie médicale du romantisme.

La médecine romantique, comme d'ailleurs le savoir romantique, ne se sont développés que dans le terroir germanique. Ailleurs, en Occident, le médecin n'est pas considéré comme un poète, comme un artiste, mais comme un homme de science, un technicien de l'organisme humain. En France, en Angleterre, il existe des écrivains romantiques, des peintres, des sculpteurs, honorés par un public éclairé, mais les valeurs romantiques ne sauraient s'appliquer à la pratique médicale, lieu propre de la rationalité militante. La discordance des climats épistémologiques et humains est attestée par le *Médecin de campagne* de Balzac, composé en 1833, et dont le héros, le bon docteur Benassis, est censé exercer la médecine dans une région écartée de la France de 1829. En dépit de traits romantiques de sa vie privée, c'est un philanthrope éclairé à la mode du XVIIIe siècle ; la pratique de son art porte les signes de l'empirisme intellectualiste propre à l'école idéologique française. Le contraste est saisissant entre Benassis et Justinus Kerner (1786-1862), médecin de campagne dans les vallons du pays de Bade, romantique exemplaire dont la pratique s'inspire du magnétisme animal et des psychothérapies suggérées par ses amis G. H. Schubert, Eschenmayer, Görres et autres *Naturphilosophen*. Kerner, praticien réputé en milieu villageois, est aussi un poète, un écrivain, et un esprit très religieux, toutes caractéristiques étrangères au respectable héros de Balzac.

Le 21 novembre 1838, Michelet assiste aux funérailles de Broussais, figure représentative de l'Ecole de Médecine de Paris, matérialiste militant, théoricien simpliste, libéral sinon radical en politique, anticlérical acharné et, à ce titre, conforme à l'idéal français du médecin au XIXe siècle. Michelet éprouve de la sympathie pour l'homme de gauche, l'opposant à la monarchie absolue ; mais Michelet est aussi, en matière d'historiographie et d'histoire naturelle, un des rares, en France, à se trouver en consonance avec le romantisme germanique. L'historien se trouve placé à côté de Geoffroy Saint-Hilaire ; « en face, note-t-il, un vrai conciliabule de matérialistes, toute la Faculté de Médecine. Aux pieds du catafalque, la figure sinistre d'Orfila et la figure bonasse de Larrey. (...) J'avais en perspective, par dédommagement, M. Dumas, le chimiste. Il me semblait voir mourir le *mécanisme* médical, commencer, par suite de la chimie, dans l'avenir, la médecine organique. Broussais, quoiqu'il ait recommandé l'observation physiologique, s'est cependant contenté d'une médecine *mécanique* et négative, renonçant à interroger les *vires* médicatives. Broussais fut un héros. Sa médecine ou plutôt sa chirurgie, celle d'un âge héroïque, vraiment français. « Avoir plus d'esprit et de courage, dans un moment donné c'est français » ([99]). Broussais a su mener le bon combat contre les Jésuites et l'obscurantisme de la Restauration. Mais sa conception physicaliste n'est pas la médecine de l'avenir, parce que déterministe, chirurgicale, sans intuition aucune de la vie globale de l'organisme. Or Broussais, aux yeux de Michelet, est le porte-parole de « toute la Faculté de Médecine (...), vrai conciliabule de matérialistes ».

L'exception confirme la règle. Il y a eu en France un médecin romantique de stricte observance, mais d'origine germanique, comme Mesmer avant lui ([100]). David Ferdinand Koreff (1783-1851), natif de Breslau et fils d'un riche médecin juif, formé à Berlin et à Halle, est pendant un temps professeur de physiologie à Berlin, coqueluche des salons, comme d'ailleurs à Vienne, et aussi à Paris, où il s'établit à partir de 1822, aussitôt adopté par les cénacles romantiques et l'élite aristocratique ; il avait été l'objet d'une mention honorable dans le reportage *De l'Allemagne* (1810) de Madame de Staël ([101]). Il aurait pu être un intermédiaire entre le romantisme allemand, la *Naturphilosophie,* et le romantisme français, familier des écrivains et des politiques. Mais ses succès mondains s'enveloppent d'une odeur de scandale, peut-être d'espionnage, au point que la police surveille cet Allemand de Paris.

Koreff s'inspire, dans sa pratique, du magnétisme animal, qui lui vaut des succès retentissants dans une clientèle féminine qui comprend, entre autres célébrités, Delphine de Custine, l'une des victimes de l'enchanteur Chateaubriand, et Marie Duplessis, la demi-mondaine, héroïne de la *Dame aux Camélias*. Varnhagen von Ense, bon observateur de son temps, relève qu'il « exaltait l'art divin de guérir en tant que profession prééminente, la faisait voir sous un jour resplendissant, et la transposait, du maigre terrain que je lui accordais, au milieu du royaume de la philosophie de la nature, qu'il lui assignait pour véritable domaine et dont il lui donnait la souveraineté » ([102]). Si le charisme du médecin fait merveille sur certaines catégories de malades, et si la personnalité originale du thérapeute, souvent comparé à un personnage des contes d'Hoffmann, fascine les salons, Koreff n'en demeure pas moins suspect

([99]) MICHELET, *Journal,* 21 novembre 1838 ; édition P. VIALLANEIX, N.R.F., t. I, 1959, p. 288.

([100]) Sur Koreff, cf. Marietta MARTIN, *Le docteur Koreff* (1783-1851), H. Champion, 1925, ouvrage affecté d'une méconnaissance du contexte culturel germanique et de l'histoire des idées médicales ; il ne présente que l'aspect anecdotique du sujet.

([101]) Cf. *De l'Allemagne,* 3e partie, ch. X : « Un jeune médecin d'un grand talent, Koreff, attire déjà l'attention de ceux qui l'ont entendu, par des considérations toutes nouvelles sur le principe de la vie, sur l'action de la mort, sur les causes de la folie ; tout ce mouvement dans les esprits annonce une révolution quelconque, même dans la manière de considérer les sciences. » Koreff est un familier de Benjamin Constant (cf. le *Journal* de Benjamin, 1806-1807).

([102]) Varnhagen VON ENSE, *Denkwurdigkeiten...,* 1843, dans M. MARTIN, *op. cit.,* p. 4.

aux yeux du corps médical français, jaloux de ses succès et de ses honoraires. Un phénomène de rejet se produit contre lui, comme il y en avait eu un contre Mesmer en 1784. Un procès opportun, en 1837, à propos de sommes considérables réclamées par le thérapeute pour le traitement d'une aristocrate anglaise, consacre le déclin quelque peu scandaleux, après quinze ans de fortune brillante, de celui qui avait compté Stendhal au nombre de ses patients. En 1838, le droit d'exercer la médecine lui est enlevé, signe de l'inimitié que lui porte le corps médical français. Le médecin à la mode mourra obscur et pauvre.

Napoléon lui-même réprouvait, au nom du bon sens, le scientisme de la médecine française de son temps qui, dans sa prétention à la rigueur, perdait le sens de l'humain. A ses yeux, la sagacité empirique en ce domaine était plus précieuse que le rationalisme physicaliste de l'Ecole de Paris. « Je n'approuve pas, disait-il, qu'on ne puisse être reçu bachelier de la Faculté de Médecine sans être bachelier de celle des sciences ; la médecine n'est point une science exacte et positive, mais seulement une science de conjectures et d'observations ; j'aurais plus de confiance dans un médecin qui n'aurait pas étudié les sciences exactes que dans celui qui les posséderait. J'ai préféré M. Corvisart à M. Hallé parce que M. Hallé est de l'Institut ; M. Corvisart ne sait pas seulement ce que c'est que deux triangles égaux... » ([103]). Pour l'Empereur, la médecine demeure un art, une pratique de l'humain, plutôt qu'une prétendue science, dédaigneuse de la réalité humaine.

Le roman de Balzac, *La Peau de Chagrin* (1831), évoque une sorte de bilan de l'Ecole française de Médecine en 1830. Le héros de ce conte fantastique, affligé d'une maladie mystérieuse, satanique et psychosomatique, romantique s'il en fut, convoque à son chevet « les oracles de la médecine moderne », représentant « les trois systèmes entre lesquels flottent les connaissances humaines » : « la Spiritualité, l'Analyse et je ne sais quel Eclectisme railleur » ([104]). La consultation de ces augures, renouvelée du *Malade imaginaire,* aboutit à renvoyer dos à dos les confrères ennemis. Deux d'entre eux portent des noms transparents. Le premier, Brisset, est évidemment Broussais, « le chef des organistes, le successeur des Cabanis et des Bichat, le médecin des esprits positifs et matérialistes, qui voit en l'homme un être fini, uniquement sujet aux lois de sa propre organisation, et dont l'état normal ou les anomalies délétères s'expliquent par des évidences » ([105]). Le jugement de Balzac rejoint ici celui de Michelet. Un autre des consultants, Maugredie, figure sans doute François Magendie (1783-1855), le maître de Claude Bernard, anatomiste et physiologiste réputé. Balzac le montre « pyrrhonien et moqueur, qui ne croyait qu'au scalpel. (...) Il trouvait du bon dans toutes les théories, n'en adoptait aucune, prétendant que le meilleur système

([103]) Propos rapportés dans Taine, *Les Origines de la France contemporaine,* éd. abrégée, Robert Laffont, 1972, p. 786.

([104]) *La Peau de Chagrin* (1831), *L'Œuvre de* BALZAC, t. VII, Club français du Livre, 1951, p. 1215.

([105]) *Ibid.*, p. 1216.

médical était de n'en point avoir et de s'en tenir aux faits... » ([106]). Magendie, qui remplace Laennec au Collège de France en 1831, l'année même où Balzac publie la *Peau de Chagrin,* a ouvert des voies dans la connaissance du système nerveux et dans l'usage de certaines médications. Sa méthode est celle des essais et des erreurs, aussi près que possible des phénomènes, avec d'heureuses rencontres et des erreurs grossières. Il se comparaît au chiffonnier qui prend son bien où il le trouve.

Broussais et Magendie représentent deux variétés de positivisme, l'un spéculatif, l'autre agnostique, à l'opposé du romantisme. Cette tendance est représentée, au chevet du héros balzacien, par un troisième homme, Caméristus, « chef des vitalistes, poétique défenseur des doctrines abstraites de Van Helmont », lequel « voyait dans la vie humaine un principe élevé, un phénomène inexplicable, qui se joue des bistouris, triomphe de la chirurgie, échappe aux médicaments de la pharmaceutique, aux sciences de l'algèbre, aux démonstrations de l'anatomie et se rit de nos efforts ; une espèce de flamme intelligible, invisible, soumise à quelque loi divine, et qui reste souvent au milieu d'un corps condamné par nos arrêts, comme elle déserte aussi les organisations les plus viables » ([107]). Ce portrait-robot d'un médecin animiste contrebalance l'évocation du scientisme médical à la Broussais, qui n'a jamais rencontré une âme au bout de son scalpel. Caméristus professe une doctrine dont on voit mal les applications dans la médecine militante. Il est le seul des trois augures convoqués par Balzac au chevet de son malade dont le patronyme ne soit pas transparent. Les érudits proposent Joseph Récamier (1774-1852), professeur à la Faculté de Médecine et au Collège de France, plus traditionaliste que ses confrères. Homme de droite, opposé à Broussais, le spiritualiste Récamier bénéficiait d'une grande réputation en tant que praticien, en particulier dans le domaine de la gynécologie. Les notes et ratures de Balzac pour le portrait de Caméristus évoquent les noms de Victor Cousin et de Ballanche, le premier, chef de file du spiritualisme universitaire, le second, penseur d'obédience romantique et illuministe, mais l'un et l'autre sans prétention en matière de médecine. Caméristus n'existe pas ; il aurait figuré la médecine romantique, s'il y avait eu une médecine romantique en France. Balzac a inventé un type de médecin dont il ignorait, en dépit de la présence de Koreff à Paris, qu'il existait à de nombreux exemplaires dans les Allemagnes. Le portrait de Caméristus n'est pas convainquant, en l'absence de modèles réels.

Les traces dans le domaine français d'un véritable romantisme médical se trouveraient dans les courants idéologiques issus de Saint-Simon et de Fourier. Les utopies, attachées à construire de toutes pièces un ordre social selon les normes de la justice et de la vérité, s'intéressent à la santé individuelle, solidaire de la santé du corps social. Charléty signale la présence d'un manuscrit médical dans les archives de la communauté de

([106]) *Ib.*, 1217.
([107]) *Ib.*, pp. 1216-1217.

Ménilmontant. Dans les années 1830-1831, le Père Enfantin « demandait à Léon Simon, médecin, des renseignements sur l'anatomie du corps humain, pour établir l'analogie entre la ville future et la forme humaine; et Simon exhibait des planches d'anatomie sur lesquelles on discutait sans fin (...). Le Père formulait ses conceptions; il y aurait bientôt la médecine des savants, celle des industriels, celle des artistes; certaines maladies disparaîtraient du monde nouveau » ([108]). Les positions scientistes sont ici absorbées dans la discipline globale d'une eschatologie sociale. « Lorsque l'humanité ne sera réellement qu'un Etre, l'on s'occupera de la recherche d'une *thérapeutique publique* qui, par ses vastes moyens, agira sur l'ensemble d'une population. Alors, les artistes, les savants et les industriels concourront à la recherche et à l'application de ces vastes moyens. Quels sont-ils? Il est impossible aujourd'hui de les énumérer, mais la foi que nous avons dans les progrès de l'humanité nous laissent convaincus qu'ils se trouveront » ([109]).

Le messianisme social, dans le mouvement romantique français, s'appuie sur une doctrine de la perfectibilité. Or la médecine, dans son application à l'organisme individuel et au corps social, propose l'une des dimensions pour l'amélioration de la vie humaine. Il y a eu des médecins saint-simoniens, comme le professeur Ribes à Montpellier, ou fouriéristes, comme le docteur Ange Guépin, de Nantes (1805-1873); on pourrait citer encore le nom d'Alexandre Bertrand (1795-1830), ami de Pierre Leroux, collaborateur du *Globe*, et médecin de Maine de Biran, auteur d'un traité *Du magnétisme animal, suivi de considérations sur l'Extase*, mais ces individualités isolés ne constituent pas une école. Surtout, ils ne se rattachent pas à un corps de doctrine proposant une anthropologie normale et pathologique analogue à celle qui existe en Allemagne. Médecins d'abord, selon l'ordre des études établi en France, ils professent en outre certaines sympathies idéologiques qui peuvent orienter la mise en pratique de leur savoir plutôt que ce savoir lui-même. Le penseur romantique Philippe Buchez (1795-1865) a commencé par faire des études de médecine à la Faculté de Paris; marqué par le saint-simonisme, il développera une philosophie sociale à la fois socialisante et catholicisante, qui lui permettra de jouer un rôle important en 1848 ([110]). Buchez est médecin, d'ailleurs non pratiquant, et romantique. Il n'est pas un médecin romantique. L'espèce ne semble pas être représentée en France.

Félix Ravaisson (1813-1900), l'un des rares théoriciens d'une philosophie de la nature en France, sur une ligne qui mène à Lachelier et Bergson, toutes proportions gardées, fait figure de Schelling français — le Schelling du pauvre. Ce n'est pas un médecin, mais Jean Cazeneuve a relevé et vérifié les allusions et références à la médecine dans son œuvre.

([108]) Sébastien CHARLÉTY, *Histoire du Saint-Simonisme*, rééd. P. Hartmann, 1931, p. 187.

([109]) Cité *ibid.*

([110]) Cf. F. A. ISAMBERT, *Politique, religion et science de l'homme chez Philippe Buchez*, éd. Cujas, 1967.

Le spiritualisme foncier de Ravaisson fait de lui un vitaliste ; or les autorités auxquelles il se réfère sont Van Helmont et Stahl, Barthez, Bichat et Buisson, les trois derniers appartenant à la tradition de Montpellier et apparentés à l'école idéologique. Constatation surprenante : curieux de médecine, et certainement informé de Schelling, que Victor Cousin avait mis à la mode en France, Ravaisson ignore le vaste mouvement médical romantique issu de Schelling en Allemagne. Il cite des auteurs anciens, et, en fait d'auteurs récents, des théoriciens parfaitement étrangers à sa manière de penser. La littérature médicale germanique est inconnue à Paris ; rien n'en a été traduit, et les Français ne lisent pas les auteurs étrangers dans le texte. Si Ravaisson avait voulu élaborer une « philosophie médicale » conforme à son orientation de pensée, il aurait pu en trouver les éléments chez les penseurs d'Outre-Rhin ; mais il ne le savait pas, et personne ne l'a orienté dans la bonne direction. D'ailleurs Jean Cazeneuve, présentateur de Ravaisson, semble affecté par la même carence que son auteur. Aucune allusion n'est faite à l'existence d'une philosophie médicale consciente et organisée dans l'Europe du XIXe siècle ([111]).

Dans le domaine germanique, il serait injuste de croire que les intempérances spéculatives ont fait obstacle au développement de la médecine positive. Dès les années 1820-1830, une nouvelle génération de chercheurs, formés à l'école de la *Naturphilosophie,* développent la recherche en matière de chimie organique, d'anatomie et de physiologie, de neurologie, de pathologie, multipliant les acquisitions décisives. Johannes Müller (1801-1858) et Hermann Helmholtz (1821-1894) ouvrent les voies de la physiologie nerveuse ; Karl Von Baer (1792-1876) renouvelle l'embryologie ; Schleiden (1804-1881) et Schwann (1810-1882) établissent les fondements de la théorie cellulaire. Rudolf Virchow (1821-1902) domine une époque de la pathologie positive. L'œuvre multiple de Justus Von Liebig (1803-1873) avait réalisé la jonction entre la chimie organique et la physiologie humaine. L'inspiration romantique n'a pas stérilisé l'esprit de recherche, l'adhésion positive à la réalité des phénomènes ; la contribution germanique au savoir médical du XIXe siècle est de première importance.

L'existence d'une médecine romantique fait apparaître la fausseté de la thèse selon laquelle le début du XIXe siècle proposerait, dans l'histoire de la médecine, une « coupure épistémologique », marquée par la consécration de la méthode anatomo-clinique et le triomphe d'un positivisme à référence scientiste. La médecine romantique, pendant un bon demi-siècle, consacre une renaissance du vitalisme, et même de l'animisme traditionnel d'inspiration chrétienne. Il n'y a pas eu de coupure, mais une inflexion tout au plus, qui n'empêche pas la continuité et les récurrences dans l'histoire de la médecine. Sur le terrain proprement thérapeutique, les cliniciens français n'étaient pas mieux armés que leurs confrères allemands ; ils ne faisaient pas plus de miracles, et peut-être moins, dans

([111]) Cf. Jean CAZENEUVE, *La philosophie médicale de Ravaison,* P.U.F., 1958.

la mesure où leur méconnaissance de la réalité humaine les privait des secours de la psychothérapie romantique.

On ne saurait d'ailleurs soutenir que la médecine romantique, par son intempérance spéculative, était une voie sans issue. Les progrès considérables de la connaissance dans la dernière partie du XIXe siècle sont dus à des découvertes scientifiques et à des inventions techniques (histologie, bactériologie, immunologie, anesthésie, antisepsie, asepsie, etc., etc.). Ces nouvelles données, bientôt universellement imposées à la pratique, ne discréditent pas la revendication d'une médecine de la personne ; elles en majoreraient plutôt la nécessité dans le domaine de la pathologie organique et de la pathologie mentale. La récurrence des inspirations romantiques — souvent non reconnues comme telles — est un trait de la conscience médicale de notre temps, qui multiplie les références à l'inconscient, à la psycho-somatique, etc. L'exigence romantique d'une médecine de la personne intervient partout où, face à l'inflation des technologies et aux excès d'une thérapeutique de masse, se manifeste une réaction en faveur de ce qu'on appelle « l'humanisation » de la thérapeutique, formule bizarre qui illustre les égarements d'une science sans l'homme.

TROISIÈME PARTIE

HOMO ROMANTICUS

CHAPITRE I

VÉRITÉ EN CONDITION HUMAINE

En 1935, à la fin de sa vie, Edmond Husserl (1859-1938), instaurateur de la phénoménologie, prononça à Prague une conférence demeurée célèbre, sur le thème : *La crise des sciences européennes et la phénoménologie transcendentale (Die Krisis der europäischen Wissenschaften und die transzendentale Phänomenologie).* Husserl critique l'orientation prise par la philosophie moderne sous l'influence du rationalisme scientifique. Depuis la révolution galiléenne, la prépondérance abusive de la physique mathématique et de sa méthodologie a imposé à la conscience réfléchie le système hallucinatoire des axiomatiques logiques, modèles de vérité selon les normes du positivisme scientiste. Les penseurs ont perdu le contact avec la réalité des choses dans sa signification originaire. L'univers abstrait des savants, incolore et sans saveur, s'est substitué au monde vécu *(Lebenswelt)*, grâce à une mystification qui engendre une mutilation spirituelle, une diminution capitale des puissances de l'être humain. Le mot d'ordre husserlien du retour « aux choses mêmes » devait inspirer certains des meilleurs penseurs contemporains, tels Max Scheler, Heidegger et Merleau-Ponty.

« Mort à ceux qui ont prononcé avant nous nos propres pensées *(Pereant qui ante nos nostra dixerunt)* » ; cette formule imprécatoire figure parmi les *Maximes et réflexions* de Goethe, lequel ajoute que l'on ne se diminue aucunement à honorer ses devanciers. Husserl, qui ne pouvait ignorer la *Farbenlehre,* ne s'avise pas que la révolution non-galiléenne et non-newtonienne a été pensée par Goethe un siècle et demi auparavant. Fruit de vingt ans de recherches, la *Théorie des couleurs* (1810) soutient la priorité ontologique et logique du monde vécu sur l'univers conçu par les savants, dont les travaux nous rendent étranger au monde réel, notre patrie. Newton et ses émules nous entraînent à lâcher la proie du concret pour l'ombre inconsistante des équations mathématiques. La critique de la *Farbenlehre* se trouve au fondement de l'affirmation romantique ([1]). Le retour aux choses mêmes, au *Lebenswelt,* a pour corollaire une

([1]) Cf. *Fondements du savoir romantique,* Payot, 1982, pp. 205 sqq.

redécouverte de l'homme même, du vivant habitant du monde vécu. Un homme de plein exercice refuse de se laisser enfermer dans la cage grillagée de l'épistémologie positive ; il s'efforce de retrouver la présence de l'être, dans une familiarité non restrictive avec l'immensité du réel. De là la réhabilitation de la poésie et de la littérature en général, modes d'exploration du sens, présence à la réalité transnaturelle des êtres et des choses ; le roman aussi peut être un organon de vérité. De là également la passion pour l'histoire, pour la philologie et pour les sciences humaines, évocations du phénomène humain dans sa totalité.

Goethe, né en 1749, Husserl, en 1859, parviennent à la maturité de leur pensée en une fin de siècle, sous le signe de la désillusion. Le XIXe siècle en sa seconde partie a repris à son compte l'espérance des Lumières ; fascinés par le progrès des sciences et de leurs applications, nombre de penseurs ont orchestré à nouveau le thème du progrès, saluant l'avènement d'une humanité réconciliée dans la prospérité, la justice et la fraternité, fruits de la révolution industrielle et de la révolution sociale. Le devenir historique n'a pas obéi aux rêveries des utopistes ; contraires aux pronostics du scientisme, les nouvelles évidences commandent un nouveau cours de la pensée. Le credo des Lumières se trouve démenti par la Révolution et la Terreur ; le XXe siècle oppose aux manifestes du positivisme, avec ses prolongements en forme de démocratie sociale, les effroyables expériences des guerres mondiales, des totalitarismes sans frein, déchaînements d'une inhumanité que l'on croyait dépassée depuis les siècles obscurs du moyen âge. La civilisation industrielle, en dehors de toute idéologie, engendre des conditions de vie et des équipements technologiques susceptibles de remettre en question le salut de l'espèce, exposée à l'eschatologie des armes nucléaires. Husserl, lorsqu'il écrit la *Krisis* en 1935, est un vieil homme en butte aux persécutions nazies, un juif apatride exposé à la vindicte d'un tyran fou, bientôt dominateur d'une Europe terrorisée. Image emblématique de cette faillite de la civilisation, la Tour Eiffel, construite à l'occasion de l'Exposition Universelle de 1889, se proposait de célébrer aux yeux du monde entier le centième anniversaire de la Révolution française et le triomphe de la démocratie. La Tour Eiffel a été achevée par ses constructeurs ; mais le XXe siècle a vu se renouveler la catastrophe de Babel, la confusion des langues, des idéologies et des nations, dans l'apocalypse d'une barbarie mondiale, chaque partie de l'humanité procédant à l'extermination rationnellement calculée de l'autre partie. Le phare des temps nouveaux devait illustrer le rayonnement des valeurs démocratiques ; ce pylone dérisoire ne jalonne qu'un point quelconque dans le désert contemporain des valeurs. Le XXe siècle, siècle atroce, le plus inhumain, dans l'histoire de l'humanité.

L'homme romantique est le témoin d'une secousse sismique au niveau des valeurs et des vérités, comparable, toutes proportions gardées, avec la faillite du XXe siècle. La crise ne met en cause que l'équilibre politique, matériel et spirituel de l'Europe, de Madrid, Lisbonne ou Naples jusqu'à Copenhague, Moscou et Vienne. Espace immense, si l'on tient compte du système des communications alors disponibles. L'Occident est l'emplacement privilégié de la civilisation ; le destin de l'Europe engage le destin du monde. La péripétie apparaît décisive ; la mise en question de l'ordre établi, matériel et moral, engendre chez ceux qui réfléchissent une angoisse métaphysique.

Depuis la Renaissance prévalait en Occident un mode de transformation au rythme rassurant. Le monde change, change pour le mieux, au bénéfice des hommes. La nouvelle naissance de la civilisation s'oriente dans le sens d'une amélioration du niveau de vie au sein des sociétés existantes. Le progrès modéré exclut les catastrophes ; son mouvement lent ne met pas en péril les équilibres fondamentaux. La coupure française de la Révolution, qui fera autorité de proche en proche, et qu'elles le veuillent ou non, pour les nations voisines, impose des rythmes désordonnés, des fractures sociales, des convulsions politiques débouchant sur des situations sans issue. Cette crise d'épilepsie ne peut laisser les témoins indifférents, gagnés par la fascination de l'abîme, dans une contagion suicidaire, ou reculant avec horreur devant la perversion des valeurs et la profanation du sacré.

L'homme des Lumières, dans les premiers temps de la Révolution, fait confiance à l'ordre des choses pour instituer l'ordre dans l'homme. La raison politique et technologique, sagement mise en œuvre, mènera l'humanité à bonne fin sous la conduite de gouvernements bien inspirés. De Locke à Bentham, de Fontenelle à Condorcet et Destutt de Tracy, le combat pour les Lumières est gagné d'avance, l'autorité de la raison étant assurée de prévaloir de par la validité intrinsèque de sa seule évidence. L'*Encyclopédie* de d'Alembert et Diderot est un hymne au temps présent, évocateur de lendemains qui chantent. La foi des Lumières culmine dans le sommeil dogmatique d'un Condorcet, qui s'éveille seulement pour mourir. Le prophète politique et social avait tout prévu, sauf sa propre fin, dans le remous du séisme qu'il avait, de son mieux, contribué à déclencher.

Le reflux des espérances prend acte du mauvais côté de l'histoire. Le temps ne travaille pas pour la raison ; variable irrationnelle, nullement ordonnée selon l'axe des Lumières, qui conduirait selon une logique infaillible du mal passé vers le bien à venir. Prophète du romantisme, Rousseau avait entrepris le procès de la civilisation et de la dogmatique du progrès ; il faut inverser le sens de la marche, et convertir l'idée de progrès en celle de décadence. L'âge d'or du bon vieux temps idyllique est plus sûr que le pseudo-âge d'or scientifique et technique à venir, évoqué par Condorcet dans sa Nouvelle Atlantide. La même inspiration anime le mouvement germanique du *Sturm und Drang* (1770-1780) ; ces jeunes gens en colère pressentent que le cours de l'histoire, bien loin d'être porteur de vérité et de valeur, se perd dans les sables de l'indifférence et de l'hypocrisie bourgeoise, consacrant l'aliénation des individus. Seule issue, la révolte contre l'ordre établi, ordre culturel, ordre moral, ordre politique, économique ou social, fondés sur la négation du droit de l'homme à l'essentielle liberté d'exister.

L'affirmation de l'homme romantique commence par une dialectique de rupture, tempête et assaut, *Sturm und Drang*, dénonciation d'une situation insupportable d'oppression personnelle, jeunes contre vieux, démunis contre possédants, en vertu d'un parti pris d'opposition à l'ordre établi, Jeune France, Jeune Allemagne, Jeune Europe, Jeune Pologne... Ces appellations évoquent des positions politiques, avec les passions contradictoires qui s'y rattachent. Ainsi se trouvent occultées les motivations de la révolte romantique. De droite ou de gauche, les appréciations partisanes masquent le sens derrière un jugement pour ou contre, teinté d'anachronisme et qui se hâte de conclure avant de chercher à comprendre. Le romantisme allemand, pris à partie par les attardés de l'*Aufklärung*, dans les années 1830, a subi les attaques, parfois perspicaces, de Henri Heine et des disciples de Hegel. Ces polémiques, pas plus que les imprécations à venir, inspirées de Charles Maurras ou de Karl Marx, ne mettent en cause l'essence du romantisme. Si l'homme romantique est l'homme de la rupture avec l'ordre établi, quel qu'il soit, pour la raison première qu'il est établi, si le point origine du romantisme est l'affirmation de la priorité du monde intérieur sur l'univers extérieur, le romantisme se heurtera à une fin de non recevoir de la part de tous les champions de la discipline sociale et de l'obéissance au Pouvoir, quelles que soient les étiquettes arborées par le totalitarisme institué.

L'homme romantique est le témoin des espérances déçues. L'Hymne à la Joie débouche sur la Terreur. L'homme des Lumières prenait appui sur l'ordre des choses ; la vérité procédait en lui du dehors au dedans. La philosophie de l'histoire l'assurait qu'il suffisait de laisser le temps au temps, pourvoyeur d'abondance et de justice universelle selon les assurances du progrès ; le meilleur des mondes n'est pas encore là, mais il se met en place peu à peu ; il suffit de patienter, et si nous ne recueillons pas nous-mêmes les fruits de la patience, ils seront donnés à nos enfants. Inutile donc de tenter de forcer le destin ; il suffit de coopérer, à sa place, à l'ordre des choses. D'où une attitude d'acquiescement, de conformisme. Voltaire et les Encyclopédistes, chacun pour sa part, polémiquent pour l'avènement des Lumières ; mais ils sont assurés de connaître le sens de la marche. L'histoire travaille pour eux ; ils peuvent dormir tranquilles. Ils connaissent le mot de la fin.

L'homme des Lumières se contente d'un engagement personnel de moyenne ou faible intensité. Le sage Fontenelle sourit du haut de sa sagesse et Montesquieu ne sent nullement l'exigence de se faire le martyr d'une vérité qui adviendra de toute façon. Les militants les plus actifs, qui prennent des risques ou des engagements publics, sont assurés au plus profond d'eux-mêmes qu'ils détiennent la formule de vérité ; avec eux ou sans eux, bientôt elle prévaudra. Le bon curé Meslier célèbre chaque jour la messe de l'athée et réserve à ses paperasses ses intimes pensées ; ce double jeu apparent n'en est pas un ; il ne saurait y avoir deux vérités. Les liturgies catholiques n'ont aucun sens ; elles s'envolent en fumée ; les sages estiment qu'il faut une religion pour le peuple. *Mundus vult decipi, decipiatur*. Quant à la vérité vraie, le bon curé a bien le droit de la réserver pour sa consommation personnelle. L'éducation du genre humain, selon son propre mouvement, imposera peu à peu une mentalité nouvelle ; les héritiers des paroissiens du défunt abbé Meslier accèderont de plein droit aux certitudes que ce pasteur éclairé gardait sagement sous le boisseau.

A l'opposé de ce conformisme profond, qui pourrait bien être le secret de l'homme des lumières, assuré d'avoir à l'avance gagné la partie, l'homme romantique mobilise les énergies de sa personnalité dans un combat disproportionné, non pas gagné, mais perdu d'avance. Le Quichotte a été désigné comme l'un de leurs principaux intercesseurs par les jeunes romantiques de l'*Athenaeum*. Il suffit de songer au combat de Byron contre les normes établies, au combat de Kierkegaard contre l'église du Danemark, ou encore au combat de Nietzsche pour le renouvellement de toutes les valeurs. Ces trois-là sont morts à la tâche, issue dans une lutte où le succès est de toute manière impossible. Lorsque Frédéric Schlegel et Novalis se confient mutuellement leur intention d'écrire une Bible, ou de fonder une religion, lorsque Tieck, Coleridge ou Victor Hugo entreprennent de réaliser le Poème des poèmes, le Roman des Romans — ils savent bien que le chef-d'œuvre total, le Grand Œuvre, l'Océan, est hors de leur portée. Cette revendication de l'impossible, qui donne à la poétique romantique un caractère suicidaire, fournit le critère du romantisme authentique, engagement dans une aventure impossible dont le créateur est lui-même l'enjeu, au péril d'une vie dont il ne peut douter qu'elle sera, en fin de partie, perdue. Mais peut-être gagnée en espérance, dans les lointains eschatologiques ouverts à l'âme de l'autre côté de la mort, ainsi que l'escomptent un Novalis ou un Gérard de Nerval.

L'existence romantique, à contre-courant du consentement général, entend être sa propre origine, elle se reconnaît dans la non-conformité plutôt que dans l'adhésion aux rythmes de l'époque, aux modes du temps. Ce vœu d'originalité, superficiellement manifesté dans l'ordre du vêtement et du comportement par le dandy, trouve sa racine dans la profondeur de la personnalité. L'anthropologie romantique est une anthropologie réactionnelle, qui pourra trouver des expressions variées, dans l'ordre littéraire et poétique, social ou esthétique, ou encore sous les espèces de la morale, de la politique ou de la religion. Dans tous les cas, le point de départ paraît intervenir sous la forme d'une explosion, ou plutôt d'une implosion, en corrélation avec un renouvellement violent, sinon catastrophique, des évidences familières. Un sens nouveau des vérités et des valeurs, la destruction des équilibres établis, entraîne chez un individu clairvoyant l'exigence d'un appel d'être. Il faut compenser, par la mobilisation des ressources personnelles, la disparition des assurances qui jusque-là servaient de garant à la présence au monde. L'émigration symbolise cette situation de l'homme qui, ayant perdu ses droits et ses devoirs, sa famille et sa patrie, sa fortune, son passé et son avenir, recommence sa vie à partir de rien, à partir de lui-même, dans la solitude de l'adversité. L'émigration, et les variétés de l'errance, le voyage, la proscription, la prison, la maladie corporelle ou mentale, interviennent dans la formation de la personnalité romantique. Ces expériences prennent valeur d'initiation ; elles introduisent à une nouvelle approche des vérités, qui revêt la signification d'une conversion.

La révolution de France, et ses séquelles en Europe, jettent sur les chemins de l'exil des exilés de toutes sortes de catégories sociales, dépouilllés, menacés de mort par la persécution ou la guerre. Le premier romantisme réagit à cette situation, sans précédent depuis la révocation par Louis XVI de l'Edit de Nantes, en 1685. Les romantismes européens successifs auront pour contexte matériel et spirituel les révolutions politiques (1830, 1848), mais aussi le bouleversement de la révolution industrielle, qui commande un remembrement de l'espace vital. La multiplication des mines et fonderies, usines métallurgiques et textiles, la prolifération des chemins de fer et des canaux dont le réseau sur la face de la terre suscite une nouvelle échelle des distances, des forces et des grandeurs, soumettent l'univers à l'ordre implacable du charbon et de l'acier, du gaz, du télégraphe et bientôt de l'électricité. Les banlieues industrielles s'interposent entre la ville et la campagne, et le peuple des champs et des villages, de gré ou de force, se trouve enrégimenté dans le prolétariat qui se constitue en marge des structures sociales traditionnelles. « Le prolétariat, écrivait Auguste Comte, campe au milieu de la société occidentale sans y être encore casé » ([2]). L'ouvrier, mobilisé par la révolution industrielle, a perdu les racines qui le liaient au milieu nourricier des communautés paysannes ; émigré dans son propre pays, dépouillé des assurances et protections dont il jouissait au village, sans que le nouvel ordre technologique lui assure une protection juridique et sociale contre l'exploitation dont il est la victime. Si les premières inspirations romantiques sont apparues dans l'Angleterre du XVIIIe siècle, c'est que l'Angleterre est le pays d'origine de la grande industrie, avec un demi-siècle d'avance sur le continent. La révolution industrielle exerce sur la condition humaine des effets de dénaturation analogues à ceux de la révolution politique. Le sentiment de la nature met en œuvre une exigence d'autant plus urgente qu'elle est démentie ou niée par le cours de la civilisation. La poésie anglaise et le roman portent témoignage de cette protestation contre les atteintes au paysage rural traditionnel, sous la pesée des rationalisations agronomiques et techniques. Une humanité déracinée doit, pour survivre, se chercher de nouvelles racines. Le romantisme est cette recherche d'un nouveau contrat d'établissement de l'homme dans le monde, qui justifie les expressions variées du romantisme esthétique, moral, politique ou social.

L'espérance de la pensée moderne, formulée par Francis Bacon, reprise par Descartes, orchestrée par les Encyclopédistes et sublimée par Karl Marx, avait été de transformer le monde pour le bénéfice de l'humanité. La pensée des Lumières est programmée en vue de l'aménagement technique du territoire de l'univers. L'autorité légitime se proposera de faire le bonheur de l'individu, au besoin malgré lui, par de sages mesures d'économie juridique, politique et sociale. Jérémie Bentham (1738-1841), compagnon de route des révolutionnaires de Paris, développe jusqu'à la caricature la prétention d'instituer un calcul des plaisirs et des peines à l'échelle de l'Etat, afin d'assurer infaillible-

([2]) Auguste COMTE, *Système de politique positive* (1851-1854), t. II, p. 286.

ment le plus grand bonheur du plus grand nombre. Une telle axiomatisation totalitaire de l'existence collective, appuyée par les rationalités technologiques, justifie une aliénation toujours croissante, dont le résultat est d'inscrire l'ensemble des parcours humains dans les graphiques des activités collectives, sous la prédominance du travail de production. Tout sera pour le mieux en ce qui concerne chaque individu, dès lors que les organigrammes de la planification auront été respectés à cent pour cent, et davantage si possible.

La protestation romantique, perpétuée par les mouvements écologiques contemporains, refuse d'accepter la subordination des rythmes vitaux aux rythmes de la technologie et de la cybernétique. Prétendre transformer le monde par voie d'autorité rationnelle, c'est dénaturer la nature et déshumaniser l'homme en coupant le contact entre l'âme humaine et l'âme du monde, l'âme ne pouvant entrer dans les calculs de l'ordinateur. La rationalité technologique n'est qu'une application ou une dégénérescence du rationalisme philosophique, incarné dans les structures matérielles de la mécanisation ; les automates cybernétiques incarnent l'automatisme intellectuel du fonctionnement de l'esprit. L'idéalisme de Descartes ferme sur lui-même un espace mental articulé selon l'ordre des idées, en corrélation avec un ordre matériel constitué selon les normes de la physique mathématique. L'ordre des pensées et l'ordre des choses fonctionnent selon des mécanismes bien huilés, sous la juridiction souveraine de la raison, l'esprit humain s'attribuant les pouvoirs d'administrateur de la marche de l'univers, en vertu d'une délégation des pouvoirs du Grand Architecte. Cette fondamentale assurance justifie l'optimisme des penseurs classiques, de Descartes, Spinoza et Leibniz à Locke et d'Alembert.

L'optimisme est démenti par l'événement ; Rousseau, déjà, refuse les propositions de Bacon et de Marx. On ne peut faire confiance à la bonne nature, à la bonne histoire pour mener chaque homme en particulier et l'humanité en général à bonne fin. Il arrive que la nature se détraque, lorsque la terre tremble à Lisbonne ; aux révolutions catastrophiques de l'ordre géologique font écho les secousses sismiques des révolutions politiques. Les recettes du bonheur en gros, calculées par le docteur Bentham, trouvent leur expression significative dans le projet de prison modèle qu'il soumet à l'approbation des révolutionnaires de Paris. Le docteur Guillotin aussi était un philanthrope de grande réputation.

Un vivant humain ne se laisse pas réduire en facteurs communs, puis projeter dans l'espace aseptisé d'une axiomatique politique ou sociale. Les formes vivantes sont animées du dedans, traversées par des impulsions et des intentions, dont nous percevons les effets sans toucher du doigt les principes, conséquences sans prémisses ; nous ignorons si le rapport de cause à effet signifie quelque chose de précis dans la circonstance. L'homme est un être confus et contradictoire, qu'il est dangereux, sinon absurde de soumettre à un parti pris d'élucidation rationnelle. Les systèmes explicatifs développent leurs analyses selon des schémas d'extériorité mutuelle, assemblant en mosaïque des phénomènes juxtaposés, *partes extra partes ;* une telle intelligibilité s'applique dans le cadre d'axiomatiques artificiellement isolées au sein de la totalité du réel. Ces découpages présentent une utilité pratique, mais ne peuvent mener qu'à un savoir sous condition, hypothéqué par avance du fait des postulats mis en œuvre pour découper dans la masse du donné des zones de rationalité opératoire. Les savants défrichent quelques clairières au sein de l'immensité ; les certitudes auxquelles ils parviennent ne peuvent prétendre à quelque validité en dehors de la zone réduite à l'intérieur de laquelle ils ont opéré. Il nous est impossible d'accéder à une perspective cavalière à partir de laquelle nous aurions une vue plongeante sur l'univers ; nos découvertes, fragmentaires, partielles, ne concernent pas l'essentiel.

Les conditions de compréhension de notre esprit ne peuvent s'imposer comme lois des choses ; Kant interdisait l'accès de la chose en soi. La pensée romantique, à la suite des continuateurs de Kant, Fichte et Schelling, ne respecte pas l'interdiction, et s'aventure dans le domaine du noumène, mais au prix du renoncement aux exigences de la rationalité traditionnelle. Ainsi se trouveront abolies les contradictions entre le corps et l'esprit, entre l'intellect et le sentiment, entre les faits et les valeurs, qui toutes procèdent d'illusions de notre optique, ou de la limitation de nos capacités mentales. Notre pensée n'est pas maîtresse d'un jeu, qui se joue d'elle, qui joue à travers elle ; elle n'a pas assez d'envergure pour loger les surplus de la réalité. Le sens du monde est ensemble immanent et transcendant à notre pensée, réduite à se contenter de savoirs allusifs, fragmentaires, incohérents, intuitions furtives, volées à la faveur de l'occasion. Jeu de cache-cache avec la vérité dernière, vis-à-vis de laquelle notre position est celle d'un englobé-englobant, à qui la possession du dernier mot est à jamais refusée.

La connaissance romantique professe un *principe de la raison insuffisante*, conséquence de la non-suffisance de notre conscience, réduite à la portion congrue au sein de la réalité humaine, où elle intervient sous forme d'affleurements, émergences, lueurs dans la nuit. Il existe certainement une unité de l'Etre ; mais seulement au niveau de l'organisme total *(Gesamtorganismus)* de la Nature, non pas à l'échelle d'une individualité particulière. Le romantisme affirme la non-transparence de la conscience à elle-même, non seulement dans la maladie, aliénation corporelle, aliénation mentale, ou plutôt aliénation conjointe du physique et du moral, car l'homme souffre toujours dans la totalité de son être — mais aussi dans l'apparente santé individuelle. La conscience claire flotte sur les profondeurs opaques de l'inconscient, dont elle ressent les impulsions, polarités et fascinations, captatrices non reconnues de son apparente liberté.

La déstabilisation révolutionnaire a joué un rôle déterminant dans le renouvellement des évidences. Lorsque s'écroule le paysage traditionnel de l'ancien régime politique et culturel, lorsque la civilisation technique rature l'environnement naturel, l'individu, pour assurer sa survie, doit chercher en lui-même une sécurité que l'univers institué ne lui fournit plus. Le mobilisme, l'évolutionnisme romantique proposent une contrepartie de la mobilisation de la réalité, en devenir vers on ne sait quel avenir, contre-assurance individuelle en un temps d'incertitudes et de périls. Face aux échecs de la civilisation, aux vicissitudes angoissantes de l'histoire, qui parfois semble devenir folle, l'homme romantique s'engage dans une tentative pour sauver le sens de la vie. Les recettes de justice et de bonheur en gros, en vertu d'une distribution gratuite et obligatoire émanant de la Providence ou de l'Etat, ont fait faillite. L'histoire a mal tourné ; une existence doit chercher en elle-même les voies et moyens de son salut.

Le déplacement du centre de gravité spirituel répond à la situation réelle de l'être humain. L'espace-temps du monde et de l'histoire propose un cadre trop vaste ; nous ne sommes pas à l'échelle, nous n'avons pas le temps ; nous naissons et nous mourons dans un domaine limité impérativement par notre naissance et notre mort. L'homme des Lumières fait corps avec le monde, d'une adhérence si entière qu'il insère son être matériel et moral dans les déterminismes universels, au point d'en oublier sa propre vie et sa propre mort. Sa singularité, incorporée au devenir global de la réalité, n'a pas d'importance en elle-même ; d'où l'impassibilité des révolutionnaires devant la guillotine, qu'il s'agisse d'eux-mêmes ou de leurs adversaires. Condorcet, dans le temps de sa fin, ne manifeste pas la moindre émotion ; l'important, c'est le progrès de l'esprit humain, dont il esquisse le tableau glorieux ; l'individu Condorcet n'est qu'une goutte d'eau dans la mer des statistiques. Seul compte le sens de la marche. Cette indifférence à la vie des individus se retrouve dans les totalitarismes contemporains, assurés de détenir la formule finale du devenir historique. Pour Robespierre et Saint-Just, comme pour Hitler et Staline, il s'agit de sauver l'humanité en gros, grâce à un aménagement rationnel des sociétés.

L'homme romantique sait qu'il meurt ; cette mort irréalise le réel aux yeux de qui sait n'exister que pour une brève durée. Le monde a été avant lui, le monde sera après lui, sans lui, et cette certitude dépasse les possibilités de la pensée. Le monde cessera pour moi, je cesserai pour le monde, et le pressentiment de cette absence à venir enlève au réel sa réalité massive. Le monde et ses lois dans leur consistance apparente se réduisent à une parenthèse entre le mystère d'avant et le mystère d'après. Ce bref intervalle est le lieu de ma vie, un patrimoine auquel il m'appartient de donner un sens. Il me faut vivre ici et maintenant, même enfermé, comme Dostoïevski, dans la maison des morts, ou, comme Ivan Denissovitch, prisonnier du goulag.

Dans une époque de déstabilisation, l'homme prend acte du néant du sens institué. Il ne sera pas sauvé par le culte des idoles abstraites de la Raison, du Progrès, de l'Etat, de la Science, du Socialisme, de la Technique ou de la Cybernétique. Ces entités sont devenues folles ; le XXe siècle évoque une radicalisation de la barbarie, qui tourne en dérision les formules prometteuses d'un ordre universel. L'individu se découvre, dans une situation-limite de doute et d'échec, responsable de la restauration du sens de sa vie, en porte à faux sur l'abîme du non-sens. Au lieu de se laisser porter par le courant du devenir, dans l'incohérence générale, il faut se déprendre et se reprendre, négocier, chacun pour son compte, les rapports entre le temps et l'éternité, en refusant les intoxications proposées par la Science, le Dogme, le Parti ou le Pouvoir.

La tâche de sauver le sens revêt la signification d'une entreprise de création où s'affirme l'inaliénable liberté de l'individu. Le sens restauré, ou plutôt instauré, ne se réduit pas à une formule artificielle, imposée du dehors ; il se cache dans l'intimité la plus intime de l'homme. Transcendant au discours, irréductible à une logique simpliste, il se propose, et se dérobe, comme un mystère, dont la surabondance accueille celui qui cherche son lieu au sein de l'immensité. Il ne s'agit pas pour l'homme de déterminer sa position selon des coordonnées d'espace et de temps, dans un univers géométrisé conformément aux normes de la planification étatique. Les coefficients manipulés par les cornacs de l'ordinateur s'appliquent à tout le monde, ils ne sont vrais de personne ; les graphiques et organigrammes des statisticiens, des économistes et politologues dessinent un *no man's land*, d'où la présence humaine se trouve exclue.

La personnalité romantique se situe au sein d'un univers concret parcouru par des influences sympathiques ou antipathiques, des polarités opposées ; elle reconnaît au profond d'elle-même, l'écho des harmonies qui assurent la coordination des êtres et des choses. Par-delà les seuils de la vie et de la mort, une Providence aux desseins insondables régit le devenir universel selon un ordre qui échappe à nos ratiocinations. Le bien-être profond d'un individu, ou son mal-être existentiel, ne dépend pas de l'échelle des salaires ou de l'importance des rations de nourriture distribuées à chaque citoyen. Ces coefficients chiffrés n'ont pas grand-chose à voir avec l'échec ou le succès d'une vie. L'utilitarisme des Lumières, au XVIIIe siècle, ressuscité par les socialismes du XIXe, évoque le paradis infantile de Dame Tartine, où coulent des ruisseaux de lait et de miel dans un paysage de relais gastronomique, embaumé par les effluves des plus coûteux parfums. La vie du riche qui peut se payer tout ce dont il a envie, dans la satisfaction conjointe de tous ses instincts, ne propose qu'une image sinistre du bonheur. Les « heureux de ce monde » se droguent, se suicident davantage que les autres ; ou bien ils deviennent fous.

Le désir, la jouissance interviennent dans l'existence individuelle, à titre de composantes et non d'éléments déterminants. Rien de plus désolant que le programme de Fourier qui propose, grâce à une comptabilité des passions individuelles, d'assurer à chacun la satisfaction de tous ses désirs dans le cadre de la collectivité phalanstérienne. Les tentatives de réalisation n'ont abouti qu'à de lamentables échecs, il n'y a pas lieu de s'en étonner ; le nouveau monde amoureux décrit par Fourier serait pire que l'ancien, ainsi que l'attestent les essais contemporains de renouvellement des mœurs. Les programmes socio-politiques prometteurs ne proposent que des conditions extrinsèques d'amélioration de la condition humaine, conditions qui ne sont ni nécessaires ni suffisantes, si même elles ne contribuent pas à désorienter, à dévoyer la conscience des individus. Il serait absurde d'imaginer que tous les moujiks de la Russie tsariste vivaient dans l'exploitation, le dénuement et le malheur, et qu'à l'inverse les citoyens soviétiques bénéficient d'une parfaite béatitude matérielle et morale. Preuve en est la multitude des résistants et dissidents de toutes catégories dans les pays qui se disent socialistes. Ces objecteurs de conscience réaffirment l'exigence romantique, dans leur revendication du droit à la différence, à la singularité ; ils ne peuvent survivre qu'en faisant défaut à l'orthodoxie ; ils paient de leur liberté, et parfois de leur vie, le besoin de se centrer sur eux-mêmes, sans respect des conformités imposées à la masse des individus par les technocrates de gouvernement.

La dénonciation contemporaine de l'homme unidimensionnel, selon la formule de Marcuse, aboutit à une exaltation du désir nu et à un individualisme anarchisant, impatient des disciplines sociales et morales. L'apologie du plaisir, renouvelée de l'hédonisme des Anciens, a engendré ces perversions de l'individualisme que sont le phénomène *hippy*, le phénomène *beatnik* et leurs séquelles de vagabondage physique et mental, qui débouchent sur les drogues et intoxications de tous ordres, parfois sur le terrorisme. Le ferment romantique est à l'œuvre dans ces attitudes de rupture, mais un romantisme dévoyé, dépourvu de toute visée de transcendance et limité à l'exaltation pure et simple de l'individu, avec le renfort de moyens artificiels. Or le romantisme authentique, s'il arrache le voile des déterminismes sociaux, scientifiques ou technocratiques, ne s'arrête pas à cette tâche de protestation ; elle se prolonge en l'affirmation positive d'une visée ontologique, par-delà les catégories intellectuelles de l'espace, du temps et du pouvoir.

Le pseudo-romantisme contemporain, dans ses variétés agressives, n'est pas un rappel à l'ordre, mais un abandon systématique au désordre. Ce romantisme du débile mental n'a pas de contenu réel. Lorsque le romantique Arthur Rimbaud, dans sa révolte, prononce : « la vraie vie est absente », il invoque l'Etre par défaut, qui est l'être véritable. Pareillement, le dérèglement surréaliste de l'ordre institué s'inspire du vœu très positif d'un ordre authentique, et c'est pourquoi André Breton et ses amis se sont reconnus dans les romantiques allemands, qu'ils ont contribué à remettre en honneur.

Quant à l'apologie du désir et de la jouissance dans la culture contemporaine, on pourrait en trouver quelque préfiguration dans le néo-paganisme d'un Byron ou d'un Shelley, mais leur esthétisme, en dépit du scandale qu'il suscita, ne peut se confondre avec l'abêtissement systématique des jeunes dépravés d'aujourd'hui. Byron et Shelley, en dépit de leur apparent dévergondage, se soumettaient aux disciplines de la création ; leurs œuvres parlent pour eux, leurs chefs-d'œuvre, dons généreux à la culture universelle. Le défi aux conventions régnantes n'est que la contrepartie d'une affirmation positive. La mort de Byron à Missolonghi revêt la signification d'un dévouement à une cause dont la valeur transcende celle de l'individu.

Le romantisme assume et réhabilite l'ordre charnel et la sensualité, refoulés auparavant par une répression systématique. Mais cette justification de la jouissance, attestée aussi bien chez Novalis et Frédéric Schlegel que chez George Sand, se fonde sur une compréhension neuve de la réalité humaine dans la plénitude de son exercice. Le plaisir n'est pas une fin en soi ; l'existence humaine ne s'y consomme pas, ne s'y laisse pas engloutir. A travers le stade esthétique, tel que l'évoque Kierkegaard, se fait jour une intention d'absolu. L'union des sexes ne se réduit pas à l'accouplement avec une prostituée de rencontre. L'homme est par essence un être métaphysique ; tous ses comportements, même incarnés selon l'ordre de la nature, mettent en œuvre des valeurs proprement humaines. La rencontre de l'homme et de la femme s'inscrit dans le champ des accomplissements. Ce n'est pas pour des raisons de commodité ou d'opportunité que toutes les religions ont sacralisé l'union des sexes en authentifiant le mariage. La psychanalyse a contribué à défigurer cette réalité, dans sa prétention à démystifier l'amour, assimilé aux déchaînements d'une libido débridée, comme si la réalité humaine pouvait se réduire à ses conditionnements physiologiques, ou prétendus tels. L'*homo analyticus* n'a plus rien à désirer quand il a assouvi ses désirs, perspective de la plus complète désolation.

L'homme des Lumières s'apparente à l'homme unidimensionnel, réduit à l'axiomatique intellectuelle décrite par le seul exercice de son jugement. Homme sans destin et sans épaisseur, sans zones d'ombre, désincarné au point que la forme propre de son individualité se perd dans l'universelle clarté de l'existence collective. L'homme romantique, dans le trajet imposé de la vie à la mort, essaye de frayer sa ligne de vie au sein de l'univers confus qui l'englobe, dans le clair-obscur des circonstances. Epicentre de la présence au monde, la conscience réfléchie décrit une zone plus claire au sein de laquelle il faut définir des orientations, sans être assuré de leur validité. Ces initiatives ne sont ni le point de départ radical ni le point d'arrivée de l'être humain, dont les initiatives gardent un caractère secondaire et dérivé, dans l'incertitude dernière où nous sommes des lointains eschatologiques de l'Univers. L'intellectualisme des Lumières renverse la perspective ; il substitue à la conscience réelle en situation dans une totalité qui la dépasse une conscience sans situation, qui se croit l'alpha et l'oméga du connaître et de l'être. On ne gagne rien à se tromper ainsi soi-même.

La philosophie classique autorisait le penseur à fixer les règles du jeu intellectuel, quitte à le placer ensuite sous le patronage d'un Dieu géomètre. Dans le respect des règles pour la direction de l'esprit se développe une pensée autonome qui rend raison de l'univers du discours. Les lois de la physique et de la biologie permettent de déconstruire et de reconstruire l'ordre des choses. Reste à établir la communication, ou plutôt l'identité, entre les deux systèmes de vérités. On peut décrire les deux faces d'une médaille, avers et revers, chaque plan d'inscription se suffisant à lui-même ; la médaille est l'addition des deux faces. Les deux faces de la médaille se trouvent juxtaposées par la volonté de l'artiste, mais n'importe quelle face pourrait être coordonnée avec n'importe quelle autre de même module. Dans le cas de l'être humain, les deux aspects solidaires ne sont pas interchangeables, et pourtant leur unité demeure inintelligible. L'identité individuelle trouve son principe dans une contradiction logique et spéculative. La ligne d'une vie évoque un chemin serpentant entre l'ombre et la lumière, dont elle franchit tour à tour les limites respectives, sans le moindre égard pour les formidables obstacles qui semblaient interdire le passage.

La tentation sera toujours de désarticuler les intelligibilités. S'il existe par rapport au phénomène humain plusieurs approches non compatibles entre elles, plusieurs langages, esprit et matière, corps et pensée, la solution paresseuse consiste à décréter que l'un des langages est le vrai. L'idéalisme prend le parti d'une axiomatique rationnelle, indifférente aux ombreux soubassements de la conscience claire ; le matérialisme prononce seul réel l'appareillage organique de l'être humain, dont la conscience ne serait qu'une dérivation secondaire, un épiphénomène. La doctrine marxiste privilégie les « infrastructures » organiques, économiques, technologiques, dont les « structures » intellectuelles ou culturelles ne sont que des sous-produits, déterminés par les mécanismes du fonctionnement social et de la production industrielle. La conscience romantique refuse ces mutilations de l'expérience ; elle refuse de localiser dans une région du réel, arbitrairement désignée, la totalité du sens, réduisant la majeure partie de l'espace mental à un désert de significations illusoires : il faut renoncer à toute espérance d'une pensée globale ; puisqu'une conscience humaine n'est pas en mesure de soumettre à sa loi la totalité, nous devons nous contenter de nous mettre en place, à la place qui est la nôtre. Tout n'est pas déchiffrable dans le présent du monde et de nous-même ; il faut se résigner à la non-intégralité de la vérité. Celui qui prétend se frayer un accès jusqu'à la vérité totalitaire est pris au piège de cet absolu qui aveugle et rend fou, selon la parole de Nietzsche.

La vérité ne fait pas cercle autour du sujet pensant, en un panoramique dont la conscience individuelle serait le centre. L'homme occupant une position secondaire, excentrique, aux confins de l'être, n'est pas le maître du sens, qui passe autour de lui, à travers lui, et parfois à côté. La mesure de toutes choses n'est pas la méthodologie des sciences exactes, ni la logique aristotélicienne, pas plus que l'une quelconque des logiques non-aristotéliciennes surgies dans les temps modernes. Dominant-dominé, l'esprit humain doit se contenter de cette portion congrue de connaissance qui lui est allouée. Habitant des confins de l'Etre, l'homme romantique tente d'élucider sa relation avec la vie universelle, avec Dieu. La condition transnaturelle de la réalité humaine lui impose d'explorer la zone frontière entre le fini et l'infini, la limite et l'illimité. L'âme intervient comme une faculté d'orientation, une présence spirituelle qui fait vœu d'insatisfaction et de dépassement, sans que le pressentiment qui l'anime puisse se convertir en certitude. Dans le prolongement de cette conscience, la méthode phénoménologique fournira plus tard les voies et moyens d'une nouvelle connaissance de soi, prise de conscience d'une conscience immergée dans l'être humain, au contact de l'Etre. Les penseurs, les poètes du romantisme ne disposent pas de cet instrument épistémologique ; ils se contentent d'une exploration expérimentale de l'univers du dedans, aux confins de l'être et du non-être, dans une remontée aux sources et ressources des significations de la vérité humaine.

L'homme des Lumières, prisonnier de l'ordre mental, de l'ordre social, de l'ordre matériel et technique, n'est captif en réalité que de ses propres fantasmes, projetés en forme d'univers. C'est lui qui a constitué les grilles d'intelligibilité qu'il lui est désormais impossible de franchir. Le remède à la restriction du sens, au rabattement des intelligibilités dans l'espace clos des axiomatiques, c'est la conversion à la surabondance du sens, présente au-delà des grilles, qu'il est possible au rêveur, au poète, à l'artiste, au fou, de franchir du seul élan de la liberté retrouvée. A un positivisme déshumanisé, le romantisme oppose une anthropologie négative, ouverte sur une transcendance affranchie des aliénations qui oppriment les adeptes, volontaires ou non, de la civilisation moderne. Ainsi se trouve récupérée l'identité ensevelie sous les sédiments des siècles de rationalité militante.

La conscience romantique sait la disproportion qui interdit au sujet de s'approprier la perspective de Dieu sur le monde. La conscience individuelle est pourtant le lieu de la vérité, le point de regroupement des informations, émotions, sentiments et pressentiments, rêves ou nostalgies, patrimoine d'un être donné, sans que le rassemblement de tous ces éléments puisse être réduit à la discipline cohérente d'une loi logique ou d'une formule mathématique. La vie d'un individu ne se condense pas en un point géométrique, ni même en un cercle ; elle se propose comme un domaine ouvert, un emplacement d'étendue variable que traversent des influences, qu'irradient des polarités non discernables, non localisables selon les normes de l'espace-temps euclidien. Immanence et transcendance se recoupent, se compénètrent, se fascinent, selon des principes d'attraction et de répulsion, dont l'être humain, en situation de dépendance, ne saurait prétendre être le maître. La conscience romantique, en quête de l'Etre, enquête sur l'Etre, et ne constitue qu'un lieu de passage.

Le sujet du rationalisme met en œuvre la prétention d'être « maître de soi comme de l'univers », selon la formule du héros de Corneille, qui se faisait de singulières illusions à propos de ses capacités réelles. La maîtrise de soi, la domination du monde n'existent pour un individu donné que comme une aspiration, un mot d'ordre à la manière stoïcienne. L'auto-suggestion ne peut avoir qu'une efficacité restreinte ; les effets magiques de la volonté se perdent dans l'impuissance paralysante du *wishful thinking*. On gagne une certaine sérénité à se croire le maître du jeu ; la question demeure de savoir si l'on gagne quelque chose à être sa propre dupe.

L'homme romantique refuse ces gymnastiques intellectuelles. Non qu'il abandonne l'usage de la raison et l'exercice de la lucidité ; mais il sait la portée limitée de ses moyens d'investigation ; il ne se prend pas pour Dieu, même pas pour un dieu en modèle réduit, capable de régner souverainement sur le petit domaine de sa vie personnelle. Il ne domine pas sa propre vie, qui lui échappe de moment en moment, parce que sa conscience n'en découvre à tout instant que des aspects partiels, en mutation constante, et dont la signification n'apparaît jamais en pleine lumière, sans ambiguïté. Le nageur le plus expérimenté se laisse porter par les courants ; sur un fleuve ou dans la mer, il ne progresse pas en ligne droite, car il est dangereux d'avancer à contre-courant ; on y use rapidement ses forces. L'homme romantique, même s'il a fixé un but, même s'il s'efforce de demeurer fidèle à une orientation choisie, s'abandonne au devenir de la nature ; il se laisse guider, sa volonté à tout moment sera une volonté voulue, plutôt qu'une volonté voulante. Il essaie d'agir en conformité avec un ordre animant la nature, providence immanente et transcendante à la fois, dont il pressent les rythmes et pulsions sans pouvoir prétendre les dominer. Les informations de l'entendement ont ainsi une moindre validité que les données du sentiment, du *Gemüt*. La vérité romantique présente des caractères de féminité, par opposition à la masculinité, qui l'emporte dans la sensibilité intellectuelle des lumières.

La future femme de Schleiermacher, la jeune Henriette Willich, est restée veuve avec deux enfants très petits ; elle dit son désarroi et la manière dont elle vit. « Bien souvent, je me perds dans la considération de l'orientation merveilleuse imposée à nos destinées ; je me sens environnée de ténèbres lorsque je veux me risquer à pénétrer plus avant dans leur ordonnancement. Mais toujours davantage la lumière me vient en ce qui concerne la foi à l'unité intime entre l'homme lui-même et sa destinée — et toujours mieux je comprends la parole de Novalis : " Destinée et cœur *(Schicksal und Gemüt)* ne sont que deux dénominations différentes pour une même idée ", parole que je portais en moi depuis longtemps sans en pénétrer le sens » ([3]). L'économie interne d'une destinée, en laquelle se résume à l'état naissant la part de vérité impartie à un individu, échappe aux conceptualisations de l'entendement. Le sens d'une vie trouve sa source et sa ressource non pas dans l'intelligibilité extensive de l'espace du dehors, mais dans l'intelligibilité intensive qui intervient comme un guide intérieur pour orienter la vie personnelle à travers les incertitudes de sa destinée. La soumission aux prescriptions du Maître intérieur caractérisait déjà la spiritualité piétiste et quiétiste.

L'idolâtrie d'un ordre, constitué par l'esprit humain en système ayant force de loi, permet de juger et de condamner par défaut la conscience romantique. L'Ordre en question ne fait que figer les présupposés d'une prétendue Science, ou d'une Histoire, d'une Nature fictives, supposés et imposés comme valables de tout temps à jamais. Seulement les dogmatismes se suivent et se ressemblent, ou ne se ressemblent pas ; les conceptions du monde sont bientôt appelées à prendre place au musée, ou au cimetière, des archives de l'humanité ; la connaissance scientifique elle-même ne cesse de se défaire et de se refaire sur des bases différentes. L'accusation d'irrationalisme présuppose la détermination d'un rationalisme qui ferait foi et loi *sicut erat in principio et nunc et semper*. Or la raison authentique n'est qu'un instrument précaire qui propose des schémas inventés à mesure pour mettre de l'ordre entre les phénomènes. Ces formules, qui imposent l'ordre dans les pensées, ne possèdent qu'une

([3]) Henriette WILLICH à Schleiermacher, 30 janvier 1808 ; dans FR. SCHLEIERMACHERS *Briefwechsel mit seiner Braut*, hgg. Heinrich MEISNER, Gotha, 1919, p. 99.

validité limitée dans l'espace et dans le temps, lumière incertaine et lacunaire, dépourvue de l'universelle portée qu'on lui attribue à tort.

Maurras et Lukacs ne peuvent supporter dans l'affirmation romantique le retour du refoulé, la mauvaise conscience d'une raison triomphante qui tente de se faire illusion à elle-même en ce qui concerne la validité de ses présupposés. Que reste-t-il aujourd'hui du dogmatisme hégélien, du haut duquel Echtermeyer et Rüge opéraient la dissolution du romantisme germanique en leurs *Hallische Jahrbücher* (1838-1843) ([4]) ? Que reste-t-il du nationalisme monarchique de Maurras et du procès qu'il intentait à la gangrène spirituelle du romantisme germanique, en vertu des doctrines bien oubliées de Maistre et Bonald ? Mais que reste-t-il du marxisme dogmatique au nom duquel Lukacs excommuniait les ennemis de la « raison », telle que l'imposait le Parti de la classe ouvrière ? Autant en emporte le vent de l'histoire. Seuls les spécialistes de l'histoire de la culture se souviennent aujourd'hui de tous ces inquisiteurs aux fanatismes contradictoires. Le romantisme, lui, demeure bien vivant, inspiration essentielle de la conscience culturelle passée et présente.

Pareillement, l'accusation de nihilisme méconnaît le sens de la pensée négative ; la pensée du néant n'est pas un néant de pensée ; en dénonçant les faux-semblants de la connaissance qui bloquent l'attention sur l'apparence, le savoir romantique permet l'accès à l'être par delà les apparences. La critique romantique s'est inscrite en faux contre ce que le romantique Nietzsche appellera les *arrière-monde*, les montages artificiels de constructions en idée, pompeusement dénommés Raison, Science, Religion, formes figées en formulaires dont le sens s'est perdu, décors de théâtre substitués à la vivante vérité, trompe-l'œil et trompe-l'esprit. Le romantisme n'est pas un nihilisme. Nietzsche instruit le procès de la civilisation contemporaine, en proie aux maux conjugués de la démocratie de masse et de l'industrialisme galopant ; Nietzsche proclame que Dieu est mort, sans même que ses fidèles, habitués à se passer de lui, s'en soient aperçus. Le Grand Inquisiteur, mis en scène par le chrétien indubitable Dostoïevski, ne dit pas autre chose. Le monde moderne est le monde de l'absence du sens ; dénoncer l'absence de vérité dans la réalité, ce n'est pas faire œuvre de destructeur, c'est positivement manifester la nécessité d'un retour, d'un recours à la Vérité absente, d'une réhabilitation de cette Vérité dont les hommes ne se passent que trop bien. Nietzsche est un homme de certitude et de foi ; ses réquisitoires contre l'ordre institué invoquent l'apparition à venir d'un homme libéré des aliénations qui pèsent sur l'individu-masse du temps présent. Le surhomme nietzschéen est l'avenir de l'homme, et sans doute dès à présent la vérité de l'homme.

Ainsi le moment négatif correspond à une ascèse préalable, initiation à une positivité cachée. Les maîtres du romantisme, Eckhart, Boehme, Hamann, Schelling, Schleiermacher, Baader, Nerval, bien d'autres avec

([4]) Cf. la réédition de *Der Protestantismus und die Romantik*, par ECHTERMEYER et RÜGE, Hildesheim, Gerstenberg, 1972.

eux, enseignent que tout ce qui peut se dire dans le langage du bons sens, de la communication directe, est insignifiant. Kierkegaard disait : il est toujours possible de parler de la pluie et du beau temps, mais c'est l'autre sujet qui m'a préoccupé toute ma vie. L'autre sujet, ce qui échappe à la banalité quotidienne, et au discours des philosophes, des savants et des théologiens. Le nihilisme théologique de Kierkegaard a pu lui valoir des accusations d'incrédulité, sinon même d'athéisme, parce que les interlocuteurs de Kierkegaard ne percevaient pas les contreparties positives de ses accusations.

L'homme romantique découvre et dénonce l'oubli de l'Etre, fondement de l'empirisme des Lumières. Le Romantisme entreprend la restauration de l'Etre ; il perçoit la totalité du domaine humain selon l'ordre des significations ontologiques, gages de vérité au sein de la réalité. L'empirisme du XVIIIe siècle et le positivisme de tous les temps procèdent à partir de l'oubli de l'individualité, réduite à une unité de compte, substituable à toutes les autres dans les tableaux statistiques. L'être humain n'est pas un point d'arrêt dans la masse, manipulée en gros par les techniciens spécialisés de la politique, de l'économie ou de l'administration. Est pareillement oubliée la totalité de la nature, et la communauté des hommes. Le champ expérimental de la science physique ou biologique est conçu comme une extension indéfinie, dépourvue de cohésion ou d'unité particulière ; l'espace social est réduit à l'ensemble des formules, statistiques et graphiques de la démographie, qui tente de calculer les lois de la juxtaposition entre les grains du tas de sable, dont l'accumulation est soumise au pouvoir discrétionnaire de l'Etat.

L'ontologie romantique découvre l'irréductible singularité de l'individu, point d'arrêt au sein de la masse sociale, doté d'un pouvoir d'opposition et de dénégation, par la vertu duquel il peut devenir une origine et un centre, objecteur de conscience à toutes les régulations d'ensemble. Chaque individu digne de ce nom, estimait Kierkegaard, est un original doté d'un libre accès à la totalité de l'Etre, à ses risques et périls. L'homme romantique se situe en porte à faux sur les abîmes de l'Etre *(Ungrund)* ; l'image du danseur de corde est commune à Kierkegaard et à Nietzsche. Le christianisme, en reconnaissant à chaque homme une âme immortelle dont il a la charge, confirme la réalité de ce principe d'identité ontologique, enjeu de l'existence, qui peut être gagné ou perdu en vertu de la liberté reconnue à chacun d'orienter sa vie, selon la bonne aventure, ou la mauvaise, de sa destinée.

Il ne s'agit pourtant pas là d'un individualisme radical, conférant à la première personne du singulier le privilège exclusif de gérer la totalité de l'Etre. Le sujet romantique ne se cantonne pas dans l'isolement, seul porteur de valeur dans un désert ontologique. La voix d'un Kierkegaard, d'un Max Stirner ou d'un Nietzsche paraît clamer sa solitude sans espérer aucune réponse à ses imprécations, au sein d'un univers hostile, qui lui renvoie seulement l'écho de son cri. Le ressentiment de cet esseulement transcendant d'une âme en quête désespérément de son semblable est une marque fréquente du héros romantique, en rupture de conformité sociale, et puni pour s'être affirmé différent. De telles expériences ne se rencontrent pas dans l'anthropologie des Lumières, qui fait de conformité vertu. L'outlaw, le corsaire, le brigand, l'aventurier, le contrebandier, le Cosaque, le gitan évoquent des figures familières à la poétique romantique, selon les voies de la littérature et du roman, de la peinture ou de la musique.

Mais cette dialectique de rupture et d'exclusion peut aussi être interprétée en vertu d'un renversement du contre au pour. La complainte de l'exclu orchestre en sous-œuvre la nostalgie d'une réintégration. Le divorce d'avec une société fausse, pervertie, corrompue invoque les formes d'une coexistence neuve au sein de laquelle le solitaire, le-hors-la loi, pourrait trouver accueil parmi des êtres semblables à lui. La pensée romantique met en honneur de nouvelles formes sociales, respectueuses de l'authenticité de l'être. Aux sociétés de type utilitaire, fondées sur le contrat, le romantisme oppose des communautés de vie auxquelles on adhère en vertu d'un engagement de l'être. De par sa structure même, l'ontologie ne peut se circonscrire dans les limites d'une seule individualité ; l'isolement du sujet est le résultat d'une illusion — ou d'une désillusion, d'un consentement imparfait à la surabondance du sens. Le savoir romantique, dans ses formes multiples, ne saurait trouver une expression suffisante sur le mode de la première personne du singulier. L'affirmation plénière du Je est solidaire d'un Tu ; l'être humain s'énonce sur le mode d'un appel d'être ; ouvert à l'autre, il attend de l'autre le complément ou plutôt la consécration de l'existence qu'il possède. Telle est la signification romantique de l'amour, illustrée par le mythe de l'androgyne. Le Je et le Tu se confèrent mutuellement un degré supérieur de qualification ontologique, accordé à chacun dans la réciprocité du Nous.

En dépit des apparences, l'individualité romantique, lieu d'une invocation, aspire à l'intégration dans des communautés plus larges, non pas exclusives, mais inclusives les unes des autres. L'organisme humain, solidaire de l'organisme total de la nature, définit un point d'arrêt dans l'immensité évolutive des êtres biologiques, liés par une communauté de destin. Mais il est aussi des organismes mentaux et spirituels ; c'est le romantisme qui se trouve à l'origine de l'organicisme social sous toutes ses formes. La communauté familiale est la cellule germinative de l'espèce humaine ; la famille s'élargit par la venue des enfants, elle s'étend de proche en proche grâce aux liens de la parenté. L'unité de vie matérielle et spirituelle assemble aussi ces communautés que le romantisme a mises en honneur : le peuple *(Volk)*, la nation, l'époque ; autant d'instances au sein desquelles se regroupent les individus, par les liens d'une solidarité organique, dont les formes élargies mènent de proche en proche jusqu'au *Gesamtorganismus* de l'humanité. Le parcours de l'anthropologie romantique débouche sur les horizons élargis de la culture, de l'Eglise ou encore de l'Histoire, formes vivantes, animées par les rythmes d'une existence globale en devenir dans l'espace et dans le temps. Le vitalisme, opposé aux mécanismes morts du déterminisme physique, sous-tend l'intelligibilité romantique sous toutes ses formes.

L'intuition romantique de l'invididualité vivante a fécondé la littérature et les arts, mais aussi le domaine entier des sciences de la nature et des sciences de l'homme. Les paradigmes de l'empirisme du sens commun et ceux imposés par l'impérialisme de la physique mathématique ont cédé la place au modèle de l'unité organique des phénomènes et des événements, animés du dedans par les pulsions des rythmes communautaires. Nature et culture, histoire, humanité sont des manifestations de l'Etre, que seul peut interpréter le regard compréhensif du savant, dirigé vers l'Etre par-delà la diversité des manifestations. Le romantisme se trouve ainsi au principe d'une science nouvelle dont on retrouve les indications sous les oripeaux superficiels dont se drapent les positivismes et scientismes à la mode. Et pareillement la protestation de l'individualisme exacerbé dans le cri de Stirner ou de Nietzsche ne représente pas l'expression d'un solipsisme transcendant ; elle propose l'image inversée d'une générosité déçue ; elle s'inscrit en faux contre l'égoïsme et l'utilitarisme d'une société fondée sur l'intérêt, sur l'égalité et sur l'indifférence mutuelle entre individus. Si Kierkegaard attaque l'église instituée, c'est parce qu'elle est devenue le dortoir confortable d'une chrétienté qui n'a plus du christianisme que le nom. Kierkegaard a conscience d'être le dernier chrétien ; c'est pourquoi il ambitionne d'être le premier d'une chrétienté régénérée.

La conscience romantique pressent la puissance de nivellement à l'œuvre dans le développement de la civilisation moderne. La prépondérance des facteurs techniques commande le progrès conjoint de l'industrie et de la démocratie. De plus en plus semblables les uns aux autres, les individus sont de plus en plus étrangers les uns aux autres. Les concentrations urbaines monstrueuses évoquent des fourmilières, où chacun se noie dans la masse. De la naissance à la mort, l'existence individuelle, prisonnière des statistiques, obéit aux normes imposées par l'appareil de l'Etat, dont les pouvoirs ne cessent de se multiplier avec le temps. L'interlocuteur de Stirner, de Nietzsche, de Kierkegaard, par-delà l'horizon de leur siècle, c'est le Cybernanthrope contemporain, dans les cadres rigoureux de l'inhumanité totalitaire. L'image de l'homme est menacée d'un oubli total ; c'est elle qu'il faut sauver de la perdition qui la menace. De là la vigueur de la protestation. Josué souffle de tous ses poumons dans sa trompette, en faisant le tour des murailles de Jéricho. Arme dérisoire que son cri, et pourtant il souffle de tout son désespoir, parce que la foi consiste justement à espérer contre toute espérance.

Les manifestations du romantisme extrême sont objets de scandale pour la sensibilité moyenne et médiocre des adeptes de la société de masse, incapables de pressentir qu'il s'agit des cris d'agonie d'un être humain en voie d'étouffement. Le surréalisme, lui aussi, ne doit pas être jugé sur ses apparences agressives d'outrage systématique aux bonnes mœurs bourgeoises, morales et politiques. La volonté de scandale n'est qu'un moyen pour attirer l'attention, pour éveiller ceux qui se sont assoupis dans la paix des conformismes. Avant même de poser les vraies questions, il faut forcer l'attention, donner à entendre qu'il y a des questions, ou plutôt une question, ce que n'imaginent nullement les braves gens, endormis du sommeil de l'injuste. De là la nécessité des effets de choc, thérapeutique toujours désagréable pour celui qui en est la victime. Mais la victime, ici, n'est pas innocente.

Le romantisme comme anthropo-cosmo-morphisme poursuit la recherche d'un sens qui englobe l'homme et le monde dans une intelligibilité cohérente. Mais, puisque l'établissement du sens présuppose la conscience de l'homme au sein de la totalité, le point archimédien de la réalité humaine, point de départ et point d'arrivée, lieu d'insertion dans l'Etre, ne peut être que l'individualité du vivant humain. D'où le primat de l'anthropologie sur la cosmologie, même si la condition de l'homme se situe en un point du devenir général des espèces vivantes. C'est à partir de son emplacement propre que l'être pensant doit essayer de récapituler le panorama de l'univers. La vérité de l'homme n'est pas la vérité de Dieu, quelles que puissent être les prétentions des philosophes, des savants ou des théologiens. La vérité de l'homme n'est pas celle d'un esprit désincarné, prenant la mesure de l'univers du haut d'un perchoir; Galilée, père fondateur des axiomatiques physico-mathématiques et hypothético-déductives, ne maîtrise que l'espace géométrique, du haut de la Tour de Pise. Mais cette vérité restreinte à l'ordre des objets matériels n'a pas prise sur la réalité humaine, sinon pour dénombrer les bonshommes qui circulent en bas sur l'esplanade, entre le Dôme, le baptistère et le Campo Santo. D'où le désarroi du génial florentin pris au piège des labyrinthes trop humains de la théologie traditionnelle et de la diplomatie vaticane. Il n'a rien compris à ce qui lui arrivait, incapable de saisir la différence entre le champ des forces physiques et l'espace vital humain, surchargé de contraintes historiques, sociales et politiques. Il n'est pas prudent d'affirmer que la terre tourne, quand tout le monde voit bien qu'elle ne tourne pas.

Le romantisme se fait un dogme de l'enracinement humain de la vérité. Au modèle fourni par l'axiomatique des sciences exactes, il substitue un modèle à la mesure du vivant humain. Nous avons aujourd'hui la possibilité de calculer les dimensions cosmiques en millions d'années-lumière; il est exact que la terre des hommes se situe quelque part dans cet univers en expansion indéfinie. Mais cet univers, réduit en formules mathématiques, ne signifie rien pour notre pensée et notre imagination; matériellement hors d'atteinte, en dépit de quelques coups de sonde hasardeux, il est pour nous comme n'étant pas. Nos biens et nos maux, notre ordre, notre désordre, notre naissance et notre mort, se trouvent confinés dans l'espace étroit du séjour terrestre. Certains délégués de l'humanité ont mis le pied sur la lune, dans la proche banlieue terrestre; mais cette prouesse technique ne semble pas avoir changé grand-chose à la vie des terriens, cloués au sol par la gravitation terrestre.

La gravitation physique se double d'une gravitation psychologique, morale et spirituelle. Tel est le sens de la critique adressée par Goethe à Newton. Telle la validité permanente de la protestation romantique. Toute théorie qui n'est pas à la mesure de l'homme ne propose qu'une vérité de deuxième urgence, une vérité marginale. Hegel disait que si la terre a cessé d'être le centre du monde astronomique, elle demeure le centre du monde métaphysique. Citoyen de la Terre, l'homme définit le centre de son espace vital, dont les formes et vicissitudes gravitent autour de la conscience humaine. Toute pensée suppose un consentement mutuel entre l'homme et le milieu ; la conscience adhère au monde, dont elle explore les parcours pour en former une image accessible aux entreprises de l'être humain qui veut y faire résidence.

Le mode de connaissance analogique a régi la pensée humaine à l'âge archaïque de la mythologie primitive. Les savants et les philosophes de l'Orient et de la Grèce élaborèrent à partir de ces données traditionnelles le modèle du Cosmos, au sein duquel prévaut la correspondance entre le microcosme humain et le macrocosme astral. Ce schéma, chef-d'œuvre d'intelligibilité rationnelle, a fait autorité en Occident jusqu'à la rupture galiléenne. Le Romantisme rompt avec la conception restrictive du paradigme physico-mathématique et remet l'homme au centre de l'univers humain. Tout ce que nous pouvons sentir et penser, et même les formes abstraites de la science exacte, doit être compris sur les cheminements qui relient l'homme à son univers. Une visée cosmique se situe à l'origine de chacune de nos intentions pratiques, intellectuelles ou spirituelles, qui présupposent le champ total du monde. Le sens déborde par-delà les limites de ce qui est en question ; l'interprétation, de proche en proche, envahit la totalité du domaine de la présence humaine. La vie organique d'un être évoque et invoque la totalité de l'évolution depuis les origines ; elle s'appuie sur l'organisme de l'univers présent et à venir. Le conscient baigne dans l'inconscient, dont il ne peut être retranché qu'au prix de manipulations arbitraires.

A l'opposé de l'explication mécaniste, qui divise pour régner, la compréhension globale fait appel à la divination, au pressentiment, aux sympathies et antipathies, qui mettent en œuvre la concordance fondamentale entre les êtres réunis dans la communauté d'une vie solidaire. Au monde désert du positivisme s'oppose l'espace vital du romantisme, où règnent non la rigueur des schémas scientifiques, mais l'approximation, l'insécurité, l'harmonie retrouvée ou perdue selon l'ordre du sentiment, du désir, des aspirations de l'âme. Les agissements des savants au sein du terrain vague de l'univers mettent en œuvre des procédures d'exception ; les résultats obtenus entre les parenthèses des axiomatiques ne sont valables que sous condition, alors que l'homme aspire à une vérité sans condition, dans la plénitude du sens, à la faveur de laquelle il se trouverait réintégré au sein de la maternelle totalité du monde.

L'importance de l'anthropologie romantique se justifie par la place centrale reconnue à l'être humain dans l'engendrement de la vérité. Dieu n'étant plus le point origine de la connaissance, puisque la pensée négative interdit au penseur de se prendre pour Dieu, et de légiférer en son nom, l'homme se trouve investi de la responsabilité d'annonciateur de l'Etre. Responsabilité si lourde que l'individu essaie de s'en débarrasser en la mettant au compte de la Science, de la Raison, de l'Humanité, du Parti, ou de toute autre idole du forum idéologique. Comme fait observer Goethe, « l'homme ne peut jamais concevoir à quel point il est anthropomorphique » ([5]). Le fardeau ontologique le plus lourd est celui de la connaissance, en la plénitude de son humanité.

La révolution non-newtonienne expose la centralité épistémologique de l'être humain. « L'homme en lui-même, dans la mesure où il fait usage de ses sens en bon état de fonctionnement, est le plus important et le plus précis des appareils de physique qui puisse exister. Et c'est justement le plus grand défaut de la physique récente que la dissociation des expériences d'avec l'être humain. On ne veut connaître de la nature que ce que nous en font connaître des instruments artificiels, en limitant ainsi la manifestation de ses capacités de production » ([6]). De même avec l'intervention du calcul ; il est beaucoup de choses vraies, qui ne se laissent pas compter. La position de l'homme dans la nature est si éminente que « bien des choses se manifestent en lui qui paraissent sans cela échapper à la manifestation. Que peut bien être une corde vibrante, avec ses subdivisions mécaniques, comparée à l'oreille du musicien ? On peut même dire : que sont les phénomènes élémentaires de la nature, comparés à l'homme, qui doit d'abord les maîtriser tous et les modifier, avant de pouvoir dans une certaine mesure les assimiler ([7]) ?

Le primat épistémologique de la constitution humaine dément les machineries sophistiquées du savoir qui n'ont de sens que par délégation des facultés individuelles, au prix d'abstractions qui restreignent la valeur des connaissances ainsi acquises. Les résultats des sciences sont frappés de la même relativité anthropologique. L'illusion d'une validité absolue du discours scientifique, bien loin de nous rapprocher de la vérité, nous en éloigne ; nous sommes tentés d'oublier que tout savoir de l'homme est un savoir humain, un savoir sur l'homme, en même temps que la connaissance de tel ou tel aspect particulier de la réalité.

Le principe d'analogie, enraciné dans la forme humaine, est le présupposé du savoir ; l'être humain impose la marque de son être aux objets et notions qu'il lui est donné à s'approprier. L'homme ne peut créer qu'un monde à son image ; à défaut de cette essentielle conformité, un objet de pensée nous demeurerait inintelligible. Dans un essai de 1778, Herder souligne que nous connaissons la nature à partir de notre propre être, en vertu d'une extériorisation de notre sensibilité ontologique. « Dans la connaissance par sentiment, l'homme se projette en toute chose connue, il a le sentiment de toute chose à partir de soi, et il y imprime son image, sa marque » ([8]). Notre psychologie s'est construite à partir d'expressions imagées ; elle ne peut que nous restituer une image en miroir de notre être propre, dissimulée sous le revêtement des théories objectives et scientifiques en apparence. La menace semble intervenir ici d'une diminution capitale de la vérité, à la mesure de l'homme ; une

([5]) *Maximen und Reflexionen*, § 1220 ; GOETHE, *Werke*, Hamburger Ausgabe, Bd. XII, p. 530.
([6]) *Op. cit.*, § 664 ; édition citée, p. 458.
([7]) *Ibid.*, § 666.
([8]) HERDER, *Vom Erkennen und Empfinden der menschlichen Seele*, 1778 ; *Werke*, éd. J. von MULLER, Karlsruhe, 1820, Bd. VIII, p. 4.

vérité humaine peut-elle être une vérité tout court ? « Mais quoi ? Y a-t-il encore quelque vérité dans cette " analogie de l'homme " *(Analogie zum Menschen)* ? Certainement, une vérité humaine ; et d'une vérité plus haute, aussi longtemps que je suis homme, je n'ai aucune idée » ([9]). Ce principe anthropologique, le pasteur Herder n'hésite pas à l'appliquer au domaine de la connaissance religieuse. Dans ses instructions à des étudiants en théologie, il enseigne qu' « il faut lire la Bible humainement ; car c'est un livre écrit par des hommes pour des hommes » ([10]). La parole de Dieu n'est audible pour nous que si elle emprunte les voies de la parole humaine. La Révélation divine n'est pas une parole de Dieu à Dieu ; la forme humaine s'est imposée au message divin, ainsi que l'atteste l'incarnation de Jésus. Le propos de Herder affirme une évidence impossible à réfuter.

L'homme ayant été créé à l'image de Dieu, l'analogie de l'homme renvoie elle-même à une analogie de Dieu. Le champ de l'analogie se trouve dédoublé, de l'immanence à la transcendance. Ces résonances eschatologiques proposent des jeux de miroirs qui se perdent dans l'infini, ouvertures en abîme sur le mystère de la totalité interdite. Nous nous trouvons campés sur la terre des hommes, et la forme humaine fournit le schéma obligé pour le rassemblement de nos connaissances et de nos valeurs. Renouvelant une pensée de Vico, Herder affirme que nous vivons dans un monde que nous avons nous-même créé, puisque l'univers culturel a été constitué par la pensée et l'imagination des hommes, à partir des informations fournies par les sens. Toutes les formes d'intelligibilité auxquelles nous pouvons avoir accès se situent dans le domaine de l'humanité.

Aucune tentative de diversion ou d'évasion ne permettra d'échapper à cette condition restrictive imposée au savoir humain. « Le monde de l'homme est maintenu par l'homme, dit Novalis, comme les particules du corps humain sont maintenues par la vie de l'homme » ([11]). Saint-Martin, autre inspirateur du romantisme profond, avait lui aussi posé le principe du savoir nouveau, opposé au matérialisme des Lumières : « Il faut expliquer les choses par l'homme et non l'homme par les choses » ([12]). Révolution épistémologique : toute science devient science de l'homme. Pareillement, la figuration poétique du monde, dans la littérature et dans les arts, met en œuvre un ensemble d'archétypes d'humanité, étendus en nappe sur la terre et sur le ciel. Ces significations que le poète projette sur le monde trouvent leur origine non pas dans le monde, mais dans l'homme, et pourtant le lecteur les trouvera justifiées en vertu d'un trésor commun de vérité humaine, partagé entre tous les individus ; « dans chaque homme résident toutes les forces de l'huma-

([9]) *Ibid.*, p. 5.
([10]) HERDER, *Briefe, das Studium der Theologie betreffend,* erster Teil, 1780-1785 ; *Werke*, éd. SUPHAN, Bd. X, p. 7.
([11]) NOVALIS, *Journal et Fragments*, p.p. CLARETIE, Stock, 1927, p. 178.
([12]) (SAINT-MARTIN) *Des erreurs et de la vérité ou les hommes rappelés au principe universel de la Science par un philosophe inconnu,* Edimbourg, 1775, 12-88.

nité. (...) Chez le poète, c'est l'humanité entière qui parvient à la conscience et à l'expression ; c'est pourquoi, il l'éveille si aisément dans les autres » ([13]).

Ainsi l'être humain est le fondement des analogies de la connaissance, qui se propagent autour de lui dans un rayonnement concentrique. Science et poésie, art, religion se trouvent noués dans leur principe, la conscience humaine proposant la prise d'être originaire, qui assure à notre expérience l'assiette ontologique indispensable. L'anthropologie romantique, par-delà la science empirique, la psychologie et la physiologie, étend sa juridiction à l'ensemble de la situation esthétique et métaphysique. La logique de l'être s'efforce de suivre le parcours des harmonies et résonances, polarités, sympathies et antipathies, qui propagent à travers l'univers les similitudes des formes archétypales constitutives de la réalité humaine. Science secrète, dont les interprétations doivent procéder du dehors au dedans, car le sens superficiel masque le sens profond. Il faut lire en transparence une vérité occultée par les sédimentations des usages et des malentendus. L'anthropologie fournit les clefs du savoir, archétypes qui constituent les principes ontologiques de la condition humaine.

([13]) JEAN-PAUL, *Vorschule der Aesthetik*, 1804, II, ch. 10.

CHAPITRE II

IMAGINATION — MAGIE

Ce retour à l'humain, grâce au désaveu de la Raison et de la Science, a conféré au Romantisme le caractère d'une reconquête de la liberté. La Renaissance avait été un moment d'affranchissement par rapport aux autorités sclérosées du contrôle ecclésiastique et du dogmatisme théologien. Mais l'*humanisme* renaissant avait succombé sous le renouveau de l'absolutisme philosophique et politico-religieux du classicisme. L'âge des Lumières avait dénoncé ces contraintes, et lutté pour l'émancipation du domaine humain par rapport à toutes les ontologies ; mais il avait imposé le nouvel impérialisme de la raison raisonnante sous la discipline des normes de la science et de la technique, maîtresses de l'ordre des choses. Ainsi s'était développée une forme d'aliénation, d'autant plus redoutable qu'elle se parait des prestiges de l'universalité rigoureuse.

Le Romantisme sanctionne l'échec de l'espérance positiviste. La justice, la rationalité, la philanthropie font naufrage dans la Terreur. La civilisation industrielle devait susciter la prospérité générale, elle engendre une nouvelle forme d'oppression des masses travailleuses. Même une fois corrigées les formes les plus choquantes de cette oppression, l'ordre technologique engendre une aliénation morale et mentale qui corrompt le paysage naturel sous les espèces de la pollution, et la réalité humaine, manipulée par les apprentis sorciers qui gèrent la civilisation de la consommation matérielle et spirituelle et de la propagande idéologique. Sursaut du Moi, la révolte romantique commence par le refus des contraintes extrinsèques de l'ordre politique et social, moral, esthétique, scientifique et technique. Dans sa maladresse, la révolte de Mai 1968 exprima à nouveau cette revendication d'un lieu de liberté dans un univers qui n'en comporte pas ; appel d'air, appel d'Etre, le désordre apparent dissimulant la revendication d'un ordre authentique. Si le romantisme suscite aujourd'hui des sympathies, c'est qu'il semble rouvrir des passages vers la transcendance oubliée, authentique fondement de la valeur. Signe des temps, qu'il paraît impossible d'interpréter autrement qu'en termes d'ontologie.

Lorsque s'ouvrent parfois les prisons des pays totalitaires, on en voit sortir des individus aveuglés et déformés, comme paralysés par les années passées dans un cachot étroit et sans lumière, sans commune mesure avec les dimensions physiques et morales de l'être humain. Titubants, enivrés par l'air de leur neuve liberté, il leur faut reconquérir le nouvel espace qui s'ouvre devant eux. L'expérience romantique est celle de l'humanité perdue et retrouvée. Signe de cet élargissement, la fonction reconnue à l'imagination parmi les facultés individuelles.

Le rationalisme classique accorde la prépondérance à la vérité objective de l'ordre des choses, constitué grâce à la mise en œuvre de la théorie intellectualiste de la perception ; la représentation exacte est obtenue grâce à l'élaboration des données sensorielles sous le contrôle du jugement. La mémoire conserve les résultats obtenus, et l'imagination se livre à des variations sur le thème des données perceptives, qu'elle reproduit en les altérant plus ou moins. Ces jeux peuvent présenter pour le sujet un certain agrément, mais ils risquent de faire préférer l'illusion à la réalité. Risque limité, puisqu'il s'agit d'une reproduction déformée d'éléments empruntés à l'expérience réelle. L'imaginaire ne propose que de faux témoignages, des témoignages altérés par l'arbitraire d'un individu, qui doit se garder de se prendre à son propre piège. Folle du logis, puissance trompeuse, l'imagination encourt la réprobation des logiciens et des moralistes ; elle accorde une réalité à une représentation qui n'en a pas. Une saine hygiène mentale doit exclure les déviances.

L'imagination selon l'intellectualisme ne possède pas de contenu ; ce qu'il y a en elle de réel provient d'un emprunt à la réalité proprement dite, dénaturée par procuration, selon le caprice de celui qui imagine. La réalité de l'imaginé est du même ordre que celle du rêve, échappement au contrôle de la conscience claire. Aux yeux du rationaliste, l'imaginaire n'a pas plus de validité que le délire ; ce sont des non-sens, sous-produits d'une pensée en état de distraction, ou d'échappement libre. L'attitude romantique, véritable révolution, convertit l'inadéquation empirique de l'imagination en une validation ontologique. Au lieu de se confiner dans la zone de la pathologie mentale, l'imaginaire ouvre la voie d'une surréalité, d'une trans-humanité qui pourrait bien être l'humanité authentique. Pour exclure les produits de l'imagination du domaine humain, il fallait réduire l'humain à l'ordre des choses dans son ordonnancement objectif, c'est-à-dire déshumaniser l'homme. L'imaginaire est condamné pour défaut de conformité avec le monde extérieur ; les choses sont la mesure de l'homme, aboutissement logique de l'empirisme de Locke. Cet assujettissement à un réalisme naïf justifie l'absence du lyrisme poétique au XVIIIe siècle.

Dans la perspective romantique, l'espace du dedans n'est pas moins réel que l'espace du dehors. Il doit même bénéficier par rapport à lui d'une priorité, puisqu'il représente le premier lieu de la conscience, le premier mouvement de l'affirmation de soi. Seul un monisme épistémologique arbitraire permet de justifier un réalisme de l'objectivité matérielle, à l'exclusion d'un autre réalisme de la subjectivité spirituelle. L'homme ne fait pas résidence dans l'univers, en chose parmi les choses ; il ne se réduit pas au centre abstrait, sans consistance propre, d'une perspective géométrique. En lui s'affirme le lieu d'émergence du sens, dans la confrontation de deux mondes, intérieurs et extérieurs l'un à l'autre. Sa conscience n'est pas le réceptacle passif, le lieu d'inscription d'informations venues du dehors ; elle est l'origine première à partir de laquelle s'exerce le droit de reprise de l'être humain sur toutes les significations du monde.

La défense et illustration de l'imagination créatrice, selon l'analogie du Dieu créateur, est l'un des points forts de l'anthropologie romantique. Remise en honneur d'une ancienne tradition où se retrouvent des thèmes néo-platoniciens ; à côté de l'imagination banale, asservie à la réalité sensible dont elle reprend et manipule les éléments, il existe une *fantaisie* transcendante, dotée d'une autonomie créatrice qui lui permet de prendre les devants par rapport à la réalité à laquelle elle impose sa forme. La ressemblance phonétique entre *image* et *magie* évoque une étymologie dont s'enchantent les spirituels ; la culture occidentale, longtemps, associe l'efficacité du savant à celle du magicien. Dans une étude sur Paracelse, Koyré observe : « La volonté de l'âme — qui est une force — agit tout premièrement sur son propre corps. C'est elle qui le crée et qui le forme ; c'est elle aussi qui le commande et qui le meut. (...) L'âme est une source de force, qu'elle dirige elle-même en lui proposant par son imagination un but à réaliser. L'âme pense à quelque chose, s'attache à cette pensée, en forme l'image, la désire, y tend, la veut, et sa forme plastique et formatrice s'y introduit comme dans un moule, s'informe elle-même, et imprime au corps l'image conçue par l'imagination. C'est ainsi que lorsque nous imaginons un mouvement, l'âme en imprimant cette image au corps, le réalise... » ([1]). Il ne s'agit nullement ici d'un simple caprice, mais bien d'une fonction majeure de l'incarnation humaine. « Si nous avions une imagination assez forte, nous aurions pu changer complètement l'aspect et la forme extérieure de notre corps, comme nous changeons l'aspect et l'expression de notre visage, qui exprime la forme que l'âme lui imprime par l'imagination et la volonté » ([2]).

Les Romantiques réhabilitèrent Paracelse comme ils remettaient en honneur Jacob Boehme, en vertu d'un analogue ressourcement de l'inspiration. L'imagination, dit encore Koyré, « est la production *magique* d'une *image*. Plus exactement, elle est l'expression par une image d'une tendance de la volonté ; (...) l'*imagination* est la force magique par excellence ; elle nous offre le type essentiel de l'action magique. Or, *toute action est magique*. L'action créatrice ou productrice avant tout. L'image que *produit* l'imagination exprime une tendance, une puissante tension de la volonté ; elle naît en nous, en notre âme, d'une manière organique ; elle est nous-mêmes et c'est nous-mêmes que nous exprimons en elle. L'image est le *corps* de notre pensée, de notre désir. En elle, ils

([1]) Alexandre KOYRÉ, *Mystiques, spirituels, alchimistes du XVIe siècle allemand*, A. Colin, 1955, pp. 58-59.
([2]) *Ibid.*, p. 59.

s'incarnent » ([3]). Cette imagination ne doit pas s'entendre en un sens figuré ; la puissance plastique de l'âme prend corps et forme dans la réalité matérielle. « C'est ainsi que les femmes enceintes réalisent et produisent, créent et mettent au monde des enfants auxquels leur âme imprime la forme imaginée. C'est ainsi que s'expliquent et la naissance des monstres, et les cas bien connus de ressemblance sans lien de parenté... » ([4]).

Doctrine où l'on retrouve des réminiscences de l'animisme archaïque ou encore des théories de l'émanation et des hypostases néo-platoniciennes. Cette ontologie de l'imagination fait du domaine de l'imaginaire non pas un double atténué, sans consistance réelle, de l'ordre des choses, mais une dimension prioritaire douée d'un droit d'initiative sur les objets empiriques. Le retour des esprits et des anges, le considérable renouveau d'intérêt pour les destinées extra-terrestres des âmes trouvent l'un de leurs principaux fondements dans la fonction eschatologique reconnue à l'imagination créatrice. Dieu imagine le monde avant de le créer ; et pareillement l'homme, même lorsqu'il n'en a aucunement conscience, imagine son être dans le monde au moment même où il le vit, peut-être avant de le vivre. Il peut même lui arriver d'imaginer, de rêver à défaut de vivre. Les confins du songe, où se développent les interconnexions entre le rêve et la vie, proposent à la poétique romantique l'un de ses points d'application les plus fréquentés.

« Je ne possède aucune certitude, écrivait Keats, en dehors de celle de la sainteté des affections du cœur et de la vérité de l'imagination. Ce que l'imagination appréhende comme Beauté doit être vérité, que cela ait existé réellement auparavant ou non. (...) L'imagination peut être comparée au rêve d'Adam ; il se réveilla, et le trouva vrai... » ([5]). Adam a rêvé Eve avant de la découvrir à ses côtés ; l'imagination prophétique, en tant qu'appel d'être, fait advenir l'Etre selon la perspective des pressentiments, des urgences du cœur. Celui qui vit sa vie selon le seul ordre de l'intellect théorique et pratique, incapable de transfigurer l'existence selon les réquisitions de l'âme et du cœur, celui-là est assuré de passer à côté de l'essentiel.

Affirmation maîtresse du romantisme universel, particulièrement chère aux poètes anglais ([6]). Sans doute leur est-elle venue de la tradition platonicienne, vivante dans les universités d'Oxford et de Cambridge. William Blake (1757-1827) est l'un des affirmateurs de cette inspiration,

([3]) *Ibid.* On consultera sur ce sujet Murray Wright BUNDY, *The theory of imagination in classical and mediaeval Thought,* University of Illinois Press, 1927 ; Robert KLEIN, *L'imagination comme vêtement de l'âme chez Marsile Ficin et Giordano Bruno*, Revue de Métaphysique et de Morale, 1956.

([4]) *Ibid.*

([5]) A Benjamin Bayley, 22 novembre 1817 ; *Letters of* John KEATS, edited by Robert GITTINES, Oxford University Press, 1970, pp. 36-37.

([6]) Cf. sur cet immense sujet C. M. Bowra, *The romantic Imagination* (1949) ; rééd. Galaxy Books, New York University Press, 1961 ; Harold BLOOM, *The Visionary Company, a reading of English Poetry,* New York, Doubleday Anchor Books, 1963 ; H. W. PIPER, *The active Universe, Pantheism and the concept of Imagination in the English Romantic poets,* London, Athlone Press, 1962.

alliée avec le renouveau de l'angélologie et de l'eschatologie visionnaire. Un texte de 1810, relatif à une *Vision du Jugement dernier*, souligne : « le Jugement dernier n'est pas une fable ou une allégorie, mais une vision. Fable et allégorie sont un genre de poésie tout à fait distinct et inférieur. La vision ou imagination est une représentation d'un existant éternel. La fable ou allégorie est constituée par les filles de la mémoire. L'imagination est entourée *(surrounded)* par les filles de l'inspiration, dont l'ensemble est dénommé Jérusalem. (...) La Bible hébraïque et l'Evangile de Jésus ne sont pas allégorie, mais vision éternelle ou imagination de tout ce qui existe » (7). Il est précisé plus loin que « le monde de l'Imagination *(Imagination)* est le monde de l'éternité ; c'est le sein divin auquel nous ferons retour après la mort du corps organique *(vegetated body)*. Ce monde de l'imagination est infini et éternel, tandis que le monde de la génération et de la croissance *(vegetation)* est fini et temporaire. Dans ce monde éternel existent les réalités permanentes de toutes les choses dont nous apercevons les reflets dans le miroir corruptible de la nature. Toutes choses sont comprises, sous leur forme d'éternité, dans le corps divin du Sauveur, le vin divin de l'éternité, l'imagination humaine qui m'est apparue sur le chemin du Jugement, parmi les saints, et se dépouillant du temporel afin que puisse être établie l'Eternité » (8). Ailleurs l'Imagination, en tant qu'ordre de l'éternité, dont ce monde-ci ne propose qu'une ombre indécise, est identifiée à l'Esprit de Dieu, au Saint-Esprit, « fontaine de la connaissance » (9).

Il est difficile de traduire Blake, tout aussi impénétrable dans l'original anglais. Le mystique visionnaire, *self-made man* de la spéculation eschatologique, associe dans son gnosticisme personnel des thèmes chrétiens traditionnels et des thèmes platoniciens. Blake est l'un des artisans de la révolution non-newtonienne, Newton étant, si l'on peut dire, l'une de ses têtes de Turc favorites. L'insurrection romantique se dresse contre l'impérialisme de la philosophie du sens commun, héritée de Locke et orchestrée par les maîtres des universités écossaises. Le réalisme spiritualiste et visionnaire dénonce l'empirisme utilitariste, philosophie de la débilité mentale. Ces origines romantiques anglaises sont indépendantes du domaine germanique ; les guerres de la Révolution et de l'Empire ont rendu plus difficiles les communications entre les Iles britanniques et le Continent. La langue allemande est peu connue, et les génies nationaux ne sympathisent guère.

Exception majeure, Coleridge (1772-1834), initié à la pensée allemande, qu'il a tenté de diffuser dans son pays. Sa *Biographia Literaria* (1817), esquisse autobiographique développée en manifeste doctrinal, considérée par les Anglais comme le chef-d'œuvre de la critique romantique, associe des réminiscences néo-platoniciennes et des emprunts aux théoriciens d'Allemagne ; Coleridge s'approprie purement

(7) William BLAKE, *Complete Writings*, édited by Geoffrey KEYNES, Oxford University Press, Paperback ed., p. 604.
(8) *Ibid.*, pp. 605-606.
(9) *Jerusalem, The Emanation of the Giant Albion*, 1804-1820 ; recueil cité, p. 717.

et simplement des pages de Schelling. Plagiat ou non, la doctrine de l'imagination créatrice développée dans cet ouvrage y perd son originalité. Blake est né quinze ans avant Coleridge ; l'auteur des *Songs of Innocence* (1789) peut revendiquer les vertus d'originalité et de priorité.

Œuvre conjointe des deux amis, Coleridge et Wordsworth, les *Lyrical Ballads* sont publiées en 1798, peu avant que les deux poètes ne s'embarquent pour l'Allemagne. Le recueil porte le même millésime que le premier fascicule de l'*Athenaeum.* Le romantisme allemand est en train de prendre conscience de lui-même ; les poèmes des deux jeunes Britanniques illustrent le renouvellement des valeurs, en dehors de toute influence possible. La fameuse *Ballade du Vieux Marin, Kubla Khan, Christabel* et les poèmes intimistes de Wordsworth, mettent en œuvre les présupposés majeurs du romantisme européen. Le renouvellement du rapport au monde, la communion vitale avec l'univers, la priorité du surnaturel sur le réel, le merveilleux, le fantastique développés en une perception hallucinatoire où se confondent les limites de l'espace du dehors et de l'espace du dedans, tout cela se trouve magnifiquement illustré dans le recueil de 1798. Boehme et Swedenborg sont présents et actifs dans le contexte culturel britannique, au sein du mouvement religieux non-conformiste au XVIIIe siècle. Swedenborg a séjourné en Angleterre à diverses reprises, et c'est en Angleterre qu'il a vécu certaines de ses expériences religieuses fondamentales ; Blake a commenté des versions anglaises du visionnaire suédois. Le renouveau poétique anglais se trouve en corrélation avec une expérience romantique du sens de la vie, qui suscitera les chefs-d'œuvre de Keats et de Shelley. Mais il s'agit là d'un sens esthétique donné à l'existence ; la mystique et la mythique naturaliste, en dépit de quelques sondages chez Coleridge ([10]), ne reposent pas sur la base théorique d'une *Naturphilosophie* telle que l'élaborent en Allemagne philosophes et savants.

Chez William Blake, l'imagination évoque le Saint Esprit de Dieu descendant du Ciel sur la Terre. Les romantiques allemands reconnaissent en dehors de la transcendance imaginative, s'affirmant de bas en haut, une autre inspiration ou aspiration émergeant de l'économie interne du cosmos. Un sens de la terre, bouillonnement de formes évolutives, crée à mesure les êtres vivants selon l'échelle d'une progression ontologique. A côté de l'imagination reproductive, reprise d'éléments préalablement donnés, s'affirme une imagination productive et créatrice, une *Bildungskraft,* dite aussi *Phantasie,* opposée à la simple *Einbildungskraft,* dépourvue de puissance novatrice. Baader dénonce l'« obscurantisme de la rationalité » en s'appuyant sur les témoignages de Paracelse et de Jacob Boehme. « Ces deux savants *(Naturforscher)* étaient déjà parvenus à la conception que toute *Speculatio* (affective ou effective) est une *Imaginatio ;* et en tant que telle, au cas où elle parvient à se réaliser, elle est une véritable *Generatio* intérieure, un engendrement du dedans

([10]) Cf. l'ouvrage de H. W. PIPER cité plus haut.

(*Eingeburt*) qui conditionne toute l'opération » ([11]). Le mot *imaginatio* désigne une *informatio* de l'âme, aussi bien dans le domaine des natures pensantes que dans celui des natures qui ne pensent pas. L'imagination productrice se trouve donc à l'œuvre selon l'ordre de l'inconscient aussi bien que selon l'ordre du conscient, elle est la forme qui s'impose à la matière pour lui donner sens. Seul le retard des études psychologiques est cause de la méconnaissance de cette imagination généralisée, processus général immanent à la Nature. Ainsi la *Speculatio*, en tant qu'*Imaginatio*, est un véritable engendrement, une *Procreatio* ou *Generatio*, qui d'ailleurs présuppose une *Visio*, toute Vision, de l'œuvre ou du poème, émanant de l'*Imaginatio* ([12]).

Baader est un gnostique. Sa psychologie expose une pneumatologie, voisine de celle de Paracelse. Les thèmes qu'il évoque font partie de l'anthropologie des *Naturphilosophen*, qui reconnaissent à la *Bildungskraft* un droit d'initiative spirituel selon la dimension d'une ontologie de la conscience humaine. La même inspiration se retrouve dans l'*Histoire de l'Ame (Geschichte der Seele)* de G. H. Schubert (1830), dans les *Leçons de Psychologie (Vorlesungen ueber Psychologie)* de C. G. Carus (1831) ou encore dans le traité de Joseph Ennemoser : *L'esprit de l'homme dans la Nature ou la Psychologie en accord avec la science de la nature* (1849). La vision anthropo-cosmomorphique patronne une première alliance de l'homme et du monde dans le dessein totalitaire de la création. L'homme ne prend pas connaissance du monde comme d'un objet devant lui ; le monde lui est présent du dedans même de sa conscience, il se découvre intimement conscience au monde, conscience de monde ; les mouvements de son esprit retrouvent les similitudes du réel en formation et s'incarnent dans la matière plastique de l'univers.

Le romantisme, monisme de l'incarnation, s'oppose aussi bien à l'idéalisme intellectualiste qu'au matérialisme du XVIIIe siècle. Les deux thèses ont en commun le présupposé de l'opposition radicale entre l'esprit et le corps. La condition humaine associe étroitement l'organisme et la pensée dans une communauté de vie et d'intention. La conscience est l'expression d'une vie unitive qui se manifeste à tous les instants de l'existence ; notre volonté meut directement nos membres ; nos pensées, nos décisions ont force de loi pour notre comportement. L'imagination est créatrice d'effets et d'œuvres émanant des puissances intimes de notre être. Les pulsions de notre âme prennent forme de réalité chaque jour dans nos entreprises majeures ou mineures. Bien loin d'être séparé du monde extérieur, le monde intérieur n'existe que par lui et en lui. Ce qu'on appelle imagination créatrice désigne cette zone de l'être où se marient les pulsions du sens interne et les indications des sens externes. Aussi bien notre conscience ne définit-elle pas un commencement

([11]) BAADER, *Sur l'incapacité de notre philosophie présente à rendre compte des phénomènes du côté nocturne de la nature (Ueber die Incompetenz unserer dermaligen Philosophie zur Erklärung der Erscheinungen aus dem Nachtgebiete der Natur)*, texte de 1837, destiné à Justinus Kerner ; BAADER, *Werke*, 1853, Bd. IV, p. 307.
([12]) *Ibid.*, p. 309.

radical ; elle jalonne un moment dans le cours de cette prodigieuse évolution créatrice, grand axe selon lequel s'ordonne l'apparition des êtres et des formes au sein de l'organisme de l'univers.

Cette spontanéité agissante soutient et justifie en sous-œuvre l'activité du physicien comme celle du poète. Les arts poétiques traditionnels n'étaient que des livres de recettes pour l'élaboration d'une cuisine littéraire inodore et sans saveur. La poétique romantique fait du poète inspiré le porte-parole de l'Etre, ainsi qu'en témoignent les *Entretiens sur la poésie*, parus dans l'*Athenaeum* en 1800. Le poème propose aux hommes, libérés de la quotidienneté et de ses contraintes, d'autant plus impérieuses qu'elles ont cessé, du fait de l'accoutumance, d'être reconnues comme telles, une ouverture en abîme sur l'infini de l'Etre, fenêtre ontologique et voie de salut pour les hommes des temps nouveaux. Cette doctrine a été développée par Frédéric Schlegel et par son frère August Wilhelm, qui salue dans la promotion de l'imagination créatrice la marque distinctive de l'opposition entre romantisme et classicisme.

Avec plus d'humour, Jean-Paul Richter, reprenant la vieille étymologie, a consacré un petit essai à l'exaltation de *La magie naturelle de l'Imagination*, dès 1795. De toute sa virtuosité il a célébré « cette batteuse d'or qu'est l'imagination », force motrice de son propre génie. C'est l'imagination, dans son enracinement ontologique, conscient ou non, qui sous-tend notre présence au monde en son authenticité véritable. « Les bras des hommes se tendent vers l'infini ; tous nos désirs ne sont que des fragments d'un unique désir infini. (...) Toutes nos passions portent en elles le sentiment indestructible de leur éternité et de leur abondance. Tout amour et toute haine, toute douleur et toute joie se sentent éternels et infinis. Aussi existe-t-il également une crainte de quelque chose d'infini, dont la peur des fantômes (...) n'est qu'une manifestation. » La perception banale que nous proposent les données des sens ne serait ainsi qu'un décor artificiel, destiné à nous défendre contre le vertige qui nous saisirait si nous nous découvrions de tous côtés exposés aux perspectives de fuite de l'immensité. De nos sensations nous nous faisons un garde-fou, mais l'abîme ontologique nous environne, à portée de la main. « Ce que refusent maintenant à notre sens de l'illimité (...) les champs nettement délimités de la nature, les Champs Elysées, dont les contours se noient dans le brouillard de l'imagination, nous l'accordent. » La mer, le ciel, les abîmes des montagnes nous paraissent sublimes « non par un don des sens, mais par celui de l'imagination qui se place près des frontières optiques, près des infinis apparents pour regarder au-delà, dans un infini véritable » ([13]).

C'est ici l'art poétique de Jean-Paul, dont les romans lyriques, aux confins du rêve et de la réalité, cheminent selon des voies labyrinthiques

([13]) Jean-Paul (RICHTER), *De la magie naturelle de l'imagination ; Quelques « jus de tablette » pour les Messieurs*, Epilogue à la *Vie de Quintus Fixlein* (1795), Section I ; traduction Maurice ALEXANDRE, *Romantiques Allemands*, t. I, Bibliothèque de la Pléiade, p. 1473. Jean-Paul devait reprendre le thème de l'imagination créatrice dans son *Introduction à l'Esthétique* (*Vorschule der Aesthetik*, 1804), II, § 6 sqq.

et imprévisibles, au tournant desquelles se déploie une échappée de vue vers l'infini. Jean-Paul a été connu et apprécié dans la France de l'âge romantique, d'autant plus aisément que la fantaisie, le fantastique chez lui ne s'embarrassent pas de métaphysique systématique ou de considérations de *Naturphilosophie* ([14]). Jean-Paul s'en tient dans ce domaine à de prudentes allusions. Certains des romantiques français mettent en œuvre une poétique voisine de celle du romancier allemand. Et d'abord Gérard de Nerval ; le monde de *Sylvie* évoque un réalisme féérique enrobé de souvenirs du paradis perdu de l'enfance, dans une atmosphère de merveilleux quotidien ; équivalent français des réussites de l'auteur de la *Vie du maître d'école Maria Wutz* et de la *Loge invisible*. L'autre chef-d'œuvre de Nerval, *Aurélia*, se déploie tout entier selon l'ordre de l'imaginaire et du fantastique. Cet éloge de la folie n'est pas un document psycho-pathologique ; ou plutôt, c'est bien la relation d'une expérience de l'aliénation mentale, saison en enfer d'un malade à l'intérieur et à l'extérieur de la maison des fous, œuvre majeure du romantisme français ; le poète garde ses distances par rapport à son mal, côtoyant les abîmes sans y sombrer. L'aliénation, propédeutique ou initiation, donne libre cours à la puissance de l'imagination, qui prend le contrôle du sens du réel. La vie banale s'en trouve portée à une puissance supérieure de signification ; s'ouvrent en transparence derrière l'événement quotidien les perspectives du songe, les fantasmes du rêve et de la rêverie. L'initiative reconnue à l'imagination dans ses productions extraordinaires est encore une manifestation de l'humanité, l'expression d'une vérité de l'âme humaine convertissant à sa fantaisie les phénomènes de l'ordre des choses. « Tout ce que l'on invente est vrai », dira Flaubert, pourtant catalogué comme un réaliste. Ce principe du romantisme profond énonce la prépondérance accordée à l'imagination, alchimie du surréel, sur la simple fidélité aux apparences instituées. Ce que nous appelons réalité n'est que l'une des versions, parmi d'autres, de notre faculté imaginative.

Victor Hugo vieillissant a célébré la priorité du songe. « Nous vivons de questions faites au monde imaginaire. Notre destinée entière est une réponse attendue. Tous les matins, chacun fait son paquet de rêveries et part pour la Californie des songes. (...) Qui que nous soyons, nous sommes les aventuriers de notre idée. Nul passant sur cette terre qui n'ait sa fantaisie, son caprice, sa passion, sa témérité, son enjeu, son risque pour gloire, vertu ou bénéfice. (...) Rien n'est comparable à la loterie de l'illusion » ([15]). Langage approximatif, car le mot « illusion » présuppose l'orthodoxie par rapport à une vérité ; mais cette vérité objective n'existe pas : « L'habitation du songe est une faculté de l'homme. (...) L'homme est chez lui dans les nuées. (...) Non, personne n'est hors du rêve » ([16]). Hugo évoque les paradis artificiels de la drogue, auxiliaires de l'imagina-

([14]) Cf. les *Pensées* de JEAN-PAUL extraites de tous ses ouvrages par le Marquis de la GRANGE, 1829.

([15]) Victor HUGO, *Promontorium Somnii*, III ; à la suite de *William Shakespeare* (1864), Flammarion, 1973, p. 384.

([16]) *Ibid.*, p. 386.

tion : « Quand l'homme n'a pas de songe en lui, il s'en procure. Le thé, le café, le cigare, la pipe, le narguilé, le brûle-parfum, l'encensoir sont des procédés de rêverie. (...) L'Arabie a le haschich, la Chine a l'opium... » ([17]). La songerie de Victor Hugo, à la manière des *Naturphilosophen,* introduit l'imagination créatrice dans l'ordre cosmique. « La nature jadis n'a-t-elle pas rêvé aussi ? Le monde ne s'est-il pas ébauché par un songe ? (...) Dans le mastodonte, dans le mammon, dans le paléonthère, dans le dinothère géant, dans l'ichtyosaurus, dans le ptérodactyle, n'y a-t-il pas toute l'incohérence du rêve ? » ([18]). Echappée sur un domaine où l'écrivain ne se risquera pas.

Même célébration de l'imagination créatrice chez Baudelaire, figure majeure du romantisme, critique et poète, de vaste lecture, et familier des paradis artificiels. L'art poétique baudelairien est exposé dans la section du *Salon de 1859* concernant « la reine des Facultés » et le « gouvernement de l'imagination ». L'opposition se retrouve entre l'imagination reproductrice, remémoration du vécu et du perçu, et l'imagination productrice et créatrice, initiatrice d'une neuve réalité, que Coleridge reconnaissait comme une *natura naturans,* génératrice des réalités secondaires de la *natura naturata.* Distinction que Coleridge avait reprise de Spinoza, par l'intermédiaire de Schelling. La *natura naturans* constituant l'une des fonctions de Dieu lui-même, le poète en sa création est revêtu d'une souveraineté analogue à celle de la divinité. Ainsi se perpétue la doctrine de l'inspiration transcendante, en laquelle les Platoniciens saluaient une visitation de la divinité. Baudelaire vénère dans la fonction poétique une sublimation de la condition humaine, substitut de la sainteté à laquelle il aspire. « Tout l'univers visible n'est qu'un magasin d'images et de signes, auxquels l'imagination donnera une place et une valeur relative ; c'est une espèce de pâture que l'imagination doit digérer et transformer. Toutes les facultés de l'âme humaine doivent être subordonnées à l'imagination qui les met en réquisition toutes à la fois » ([19]). L'art poétique fournit un principe d'individuation en esprit et en vérité grâce auquel l'être humain s'arrache à l'horrible médiocrité du monde comme il va.

L'imagination créatrice expose la dynamique de la vie spirituelle, non pas l'âme elle-même, dans sa consistance ontologique, mais la puissance motrice de notre présence au monde, origine d'où procèdent les initiatives du sens de la vie. Jean-Paul définit la *Phantasie* ou *Bildungskraft* comme « l'âme du monde pour l'âme, et l'esprit élémentaire des autres puissances de l'esprit *(die Weltseele der Seele und der Elementargeist der übrigen Kräfte)* » ([20]). L'imagination présentée comme âme de l'âme

([17]) P. 389.
([18]) P. 390.
([19]) BAUDELAIRE, *Œuvres complètes,* Bibliothèque de la Pléiade, t. II, p. 1044. Marcel RAYMOND, dans son beau livre *Romantisme et rêverie,* José Corti, 1978, p. 153, commente ce texte. L'ouvrage tout entier de RAYMOND propose des variations sur l'imagination romantique.
([20]) JEAN-PAUL, *Vorschule der Aesthetik,* 1804 ; Sämtliche Werke, hgg. von der Preussischen Akademie der Wissenschaften, I, Bd. XI, Weimar 1935, p. 37.

dans son rapport avec le monde, réserve de puissance, vient surcharger et privilégier l'exercice des autres facultés, conférant à telle ou telle une valeur de totalité. « L'imagination créatrice *(Phantasie)* élève chaque partie à l'importance d'un tout ; (...) de chaque partie du monde elle fait un monde ; tout devient une totalité, y compris l'univers infini. (...) Au sein de la vie elle-même, l'imagination exerce sa puissance d'embellissement *(ihre kosmetische Kraft)* (...) Elle est la déesse de l'amour ; elle est la déesse de la jeunesse » ([21]).

Jean-Paul met en honneur une énergie immanente et transcendante à l'être humain, lien de la sympathie universelle ; la réalité transfigurée révèle alors les dimensions cachées de son unité et de sa beauté. Renversement de la perspective empirique, la priorité est reconnue à cette initiative spirituelle qui impose sa marque au spectacle du monde proposé par les sens. Le paysage, représenté dans le tableau du peintre, n'est pas la transcription de la réalité géographique d'un pan du monde, à supposer que cette réalité ait vraiment une signification objective, ce qui n'est pas sûr. Le paysage du peintre, ou celui du poète, paysage intérieur autant qu'extérieur, organise et harmonise les couleurs et les formes, il les fait chanter dans la joie pastorale, ou dans l'ode funèbre de la tempête ; le paysage, *allegro* ou *andante*, expose un message de l'homme à l'homme, climat spirituel voulu par l'artiste, non pas en vertu d'un projet volontaire, mais selon une exigence montée des profondeurs de la vie personnelle. Les analyses rationnelles s'efforcent de mettre de l'ordre après coup, au sein de cette expérience ; ne disposant pas d'un langage approprié, elles finissent par dissoudre l'expérience vécue, non compatible avec leurs présupposés. La psychologie intellectualiste refoule la réalité concrète de l'existence pour lui substituer des épures abstraites, imposées par voie d'autorité aux générations successives. Henri Bergson devait dénoncer cette falsification dans son *Essai sur les données immédiates de la conscience* (1889), avec 90 ans de retard sur le mouvement romantique, dont il n'avait qu'une connaissance insuffisante. Et le bergsonisme, saine réaction, s'il fut un moment à la mode, comme tout ce qui est de mode, fut bien vite oublié.

Maurice de Guérin (1810-1839), témoin de cette priorité de l'imaginaire dans l'anthropologie romantique, note dans son journal de 1834 : « Aujourd'hui cette pauvre imagination par qui je vis d'habitude, d'où découle tout ce qui circule en moi de joies ignorées et de ces transports occultes dont rien ne va se perdre au-dehors, cette pauvre imagination a tari. Il y aura tantôt huit jours que ma vie intérieure a commencé de diminuer, que le fleuve a baissé, se réduisant par un décroissement si sensible qu'après quelques tours de soleil il n'était plus qu'un filet d'eau. Aujourd'hui, j'ai vu passer sa dernière goutte » ([22]). Le mot *imagination* semble désigner ici le cours de la vie intérieure, la force motrice, dans son abondance ou dans son tarissement, non pas la faculté des images, au

([21]) *Ibid.*, pp. 38-39.
([22]) Maurice DE GUÉRIN, *Journal intime ou le cahier vert*, 10 décembre 1834 ; *Œuvres complètes*, p. p. B. D'HARCOURT, t. I, Belles Lettres, 1947, p. 222.

sens restrictif du terme, mais l'affirmation même de l'âme, la puissance porteuse de la présence du monde. « J'étends au large le sens du mot imagination : c'est pour moi le nom de la vie intérieure, l'appellation collective des plus belles facultés de l'âme, de celles qui revêtent les idées de la parure des images, comme de celles qui, tournées vers l'infini, méditent perpétuellement l'invisible et l'imaginent avec des images d'origine inconnue et de forme ineffable. Ceci est plus philosophique et s'écarte étrangement des psychologies connues ; mais à cet égard, je m'inquiète peu des hommes et des arrangements qu'ils ont faits de nos facultés ; je brise leurs systèmes qui m'entravent, et je m'en vais, libre, le plus loin d'eux qu'il est possible, reconstruire une âme et un monde selon mon gré » ([23]). Guérin est conscient de l'originalité de ce point de vue clandestin, en rupture de conformité avec l'éclectisme régnant.

L'imagination préside à l'établissement de l'homme dans l'univers. « Je prête l'oreille en moi-même et je n'entends plus rien de ce qui me charmait. (...) Comme un homme qui marche dans la nuit muni d'un flambeau, à mesure que j'avançais, les objets semblaient se revêtir d'un éclat vif et doux tout ensemble et, sous cette lumière, la forme adoucie et vivifiée paraissait se complaire comme dans son fluide, et goûter je ne sais quelles voluptés qui animaient sa physionomie et qui donnaient des beautés qu'on n'a pas vues. Aujourd'hui, je ne projette que de l'ombre, toute forme est opaque et frappée de mort » ([24]). L'imagination romantique expose la priorité reconnue à la première personne, dans ses formes intimes, sur les constructions imposées par les représentations objectives en vigueur. Inversion des priorités, les invidences l'emportent sur les évidences du dehors.

Guérin oppose la cosmologie de l'environnement géographique et cette autre cosmologie du paysage intérieur. « Comme un enfant en voyage, mon esprit sourit sans cesse à de belles régions qu'il voit en lui-même et qu'il ne verra jamais ailleurs. J'habite avec les éléments intérieurs des choses, je remonte les rayons des étoiles et le courant des fleuves jusqu'au sein des mystères de leur génération. Je suis admis par la nature au plus retiré de ses divines demeures, au point de départ de la vie universelle ; là je surprends la cause du mouvement et j'entends le premier chant des êtres dans toute sa fraîcheur... » ([25]). La rhétorique poétique se plaît à opposer l'espace du dedans et l'espace du dehors, comme deux mondes distincts, mais l'univers intime se construit avec des éléments empruntés à l'univers extérieur. Il n'y a pas deux mondes, mais un seul. Il y a deux manières d'habiter le monde, deux modes d'établissement, selon le caractère propre de l'intention dominante. L'homme du quotidien et de la masse se laisse happer par le courant schématisé de l'univers social ; le regard romantique opère une transfiguration de l'ordre des choses. Les significations du monde, déliées des implacables enchaînements de l'utilité, prennent une valeur symbolique et incantatoire, à la ressem-

([23]) *Ibid.*, p. 222-223.
([24]) *Ib.*, p. 223.
([25]) *Ib.*, p. 224.

blance de l'âme, selon des procédures d'irréalisation déjà décrites par le Rousseau des *Rêveries*.

Le *dedans* et le *dehors* sont des catégories d'une géométrie qui déforme la vie personnelle lorsqu'elles sont plaquées sur le devenir de la pensée. A ces images falsificatrices, il faudrait substituer les analogies biologiques de la *systole* et de la *diastole*, utilisées par Goethe, et que Guérin reprend pour caractériser les rythmes de la présence au monde. « Mon âme se contracte et se roule sur elle-même comme une feuille que le froid a touchée ; elle se retire sur son propre centre, elle a abandonné toutes les positions d'où elle contemplait. Après quelques jours de lutte contre la réalité sociale, il a fallu se replier et rentrer. Me voilà circonscrit et bloqué jusqu'à ce que ma pensée, gonflée par une nouvelle inondation, surmonte la digue et s'étende librement sur toutes ses rives. Je connais peu d'accidents intérieurs aussi redoutables pour moi que ce resserrement subit de l'être après une extrême dilatation. (...) Toutes les facultés qui me mettaient en communication avec le dehors, le lointain, ces brillants et fidèles messagers de l'âme à la nature et de la nature à l'âme, se trouvant retenus au-dedans, je demeure isolé, retranché de toute participation à la vie universelle. Je deviens comme un homme infirme et perclus de tous ses sens, solitaire et excommunié de la nature » ([26]).

L'inadéquation du langage fait obstacle à la prise de conscience des rythmes personnels. Guérin a souvent suscité le soupçon de naturalisme et de panthéisme ; il semblait procéder à une assimilation de ce que le réalisme banal perçoit comme dissocié. Dans son œuvre, la conscience fait alliance avec le monde, ou plutôt, dès l'origine impliquée en lui, jamais elle ne parvient à s'en désimpliquer complètement. La pensée n'est pas étrangère au réel ; étrangère, comment pourrait-elle s'y retrouver, prendre appui sur lui, agir, prévoir, se souvenir ? Le sens de la terre n'est pas une marque de paganisme ; l'existence de l'homme n'a pas de sens en dehors de la réalité du monde ; l'homme fait résidence dans le monde aussi bien que dans sa vie spirituelle, dans ses vies imaginaires que dans sa vie « réelle », si tant est que la notion de « réalité » puisse avoir sens en dehors de la présence humaine. Le thème romantique de la co-naissance inscrit l'organisme individuel, corps et esprit, dans l'Organisme total ; toute connaissance est l'expression de ces épousailles premières. La perspective intellectualiste présuppose un jugement autonome, délié de toute complicité avec le monde soumis à l'inspection de son regard, postulat dont l'absurdité éclate au premier coup d'œil.

Novalis, dans l'ivresse des découvertes, écrit à Frédéric Schlegel, en 1796 : « Je sens toujours davantage les membres sublimes d'un tout merveilleux dans lequel il faut m'incorporer et qui doit devenir la plénitude de mon moi » ([27]). La fusion conjugale de l'objectivité et de la subjectivité définit le lieu d'origine du savoir romantique ; et l'imagination pourrait bien être le principe actif de cette fusion, car l'esprit (*Geist*)

([26]) *Op. cit.*, 26 août 1834, *ibid.*, pp. 217-218.
([27]) Lettre à Frédéric Schlegel, 8 juin 1796 ; *Schriften*, hgg. KLUCKOHN-SAMUEL, Bd. IV, 1975, p. 188.

est aussi un principe chimique à l'œuvre dans les fermentations et fécondations. Novalis est un témoin privilégié de la reconversion de la connaissance de l'homme. « Ce qu'il est convenu d'appeler la psychologie n'est qu'un de ces fantômes qui ont pris dans le sanctuaire les places que devraient occuper d'authentiques images des dieux. (...) L'intellect et l'imagination, la raison ne sont que de misérables cloisonnements de l'univers en nous. De leurs merveilleuses confusions, des formes infinies qu'elles revêtent, de la façon dont l'une passe en l'autre, pas un mot. Il n'est venu à l'idée de personne de chercher encore en nous des forces nouvelles qui n'ont pas encore de nom, de suivre le détail des rapports qui les unissent. Qui sait à quelles unions et à quels engendrements étranges nous avons encore à nous attendre à l'intérieur de nous-mêmes... » ([28]).

Guérin et Bergson auraient pu prendre ce texte à leur compte. Si l'on renonce aux découpages abusifs, c'est à l'imagination que doit revenir la place d'honneur dans la genèse de la vie spirituelle : « L'imagination est le sens merveilleux qui peut remplacer tous les sens et qui est déjà tellement soumis à notre libre décision. Alors que tous les sens extérieurs paraissent être entièrement sous la dépendance de lois organiques, l'imagination n'est manifestement pas liée à la présence et au contact d'excitations extérieures » ([29]). La spontanéité créatrice de l'imagination n'est pas à la remorque de données émanant du dehors, mais cette priorité ne signifie pas que cette puissance en nous fasse œuvre en dehors de toute expérience du monde, de toute présence au monde, dans un vide préalable. La conscience est en situation mondaine, elle est une conscience-monde. Ce que nous percevons au-dehors de nous s'affirme en consonance avec des configurations inscrites au principe même de notre être, en vertu de la corrélation entre le Moi et le Non-Moi, fortement établie par Fichte. Novalis peut dire : « Le monde est une imagination perceptible par les sens et devenue machine. C'est l'imagination qui est le plus facilement et la première venue au monde ou devenue monde... » ([30]). Propos que l'on peut compléter par cet autre : « La nature est une ville pétrifiée par enchantement » ([31]).

L'imagination humaine à l'œuvre dans la connaissance ne fait que reprendre son bien ; une autre imagination créatrice est passée avant elle, celle du Créateur originaire, dont notre conscience au profond d'elle-même retrouve l'inspiration, l'inscription première ensevelie sous les sédiments des âges. La pensée humaine joue à retrouver les voies frayées par la faculté générative dont procède le grand œuvre de l'univers et, la création du monde étant création continuée, notre imagination se trouve

([28]) *Schriften*, KLUCKHOHN, 1928, Bd. III, p. 327 ; trad. Maurice BESSET, in *Novalis et la pensée mystique*, Aubier, 1947, p. 85.

([29]) Même édit., Bd. III, p. 15.

([30]) NOVALIS, *L'Encyclopédie*, fragments, classement WASMUTH, § 1738 ; trad. M. DE GANDILLAC, éd. de Minuit, 1966, p. 387 (j'ai préféré la traduction de BESSET à celle de GANDILLAC).

([31]) WASMUTH, § 1326, éd. citée p. 300 ; trad. modifiée.

invitée à prendre l'initiative dans la mesure de ses moyens, participant ainsi à la transfiguration de la nature en travail. L'ordre des choses, dans sa configuration statique, apparemment fixé une fois pour toutes, n'est que le masque posé sur les germinations profondes ; il dissimule le vivant devenir de l'organisme du monde, sensible à nos initiatives, lorsque nous entreprenons de coopérer à son renouvellement. De là des aphorismes épars dans les fragments de Novalis, qui éclairent la puissance cosmique de l'imagination productive : « Théorie de l'*imagination*. Elle est le pouvoir de *rendre plastique* » ([32]), et encore : « La physique n'est rien autre que la doctrine de l'imagination » ([33]). Selon le vitalisme romantique, la nature n'est pas une matérialité morte, figée une fois pour toutes, lieu géométrique des comportements humains. Cette représentation superficielle, inspirée par la physique mécaniste, ne met pas en cause l'authentique sens du réel. La *Naturphilosophie* romantique, la « physique supérieure » annoncée par Schelling, soulève le voile de l'illusion galiléenne. L'inspiration, l'aspiration qui anime du dedans la succession des phénomènes ne cesse pas de végéter en formes nouvelles ; la nature n'est pas sortie de la période molle au sein de laquelle se poursuit la germination des possibles.

L'imagination, « le pouvoir de *rendre plastique* », redécouvre la plasticité essentielle des formes. Dès lors, l'acte de la co-naissance peut épouser le devenir, accompagner son mouvement, et même l'utiliser à ses fins en l'orientant selon le vœu de notre personnalité. La physique est une poétique, une « doctrine de l'imagination » créatrice ; sous la lettre morte des faits matériels, elle déchiffre et libère l'esprit vivant, dont elle jalonne les parcours. Elle doit donc être perçue comme une modalité opérative de la connaissance, une alchimie du sens, dont elle prophétise les accomplissements. La révolution galiléenne a assuré la prépondérance des finalités pratiques ; elle a emprisonné les phénomènes dans la cage grillagée des déterminismes matériels ; l'attention exclusive à la dimension économique et technique entraîne l'abolition des autres valences du réel, modalités non objectives de l'habitation de l'homme dans le monde. Un univers d'objets pratiques et de produits de consommation interdit à la pensée toute manipulation et transfiguration qui arracherait à sa destination usagère une assiette ou une locomotive.

Le romantisme est la revanche de la saisie esthétique du monde, de la vision sur l'entendement, dans une perspective irréaliste, surréaliste. La chaise, le guéridon, la paire de chaussures, libérés de leur service utilitaire, projetés dans l'espace de la poésie, s'animent d'une vie gratuite dans l'imprévisible émerveillement d'une résurrection du sens. Victor Hugo parlait de « surnaturalisme » ; les romantiques ont inventé le surréalisme. André Breton procède de Novalis. « L'esprit ne réussira à décrypter les innombrables énigmes qui l'entourent qu'en s'appuyant sur l'imagination. Celle-ci « n'est pas don, mais par excellence objet de conquête » (Breton, *Il y aura une fois*, 1932) ; essentiellement *active*, elle

([32]) *L'Encyclopédie*, classement WASMUTH, § 1198, éd. citée, p. 278.
([33]) *Ibid.*, § 453, p. 139.

donne à l'art comme à la science toute leur efficacité ; c'est d'elle que naît « la courbe blanche sur fond de noir que nous appelons pensée » (*Clair de Terre*, 1923), c'est par elle seule que l'univers se métamorphose et se renouvelle, que l'esprit humain se régénère sans cesse. Faculté merveilleuse, son rôle n'est pas de décorer le réel, comme l'ont cru tant de rimeurs naïfs, mais bien de découvrir, en rapprochant deux réalités distantes, en les affirmant ensemble, une réalité nouvelle qui jaillit comme d'un arc voltaïque. Ainsi conçue, l'image ne conduit pas à l'illusoire, mais au vrai. D'où la belle formule : « L'image est ce qui tend à devenir réel » ([34]).

Le surréalisme réaffirme la protestation romantique, objection de conscience à un univers dénaturé. Il retrouve certaines implications de la pensée négative, y compris quelques affinités avec maître Eckhart et Jacob Boehme, mais sans l'approfondissement spécifiquement religieux caractéristique du romantisme; par ailleurs, il ignore l'organicisme cosmique proposé par la *Naturphilosophie*. L'imagination, faculté alchimique, non pas au sens figuré d'une alchimie lyrique d'ordre verbal, mais au sens propre d'une technique opérative, qui met en œuvre les tensions immanentes au cosmos : attraction et sympathies, répulsions, polarités, magnétisme, électricité, harmonies d'où procèdent les rythmes de la nature et les inspirations des hommes ([35]). L'imagination productive peut être considérée comme un foyer de condensation, un creuset où l'initiative humaine utilise des possibilités qui se prononcent à travers l'individu selon les exigences d'une aspiration à l'être. La pensée humaine intervient comme un relais; seul Dieu pouvait créer à partir de rien. Le peintre utilise des couleurs préalablement existantes; tout art poétique manipule des éléments, des significations disponibles dans l'environnement culturel; il leur impose des configurations neuves conformément aux urgences cosmiques, aux appels d'être qui se prononcent à travers lui. Mais, artiste ou savant, le créateur humain développe son activité au sein des harmonies préétablies qui régissent le Grand Etre Organique de la nature, conformément aux lois de ce que Schelling appelait la « physique supérieure ».

Novalis expose l'anthropo-cosmomorphisme romantique, sous le nom d'*idéalisme magique*. Fichte, l'inspirateur de Novalis, avait établi, dans sa *Doctrine de la Science*, un idéalisme absolu, reconnaissant à l'individu humain un droit d'initiative radical en matière de pensée. La conscience intellectuelle fichtéenne se pose elle-même souverainement, tout en s'opposant au Non-Moi, corrélatif de l'autoposition du Moi. Novalis ne peut accepter l'immaculée conception d'une conscience naissant à elle-même dans un vide de l'Etre. L'individu humain n'est pas le commencement du commencement; sa présence s'inscrit dans le contexte préalable d'une Présence, englobant total, irradiation de la Nature, pénétrée et

([34]) Jean GAULMIER, *Commentaire à* André BRETON : *Ode à Charles Fourier*, Klincksieck, 1961, p. 15.

([35]) Cf. l'arc voltaïque de Breton, mais cet arc demeure rhétorique, au figuré; le romantisme le prend au sens propre.

animée du dedans par la Divinité. La disproportion subsiste entre l'homme et Dieu, alors qu'elle semble s'abolir chez Fichte. Nul n'aurait pu songer à soupçonner Novalis d'athéisme, alors que l'accusation a été violemment portée contre Fichte ; peu importe que ce soit à tort ou à raison, le fait essentiel est que le soupçon avait pu surgir.

Selon Novalis, esprit religieux, l'être de l'homme baigne dans le milieu nourricier d'une Présence totale et providentielle. L'homme newtonien subit en chaque moment de son existence l'influence de la gravitation, même s'il n'en reconnaît pas la pesée sur chacun de ses mouvements. Le sujet de Fichte, indemne de toute gravitation spirituelle, se figure prononcer son avènement au degré zéro de l'existence. L'homme de Novalis se conforme aux dimensions préalables d'une Création comprise et vécue comme le grand dessein divin. L'idéalisme de Novalis n'est pas un idéalisme radical, mais un idéalisme dérivé, qui fait confiance à l'idéalisme premier du Dieu dont il s'efforce de retrouver les traces dans les parcours de la nature et de l'expérience. Autrement dit, la connaissance fichtéenne est vraiment naissance, jaillissant d'un néant préalable de signification ; la connaissance selon Novalis est toujours co-naissance, solidaire d'un complément de réalité qui l'englobe et la déborde. L'idéalisme est ici complémentaire d'une composante réaliste impossible à éliminer ; ce réalisme marque le point de divergence du romantisme par rapport à l'inspirateur Fichte.

L'homme romantique, au contact entre deux mondes, en négocie les confrontations. « Si vous ne pouvez pas rendre les idées immédiatement (et fortuitement) perceptibles, rendez donc inversement les choses extérieures immédiatement (et volontairement) perceptibles — en d'autres termes, si vous ne pouvez faire d'une idée une âme qui se suffise à elle-même, se sépare de vous — et vous soit maintenant étrangère — c'est-à-dire se présente extérieurement, faites l'opération inverse avec les choses extérieures — et transformez-les en idées. Les deux opérations sont idéalistes. Celui qui les a toutes deux parfaitement en son pouvoir est l'*idéaliste magique* » ([36]). La fonction de l'homme est celle d'un manipulateur des significations, capable de les transférer de l'espace du dehors dans l'espace du dedans ou vice-versa. Souveraineté relative et limitée, elle se heurte aux résistances des choses et à l'impuissance de l'homme — souveraineté tout de même puisque, grâce aux transmutations qu'elle réalise, elle peut élever le monde à une puissance supérieure par la visitation de l'esprit. « Les sciences magiques résultent, selon Hemsterhuis, de l'application du sens moral aux autres sens — c'est-à-dire de la moralisation de l'univers et des autres sciences » ([37]).

La visitation de l'homme élève la nature à une puissance supérieure, en fait une surnature. « Toute expérience est magie » ([38]), prononce un fragment. Il y a magie dès que la réalité matérielle, sous le regard de l'homme, se convertit en une réalité humaine : « Le monde possède une

([36]) *L'Encyclopédie*, éd. citée, § 1704, p. 375.
([37]) *Ibid.*, 1698, p. 374.
([38]) § 1188, p. 277.

aptitude originaire à être animé par moi — absolument parlant, il est *a priori* animé par moi — un avec moi. J'ai une tendance et aptitude originaire à animer le monde. — Mais je ne puis entrer en relation avec rien — qui ne s'oriente selon mon vouloir ou ne lui soit conforme. Il est donc nécessaire que le monde soit originairement disposé de telle sorte qu'il s'oriente à ma guise — se conforme à mon vouloir » ([39]). Cette complicité originaire entre l'ordre des choses et l'ordre dans l'homme justifie le rapport au monde romantique, ainsi que la poétique correspondante. Les jeux de l'imagination créatrice se laissent porter du dedans par les impulsions de l'être selon des lignes de forces que nous ne contrôlons qu'en partie. « Seule la faiblesse de nos organes et de notre contact avec nous-même nous empêche de nous apercevoir dans un monde de fées » ([40]). L'art romantique tente de remédier à cette impuissance, en mettant en œuvre un irréalisme qui se prolonge en transréalisme. Mais nous sommes loin d'avoir été jusqu'au bout de nos possibilités. « Qui sait si aux prix d'efforts variés, nous ne pourrions produire des yeux, des oreilles etc. ? Car notre corps serait alors en notre pouvoir et constituerait une partie de notre monde intérieur, de la même façon qu'aujourd'hui notre âme. Pas plus que notre âme actuelle, notre corps ne saurait être non plus entièrement dépourvu de sens » ([41]).

Les écrivains, les poètes romantiques ont exploré le domaine du merveilleux et du fantastique, reprenant en charge le trésor légendaire des contes, vivace dans la mémoire populaire. L'œuvre exemplaire des frères Grimm a été imitée dans la plupart des pays d'Europe, où l'on s'est préoccupé de collecter les récits et légendes, les contes de fées, mais aussi les poèmes et ballades selon la voie frayée par Arnim et Brentano dans leur recueil, le *Cor enchanté de l'Enfant*. Les indications de Novalis donnent à comprendre qu'il ne s'agit pas seulement pour lui d'amasser les reliques infantiles du passé, dans un esprit de pieuse réminiscence teinté de patriotisme culturel. Le mot *Märchen,* l'une des clefs de l'art poétique de Novalis, est intraduisible dans les langues européennes ; le français « conte de fées », valable dans le cas des contes de Grimm, ne rend nullement l'authentique signification que ce terme revêt chez Novalis.

Sans doute le *Märchen* évoque-t-il l'esprit d'enfance, la disponibilité plastique de l'enfant, étranger au bon sens quotidien, à la physique banale et à la géométrie euclidienne dont les adultes demeurent prisonniers. L'enfant accepte les métamorphoses, le dérapage constant du réel dans l'irréel. Mais Novalis voit plus loin que les contes de nourrice ; les *Märchen* désignent l'origine première de la poésie en tant qu'expérience libératrice. Orphée, l'enchanteur, saint patron des poètes, met le monde en mouvement aux accents de sa lyre ; il fait parler les animaux ; il crée le nouveau monde d'une liberté rédimée de la captivité du sens dans les contraintes de l'intellect. « C'est dans le *Märchen,* écrit

([39]) § 1671, p. 367.
([40]) § 1678, p. 369.
([41]) § 1681, *ibid.*

Novalis, que je me crois le mieux capable d'exprimer la résonance du fond de mon âme (*Poétique. Tout* est un *conte de fées (Märchen))* » ([42]). La féerie n'est pas dans le conte, elle est dans l'esprit et dans la vision du monde, en expansion vers une réalité transfigurée. Novalis propose une définition de son propre génie, et du génie féerique en général : « Un *Märchen* est en quelque sorte le canon de la poésie — tout ce qui est poétique est nécessairement féerique. Le poète invoque le hasard » ([43]).

Le *Märchen,* en même temps qu'une anthropologie, évoque une cosmologie ; il met en œuvre un ordre du monde. Un fragment précise cette exigence à l'aide d'exemples, parmi lesquels des contes orientaux ou indiens, les *Mille et une nuits,* mais aussi *Meister* et *Werther,* qui caractérisent l' « esprit romantique des nouveaux romans », attestation de l'élargissement considérable du sens. « Dans un vrai *Märchen,* il faut que tout soit merveilleux, mystérieux et incohérent — que tout soit animé. Chaque fois d'une manière nouvelle. Il faut que la nature entière soit merveilleusement mêlée à tout l'univers des esprits, le temps de l'anarchie universelle — de l'absence de lois — de la liberté — *de l'état de nature de la nature* — le temps d'avant le monde (avant l'Etat). Ce temps d'*avant* le monde livre pour ainsi dire les traits dispersés du temps d'*après le monde,* comme l'état de nature est une image singulière du Royaume éternel. Le monde du *Märchen* est l'exact opposé du monde de la vérité (histoire) — et c'est pourquoi justement il lui ressemble si parfaitement, comme le chaos à la création achevée. (...) Le *Märchen* authentique doit être en même temps représentation prophétique — représentation idéale — représentation nécessaire. Le véritable auteur de *Märchen* est un voyant de l'avenir... » ([44]).

Esquisses, au fil de la plume, d'une pensée jamais complètement élucidée. Le merveilleux en question n'est pas une conception narrative à l'usage des enfants en bas âge, aussi longtemps qu'ils croient au père Noël. La littérature sous toutes ses formes et les arts se trouvent concernés par ces analyses. « Il faut qu'un roman soit de part en part poésie. Car la poésie est, comme la philosophie, une harmonieuse résonance du fond de notre âme, où tout s'embellit, où chaque chose trouve son aspect convenable. (...) Dans un livre authentiquement poétique tout semble si naturel — et pourtant si merveilleux — on croit que rien ne pourrait être autrement et qu'on n'a fait jusqu'ici que dormir dans le monde — et que pour la première fois à présent s'éveille le véritable sens qui vous permet de saisir ce monde. Tout souvenir et tout pressentiment semblent venir justement de cette source » ([45]). Et le poète évoque « ces heures singulières où l'on est pour ainsi dire au cœur même de tout objet qu'on considère, et où l'on éprouve les sensations infinies, inconcevables, simultanées d'une harmonieuse pluralité » ([46]). La vision

([42]) § 1462, p. 326.
([43]) § 1464, p. 327 ; GANDILLAC traduit *Märchen* par « conte de fées » ; je rétablis le mot allemand.
([44]) § 1460, p. 325.
([45]) § 1445, pp. 322-323.
([46]) *Ibid.*, p. 323.

du monde selon la perspective de l'imagination créatrice est un sens du réel transmué en surréel. De là la ressemblance, relevée par le pieux Novalis, entre « notre Histoire Sainte » et un *Märchen* ([47]).

Un tel propos, dans la bouche de l'homme des Lumières, voudrait dire que la révélation chrétienne est une fable à l'usage des enfants, un vieux livre d'images. Aux yeux de Novalis, l'histoire sainte énonce une vérité adressée aux facultés les plus hautes de notre être, expression de notre identité ontologique. C'est pourquoi nous reconnaissons dans le message biblique des images chiffrées de notre destin. Ainsi du *Märchen* en général qui défie les lois de la logique et de la science instituée, mais dont l'authenticité s'impose en fonction de critères supérieurs de validité. Aveuglés par l'ordre physique, moral et social institué, nous vivons les yeux fermés ; les représentations collectives font écran à notre perception de la vérité et des valeurs. Le *Märchen* est l'école de la reconquête du sens.

Clef de l'esthétique romantique : « Si nous avions aussi une *fantastique* comme nous avons une logique, on découvrirait — l'art de découvrir. A la fantastique appartient aussi dans une certaine mesure l'esthétique, comme à la logique la théorie de la raison » ([48]). La fantastique, puissance d'irréalisation, est une forme du merveilleux, produit de l'imagination créatrice ; sous la plume de Novalis, et dans un usage qui a valeur de néologisme, le mot, désignant une catégorie de la création, retrouve l'étymologie oubliée (fantaisie), qui renvoie à l'imagination créatrice, en dehors de toute allusion à une perversion volontaire de la réalité. La « fantastique », au sens de Novalis, serait l'art poétique au sens fort du terme, en tant que thaumaturgie. L'imagination est la faiseuse d'or par transmutation du sens du réel, ou plutôt par délivrance du sens captif des apparences. Un autre monde se dissimule sous le revêtement de celui-ci ; l'improbable, l'impossible, victimes de la répression du bons sens, s'évadent, à partir du moment où se trouve levée la contrainte des habitudes de la pensée et du sentiment. La nature, rendue à l'état sauvage, se pare de l'éclat de la poésie. Une libération du même ordre se réalise dans le rêve ; le sommeil, supprimant les censures de l'état de veille, débloque la représentation ; la conscience rêveuse vagabonde dans les marges du « bon sens », aux frontières entre le réel et l'irréel, dont l'opposition paraît alors dépourvue de sens. En dehors du songe nocturne, il existe des rêves éveillés ; la rêverie parasite au long des jours notre conscience normale. L'état de conscience intellectuelle et objective, bien loin d'être notre état normal, est une exception obtenue par un effort de volonté qui ne se maintient jamais longtemps. Le cours de notre conscience oscille entre la clarté rationnelle et le clair obscur, où le sentiment fait valoir ses droits, où le désir, l'humeur prennent le pas sur la rigueur, avec une puissance d'entraînement plus ou moins forte.

Dans cette zone contestée se déploie la création romantique, profitant de la détente de la logique répressive pesant sur nos représentations

([47]) § 1471, p. 328.
([48]) § 1466, p. 328.

usagères. Le cosmonaute sur la lune, n'étant plus plaqué au sol par la gravitation terrestre, progresse à une allure démesurée, grotesque et comique ; le conteur fantastique, le poète, le romancier bénéficient d'un droit de dissociation et d'association des mots et des formes, des sentiments et des pensées, échappement libre des sentiments, joie ou crainte, amour, haine, angoisse, peur. Un nouveau monde hallucinatoire se développe, orchestré par la tendresse de Jean-Paul ou les tourments de E.T.A. Hoffmann et de Charles Nodier. Les *Veilles de Bonaventura* publiées anonymement, et le *Gaspard de la Nuit* d'Aloysius Bertrand, mettent en scène le fantastique nocturne ; de Gérard de Nerval, *Les filles du feu* et *Aurélia* oscillent entre le fantastique clair de l'enfance, et l'idylle amoureuse qui se retrouvera dans le *Grand Meaulnes* d'Alain Fournier, et le fantastique sombre du délire hallucinatoire. Le fantastique en ses valences est la source où s'alimentent les meilleures œuvres de Tieck et d'Arnim, contes ou romans ; le génie visionnaire de Victor Hugo, transcrit en dessins, en poèmes ou romans, s'enracine à cette source de l'irréalisme fantasque, d'où jaillit le prodigieux songe hugolien, traversant la réalité sans s'y arrêter, pour la soumettre à l'exigence du rêve. Novalis, à la fin de sa vie, tenta de manifester sa conception du *Märchen* dans un roman initiatique, *Henri d'Ofterdingen,* contrepartie du trop réaliste *Wilhelm Meister*. Tentative inachevée, sans doute inachevable. Prise en bloc, dépouillée de composantes exotériques et par trop populaires, l'œuvre de Victor Hugo propose la plus extraordinaire mise en œuvre de l'idéalisme magique projeté par le jeune poète des *Hymnes à la nuit*.

L'esthétique est une approche de l'ontologie, une ouverture sur l'Etre, justification de l'humain. Il faut reconquérir le sens de notre vie, captif des apparences, enlisé dans la matérialité. La magie est un autre nom pour cette délivrance de la spiritualité. Frédéric Schlegel, à l'époque où il rêve de créer une nouvelle religion avec son ami Novalis, déplore la dégénérescence de la mystique en politique : « le christianisme est devenu trop politique, et sa politique est trop matérielle ». D'où la formule : « la nouvelle religion doit être tout entière magie *(die neue Religion soll ganz Magie sein)* » ([49]). A une religion cantonnée dans les observances, passée en habitudes, doit être substituée une religion de l'imagination créatrice, capable de se donner les formes de sa dévotion. Quelques mois plus tard, dans ses *Discours sur la religion,* Schleiermacher, au scandale des orthodoxies, devait reprendre la thèse. Le fidèle authentique, capable de créer une religion pour son usage personnel, ne se contente pas de respecter les conformismes institués ; sa foi, sa piété doivent exprimer les urgences de son être selon les voies qu'il estime les plus appropriées. Ce qui ne signifie pas la condamnation des liturgies et pratiques en usage, mais elles ne sont admises que moyennant vérification de leur authenticité spirituelle.

L'homme romantique, exerçant les pouvoirs magiques de son imagination, ne jouit pas d'une souveraineté absolue. L'alchimiste utilise les

([49]) Frederic SCHLEGEL à Novalis, 2 décembre 1798 ; dans NOVALIS, *Schriften*, hgg. KLUCKHOHN et SAMUEL, Bd. IV, 1975, p. 510.

pouvoirs des éléments qu'il met en œuvre ; il doit passer par la connaissance de leurs vertus réelles ; sa puissance créatrice est subordonnée à l'ordre des choses, sans quoi il aurait pu fabriquer directement le fabuleux métal de ses rêves. Toute création, en condition humaine, est une création sous conditions. L'artiste ne prétend pas être créateur à partir de rien ; son sens religieux l'assure qu'il n'y a pas d'autre Dieu que Dieu. Le créateur humain demeure créature ; il recueille des fragments de l'œuvre divine et les manipule selon la mesure des pouvoirs qui lui ont été donnés, tel un enfant jouant avec des galets sur la plage. Cette image, utilisée par Newton vieillissant, s'applique à l'homme romantique, conscient de sa dépendance à l'égard de la divinité.

L'espace romantique de l'habitation humaine n'est pas le vide géométrique ; c'est un espace de présence, espace en expansion de la création divine, au sein duquel l'homme est doté d'un droit de reprise. Sa voyance s'exerce sur l'ensemble des objets et des aspects du séjour préparé par la Providence pour l'existence des hommes. L'isolement élégiaque des jeunes poètes qui portent un cœur en écharpe n'a qu'une signification relative ; romantisme du pauvre pour demoiselles de pensionnat, quand il y avait des pensionnats et des demoiselles. La complainte des amants séparés ou délaissés appartient à l'expérience lyrique de l'humanité de toujours ; mais l'orchestration romantique de cette situation ne se contente pas de développer une banale musique de chambre ou une romance pour midinettes.

La présence et l'absence, dans l'espace romantique, révèlent des profondeurs métaphysiques. Le désir charnel même ne poursuit pas le simple accomplissement dans le plaisir ; chez le Don Juan de Byron ou la Lélia de George Sand, la possession, la jouissance atteinte ou recherchée s'inscrivent dans la perspective d'une quête de l'Etre, désespérée dès le principe, parce qu'elle s'obstine à implorer de créatures finies une satisfaction infinie. Don Juan mène contre son ombre un combat impossible à gagner. Dans les duos d'amour ou dans les imprécations solitaires, la femme romantique, et l'homme, mettent en cause plus que leur partenaire ; leur aventure implique le paysage du monde, dont les horizons s'embrasent de leur passion ou dépérissent de leur désolation. Les inscriptions fugitives de leur présence trouvent leur signification dans leur rapport à la Présence totale de la divinité. La magie, blanche ou noire, de l'amour se trouve cantonnée dans les limites de la disproportion de l'homme, qui réduit toutes nos émotions à leur juste, ou plutôt injuste, valeur. Le romantisme n'est pas un solipsisme.

Amour ou pas, le sujet romantique existe solidaire, en liaison avec d'autres êtres, avec le reste de l'univers. Il s'oriente à tout instant en fonction de lignes de force qui définissent à travers l'immensité le réseau des affinités, des sympathies ou antipathies assurant la cohésion du réel total. Chaque vie individuelle expose une abstraction de la vie universelle et divine, dont elle procède à l'origine et à laquelle elle fera retour à la fin. Ainsi nos commencements ne sont pas le commencement, et nos terminaisons ne sont pas l'achèvement. Nous sommes en attente ; le sens que nous pouvons avoir du réel demeure tributaire d'une immensité dont les confins nous sont interdits. L'existence humaine, selon l'eschatologie chrétienne, se trouve en transition sur le chemin d'une destinée dont les origines et les aboutissements se dérobent dans les brumes fabuleuses de l'histoire sainte. Le savoir romantique découvre le même mystère dans l'histoire naturelle ; l'homme dans la nature s'inscrit dans la trajectoire d'une évolution dont nous ne pouvons réellement connaître ni les débuts ni la fin. Le recours à l'imagination comble la déficience de la science ; l'histoire de la nature selon la *Naturphilosophie* mobilise les puissances de la magie de l'imagination.

D'où la situation transitive de l'homme romantique, au sein d'un espace non délimité, entre des repères provisoires, dont les lointains n'existent pour lui qu'à l'état de pressentiment. Son passé, son avenir en tant qu'individu organique, personne historique, son identité même se projettent dans des au-delà imaginaires auxquels seule l'imagination nous ouvre des accès, selon l'ordre de la foi, sans garantie de validité objective. Le savoir romantique présuppose une *philosophie de la vie,* intelligibilité conjointe de l'anthropologie et de la cosmologie, des sciences de la nature et des sciences de l'homme, mais aussi valable dans les domaines de l'art et de la religion. Les inventaires de la connaissance, dans le style du positivisme et de l'intellectualisme, qui prétendent constituer le bilan restrictif de tel ou tel ensemble de faits objectivement délimité, et retranché du monde réel, s'ils présentent une utilité pratique, se situent dans un porte-à-faux métaphysique. On peut collectionner ces savoirs fragmentaires, les mettre en tas, sous forme d'encyclopédie. L'amoncellement des gros volumes fait impression sur des esprits naïfs ; mais l'encyclopédie représente le chef-d'œuvre de l'anarchie mentale.

Contre les menaces de la dispersion empirique, le savoir romantique maintient l'unité du vrai, qui fonde l'unité du monde et l'unité de l'homme, en dépit de l'universel mouvement évolutif qui anime la création. Au sein de la nature, aucun être, aucun aspect, aucun événement ne peut être retranché de l'ensemble, dont il subit la loi et exprime les rythmes. L'homme romantique est sous-tendu, dans son existence, et comme corroboré, par la vie solidaire de l'univers. Le savoir romantique a donné toutes les justifications nécessaires à l'analogie du microcosme et du macrocosme. Schelling a posé, en toute intrépidité, la question et donné la réponse. « Quel est donc ce lien mystérieux qui rattache notre esprit à la nature, quel est cet organe caché par l'intermédiaire duquel la nature parle à l'esprit, et l'esprit à la nature ? » ([50]). L'homme ne se trouve pas dans le monde par hasard, visiteur venu de n'importe où dans un monde préfabriqué ; il est absurde de prétendre qu'un hasard favorable lui a permis de prendre connaissance par la pensée de l'environnement dont il était l'hôte. Invoquer une harmonie préétablie entre l'homme et le monde, c'est couvrir notre ignorance d'un mot vide de sens ; de même, l'idée du Grand Architecte

([50]) *Idées pour une philosophie de la Nature* (1797), dans SCHELLING, *Essais,* trad. S. JANKÉLÉVITCH, Aubier, 1946, p. 86.

de l'univers, fabricant d'automates humains à l'échelle correspondante, ne peut satisfaire que des faibles d'esprit.

Schelling objecte : « l'existence de cette nature *en dehors* de moi n'explique pas, loin de là, son existence en moi. (...) Ce que nous prétendons, ce n'est pas que la nature coïncide comme par hasard avec les lois de notre esprit, (...) mais qu'elle exprime elle-même, nécessairement et primitivement, les lois de notre esprit et que non seulement elle les exprime, mais les réalise et qu'elle est et ne peut être appelée Nature que pour autant qu'elle fait l'un et l'autre » ([51]).

Présupposé romantique de la présence au monde, mis en œuvre, sans qu'ils s'en doutent, par les créateurs romantiques à travers la culture occidentale. Schelling a donné à cette perspective de pensée le nom de « philosophie de l'identité ». Le principe en est simple : « Tant que je suis identique à la nature, je la comprends aussi bien que ma propre vie ; je comprends comment cette vie générale de la nature se manifeste sous les formes les plus variées ; (...) mais dès que je me sépare de la nature et, avec moi, tout l'idéal, je ne me trouve plus en présence que d'un objet mort et je cesse de comprendre la possibilité de la vie en dehors de moi » ([52]). L'homme romantique n'est pas un individu quelconque, venu par hasard dans un monde quelconque, et qui s'en arrangerait comme il peut, telle la statue de Condillac. Etre au monde, c'est appartenir au monde, participer de son être au destin solidaire de la vie. « La Nature doit être l'Esprit visible, et l'Esprit la Nature invisible. C'est ici, dans l'identité absolue de l'Esprit *en nous* et de la Nature *en dehors* de nous, que doit se trouver la solution du problème de la possibilité d'une nature en dehors de nous » ([53]).

Seule la vie peut comprendre la vie : la conscience, la pensée sont des lieux d'émergence, des organes de la vie, dotée au niveau de l'humanité, de la capacité de se réfléchir, de prendre du recul par rapport à soi sous les espèces de la réflexion. Mais l'intellect humain s'égare lorsque, coupé de ses racines, et détaché du mouvement de la vie, il prétend se constituer en arbitre souverain de la vérité, comme s'il pouvait trouver en lui-même un commencement et une fin. La vie seule peut porter témoignage de la vie en son irréductible spécificité. Les tentatives de réduction, les analyses butent sur cet *Urphänomen* incontournable, selon la formule de Goethe. Condition originaire de la connaissance, la vie est un obstacle à la connaissance ; non transparente à elle-même, elle s'impose à la conscience sous les aspects multiples d'influences injustifiables en raison. Polarité, attraction, sympathie, sentiment et pressentiment, intuition, magnétisme, irradiations venues d'ailleurs, qui traversent la conscience, orientent le cours de la pensée, soumise à des champs de forces qui rendent illusoire toute prétention à l'autonomie. Au nom de ces évidences du dedans, le romantisme s'est dressé contre l'intellectualisme des Lumières. L'interprétation doit prendre acte de cette pensée

([51]) *Ibid.*
([52]) *Ibid.*, p. 79.
([53]) Pp. 86-87.

première de l'identité de la Nature et de l'Esprit, sans laquelle la critique littéraire, artistique ou scientifique demeurerait incomplète. Le rapport au Tout, à l'englobant mystérieux, donne à toute ouverture de la pensée ou de l'action le sens d'une réintégration dans ce « tout merveilleux », dont parle Novalis, et avec lequel il se sentait communier dans sa vie et dans sa mort. Imagination créatrice, idéalisme magique n'apparaissent plus comme des productions arbitraires, mais comme des tentatives pour libérer l'inspiration du moi profond, captive des scléroses du moi utilitaire et social, du moi superficiel, comme disait Bergson.

Ainsi se trouve levée l'opposition entre le conscient et l'inconscient, l'un et l'autre proposant des modes d'appréhension de la réalité, sans que la conscience puisse faire autorité par rapport à l'Etre. Le sentiment, la mythologie, la symbolique poétique, approches aussi valables, sinon davantage, que les théorèmes et axiomatiques des sciences rigoureuses qui ne sauraient prétendre à une prise d'être privilégiée. Doctrine qui n'a jamais été développée dans son intégralité, et qui aurait été trahie par toute formulation systématique. Frédéric Schlegel, dans la fin assagie d'une existence tourmentée, devenu conférencier mondain, consacra l'un de ses derniers cours au thème de la philosophie de la vie (*Philosophie des Lebens*, 1828). L'initiateur du romantisme tente de regrouper les acquisitions de la présence au monde, le nouveau contrat d'établissement de l'homme dans l'univers ; la vie lui paraît la nouvelle origine. La philosophie de la vie procède « à partir du point de vue de la vie et du sentiment vivant *(von dem Standpunkte des Lebens und des lebendigen Gefühls)* » ([54]).

Cette philosophie s'oppose à la science rationnelle *(Vernunftwissenschaft)*. Son point d'attache est « le centre vivant de toute vie *(den lebendigen Mittelpunkt alles Leben)* et aussi de toute pensée et de tout savoir, qu'elle s'efforce d'atteindre, de saisir adroitement et de comprendre avec exactitude » ([55]). Schlegel aborde la vérité sans espoir de la soumettre à un contrôle exprimant la domination de l'esprit. L'investigation, autour de ce centre vital de vérité, tente de l'éclairer de tous côtés, sans privilégier un point de vue parmi les autres. « Le critère d'exactitude scientifique de la véritable méthode de pensée, qui prétend être une méthode vivante, est d'ordre intérieur » ([56]). Le ressourcement romantique maintient la priorité de l'espace du dedans, non sous l'aspect de l'intériorité abstraite de l'intellectualisme, mais au sens concret de l'intériorité vitale humaine, dans la richesse de ses éléments constituants. « Chaque expression, y compris la meilleure et la plus frappante, demeure toujours de beaucoup inférieure au sentiment. Le sentiment *(Gefühl)* est tout, le plein milieu de la vie intérieure, le point de départ de la philosophie, auquel elle fait toujours retour » ([57]). Cette richesse

([54]) Fr. SCHLEGEL, *Philosophie der Sprache und des Wortes*, VI, 1830 ; *Werke*, kritische Ausgabe, Bd. X, 1969, p. 457.
([55]) *Ibid.*, p. 458.
([56]) *Ibid.*
([57]) P. 459.

inépuisable trouve ses figurations adéquates dans des mots communs, tels que foi, espérance, amour.

Les réalités proposées du dehors par les sciences expérimentales sont subordonnées à l'expérience intérieure première, qui renvoie elle-même à la situation de l'homme devant Dieu. Connaissance opposée à l'approche intellectuelle ; « le principe de la raison dialectique trouble la vie et la détruit ; il doit être évité et réfuté par-dessus tout » ([58]). Les informations fournies par les disciplines scientifiques peuvent être utilisées, pour les facilités qu'elles procurent, mais on doit éviter de se laisser captiver par elles ; par exemple on doit redouter le piège des mathématiques, « comme une cotte de mailles constituée par un ensemble d'innombrables petites chaînes et anneaux... » ([59]). Mais l'intelligibilité en question ne se réduit pas à une philosophie de la nature, « parce que l'homme dans sa vie est plus que simple nature, davantage qu'un être naturel » ; la philosophie de la vie est une connaissance humaine de l'homme. Dans son rapport à Dieu, l'homme acquiert une dignité supérieure à celle d'un être naturel ou d'une machine rationnelle *(Vernunftmaschine)* ; la philosophie de la vie équivaut en réalité à une « philosophie divine » *(Gottesphilosophie)* ([60]).

Frédéric Schlegel obéit à des aspirations religieuses ; le concept de vie oscille entre la biologie et un spiritualisme gnostique, violemment opposé à la théologie, « ou science de la foi positive, qui est du même ordre que les mathématiques pures » ([61]) ; elle se déploie en jeux de mots purement verbaux. La philosophie de la vie se contentera d'indiquer, d'élucider, toutes procédures de monstration plutôt que de démonstration ; entreprise de dévoilement de l'Etre ou d'éclaircissement du sens, sans recours aux ratiocinations intellectuelles. De là une connaissance supérieure à la science, en laquelle Schlegel croit trouver une science seconde, science à la puissance supérieure, une science de la science, puisqu'elle porte sur l'Etre, qui échappe aux prises des sciences proprement dites.

La Création ne doit pas être conçue comme le produit stabilisé, sclérosé, d'une initiative qui aurait eu lieu dans la nuit des temps originaires. Après quoi, Dieu aurait abandonné à son sort le système du monde, figé dans la forme fixée par lui au commencement. Le dynamisme de la création anime du dedans le devenir du monde ; l'évolution universelle n'est pas un principe physique ou biologique seulement, mais un principe transphysique, dont la perspective commande le passé et l'avenir de l'univers. Le courant de la vie, émané de Dieu au départ, se trouve en chemin vers la réintégration au sein de la divinité ; tel est le grand axe de la croissance universelle, toute forme stable demeurant provisoire et transitoire. « La Nature dans sa totalité est un arbre de vie *(Die Natur (...) im Ganzen ist ein Lebensbaum)* » ([62]).

([58]) *Philosophie des Lebens,* IX, 1828 ; *Werke,* kritische Ausgabe, Bd. IX, 1969, p. 165.
([59]) *Ibid.,* p. 166.
([60]) *Ibid.,* p. 167.
([61]) *Philosophie des Lebens,* éd. citée, p. 106.
([62]) *Op. cit.,* p. 106.

Animée par l'impulsion de la vie divine, la végétation de l'arbre sacré ne cesse de se renouveler jusqu'à l'accomplissement eschatologique.

Une vingtaine d'années avant les conférences sur la *Philosophie de la Vie,* Schlegel avait déjà exposé sa théorie de l'organicisme universel : « Toutes choses se trouvent organisées en une solidarité organique ; rien dans la chaîne infinie des êtres n'est mort et mécanique ; tout est animé et pénétré par le même esprit de vie. Partout se manifestent, à un degré moindre ou plus élevé, la puissance et l'activité infinies qui assemblent le tout en un grand système, et se trouvent à l'œuvre dans l'individu particulier comme dans la totalité. Nulle part de coupure ou de point d'arrêt, partout règne la solidarité la plus intime, une unité dans la réciprocité d'influence qui se poursuit dans une éternelle harmonie. Et ce qui s'applique aux objets doit aussi s'appliquer au domaine des concepts. Eux aussi doivent former une solidarité organique, constituer une totalité organique ; ils ne doivent pas être assemblés et ordonnés selon un ordre et une disposition extérieurs et mécaniques ; ils doivent être liés par la vertu d'une unité intime véritablement vivante » ([63]). A la fin de sa vie, Schlegel transpose le schéma organiciste dans l'ordre de l'eschatologie, présupposé vingt ans auparavant. La biologie est ensemble une pneumatologie ; l'histoire naturelle s'accomplit en histoire surnaturelle.

La continuité vitale l'emporte sur les découpages du physicalisme ; espace et temps fusionnent au sein du mobilisme universel. Dieu n'est pas la nature, Dieu n'est pas dans la nature, la nature n'est pas le corps de Dieu, mais un exposant de la divinité, une révélation symbolique de l'insondable mystère divin. Les systèmes de raison, les analyses scientifiques du déterminisme mécaniste masquent la présence de Dieu ; ils figent le dynamisme divin de cette présence, que l'approche romantique du réel s'efforce de remettre en honneur.

L'homme romantique inscrit sa destinée dans le cheminement du dynamisme universel. « La vie constitue la source commune, l'origine dont procèdent conjointement la réalité matérielle et la pensée intime, la vie et la conscience. En cet unique concept commun de la vie, la réalité et la conscience se rencontrent de nouveau et fusionnent. L'opposition disparaît complètement en tant que telle ; il n'en reste, en fait de réalité, que des degrés de différence, des nuances intermédiaires, le changement d'un état à un autre, comme de la vie à la mort, du sommeil à la veille » ([64]). Présupposé tacitement reconnu par l'ensemble des sympathisants du romantisme ; on pourrait y voir un critère pour déterminer l'absence ou la présence de romantisme dans un cas litigieux. Le principe formulé par Schelling, de l'identité entre « la réalité matérielle » et la « pensée intime », justifie la réhabilitation de l'imagination et la doctrine de l'idéalisme magique.

Oublié par les philosophes, qui ne le reconnaissent pas comme un des leurs, insuffisamment étudié par les historiens de la littérature, qui se

([63]) Fr. SCHLEGEL, *Kölner Vorlesungen ueber die Philosophie,* 1804-1806 ; *Werke,* Kritische Ausgabe, Bd. XII, p. 263.
([64]) *Philosophie der Sprache und des Wortes,* VIII, 1829 ; éd. citée, Bd. X, p. 501.

limitent aux œuvres de jeunesse, Frédéric Schlegel est le porte-parole du romantisme en tant que tel. Les textes de la fin, inspirés par la foi catholique, à distance respectueuse de tout credo doctrinal, manifestent une suspicion louable à l'égard de la spéculation théologique et de ses contraintes. Comme l'ami de sa jeunesse, Schleiermacher, dans ses *Discours sur la religion,* Schlegel, dans sa *Philosophie de la vie,* en dehors de toute obédience confessionnelle, récapitule les tendances essentielles du savoir romantique : immanence, panenthéisme, philosophie de l'identité, organicisme, *Naturphilosophie.* La pensée négative se justifie par le fait que le parcours de la connaissance, au commencement et à la fin, se trouve absorbé dans les abîmes de l'eschatologie ; ainsi se trouvent relativisées les prétentions du discours humain.

Le domaine des sciences humaines subira l'irradiation de ce nouveau rapport au monde. L'herméneutique romantique part du principe que la vie seule peut comprendre la vie ; la pensée, organe de la vie, ne peut se détacher du mouvement qui la porte, pour se constituer en juge arbitre souverain de la vérité. Une connaissance par sympathie et participation se substitue à la connaissance par survol. Les sciences humaines n'ont pas à poser, à imposer les conditions de leur activité ; elles éclairent autant qu'il est possible un devenir dont les tenants et les aboutissants leur échappent, puisque l'existence humaine n'est pas transparente à elle-même.

Le matérialisme est une philosophie de la chose ou des choses. L'idéalisme, philosophie de l'esprit, fait sécession par rapport à la réalité pour préserver la vérité. La pensée romantique, philosophie de l'incarnation, refuse de dissocier le réel et le vrai. Il est absurde de perdre le monde pour sauver la raison, tout autant que de perdre la raison pour donner la parole à la matérialité des choses, qui sont incapables de prendre la parole. La philosophie de la vie se propose de constituer une intelligibilité aux confins du corps et de la conscience, dans le lieu propre de l'homme. Un tel parti pris, entaché de contradiction dans son principe, contrevient aux règles élémentaires de la logique. Mais la logique est mal faite ; elle refuse de reconnaître le statut ontologique de la condition humaine ; il n'appartient pas au logicien d'imposer ses conditions à la vie ; c'est au logicien de trouver un mode de pensée approprié à la spécificité de l'être humain au sein de la vie universelle.

Le romantisme a tenté de constituer une philosophie de l'homme dans sa condition réelle. Initiative qui semble demeurée sans succès ; Schelling s'est rapidement désintéressé de son projet. Quant aux vues de Frédéric Schlegel dans ses derniers livres, elles restèrent sans écho. Le dix-neuvième siècle, lassé des excentricités romantiques, s'est tourné vers les physiciens et biologistes, pour leur demander une vérité conforme au modèle élaboré dans les sciences expérimentales. Positivisme et scientisme proposent le credo des nouveaux temps. La subjectivité, les états d'âme, les effusions pieuses n'ont rien à voir avec l'ordre du monde et les intérêts réels des hommes. Les savants, les médecins, par l'efficacité de leurs recherches, comblent l'humanité de bienfaits qui ne doivent rien au lyrisme poético-religieux des tenants du romantisme.

Il ne saurait être question de refuser les acquisitions des sciences, ni de nier l'importance du développement technologique pour le bien-être de l'humanité, en dépit de l'ambiguïté de l'inflation industrielle, dont les conséquences sont loin d'être toutes bénéfiques. Doués de conscience, nous ne pouvons nous dispenser de prendre conscience de cette conscience pour nous situer au sein du réel total. Le souci philosophique ne peut être supprimé par décret ; comblés de vérités scientifiques et de gâteries techniques, les hommes ne peuvent éviter de se poser les questions du pourquoi et du comment, ne fût-ce que pour savoir quel usage faire des biens dont ils disposent. L'élucidation de sa propre destinée fait partie des obligations de l'*homo sapiens*.

L'approche romantique de la vie, en dehors de toute affiliation à un corps de doctrine élaboré, semble bénéficier du privilège de la simplicité et de l'humilité. L'impérialisme de la raison raisonnante commence par s'abstraire de l'expérience humaine, pour la régenter au nom des exigences supérieures de la Méthode, de la Théorie, de l'Idéal, etc., ce qui équivaut à placer l'origine de la réflexion dans une dénaturation du donné. Ce genre d'ascèse, réservé à des amateurs éclairés, ne peut que rebuter des esprits normalement constitués, dont le souci est d'ouvrir les yeux au sein de la confusion d'une existence difficile. Descartes, dans son poêle germanique, s'arrache au champ des forces de la gravitation terrestre, découvre miraculeusement l'absolu de son esprit, puis entreprend avec Dieu un colloque singulier. Ce conte de fées métaphysique n'est pas donné à tout le monde.

L'homme quelconque, incapable d'une telle envolée, tente de donner sens à son cheminement au sein d'une réalité qui l'englobe et dont il pressent qu'aucune manipulation de l'intellect ne parviendra à l'extraire. Il lui faut penser à partir de l'endroit où il se trouve, en faisant l'inventaire de la situation où il a pris terre. La pensée, au lieu de s'attribuer par décret une initiative qui ne lui revient pas, se contente modestement de se mettre en place à son heure et à son rang dans la réalité totale. La philosophie de la vie s'enracine dans une philosophie de la nature, sillage de la vie dans la hiérarchie des espèces ; l'émergence progressive de la conscience selon l'ordre mental décrit une trajectoire ascendante à travers les formes d'une spiritualité de plus en plus pure. Le domaine humain de la connaissance se déploie entre l'inconscient infra-mental de la vie biologique et un inconscient supérieur de la présence divine, à laquelle notre pensée incarnée ne peut avoir accès. La vie organique en son économie immanente se dérobe aux récurrences de la conscience, et pareillement la pure spiritualité, l'absolu de l'Etre, pôle d'aspiration auquel il ne nous est pas possible d'accéder.

La philosophie de la vie propose une pensée en condition et sous condition. Si elle ne peut prétendre à tout, au nom d'un impérialisme de la raison, il n'est pas vrai qu'elle ne puisse prétendre à rien. Il appartient à tout être humain de faire sa demeure de pensée, d'établir son séjour au creux de l'être où son destin l'a placé, de déterminer les orientations majeures de son espace vital et mental, de repérer les coordonnées axiologiques et ontologiques de son domaine propre au sein de l'immensité. Une telle analyse ne constitue pas un inventaire de faits matériels, de données empiriques ; nous n'habitons pas un monde de faits, mais un monde de valeurs et de significations qui, à tout instant, sous-tendent les indications apparemment positives, dont les éléments fournis par les sens extérieurs sont organisés par la représentation. Même si nous habitons le même monde que le chien, l'abeille, le chêne ou le moineau, notre monde vécu et pensé n'a pas grand-chose de commun avec le leur. Il existe des *a priori* constitutifs de la vérité humaine, laquelle s'enracine dans la réalité organique et mentale de l'être humain, dans sa conscience aussi bien que dans son inconscient.

Une investigation de l'humain dans sa diversité entreprend un inventaire des expressions de l'humanité, de la biologie à la sociologie en passant par la psychologie. Le programme serait celui d'une anthropologie, à condition de donner à ce terme une signification non restrictive et non scientiste ; l'anthropologie, organique et culturelle, serait le territoire commun des disciplines vouées à l'exploration de l'ordre humain dans l'art et dans la religion, dans la politique et dans la vie quotidienne, etc. Les sciences positives elles-mêmes entrent dans ce cadre ; la recherche scientifique et technique développe un rapport au monde qui met en œuvre les valeurs fondatrices de l'*a priori* humain.

Wilhelm Dilthey (1833-1911), historien de la culture occidentale et ensemble théoricien de l'épistémologie des sciences humaines, a insisté sur le caractère irréductible de la vie, au principe de toute réflexion sur la réalité humaine, *Urphänomen,* point de départ en deçà duquel il nous est impossible de remonter. Selon un texte de jeunesse, « vivre veut dire : dans la représentation et dans l'activité, laisser agir sur soi toutes les forces du monde, parvenir à regrouper tous les traits de son propre être sous une forme unique, — ainsi se constitue l'œuvre d'art de notre existence. (...) En lui-même, chaque individu est original, avec sa joie propre et sa souffrance, embrassant son monde à lui, avec, en lui, une source de joies et de peines sans fin, agissant et se cultivant toujours davantage. En fin de compte, tout se ramène à se comprendre soi-même, à se vouloir soi-même, c'est-à-dire à vouloir l'idéal, qui ne fait qu'un avec notre mise en place dans l'ordre du monde » ([65]). Chaque homme est donné à lui-même comme une tâche, comme une œuvre à accomplir. Chaque homme est son propre Prométhée, disait Michelet. Nietzsche, autre affirmateur de la philosophie de la vie, a magnifiquement orchestré ce thème au sein duquel la connaissance du réel et l'exigence des valeurs sont étroitement liés.

« En deçà de la vie, se plaît à répéter le Dilthey de la maturité, il est impossible à la connaissance de remonter » ([66]). Cet *a priori* est difficile à préciser. « La vie est l'ensemble des réciprocités d'actions entre personnes selon les conditions imposées par le monde extérieur, cet ensemble étant considéré indépendamment des situations changeantes de

([65]) Notes de journal, 24 mars 1860 ; dans *Der junge Dilthey,* hgg. Clara MISCH, Leipzig, Berlin, 1933, p. 117.
([66]) DILTHEY, *Gesammelte Schriften,* Leipzig, 1927, Bd. VIII, p. 184.

l'espace et du temps. Je restreins l'emploi du mot Vie dans les sciences humaines au domaine proprement humain. (...) La vie consiste dans l'influence réciproque des unités individuelles de vie » ([67]). L'analyse se situe au niveau des événements en tant que tels, des interprétations et des valeurs. Pour éclairer sa pratique de l'histoire culturelle, Dilthey a proposé des « catégories de la vie », permettant une analyse existentielle du sens humain de la vie humaine. La vie en tant que révélation globale de l'existence « ne peut être conduite devant le tribunal de la raison » ([68]) ; il faut l'accepter telle qu'elle se donne à nous, regroupée en configurations spécifiques. L'unité de compte pourrait être l'expérience de vie *(Erlebnis)*, modalité de l'*Erleben*, qui doit être approchée et décrite selon l'ordre de la *signification (Bedeutung)*. La réalité historique vécue se constitue en forme d'ensembles structurés, expressions d'un dynamisme immanent, que Dilthey décrit dans le langage organiciste du romantisme en termes de pulsion, germination, floraison ; la croissance, obscure et inconsciente chez les plantes et les animaux, s'épanouit en conscience dans l'homme, sans pourtant se réduire à la conscience. Dilthey a été l'un des premiers à reconnaître une importance majeure à la notion de *Weltanschauung*, représentation du monde, ou vision du monde, schéma régulateur de la pensée et du comportement, notion appelée à un bel avenir dans la philosophie contemporaine.

La *Weltanschauung* propose une systématisation de la présence au monde, localisée dans l'espace et dans le temps. « Les *Weltanschauungen* se fondent sur la nature de l'univers, et sur le rapport qu'entretient avec lui le sujet fini qui l'embrasse. Chacune d'entre elles exprime, dans les limites de notre pensée, un aspect de l'univers, et en cela elle est vraie. Mais elle est aussi unilatérale. Il nous est interdit de contempler à la fois l'ensemble de ces aspects. La pure lumière de la vérité ne nous est accessible que sous la forme de rayonnements multiples et dispersés » ([69]). La structure de notre vie spirituelle se projette dans ces conceptions de notre existence, expression de notre établissement au sein de la vie globale, constituant autant de modes d'accès à l'existence et d'orientations axiologiques. Une telle régulation théorique et pratique de notre être dans le monde possède conjointement un caractère individuel et une validité sociale. La mentalité d'une époque *(Zeitgeist)* se formule en représentations qui assurent l'unité communautaire des individus au sein d'un même espace-temps. Un siècle après Dilthey, les historiens devaient découvrir et baptiser du nom d' « histoire des mentalités » une « nouvelle histoire » que le maître de l'historicisme allemand avait mise en œuvre tout au long d'une féconde carrière. *Pereant qui ante nos nostra dixerunt.*

Dilthey, dans la tradition romantique de la vie, est le *Kulturphilosoph*, le penseur de la culture, équivalent, dans le domaine historique, des

([67]) *Schriften*, Bd. VII, p. 228 ; cf. O. F. BOLLNOW, *Dilthey, eine Einführung in seine Philosophie*, Leipzig, 1936, passim.
([68]) *Schriften, op. cit.*, Bd. VII, 339.
([69]) *Schriften*, Bd. VIII, p. 224.

Naturphilosophen, qui s'efforcent d'éclairer le sillage de l'élan vital dans son parcours biologique. Nation et culture sont deux dimensions de la réalité humaine, deux modes de l'incarnation, plus inclusifs qu'exclusifs l'un de l'autre, niveaux d'affirmation de l'exigence constitutive de l'être humain. La conception romantique de l'homme n'a pas été une mode passagère, disparue avec la sensibilité intellectuelle et le vocabulaire du premier tiers du XIXe siècle. Le rationalisme a allumé des contre-feux ; le naturalisme, le positivisme, le scientisme ont connu à leur tour les faveurs de la classe lettrée ; la tradition hégélienne, réorchestrée par Marx et bénéficiant du support logistique d'un puissant mouvement social, a mis en honneur le quadrillage géométrique de la réalité humaine, matérielle et morale, propulsée par le développement économique et technique vers une irrémédiable fin de l'histoire, auréolée de prestiges eschatologiques. Ce rationalisme de masse, indifférent à la condition humaine, s'est révélé comme une machine totalitaire à broyer les peuples sous l'invocation d'un impérialisme sans visage, sans d'ailleurs que l'on puisse établir une relation intelligible entre la doctrine de Karl Marx et les applications démentes dont ses disciples, ou prétendus tels, ont pris l'initiative.

L'inspiration romantique demeure présente là où une philosophie de la nature ou une philosophie de la culture, respectueuses de l'*a priori* de l'incarnation de la vie, tentent de ressaisir les configurations du phénomène humain, sans prétendre les réduire aux normes transcendantes d'une vérité définie une fois pour toutes. Le signe de cette attitude pourrait être le principe de la non-transparence de l'humanité à elle-même, et l'implication mutuelle irréductible des faits et des valeurs dans le domaine de la connaissance. Le prétendu esprit scientifique, disait Nietzsche, est une « tartuferie » ; toute « vérité » scientifique n'a de sens qu'en tant que vérité humaine, ou alors elle se réduit à une escroquerie de la part de ceux qui la mettent en avant.

Nietzsche sera l'un des mainteneurs du sens romantique de la vie. Dilthey a entretenu des relations avec Husserl, dont il considérait la tentative avec sympathie ; Heidegger s'est intéressé à l'œuvre de Dilthey. Le mouvement phénoménologique, dans son approche de la conscience, en dehors de tout idéalisme réducteur, met en œuvre certains présupposés de l'intelligibilité romantique. Le penseur qui développe une philosophie de la vie selon l'inspiration de Schelling, de Frédéric Schlegel et de Dilthey, tout en gardant une entière indépendance d'esprit, est Max Scheler (1874-1928), à la fois *Naturphilosoph* et *Kulturphilosoph ;* son espace mental embrasse l'ordre biologique et l'ordre sociologique, et sa pensée se préoccupe de constituer un ordre des valeurs à partir d'une analyse existentielle de la réalité humaine.

En France, la pensée romantique brille par son absence ; la philosophie française effectue en ces temps ingrats une traversée du désert. Certaines influences germaniques sont perceptibles dans la pensée de dignitaires du savoir ou de l'université ; Ravaisson et Lachelier entre autres. Le philosophe qui reprend à son compte la philosophie de la vie dans sa plénitude est Henri Bergson (1859-1941), contemporain de Husserl

(1859-1938) ; mais les deux hommes ne vivaient pas dans la même planète de pensée, et Bergson aurait rejeté toute étiquette romantique ; sans doute ignorait-il à peu près tout de la *Naturphilosophie*. Néanmoins *Matière et Mémoire* (1896), *L'Evolution créatrice* (1907) appartiennent à cette forme de pensée ; la théorie de l'élan vital est apparentée aux vues des biologistes romantiques, Carus, Schubert, Oken, Troxler, et autres, dont Bergson n'avait jamais entendu parler. D'autre part, l'inspiration de l'*Essai sur les données immédiates de la conscience* (1889), prolongée jusqu'aux *Deux sources de la morale et de la religion* (1932), est, elle aussi, d'affinité romantique, respectueuse des inflexions humaines de la réalité humaine, ouverte aux vocations d'une transcendance qui se dérobe en même temps qu'elle s'annonce. Bergson, non par hasard, a souligné la positivité du néant ; il a pu encourir le reproche d'immanentisme et de panthéisme.

Après Bergson, et avant la dissolution de la pensée philosophique en France, une place revient, dans le sillage du romantisme, à Maurice Merleau-Ponty (1908-1961), qui pourrait être le Scheler français. Son investigation se déploie dans la clairière d'intelligibilité où le domaine humain s'affirme, entre l'infraconscient de la nature et le supra-conscient des valeurs. Merleau-Ponty, à la fin de sa vie, songeait à élaborer une philosophie de la nature, alors qu'il avait jusque-là donné la prépondérance à l'analyse existentielle de la culture, à partir de points de départ empruntés à Husserl. En Angleterre, les esquisses d'une *Naturphilosophie* que l'on peut relever chez Coleridge ne semblent pas avoir eu de postérité ; le génie de la race est peu enclin à la spéculation métaphysique, et les tendances dominantes s'affirment selon le grand axe menant de l'empirisme du sens commun au positivisme logique, autre expression de l'impuissance à penser.

Il faudrait enfin signaler la persistance de la philosophie de la vie chez des biologistes contemporains qui, dans leurs tentatives d'anthropologie, tout en retenant les apports des disciplines positives en matière d'anatomie et de physiologie, mettent en évidence le caractère humain de la vie humaine, depuis la plus modeste cellule jusqu'à l'organisme entier. La puissante inspiration d'une *Naturphilosophie*, qui s'efforce de suivre à la trace l'inspiration de la création divine à travers les règnes et formes de la vie, s'affirme avec une originalité neuve dans l'œuvre de Pierre Teilhard de Chardin (1881-1955), géologue, paléontologiste, naturaliste et, tout au long de son parcours, théologien, au grand scandale de ses confrères ecclésiastiques et laïques. *Self made man* de la spéculation, Teilhard retrouvait par ses propres moyens la tradition gnostique reprise par le romantisme germanique ; il eut quelques disciples fervents, mais se heurta à la réprobation conjuguée des autorités romaines et de la science officielle. Il mourut en exil aux Etats-Unis, et le cimetière oublié où repose sa dépouille est aujourd'hui une dépendance d'une école de cuisine.

Plus modeste, plus proche de l'interprétation des faits, le néo-vitalisme contemporain perpétue la tradition de la *Naturphilosophie*, qu'il est possible de déchiffrer en transparence dans les travaux neurophysiologiques de Kurt Goldstein et de von Monakow, dans la psycho-biologie de Raymond Ruyer, chez le Suisse Adolf Portmann et le Néerlandais F. J. J. Buytendyk, ou encore, plus près de nous, dans la synthèse que poursuit Edgar Morin. Le renouvellement du langage scientifique ne doit pas dissimuler la continuité des intuitions.

L'homme romantique n'est pas mort. Sa présence hante les confins de notre culture, mauvaise conscience persistante, opposée aux déterminismes accablants de la civilisation industrielle et technique, et de la société de masse. Toute objection de conscience au nom de la subjectivité vécue contre les empiétements de l'extériorité, au nom de l'imagination contre la raison mécanisée, procède de la source du romantisme éternel. Le Surréalisme fut une réaction de compensation contre les déficiences de la réalité. Les slogans de mai 1968 : « l'imagination au pouvoir » ou « prenez vos désirs pour des réalités », étaient des formulations populaires de la doctrine romantique de l'idéalisme magique et de l'imagination productive.

Le thème baconien de l'homme ajouté à la nature présuppose une nature morte que l'homme de la technique exploite à son profit, en vertu d'un mot d'ordre baconien repris par Descartes et Karl Marx. Mais l'homme n'est pas étranger à la nature, il lui appartient ; incarné en elle, il doit y reconnaître le corps de son corps, y déchiffrer les linéaments de son destin. La leçon permanente du romantisme serait que le statut de l'être humain ne peut être reconnu en dehors d'une anthropo-cosmologie guidée par l'intuition d'un univers solidaire.

Achevé d'imprimer le 3 octobre 1984
sur presse CAMERON
dans les ateliers de la S.E.P.C.
à Saint-Amand-Montrond (Cher)

— N° d'impression : 2921-2016. —
Dépôt légal : octobre 1984.

Imprimé en France